Cahiers libres

Mickaël Correia

Une histoire populaire du football

La Découverte
9 *bis*, rue Abel-Hovelacque
75013 Paris

Composé par Facompo à Lisieux
Dépôt légal : mars 2018

Si vous désirez être tenu régulièrement informé de nos parutions, il vous suffit de vous abonner gratuitement à notre lettre d'information bimensuelle par courriel, à partir de notre site

www.editionsladecouverte.fr

où vous retrouverez l'ensemble de notre catalogue.

ISBN   978-2-7071-8959-2

Introduction

Terrains de foot, terrains de lutte

> « Créé par le pauvre, volé par le riche. »
>
> Banderole déployée par les supporters
> du Club Africain de Tunis
> à l'occasion d'une rencontre contre le PSG,
> 4 janvier 2017.

Q u'on le déplore ou non, le constat s'impose. Le football mondialisé, parangon du sport marchand et de la culture de masse, incarne plus que jamais les dérives du capitalisme débridé. Les grands clubs sont devenus des « marques ». C'est le cas par exemple du FC Barcelone, qu'un de ses dirigeants a comparé récemment, pour s'en réjouir, à la Walt Disney Company : « Ils ont Mickey Mouse, nous, nous avons Lionel Messi. Ils ont Disneyland ? Nous avons le Camp Nou [le stade du Barça]. Ils font des films, nous produisons des contenus. Nous ne regardons plus ce que font les autres clubs car nos référents appartiennent aujourd'hui à d'autres univers[1][a]... »

Aussi cynique soit-il, ce responsable n'a pas complètement tort. Les matchs sont désormais appréhendés comme des divertissements marchands. Les supporters deviennent de simples consommateurs. Les clubs tentent d'attirer les clientèles les plus rémunératrices. Placés au cœur de la stratégie commerciale des clubs d'élite, les stades ressemblent désormais à des parcs d'attractions qui se veulent à la fois familiaux et hypersécurisés. En Angleterre, les abonnements au tarif économique en Premier League oscillaient aux alentours des 600 euros en 2015. Un prix exorbitant qui témoigne de la vertigineuse marchandisation du football : entre 1990 et 2011, le prix des billets les moins onéreux pour accéder au stade Anfield Road de Liverpool, cité ouvrière du nord du pays, a ainsi augmenté de 1 108 %[2]. À Barcelone comme à Liverpool, à Paris comme à Milan, la sociologie des gradins évolue. « Je ne connais plus les gens autour de moi en tribune, s'étonne un vieux supporter du Barça. La moitié sont des inconnus, ça change tous les week-ends[3]. » Cette brutale gentrification des stades va de pair avec la désaffection des classes populaires qui,

---

a   Toutes les notes de référence sont classées par chapitre, en fin de ce livre, p. 377.

éloignées des enceintes sportives, sont réduites à suivre les matchs par écrans interposés.

La financiarisation des clubs fait flamber les coûts des transferts et les salaires des joueurs qui atteignent des montants tellement extraordinaires qu'on ne sait plus à quelle réalité économique ils correspondent. Le *naming*, pratique qui consiste à donner à une compétition ou à un stade le nom d'un sponsor, se généralise. Ainsi, en France, la deuxième division du championnat a été renommée en 2016 Domino's Ligue 2, du nom de la chaîne américaine de pizzeria industrielle, avant que le premier échelon national du football ne soit en 2017 rebaptisé Ligue 1 Conforama, enseigne de mobilier appartenant à un groupe sud-africain. De la même façon, les stades les plus prestigieux d'Europe se transforment peu à peu en étendards publicitaires pour multinationales, à l'image de l'Allianz Arena du Bayern de Munich ou de l'Emirates Stadium d'Arsenal.

Les valeurs véhiculées par le football professionnel ne sont guère plus reluisantes. Les compétitions exacerbent trop souvent les chauvinismes virils voire vindicatifs, et le culte des stars du ballon rond, devenues elles aussi des supports publicitaires et des valeurs spéculatives. Les invectives racistes, sexistes ou homophobes sont fréquentes, non seulement dans les gradins mais également dans les couloirs feutrés des fédérations nationales[b]. À l'échelle institutionnelle, la corruption qui gangrène les instances dirigeantes du football n'est plus un secret pour personne depuis les révélations du « FIFAgate ». En mai 2015, sept hauts dirigeants de la Fédération internationale de football-association (FIFA) ont été arrêtés à la demande de la justice étatsunienne et inculpés pour racket, fraude et blanchiment d'argent. Les suspicions de corruption portent notamment sur les conditions d'attribution des Coupes du monde.

D'une façon générale, les considérations éthiques sont loin d'être la priorité de l'autorité internationale du football. Quarante ans après avoir confié l'organisation du Mondial 1978 à une Argentine alors dirigée par la junte militaire du général Jorge Rafael Videla, l'attribution des Coupes du monde 2018 et 2022 à la Russie et au Qatar prouve une fois de plus que la FIFA sait se montrer bienveillante avec les régimes autoritaires tant qu'ils mettent suffisamment d'argent sur (ou sous) la table...

---

b   En 2011, la Fédération française de football avait envisagé la mise en place de quotas ethniques discriminatoires dans ses centres de formation afin de limiter le nombre de joueurs binationaux d'origine maghrébine ou subsaharienne.

L'autre face du football

En dépit de cet effarant paysage, le football continue de susciter un incroyable engouement populaire. Il rassemble quotidiennement des millions de joueurs et de joueuses s'adonnant aux joies du ballon rond. De manière organisée au sein d'un club de quartier ou de village, ou de façon improvisée sur le bitume des villes et les terrains de campagne, « taper le cuir » est une expérience quasi universelle. Elle transcende les nations et les générations mais aussi, cela est moins connu, les genres : en 2014, les instances officielles estimaient à 30 millions le nombre total de footballeuses à travers le monde[4]. Quant à la ferveur des supporters, elle se retrouve chaque week-end derrière la main courante des terrains municipaux comme dans les tribunes des meilleurs clubs professionnels. Et c'est par milliards que l'on compte les téléspectateurs, fans de longue date ou passionnés d'un soir, qui assistent aux matchs opposant les sélections internationales les plus prestigieuses.

Le pouvoir d'attraction du football découle de sa simplicité. Ses règles fondamentales sont particulièrement sommaires et, depuis sa première codification en 1863, les « 17 lois » qui régissent ce sport n'ont changé que marginalement. Sa pratique nécessite par ailleurs très peu de moyens : une balle, qui peut être rudimentaire, et une aire de jeu, qui peut facilement s'improviser (un coin de rue, un terrain vague...). Cette grammaire élémentaire, qui offre une étonnante liberté, permet une multitude de façons de jouer et fait, par conséquent, du football un sport aisément appropriable par tous et toutes. Taper le ballon procure ainsi un plaisir pur, dont les principaux ressorts résident dans l'esprit d'équipe, la circulation de la balle en tant qu'œuvre collective, l'engagement corporel dans la confrontation ou encore la recherche esthétique du « beau geste ». Comme aimait à dire Sócrates, joueur brésilien célèbre pour son engagement politique : « La beauté vient en premier. La victoire en second. L'important, c'est la joie. »

En tant que spectacle, le football tire sa popularité de sa force dramaturgique. Chaque rencontre respecte les principes du théâtre classique : unité de lieu (le terrain), de temps (la durée du match) et d'action (la totalité de la partie se déroule devant le public)[5]. Tout match est une intrigue à forte intensité dramatique dont le dénouement s'écrit sous les yeux des spectateurs attentifs à la circulation d'un ballon que se disputent deux équipes. Au cours d'une partie, on peut en quelques secondes passer de l'allégresse à la déception, de la peur à l'espoir, de la rage au sentiment d'injustice. « Le football, c'est l'émotion de l'incertitude et la possibilité de jouissance », résume admirablement l'ex-joueur international argentin Jorge Valdano[6]. Le calendrier des épreuves internationales vient même parfois esquisser les contours d'une mémoire partagée. La défaite inattendue du Brésil face à l'Uruguay lors de la finale du Mondial 1950 reste un traumatisme collectif dans la société brésilienne. En France, chacun a son souvenir de la victoire de l'équipe nationale, le 12 juillet 1998, en finale de la Coupe du monde.

La tension entre ces « deux footballs », celui qui se plie aux logiques marchandes et autoritaires et celui qui s'en émancipe, remonte aux origines de ce sport. Né au milieu du XIXe siècle dans une Angleterre alors en pleine révolution industrielle, le football est le fruit d'une standardisation des jeux populaires de ballon pratiqués depuis le Moyen Âge. La codification de ces jeux par les institutions scolaires des élites britanniques a permis l'intégration du football naissant dans l'arsenal de la pédagogie victorienne : l'objectif est alors de discipliner la jeunesse bourgeoise et d'insuffler chez elle l'esprit d'initiative et de compétition nécessaire au capitalisme industriel et à l'entreprise coloniale.

Mais le football conquiert rapidement les classes populaires. Diffusé par un patronat britannique particulièrement paternaliste, qui voyait dans ce sport un moyen d'enseigner à la *working class* le respect de l'autorité et la division du travail, le foot se répand comme une traînée de poudre. Ce faisant, il s'affranchit de la tutelle patronale : conçu par les capitaines d'industrie comme un moyen de contrôler leurs ouvriers et de les détourner des luttes sociales, le ballon rond contribue aussi à l'émergence d'une solide conscience de classe. Sa pratique hebdomadaire sur les terrains de l'usine instille le plaisir du jeu et forge de nouvelles sociabilités. Si la naissance des premières compétitions et des clubs professionnels s'effectue sous l'égide des entrepreneurs industriels, l'équipe de football locale renforce chez les travailleurs le sentiment de fierté et d'appartenance à un même quartier et *in fine* à une même communauté ouvrière. Les samedis après-midi passés dans les tribunes du stade, les victoires allégrement fêtées au pub, les conversations à l'usine autour des performances de l'équipe ou le recrutement par les clubs d'ouvriers-footballeurs enracinent la passion du ballon dans la culture ouvrière. Pour l'historien Eric Hobsbawm, le football incarne à partir des années 1880 une « religion laïque du prolétariat britannique », avec son église (le club), son lieu de culte (le stade) et ses fidèles (les supporters)[7].

Alors que le foot devient un trait fondamental de l'identité ouvrière urbaine, l'extension géographique de l'Empire britannique et l'essor industriel de l'économie européenne participent à la mondialisation du

ballon rond à l'orée du XXᵉ siècle. En 1918, dans ses chroniques turi-
noises publiées dans *Avanti !*, l'intellectuel marxiste Antonio Gramsci
analysait déjà le football comme révélateur de l'hégémonie culturelle
conquise par la bourgeoisie capitaliste[8]. Mais, en parallèle de ce football
dominant qui tiendra une place croissante dans la culture consumériste,
un autre football s'est construit *par en bas* grâce à sa diffusion au sein
des classes populaires.

Social Football Club

C'est à cet « autre football », moins médiatisé, que s'intéresse
cet ouvrage. À rebours des critiques radicales du sport, qui décrivent sans
nuance le football comme un nouvel « opium du peuple » et considèrent
avec hauteur les millions de personnes qui se passionnent pour ce sport
comme une masse indistincte d'aliénés, ce livre invite à découvrir ce
qu'il y a de subversif dans le football et à s'intéresser à toutes celles et
ceux qui en ont fait une arme d'émancipation. Au cours de l'Histoire
et aux quatre coins du monde, le football a été en effet le creuset de
nombre de résistances à l'ordre établi, qu'il soit patronal, colonial, dictatorial, patriarcal ou tout cela à la fois. Il a également permis de faire
émerger de nouvelles façons de lutter, de se divertir, de communiquer
– bref, d'exister.

Pour mettre en lumière cette histoire méconnue, ce livre n'adopte
pas une chronologie strictement linéaire. Les vingt-deux chapitres qui
le composent font circuler le récit, à la manière d'un ballon, sur cet
immense terrain de lutte qu'est la « planète football », de Manchester
à Buenos Aires, de Dakar à Istanbul, de São Paulo au Caire, de Turin à
Gaza... Forcément sinueuse et fragmentaire, cette histoire populaire du
ballon rond s'attache aussi à donner la parole aux protagonistes de cette
épopée, dans les tribunes du Barça sous le joug du franquisme comme
sur les terrains sud-africains durant les heures sombres de l'apartheid,
dans les clubs ouvriers français de l'entre-deux-guerres comme dans les
communautés zapatistes du Chiapas dans les années 2000.

Ce livre, enfin, se penche aussi bien sur les footballs contestataires et
en marge que sur le football institutionnel et professionnel. Retracer une
histoire populaire de ce sport implique en effet de dépasser la dichotomie
entre foot « sauvage » et foot « conventionnel ». Depuis les origines de
ce sport, les « riches » et les « pauvres », les « élites » et le « peuple », les
« dominants » et les « dominés », se disputent le ballon rond. Mais il ne

faut pas croire à une frontière étanche entre ces deux footballs. Elle est au contraire poreuse et mouvante. L'histoire du foot est celle d'une récupération et de réinventions permanentes. Hier, la *working class* britannique s'appropriait le football de la bourgeoisie victorienne. Aujourd'hui, les clubs millionnaires achètent à prix d'or des joueurs issus des quartiers défavorisés, les régimes autoritaires tentent de canaliser à leur profit les passions footballistiques et les multinationales exploitent les codes du football de rue pour vendre leurs chaussures de sport. Mais le combat continue : les supporters expulsent de leurs clubs les spéculateurs voraces ou se soulèvent contre les dictatures, les footballeuses mettent peu à peu le patriarcat hors jeu et les joueurs amateurs multiplient les pieds de nez aux instances professionnelles.

En esquissant un nouvel imaginaire politique bien éloigné de celui imposé par la culture footballistique dominante, l'ouvrage fait le pari que le football reste, avant tout et malgré tout, un formidable levier pour reprendre le pouvoir sur nos corps et nos vies. À l'heure où le libéralisme économique atomise les individus et traduit chacun de nos gestes sociaux en source de profit, le football est encore synonyme de générosité partagée et demeure une pratique où le geste qualifié de « beau » est par essence non rentable et où l'épanouissement individuel de chaque joueur est tributaire du mouvement collectif de l'équipe. Comme le clament les paroles du *You'll Never Walk Alone*, hymne mythique des supporters du Liverpool FC : « Bien que tes rêves soient maltraités et emportés par le vent/Continue de marcher, continue de marcher avec l'espoir dans ton cœur/Et tu ne marcheras jamais seul. »

I

Défendre.

*Résistances ouvrières
contre l'ordre bourgeois*

1

Et le football fut.
Ballons émeutiers et contrôle social

« Faire d'un pied léger poudroyer les sablons,
Voir bondir par les prés l'enflure des ballons. »

Pierre de RONSARD, *Le Bocage Royal*, 1584.

« Toi, vil footballeur ! »

Le Comte de Kent au Roi Lear,
in William SHAKESPEARE, *Le Roi Lear*, 1606.

« A lors que notre seigneur le Roi s'en va vers le pays d'Écosse dans sa guerre contre ses ennemis et nous a recommandé particulièrement de maintenir strictement la paix [...] et alors qu'il y a une grande clameur dans la cité, à cause d'un certain tumulte provoqué par des jeux de football dans les terrains publics, qui peuvent provoquer de nombreux maux – ce dont Dieu nous préserve –, nous décidons et interdisons, au nom du Roi, sous peine de prison, que de tels jeux soient pratiqués désormais dans la cité », décrète en avril 1314 Nicholas de Farndone, lord-maire de Londres[1]. Promulguée au nom du roi Édouard II d'Angleterre, cette ordonnance s'étend à d'autres cités du Royaume sous le règne du fils héritier du Trône, Édouard III, qui réitère par trois fois cet édit contre le ballon rond. Dans un pays prêt à sombrer dans la guerre de Cent Ans et dévasté par la peste noire, les premières mentions historiques de la pratique du football sont intimement liées au rétablissement de l'ordre public, le belliqueux Édouard III encourageant ses sujets à s'adonner au tir à l'arc et autres exercices ayant un caractère militaire plutôt qu'aux turbulents « jeux de *foeth ball* ». Depuis le XIVe siècle jusqu'au XIXe siècle, on retrouve au fil des descriptions de jeux de ballon une même structure de pratiques qui, présentes dans toute la Grande-Bretagne et dans le nord-ouest de la France, sont qualifiées en anglais de *folk football* (ou *mob football*) et en français de soule (ou choule). Des jeux collectifs de balle étant mentionnés dès la Grèce antique – le *sphairomachia* et l'*episkyros* – puis sous l'Empire romain – l'*harpastum* des légion-

13

naires[a] –, les origines de ce proto-football si décrié par les autorités royales demeurent néanmoins sinueuses[b]. L'ethnographe Émile Souvestre qui décrivit dans le détail les parties de soule en Basse-Bretagne au XIX[e] siècle assure que « cet exercice est un dernier vestige du culte que les Celtes rendaient au soleil. Ce ballon, par sa forme sphérique, représentait l'astre du jour ; on le jetait en l'air comme pour le faire toucher cet astre, et lorsqu'il retombait, on se le disputait ainsi qu'un objet sacré[2] ». Le terme « soule » viendrait du celtique *heaul*, le soleil, modifié par les Romains en *seaul* ou *soul* mais pourrait tout aussi bien provenir du mot latin *solea* qui désigne plus humblement la sandale romaine.

Si les premières traces du jeu de football se révèlent par le truchement de son interdiction, c'est à partir de la seconde moitié du XVe siècle, sous le règne d'Henri VI d'Angleterre, qu'on le décrit en tant qu'activité ludique, toujours entaché d'une réputation des plus détestables : « Certains nomment jeu de football le jeu qui les réunit pour se récréer ensemble. Dans le jeu rural, les jeunes gens poussent une balle énorme non pas en la lançant en l'air mais en la cognant violemment et en la faisant rouler sur le sol, et cela non pas à la main, mais au pied. C'est une activité [...] plus vulgaire, plus indigne et plus méprisable que toute autre sorte de jeu, un jeu se terminant rarement sans quelque perte, accident ou préjudice pour les joueurs eux-mêmes[3]. »

À Chester, au nord-ouest de l'Angleterre, une archive de la municipalité datant de 1540 évoque la coutume qu'avaient les cordonniers d'affronter, chaque Mardi Gras, les drapiers de la ville avec une balle de cuir appelée « *foutbale* ». Mais, loin de célébrer cette pratique, le document dénonce ces « mauvaises gens » et l'« embarras » qu'ils causent dans la cité[4]. Dans le Dorsetshire, à Corfe Castle, la Compagnie des citoyens libres marbriers jouait tous les ans une partie de football dans le cadre du Shrovetide – les trois Jours Gras précédant le Carême. Le calendrier du jeu, généralement organisé pour Mardi Gras jusqu'à la fin du Moyen Âge, semble essentiellement reposer sur celui des fêtes chrétiennes[5].

En 1698, l'écrivain français François Maximilien Misson, dans ses *Mémoires et observations faites par un voyageur en Angleterre*, évoque quant à lui le football en des termes plus avenants : « En hiver, le football est

---

a L'*harpastum* pourrait être à l'origine du *calcio fiorentino*, jeu de ballon pratiqué à Florence dès le Moyen Âge.

b Des jeux de ballon ont été également pratiqués en Amérique précolombienne (le *tlatchi*), dans le Japon féodal (le *kemari*) ou encore en Chine (le *cuju*) sous la dynastie Han.

un exercice utile et charmant. C'est un ballon de cuir gros comme la tête et rempli de vent. Cela se ballotte avec le pied dans les rues par celui qui le peut attraper ; il n'y a point d'autre science[6]. » C'est qu'en effet les règles de ce proto-football sont pour le moins minimalistes et varient en fonction de chaque territoire. On retrouve cependant un corpus de pratiques de jeu semblables d'une région à l'autre. Deux troupes rivales, et parfois plusieurs, doivent par n'importe quel moyen amener le ballon dans le camp opposé[c]. La balle de jeu, de la taille d'une tête, peut être un ballon de cuir rempli de foin, de mousse ou de son, une boule de bois ou d'osier. L'endroit où déposer le ballon pour remporter la partie est marqué par un simple mur, la limite d'un champ, la porte d'une église, une trace arbitraire sur le sol ou encore une mare dans laquelle il faut plonger la balle. La taille du terrain varie elle aussi : celui-ci peut se limiter à une prairie comme s'étendre à l'ensemble du territoire des paroisses qui se confrontent. Quant au nombre de participants dans chaque camp, il est illimité : les joueurs peuvent se compter par centaines. Une partie de *folk football* ou de soule peut enfin durer quelques heures voire plusieurs jours.

Les épreuves sont presque toujours masculines : elles confrontent la plupart du temps des jeunes hommes entre eux. Elles opposent parfois les hommes mariés aux célibataires. Les femmes n'hésitent cependant pas à se lancer dans le jeu pour aider leur camp à remporter la victoire[7]. D'autres parties, notamment celles qui sont organisées annuellement dans les centres urbains, voient différents corps de métiers s'affronter. L'ethnologue Émile Souvestre détaille ainsi : « Les gens les plus solides et les plus agiles de chaque paroisse, sans qu'on tînt compte de l'égalité numérique des souleurs, formaient deux camps rivaux. Mais, dans quelques cas plus rares, les deux camps antagonistes étaient, au contraire, formés chacun par des contingents de plusieurs paroisses. C'étaient alors des joutes formidables, où les champions se comptaient par centaines, et qui se poursuivaient durant des journées entières avec un acharnement indescriptible. [...] On avait arrêté à l'avance à quelles conditions précises la partie serait considérée comme gagnée. Parfois, pour être déclaré vainqueur, il suffisait de porter le ballon sur le territoire de sa paroisse, parfois il fallait l'amener dans tel ou tel village désigné ; souvent on devait le faire entrer dans une maison, c'est ce qu'on appelait "loger" la soule[8]. »

---

c   Néanmoins, certains récits tardifs font parfois référence à la règle du *bann* qui protégeait le porteur de la soule.

Violence politique et justice populaire

Par-delà l'aspect fruste qu'offrent au premier abord ces jeux populaires, les parties de football recouvrent un espace ritualisé où la communauté – villageoise ou de corps de métiers – affirmait son existence. Dans le cas des confrontations entre mariés et célibataires, le jeu pouvait être appréhendé comme un rite d'initiation à la virilité masculine[9] mais possédait également une fonction intégratrice au sein de la communauté paysanne. Les parties de *folk football* ou de soule servaient à renforcer un mode de vie communautaire unissant les individus dans le jeu comme dans le travail agricole : les moissons, les plans d'ensemencement et les mises en jachère étaient en effet gérés collectivement à l'échelle villageoise. Lors des confrontations, la soule se transformait en « véritable combat [...] à travers les landes et les chemins, les coteaux et les vallons, les torrents et les rivières[10] ». Délimité en début de rencontre, l'espace de jeu pouvait facilement s'étendre en cours de partie : la connaissance du terrain et de celui de son adversaire devenait alors primordiale pour remporter le jeu[11]. Incarnation de la vitalité et de la cohésion sociale de toute une communauté, les jeux de football offraient également la victoire à ceux qui exploitaient au mieux les potentialités de leur territoire, une symbolique puissante au sein de l'imaginaire paysan. Enfin, il est à noter que ces rudes parties de ballon offraient à l'occasion un espace de transgression des hiérarchies sociales propre au temps du Carnaval et des Jours Gras où prêtres, nobles, bourgeois et autres notables locaux s'adonnaient librement à ce jeu du peuple – et ce quitte à ce que l'amour du ballon contamine les gentilshommes : au XVIe siècle, le poète Pierre de Ronsard et le roi de France Henri II pratiquaient ainsi régulièrement la soule aux abords de l'abbaye Saint-Germain-des-Prés à Paris.

Les jeux de proto-football étaient cependant invariablement vilipendés par les observateurs, qui y voyaient l'expression d'une intolérable violence physique. En 1583, le pamphlétaire et voyageur anglais Philipp Stubbs dépeint le *folk football*, dans *The Anatomie of Abuses*, comme l'« un de ces passe-temps diaboliques pratiqués même le dimanche, jeu sanguinaire et meurtrier plutôt que sport amical. Ne cherche-t-on pas à écraser le nez de son adversaire sur une pierre ? Ce ne sont que jambes rompues et yeux arrachés. Nul ne s'en tire sans blessures et celui qui en a causé le plus est le roi du jeu ». Quant à la soule, elle « n'allait guère sans plaies ou bosses, et ceux qui s'y livraient devaient s'estimer heureux s'ils n'avaient ni œil crevé, ni bras rompu, ni une jambe cassée[12] ». On dénombre aussi de nombreux noyés lorsque les parties se prolongeaient dans les étendues d'eau ou en bordure de mer. « Que de mâchoires brisées, de côtes enfoncées, d'yeux arrachés, de bras et de jambes rompues dans ces luttes terribles », rapporte trois siècles plus tard l'écrivain Hippolyte Violeau en évoquant les soules bretonnes[13].

Cette dénonciation de la violence physique occulte cependant le fait que ces sauvages parties de ballon permettaient le défoulement de rivalités voire de haines entre individus ou entre cantons. Un coup de poing pour laver un affront ou une jalousie, une mêlée généralisée pour mettre fin à une querelle de famille ou de voisinage : les jeux de football étaient ainsi un mode original de régulation des conflits individuels ou intervillageois, un espace public donnant lieu à une justice à la fois autonome et populaire[14]. Parfois, la vengeance à laquelle on pouvait s'adonner dans l'effervescence du jeu s'étoffait d'une dimension plus politique. L'historien du sport Jean-Michel Mehl mentionne ainsi une partie de soule lors des trois Jours Gras de 1369 : « Dans les violences qu'il exerce sur un écuyer qui participe comme lui au jeu, Martin le Tanneur cherche à se venger de la noblesse. Un réflexe de "classe" dicte sa façon de jouer. Quand on sait que cette soule a lieu dans le comté de Clermont-en-Beauvaisis, la leçon de cet exemple est plus nette : ce sont les rancunes nées de la Jacquerie et de sa répression qui s'étalent à l'occasion d'une manifestation ludique[15]. » En 1836, la soule bretonne peut même se muer en confrontation symbolique et politique entre la ville, industrielle et libérale, et la campagne, agricole et conservatrice : « Souvent aussi, une ville entre en lice contre une population rurale, et alors le combat s'envenime de toute la haine du paysan contre le bourgeois... C'est un duel de croyances, une bataille de chouans et de bleus livrée avec les poings et les ongles », rapporte Émile Souvestre[16].

Les foules rassemblées à l'occasion des parties de football pouvaient également être détournées à des fins insurrectionnelles, notamment dans l'Angleterre des XVIIe et XVIIIe siècles, en pleine période de privatisation du foncier agricole et de fin des droits d'usage des terres. Dans le comté d'Ely, situé dans l'Est-Anglie, une partie de football fut organisée en 1638 dans le but de saccager délibérément des digues mises en place pour assécher et transformer en terres arables des marais communaux (les *fens*) – travaux de drainage qui furent l'objet de protestations populaires au cours du XVIIe siècle[17]. Dans le Northamptonshire, il est fait mention en 1740 d'une partie de football réunissant cinq cents hommes à Kettering qui détruisirent un moulin privatisé pour le compte de Lady

Betey Jesmaine. *Idem* en 1765, à West Haddon, où des paysans, opposés à la mise en clôture de 2 000 acres de communaux, organisèrent sur le terrain une rencontre de football qui ne fut qu'un prétexte pour arracher puis brûler collectivement les clôtures. Cinq joueurs furent emprisonnés mais les organisateurs de ce match de football contestataire ne furent jamais retrouvés. À Holland Fen, dans le Lincolnshire, on dénombre pour le seul mois de juillet 1768 pas moins de trois émeutes footballistiques dans les *fens* réunissant deux cents hommes et plusieurs « femmes insurgées »[18].

Dénigrées en tant que simple « amusement violent[19] », ces pratiques populaires mettent ainsi en jeu un corps qui devient outil de régulation de tensions sociales et politiques[20]. Comme le rappelle le sociologue Patrick Vassort, « la soule répond à une dimension conflictuelle, conflit de générations, de classes, d'ordres, de villages, de cantons, de paroisses. La capacité de cette pratique à perdurer dans le temps démontre son efficience dans le rôle qui lui est dévolu : celui d'une justice populaire et immanente créatrice de pouvoirs[21] ». Cependant, par les incontrôlables désordres qu'ils engendrent et leur fonction de « justice locale autogérée » échappant aux pouvoirs étatiques et de droit divin, ces jeux de football s'attirent rapidement les foudres autoritaires.

Entre répression et domestication

Après la première ordonnance contre le football de 1314 pour cause de troubles à l'ordre public, on relève près d'une trentaine d'interdictions du ballon rond dans différentes villes et comtés d'Angleterre jusqu'en 1615. C'est que le *folk football* se popularise dans le pays, particulièrement auprès des jeunes apprentis qui aiment à se frotter aux autorités locales et sont souvent à l'origine des incidents de jeu[22]. Ainsi, dans le comté de Middlesex, quatorze individus sont jugés en 1576 pour s'être « assemblés illégalement » et avoir « joué à un certain jeu interdit appelé *football*, à cause duquel il y a eu parmi eux un grand tumulte, qui pouvait provoquer des homicides et de sérieux accidents ». Selon le compte rendu du procès, les accusés jouaient cette partie « avec des malfaiteurs inconnus au nombre de cent[23] ». En 1608 et 1609, deux ordonnances condamnent à Manchester le tort causé par « une compagnie de personnes viles et désordonnées s'adonnant à cet amusement illégal avec une *ffotebale* dans les rues » et mentionnent le grand nombre de fenêtres brisées au cours des parties qui se disputaient dans les rues[24].

Mais rien n'y fait, notent les sociologues Norbert Elias et Eric Dunning : « Bien que les autorités aient considéré cette activité comme étant un comportement asocial, s'amuser avec une balle – même si l'on se brisait des os et saignait du nez – demeura pendant des siècles le passe-temps favori du peuple dans la majeure partie du pays[25]. »

En France, dès 1319, Philippe V dit le Long ordonna l'interdiction de tous les jeux s'apparentant à la soule (*ludos soularum*)[26]. Charles V dit le Sage prit une mesure similaire en 1369[27], arguant de la prétendue vacuité de la pratique. L'Église catholique se mobilisa à son tour. En 1440, l'évêque de Tréguier, en Bretagne, bannit les souleurs de son diocèse : « Nous avons appris par des rapports d'hommes dignes de foi que dans quelques paroisses et autres lieux soumis à notre juridiction on se livre, les jours de fêtes et jours non fériés, depuis fort longtemps déjà, à un certain jeu très pernicieux et dangereux, avec un ballon rond, gros et puissant. [...] C'est pourquoi nous interdisons ce jeu dangereux et scandaleux, et déclarons passibles de la peine de l'excommunication et d'une amende de cent sols ceux de nos diocésains, à quelque rang ou condition qu'ils appartiennent, qui auraient l'audace ou la prétention de pratiquer le jeu susdit[28]. »

Pour l'Église il s'agit de condamner le libre jeu des corps dans la soule et les parties endiablées qui saccagent les lieux de culte ou les cimetières, voire s'achèvent en beuverie et festin collectifs[29]. Et si prêtres et chanoines se livrent parfois furieusement à ce jeu de ballon sur le parvis des églises et dans les cloîtres des abbayes, ils sont cependant rapidement réprimandés par les autorités cléricales, notamment par l'archevêque de Paris en 1512[30]. Quant aux autorités séculières, lassées de ces agitations intempestives et de l'effervescence populaire que ce jeu occasionne, elles tenteront de prohiber la soule, à l'instar du Parlement de Bretagne qui ordonne en 1686 l'interdiction de ce « jeu maudit » sur l'ensemble de sa juridiction.

Du XIVe au XVIIIe siècle, les nombreuses condamnations du ballon rond s'inscrivent dans un mouvement plus général de régulation de la violence des jeux, étroitement associé à la normalisation d'autres pratiques – alimentaires, sanitaires, sexuelles ou encore guerrières. Pour Norbert Elias, cette répression des jeux populaires, et plus globalement la généralisation du « contrôle des affects » dans les différentes sphères sociales des individus, est intimement liée à l'apparition depuis la Renaissance de structures étatiques centralisées qui tentent progressivement d'acquérir le monopole de la violence physique[31]. Les jeux de football sont cependant si enracinés dans les cultures populaires que ces interdictions émanant d'un pouvoir vertical, monarchique ou ecclésiastique, n'affectent que faiblement ces pratiques ludiques.

Plutôt qu'un bannissement pur et simple, certains seigneurs et notables cherchent cependant à contrôler le ballon rond pour le dévoyer en un instrument de pouvoir de proximité tout en contenant les potentiels débordements inhérents à sa pratique. Pour ces gentilshommes, une telle annexion des jeux du peuple participe à faire émerger ou à consolider divers pouvoirs locaux difficilement contrôlables par des États qui cherchent alors en Europe à se centraliser[32]. En France, la soule bretonne se transforme même, à partir du XVe siècle, en un droit féodal, une obligation que les paysans doivent rendre à leurs seigneurs. À Caden, dans le Morbihan, le dernier marié de l'année devait au seigneur de Bléheden une « soule de cuir neuf avec un pot de vin et un couple de pain ». La soule était lancée le lendemain de la Saint-Michel, par le seigneur ou son représentant, et l'épouse était « tenue de dire une chanson à danser lorsque ladite soule est jetée pour commencer[33] ». À cinquante kilomètres de là, à Josselin, la soule était offerte par le dernier homme marié le jour de Mardi Gras, avec deux pains, deux pots de vin et deux verres ; si le cérémonial n'était pas appliqué, le contrevenant se voyait infliger une amende[34]. Suite à l'interdiction du jeu par le Parlement de Bretagne, plusieurs seigneurs substituèrent l'obligation de fournir la soule par une offrande religieuse. En 1775, le seigneur de Cherville-en-Moigné, en Ille-et-Vilaine, exigea par exemple de recevoir à la fête des Rois un cierge d'une demi-livre en lieu et place « de la soule qu'on avait coutume de temps immémorial de présenter à ses prédécesseurs[35] ».

Si le jeu de soule perdure bon an mal an dans le nord-ouest de la France au XIXe siècle, voire au début du XXe, la répression se durcit à nouveau. En 1811, après la mort d'un homme au cours d'une soule à Corlay, dans les Côtes-d'Armor, le sous-préfet se plaint auprès du préfet de cet « amusement barbare qu'une bonne police aurait dû interdire depuis longtemps. [...] Ce désordre et cette confusion sont souvent l'occasion d'exercer des actes de vengeance et donnent toujours lieu à des excès condamnables[36] ». Le Second Empire réprime encore plus durement ces pratiques populaires. En 1857, un arrêt du préfet du Morbihan interdit ainsi le jeu sur l'ensemble du département et la gendarmerie à cheval intervient fréquemment pour interrompre les soules improvisées[37]. Mais c'est surtout le processus d'individualisation de la propriété agraire et l'exode rural qui mettent fin à la pratique du jeu. Les sociabilités paysannes, liées à la production agricole communautaire, s'effritent à mesure que les terres et pâtures collectives où pouvait se pratiquer le jeu sont privatisées[38]. La fin de la soule en France signe l'entrée définitive des communautés paysannes dans l'ère industrielle.

Un football sous enclosures

Outre-Manche, de 1642 à 1646, la Première Guerre civile oppose les royalistes fidèles à Charles Iᵉʳ Stuart aux forces parlementaristes qui mènent une révolution sous l'étendard du puritanisme. La décapitation du roi en 1649 et l'instauration par Olivier Cromwell d'une expérience « républicaine », qui s'achèvera en 1660, mettent à mal tant l'hégémonie culturelle et spirituelle de l'Église que le mouvement puritain. La perte du contrôle du peuple par les autorités religieuses provoque un certain « relâchement des mœurs » et engendre un renouveau des cultures populaires rurales et urbaines. Comme l'analyse l'historien britannique Edward P. Thompson : « Les relations sociales, les relations de loisirs, même les rites de passage, ne sont plus sous le contrôle et la domination du clergé. [...] Au XVIIIᵉ siècle, il y a rupture avec l'Église : les jours fériés augmentent, atteignant jusqu'à deux ou trois jours par semaine. On se livre à des exercices sportifs brutaux, à des ébats sexuels, on boit beaucoup, tout ceci échappant complètement au contrôle du clergé ou des puritains, et étant laissé au seul contrôle des cabaretiers qui vendent de la bière[39]. »

Si les campagnes britanniques sont traversées aux XVIIᵉ et XVIIIᵉ siècles par une déferlante de festivités populaires, une autre vague de fond vient bouleverser ces territoires ruraux : les enclosures. À l'exception du fermage et du métayage instaurés par les seigneuries sur leurs propres terres, la production agricole reposait traditionnellement, à l'échelle villageoise, sur une exploitation communautaire ainsi que sur la collectivisation de terres céréalières et de biens fonciers publics, les *commons* – essentiellement des forêts, des landes, des pâturages et des marais. Mais à la fin du Moyen Âge, dans le Surrey et le Kent, apparaissent les premières enclosures, c'est-à-dire la mise sous clôture de parcelles agricoles. Ce système permet de rationaliser le système agraire : de grands champs céréaliers collectifs sont transformés en surfaces individualisées ensuite converties en pâturages à moutons et cultures fourragères beaucoup plus rentables. Les enclosures prennent une ampleur soudaine à partir du XVIIᵉ siècle, touchant le quart des terres cultivables du pays[40], et se muent en un instrument de concentration agricole au profit des propriétaires terriens. L'accaparement des terres communalisées au profit de la bourgeoisie rurale est concomitant avec la montée en puissance politique de cette dernière. En effet, la révolution puritaine britannique qui renversa les Stuarts a pour conséquence l'avènement en 1689 d'une monarchie constitutionnelle qui consolide le rôle de la Chambre des communes. Le régime parlementaire s'efforce de satisfaire les intérêts de la *upper class*, en affermissant le droit d'acquisition et la propriété privée. Entre 1727 et 1815, les propriétaires terriens feront ainsi voter au Parlement plus de 5 000 *Enclosure Acts* accélérant le processus de division parcellaire des terres en exploitations privées[41].

L'effondrement des pouvoirs féodaux et ecclésiastiques ainsi que l'accaparement légal des terres font émerger dans les campagnes une véritable bourgeoisie agraire : la *landed gentry*. À partir du XVIIᵉ siècle, ces propriétaires fonciers, négociants-meuniers et grands fermiers capitalistes ne se considèrent pas comme des collecteurs de rentes passifs, à la vieille morale pétrie de devoir et d'abnégation, mais comme des entrepreneurs férus de progrès, favorisant l'innovation agricole et affichant délibérément leur recherche assidue du profit. Cette bourgeoisie exerce son hégémonie sur la société rurale britannique – en 1688 la *gentry* est estimée à environ 16 000 familles[42] – grâce à un mode de domination bien distinct du pouvoir vertical de droit divin : il s'incarne par le biais d'un contrôle de proximité de la population, lequel se traduit notamment par une attention paternaliste portée aux réjouissances populaires.

La *landed gentry* encourage en effet l'effervescence festive d'alors en impulsant jeux et fêtes villageoises et offrant des prix ou un bœuf à rôtir à chaque événement. Elle accorde son patronage aux parties de *folk football*, certains *gentlemen* s'amusant même à participer au jeu, simulacre d'une bourgeoisie qui se rapproche de son peuple et qui aime s'encanailler à ses côtés. Mais, dans une société mieux régulée et pacifiée grâce au parlementarisme et à l'instauration de l'*habeas corpus* – mettant fin aux arrestations arbitraires dès 1679 –, la *gentry* ne veut plus des pratiques ludiques synonymes de débordements rebelles et de violences physiques.

La privatisation des terres va graduellement mettre fin aux jeux populaires de football dont les terrains de jeu, extensibles, détruisent le capital agricole et menacent directement les intérêts économiques de la *landed gentry*. Parallèlement, dans sa quête permanente de rendement et de bénéfices, la bourgeoisie agraire généralise les enclosures sur l'ensemble des friches, forêts et pâturages communaux du pays. Entre 1760 et 1820, près de la moitié du Huntingdonshire, du Leicestershire et du Northamptonshire subissent ce remembrement brutal[43]. De nombreux petits paysans, dont une proportion non négligeable vivait encore des droits d'usage que procuraient les *commons* – pâture, bois, cueillette et pêche –, connaissent une rapide paupérisation et sont contraints à l'exode rural[44]. Progressivement, les communautés paysannes se désintègrent et se voient dépossédées tout autant de leurs terres que de leur jeu de ballon, vidé de sa fonction sociale originelle. Comme l'on rationalise l'espace rural en parcelles agricoles à la productivité accrue, le football doit désormais avoir son espace alloué. Du fait de la privatisation des terres et de leurs mises en clôture, il devient impossible de se livrer à un *folk football* transformant la totalité du territoire villageois en terrain de jeu. La *gentry* autorise alors des jeux de football sous contrainte pratiqués par des équipes plus restreintes (une trentaine de joueurs) avec des buts matérialisés, sur un terrain réduit et équitablement divisé. Les parties de football sauvages et émeutières sont quant à elles férocement réprimées par les Royal Dragoons, la troupe montée de l'Armée britannique créée en 1674, appelés en renfort par la *gentry* locale[45].

La monopolisation de la violence par les institutions centrales mais aussi le parlementarisme comme mode de gestion du pouvoir préfigurent alors le football moderne. Au même titre qu'à la Chambre des communes *whigs* (libéraux) et *tories* (conservateurs) s'affrontent de part et d'autre au sein d'une salle équitablement divisée en deux et sont soumis à la régulation d'un président de séance, le football se joue désormais sur un terrain clos, aux camps symétriques et sous contrôle d'une autorité supérieure[46].

Au début du XIXᵉ siècle, dans les villes d'Angleterre, l'émergence des premières forces de police – notamment les Watch Committees, polices locales créées en 1835 –, les restrictions spatiales liées à l'industrialisation galopante du pays et le peu de temps libre laissé aux premiers ouvriers des manufactures mettront un terme aux pratiques populaires urbaines de *folk football*. « Les pauvres ont été dépossédés de tous leurs jeux, tous leurs amusements, toutes leurs réjouissances », déplore en 1842 un envoyé spécial du *Times* à Liverpool. En parallèle, le *Highway Act*, voté en 1835, stipule que les jeux de football sont interdits dans les rues des villes et doivent, dans les champs, se pratiquer dans des espaces délimités. Le ballon rond s'adapte péniblement à ces nouvelles contraintes spatiales et l'on s'adonne sporadiquement en milieu rural à un football où deux équipes, avec un nombre similaire de joueurs, s'affrontent sur un terrain ne dépassant pas les cent mètres de long avec des buts signalés par deux piquets séparés d'une longueur de trois pieds[47]. En 1844, un homme du clergé du Suffolk écrit à propos des paysans dépossédés de leurs terres comme de leur jeu : « Ils n'ont pas de prairies ou de communaux pour pratiquer les sports. On m'a dit qu'il y a trente ans ils avaient droit à un terrain de jeu dans un terrain particulier, à certaines saisons de l'année, et qu'ils étaient alors célèbres pour leur football ; mais d'une façon ou d'une autre ce droit s'est perdu et le champ est maintenant labouré[48]... »

2

Normaliser les corps, modeler les esprits.
Naissance d'un sport industriel

> « Participer à un match, ce n'est pas de la blague, je
> peux vous le dire. C'est autre chose que les jeux de vos
> écoles privées. Ce semestre, on a vu deux clavicules se
> briser et une douzaine d'élèves ont été estropiés. L'an
> dernier, un joueur a eu une jambe cassée. »
>
> Thomas HUGHES, *Tom Brown's School Days*, 1857[1].

À la fin du XVIIIe siècle, les *public schools*[a] britanniques, établissements scolaires privés alors réservés à l'aristocratie, étaient agitées par de fréquentes insurrections d'élèves. Ainsi, « la célèbre révolte d'Eton en 1768 fut suivie par cinq graves rébellions à Winchester, entre 1770 et 1818. En 1770, certains élèves étaient armés de pistolets et, en 1793, ils dépavèrent une cour et portèrent les pierres au sommet d'une tour pour défendre leur bastion, lors d'un conflit à propos de la discipline imposée par un *prefect* et autres "petites misères"[2] ». Ces rébellions scolaires se propagèrent à d'autres *public schools* : « À Harrow, en 1771, quand la candidature du Dr Parr au poste de directeur échoua, les élèves, qui l'avaient soutenu, attaquèrent le bâtiment où les administrateurs se réunissaient et détruisirent la voiture de l'un d'entre eux. L'ordre ne fut pas restauré avant trois semaines. Eton et Harrow connurent d'autres révoltes, tout comme Charterhouse, Merchant Taylors' et Shrewsbury. Rugby eut ses révoltes dans les années 1780[3]. »

Au sein de ces institutions aristocratiques, les valeurs inculquées à la future élite du Royaume étaient pour le moins féodales : la bravoure, la loyauté, la tolérance à la douleur étaient les principales obsessions moralisatrices des éducateurs[4]. Mais si les autorités scolaires s'adonnaient aux flagellations et autres sévices corporels sur leurs pensionnaires, elles avaient le plus grand mal à maintenir l'ordre dans leurs établissements. Les rapports de domination étaient en effet davantage structurés par

---

a   Système d'éducation privé et élitiste fondé à partir du XIVe siècle, les *public schools* accueillaient généralement les élèves âgés de 13 à 18 ans.

l'âge et l'ancienneté des élèves – les plus vieux, les *seniors*, faisant subir les pires outrages aux plus jeunes, les *fags* – que par l'autorité du corps professoral sur les écoliers. Les élèves pratiquaient ainsi chaque année le *barring out*, un rituel de renversement où ces derniers occupaient les bâtiments, parfois pendant plusieurs jours, résistant férocement aux professeurs qui s'efforçaient de pénétrer dans l'établissement. Et, régulièrement, les vaines tentatives de restaurer l'ordre et la discipline dans les *public schools* à grands coups de fouet se soldaient par le soulèvement des jeunes pensionnaires jusqu'à ce que leurs revendications soient acceptées.

En parallèle de leurs activités scolaires émeutières, les élèves consacraient une grande part de leur temps libre à diverses formes de *folk football*, directement inspirées des jeux de ballon populaires. Chaque *public school* pratiquait son propre football, notamment depuis au moins 1747 à Eton et 1749 à Westminster[5]. Certains jeux consistaient à faire circuler la balle entre coéquipiers jusqu'aux buts, comme à Rugby dès 1823 mais aussi à Marlborough et Cheltenham. D'autres, qualifiés de *dribbling game* et pratiqués à Eton, Westminster, Charterhouse et Shrewsbury, se résumaient à donner de grands coups de pied au ballon jusque dans le camp adverse.

À Eton, les élèves pratiquaient régulièrement le *field game* où se confrontaient deux équipes qui n'avaient pas le droit de prendre le ballon à la main. Le football de Charterhouse se disputait dans l'enceinte du cloître du monastère cartusien de l'école. L'espace limité contraignait les joueurs à pratiquer le *dribbling game* mais le jeu n'échappait pas à de furieuses bagarres mêlant jusqu'à une soixantaine d'élèves[6]. À Harrow, on s'affrontait sur un grand terrain boueux et régulièrement inondé, ce qui imposait aux joueurs d'être toujours en mouvement et de tirer de longs coups de pied. Le football de Winchester était quant à lui réputé pour être particulièrement violent, les jeunes *gentlemen* étant régulièrement et gravement blessés. Enfin, les élèves n'hésitaient pas, parfois, à braver d'autres jeunes de condition plus modeste. Ceux de Harrow aimaient se heurter aux terrassiers qui construisaient les lignes de chemins de fer et les footballeurs d'Eton se mesuraient fréquemment aux garçons-bouchers de Windsor.

Dépités par la violence de ces parties de football, miroir de la rude hiérarchie sociale entre *seniors* et *fags* et défouloir de toute cette jeunesse dorée, les autorités scolaires s'efforcèrent, souvent sans succès, d'interdire les jeux organisés par les élèves. Le *wall game*, un football rituel qui opposait externes et pensionnaires d'Eton, fut interdit de 1827 à 1836 du fait de sa brutalité et de l'esprit de division qu'il diffusait parmi les écoliers. Samuel Butler, directeur de la *public school* de Shrewsbury de 1798 à 1836, condamna pour sa part le football qui, selon lui, « convenait davantage aux garçons de ferme et aux travailleurs manuels qu'à de jeunes *gentlemen*[7] ».

Former les gentlemen

L'avènement de la révolution industrielle obligea cependant les *public schools* à adopter un nouveau régime pédagogique, dans le but de former des *gentlemen* prompts à prendre en main l'essor du capitalisme industriel et colonial britannique. L'indiscipline qui régnait dans les établissements scolaires, le mode de vie quotidien empreint de violence des élèves et leurs révoltes récurrentes devenaient incompatibles avec les nécessités sociales et économiques qu'exigeait l'émergente société victorienne.

À partir de 1830, un profond mouvement de réforme morale est initié par le révérend Thomas Arnold, *headmaster* du collège de Rugby de 1828 à 1842. Ce dernier, ainsi que toute une génération de nouveaux directeurs et professeurs, est un fervent disciple des Muscular Christians, une association fondée par un chanoine anglican peu après la bataille de Waterloo en 1815[8]. Inspirés par la renommée de la gymnastique allemande suite aux succès militaires prussiens lors des guerres napoléoniennes, les Muscular Christians théorisent les bienfaits pédagogiques et moraux des exercices physiques. Appuyé par tout un réseau de réformateurs, tel Benjamin Hall Kennedy, *headmaster* de Shrewsbury de 1836 à 1865, Thomas Arnold ambitionne de purger les écoles de leurs traditions les plus archaïques[9]. Il met en place un système pédagogique rigoureux, davantage porté vers la moralité chrétienne et le savoir, le *godliness and good learning* – « piété et bon apprentissage ». Arnold ouvre également les portes de son établissement aux enfants de la bourgeoise marchande qui, avec les jeunes aristocrates, sont destinés à conduire la révolution industrielle en marche.

Les Muscular Christians concevant l'activité physique comme une source de discipline et de tempérance, le courant pédagogique piloté par Thomas Arnold se penche en conséquence sur les jeux pratiqués à l'initiative des élèves. Préoccupés par la violence de ces divertissements ludiques, les réformateurs des *public schools* et les éducateurs formés par Arnold, plutôt que de s'évertuer en vain à interdire les jeux de football, décident de les intégrer pleinement dans les enseignements. Ils laissent dans un premier temps les *seniors* auto-organiser leurs jeux, légitimant par là même la pratique scolaire footballistique. Cependant, les tenants de la pédagogie disciplinaire des Muscular Christians instrumentalisent rapidement la principale source de désordre et de violence dans les établissements scolaires pour en faire un outil de contrôle des élèves. Agissant par opportunisme pédagogique, les éducateurs réformateurs décèlent dans ces jeux de nouvelles pratiques corporelles que l'on peut codifier pour mieux discipliner les élèves et inscrire dans leurs corps le principe de la loi[10]. « Je préfère que mes élèves jouent vigoureusement au football plutôt qu'ils emploient leurs moments de loisirs à boire, se soûler ou se battre dans les tavernes de la ville, déclare Thomas Arnold. Le sport est un antidote de l'immoralité et une cure contre l'indiscipline[11]. »

Les premières règles du jeu de football, destinées à atténuer la brutalité endémique de cette pratique ludique, sont formalisées aux alentours de 1840. Les surfaces sur lesquelles on s'adonne au ballon rond influent sur sa codification rigoureuse. À Rugby, où l'on joue sur un terrain souple, on normalise en 1846 un jeu en 37 règles qui autorise la prise du ballon à la main – le *handling*. Les sols durs d'Eton favorisent le développement du *dribbling game* et l'usage des mains, pour porter le ballon ou pour arrêter l'adversaire, y est proscrit en 1849. Quant à la Westminster School, elle met en place les premières feuilles de matchs dès 1854[12]. Le football prend rapidement une place prépondérante au sein de la vie quotidienne des élèves des *public schools* et devient l'activité physique pratiquée en hiver, le cricket étant joué uniquement durant l'été. Ainsi, dans son roman autobiographique publié en 1857, *Tom Brown's School Days*, l'ancien *school boy* Thomas Hughes décrit déjà une vie scolaire passée sur les terrains de jeu de Rugby où il se consacre assidûment au football de son école afin de contrer le harcèlement d'un élève plus âgé et plus fort que lui.

Les footballs des *public schools* se voient progressivement parés de toutes les vertus pédagogiques. La pratique du ballon rond, sur un espace spécialement mis à disposition par l'école et dans le respect des règles validées par les autorités éducatives, pouvait occuper une bonne partie du temps libre des élèves et les détourner ainsi de toute tentation insurrectionnelle. Mais il forgeait également le caractère des hommes indispensables au développement de l'Empire britannique et de son industrie triomphante, en véhiculant sur les terrains de jeu autant l'esprit d'initiative que la discipline et le *self-government*. « Le cricket et le football ne sont pas de simples amusements ; ils participent à inculquer les plus précieuses qualités sociales et les vertus les plus viriles, et tiennent, au même titre que les salles de classe ou les pensionnats, une remarquable et importante place dans le système éducatif des *public schools* », rapporte en 1864 la commission royale Clarendon, chargée d'enquêter sur l'état général des établissements scolaires privés[13].

La pratique des jeux physiques codifiés devient quasi obligatoire dans l'ensemble des *public schools* – dès 1853, le Marlborough College les introduira dans son cursus scolaire[14] –, et des professeurs y sont spécialement affectés. À Eton, il est stipulé que « tout collégien dans cette maison qui ne joue pas au football une fois par jour et deux fois durant les demi-journées de vacances aura une amende d'une demi-couronne et sera frappé à coups de pied[15] ». Dans certaines écoles, avoir été éducateur physique est désormais un préalable pour pouvoir prétendre à leur direction[16]. Le Muscular Christian Hely Hutchinson Almond, directeur de la Loretto School de 1862 à 1903, affirme quant à lui déceler dans le football et le cricket un ensemble de pratiques indispensables pour former les futures classes dominantes à la compétition économique. « Les jeux dans lesquels les efforts conjugués de tous conduisent à la victoire et qui cultivent le courage et l'endurance, constituent la pierre angulaire du système éducatif des *public schools* », écrit-il[17].

Des « machines bien huilées »

Dès la fin des années 1840, les jeux de football s'évadent des *public schools* grâce à la fondation des premiers clubs universitaires à l'initiative des anciens élèves devenus étudiants. L'extension du réseau ferroviaire britannique entraîne la multiplication des parties de jeux entre équipes universitaires ou entre *public schools* et permet d'organiser les premières compétitions d'envergure régionale. Mais, à chaque match, l'inextricable diversité des règles de jeu propres à chaque établissement vient freiner l'ambition de ces rencontres autour du ballon rond... En 1848, à l'université de Cambridge, quatorze anciens élèves de Harrow, Eton, Rugby, Winchester et Shrewsbury se réunissent le temps d'un après-midi dans une simple chambre d'étudiant et s'escriment à unifier les règles des jeux de football : « Il en résultait une terrible confusion, car chacun jouait selon les règles propres à sa *public school*, se rappelle un des protagonistes de cette rencontre. Je me souviens comment un [footballeur] d'Eton gueula sur un ancien élève de Rugby à propos de la possibilité de prendre le ballon à la main. [...] Chacun apporta une copie de ses règles du jeu, ou bien les connaissait par cœur, et nos avancées dans l'unification de nouvelles règles furent fastidieuses. [...] Notre réunion ne prit fin qu'aux alentours de minuit[18]. »

Cette première standardisation du football, dénommée « Règles de Cambridge », oriente le jeu vers le *dribbling game*, occultant la pratique du *handling* chère aux élèves de Rugby, et démocratise considérablement le football à travers les campus universitaires du pays. Le tout premier club de football, le Sheffield Football Club, voit alors le jour en 1857, fondé sous l'impulsion d'anciens élèves de la Sheffield Collegiate School. Suivront ensuite le Blackheath Club, érigé en 1858, ou encore le Forest Club et les Old Harrovians (les Anciens Élèves d'Harrow) en 1859. Le ballon rond continue néanmoins à se normaliser, un professeur d'Uppingham proposant en 1862 un règlement en dix articles intitulé *The Simplest Game*.

Mais le football moderne prend véritablement naissance le 26 octobre 1863 à la Freemasons' Tavern de Londres. Les délégués de onze clubs de la capitale et de la banlieue entreprennent de structurer administrativement le football et d'en fixer des règles définitives en s'appuyant sur celles de Cambridge. La Football Association est officiellement constituée le jour même mais d'âpres débats font rage au cours des séances suivantes à propos de l'usage des mains ou de la survivance de pratiques jugées par certains trop violentes. Deux mois plus tard, quatorze articles définissent autant les dimensions maximales du terrain que les règles pour le coup d'envoi, le marquage d'un but ou encore la touche. Si l'interdiction du *hacking* (coup de pied dans le tibia) et du *tripping* (croc-en-jambe) réduit la brutalité physique sur les terrains, le jeu reste essentiellement un football rude et individualiste pratiqué par des *gentlemen* adeptes de l'adage « si tu manques la balle, ne manque pas l'homme ». Le hors-jeu est introduit dès 1866 afin d'encourager les passes entre coéquipiers et, en 1881, apparaît dans la codification du jeu la figure toute-puissante de l'arbitre, l'homme en noir – la couleur des *clergymen* –, chargé de faire respecter les règles de la Football Association sur le terrain. Le divorce avec les anciens élèves de Rugby, adeptes du *handling*, est quant à lui définitivement consommé, et ces derniers constitueront la Rugby Football Union en 1871, premier pas vers l'élaboration du rugby moderne. La codification rigoureuse des règles du jeu, l'apparition des premiers clubs, la création d'une fédération (la Football Association) ainsi que l'organisation des premières compétitions transforment le *dribbling game* en véritable sport moderne, le football-association, que l'on dénomme ainsi pour le distinguer de son proche cousin, le rugby-football.

À l'instar des autres sports qui se normalisent à la même période, comme le cricket ou le tennis, le football-association adopte les traits les plus manifestes de la révolution industrielle. Ses règles standardisées permettent au plus grand nombre d'individus de reproduire un même corpus de pratiques corporelles au sein d'un espace-temps rationalisé. La spécialisation des joueurs et des postes au sein de l'équipe met en scène la division du travail nécessaire à la société industrielle. L'organisation du jeu sous l'œil de l'arbitre, figure tutélaire qui impose sa loi, incarne la discipline et l'esprit d'initiative nécessaires à une même finalité de production : marquer des buts[19]. Les premiers comptes rendus de match dans la presse empruntent quant à eux au vocabulaire industriel pour décrire les parties ; les équipes sont des « machines bien huilées », les joueurs ont des jambes tels des « pistons » ou se transmuent en « dynamos » qui tirent des « coups de masse »[20].

Si les jeux de *folk football* visaient la victoire à tout prix et *par n'importe quel moyen*, la morale bourgeoise introduit dans le football et plus généralement au sein des sports modernes l'éthique du *fair play*. Directement hérité du code de l'honneur chevaleresque qui combinait art de la guerre et art de la courtoisie[21], le *fair play* est intrinsèque aux sociétés aristocratiques pour lesquelles, comme le décrit l'historien Johan Huizinga dans son essai sur le jeu, « il ne peut être question de victoire que […] lorsque l'honneur du chef sort accru du combat » ou encore que « le vainqueur sait faire preuve de modération »[22]. La beauté du geste, l'honneur individuel, le contrôle de soi et la retenue dans le jeu doivent primer sur la victoire. Le *fair play*, prônant le respect à la fois des règles, de l'adversaire et du résultat final du match, devient avec la naissance des sports modernes un « entraînement au comportement moral sur le terrain de jeu transférable à l'ensemble du monde[23] ». Après avoir dépossédé les communautés villageoises de leurs jeux populaires, les classes dominantes anglaises, en rationalisant le ballon rond pour en faire un sport moderne, transforment le football en instrument pédagogique mais aussi en nouvelle forme de sociabilité pour *gentlemen*.

Dès 1867, grâce à l'unification des règles par la Football Association, apparaissent les premiers championnats inter-comtés qui opposent les clubs des anciens élèves des *public schools*. La fédération sportive organise à partir de 1871 la Football Association Cup – ou Coupe d'Angleterre de football – qui réunit alors quinze clubs de *gentlemen* et dont le règlement fixe à 90 minutes la durée du match et à onze le nombre de joueurs par équipe. Par ailleurs, le maillage des clubs se densifie rapidement : si on compte 50 clubs affiliés à la Football Association en 1871, on en dénombre 1 000 dès 1888[24]. Les compétitions deviennent régulières avec l'établissement d'un calendrier des matchs et des hiérarchies s'instaurent, entre joueurs et entre clubs, avec l'enregistrement des résultats et l'émergence des classements. L'exubérant aristocrate Lord Arthur Fitzgerald Kinnaird est tout autant la première star footballistique de l'époque que le digne représentant de l'esprit du jeu qui souffle sur la Football Association. Arborant une énorme barbe auburn et des pantalons d'un blanc immaculé, acheminant à dos de cheval son entraîneur lors des tournois, cet ancien d'Eton et de Cambridge devenu directeur de banque est l'archétype du *gentleman* footballeur que promeut la fédération. Jouant à tous les postes sur le terrain, leader charismatique de son équipe et adepte d'un jeu dur et viril, il dispute neuf finales de la Football Association Cup et remporte cette compétition à cinq reprises avec le Wanderers FC dès 1873 puis les Old Etonians (les Anciens Élèves d'Eton).

Si, depuis sa création en 1871, la Cup est systématiquement remportée par des clubs de *gentlemen*, la finale de la Coupe de 1883 opposant les Old Etonians, menés par le fameux Lord Kinnaird, au Blackburn Olympic marque cependant un tournant dans l'histoire du football. Pour la première fois, une équipe issue de la *working class* gagne la Cup, signant tout autant l'émergence d'un football authentiquement ouvrier que la fin de l'hégémonie des anciens des *public schools*.

3
_____

Le jeu du peuple.
Le football comme trait culturel
de la working class

« Un sport a d'autant plus de chances d'être adopté par
les membres d'une classe sociale qu'il ne contredit pas
le rapport au corps dans ce qu'il a de plus profond et
profondément inconscient, c'est-à-dire le schéma corporel en tant qu'il est dépositaire de toute une vision
du monde social, de toute une philosophie de la personne et du corps. »

Pierre BOURDIEU,
La Distinction. Critique sociale du jugement, 1979.

« Mon plus beau but ? C'était une passe ! »

Éric CANTONA dans *Looking for Eric* de Ken Loach, 2009.

A u mitan du XIXe siècle, la révolution industrielle a
déjà considérablement urbanisé la Grande-Bretagne
et profondément reconfiguré la société victorienne. Plus de la moitié
des Anglais vivent d'ores et déjà en ville et, en 1867, la classe ouvrière
représente près de 70 % de la population britannique[1]. Favorisées entre
autres par la liberté syndicale accordée en 1824 et par la structuration
du mouvement ouvrier – l'Association Internationale des Travailleurs
est fondée en 1864 à Londres et le Trades Union Congress voit le jour
quatre ans plus tard –, l'émergence du syndicalisme et la multiplication
des Trade Unions permettent progressivement d'améliorer au sein des
manufactures des conditions de travail souvent encore proches de l'esclavage. Les premières réglementations se concentrent notamment sur
la réduction du temps de travail de la *working class* : en 1850, le *Factory
Act* limite le travail hebdomadaire à soixante heures et le Parlement
britannique fixe avec le *Bank Holiday Act* les premiers jours fériés nationaux en 1871. Mais d'âpres luttes syndicales secouent les usines textiles
de Manchester et du Lancashire où les travailleurs réclament de pouvoir
disposer de leurs samedis après-midi. De plus en plus populaire dans le
monde ouvrier, la revendication de la « semaine anglaise » – comme on

l'appellera en France – gagne progressivement d'autres secteurs industriels. Avec l'institution du repos hebdomadaire obligatoire en 1854 et la limitation légale à six heures trente de travail le samedi dans toutes les branches de l'industrie en 1874[2], la plupart des ouvriers anglais sortent dorénavant des usines et des chantiers le samedi dès 14 heures.

D'abord décriée par les élites industrielles britanniques, cette « semaine anglaise » séduit rapidement les directeurs d'usine qui constatent que le repos hebdomadaire permet aux ouvriers de reconstituer leur force de travail et d'être à terme plus productifs. L'*establishment* estime cependant nécessaire de prendre en main les travailleurs pour éviter qu'ils ne soient livrés à eux-mêmes le samedi après-midi et ne se plongent dans les « vices » qui les guettent, à savoir l'alcoolisme, les jeux de pari et l'oisiveté. À l'image des *public schools*, qui inculquent à leurs pensionnaires un sens de la charité envers les plus pauvres sujets de la Couronne, la société victorienne est gagnée par une certaine conscience sociale, pétrie de christianisme, d'hygiénisme et de paternalisme[3]. Financées par la bourgeoisie industrielle, de nombreuses institutions caritatives et philanthropiques voient ainsi le jour – à l'instar de l'Armée du Salut fondée en 1865 dans les quartiers misérables de l'est de Londres par le pasteur méthodiste William Booth –, promouvant les bienfaits physiques et les vertus morales du ballon rond pour les classes sociales les plus déshéritées. La pratique sportive est d'autant plus encouragée que le football s'adapte parfaitement aux conditions de vie urbaine des classes laborieuses : le jeu peut s'exercer n'importe quand et sur n'importe quel bout de terrain, il ne nécessite que l'utilisation d'un vulgaire ballon et ses règles sont rapides à assimiler.

La « première place dans le cœur du peuple »

L'église étant avec le pub un des espaces de sociabilité privilégiés où se retrouvait chaque dimanche la *working class*, le clergé considère dès lors le football comme un instrument idéal pour combattre la décadence de toute une jeunesse ouvrière dépravée. Dès la généralisation de la « semaine anglaise » au sein des usines, les *clergymen* mettent sur pied des équipes de football locales qui attirent chaque samedi après-midi de plus en plus de travailleurs sur les gazons des presbytères. À Liverpool et à Birmingham, dans les années 1880, un club de football sur quatre avait été créé par une paroisse[4]. De nombreux clubs qui brillent encore

aujourd'hui au sein du championnat anglais sont ainsi d'origine ecclésiastique. En 1874, de jeunes méthodistes de la Birmingham Bible Class
fondent le club d'Aston Villa. L'équipe de football de la Christ Church
Sunday School, initiée par des vicaires et des professeurs anglicans, donnera naissance aux Bolton Wanderers en 1877. L'Everton Football Club
de Liverpool a quant à lui été fondé en 1878 pour les paroissiens de
l'église méthodiste de St. Domingo's.

Alors que le paternalisme patronal est à son apogée, les capitaines
d'industrie cherchent à prendre en charge les loisirs des ouvriers. La pratique du football est appréhendée par les dirigeants d'entreprise comme
un outil permettant à la fois d'améliorer la constitution physique des
ouvriers, d'aiguiser l'esprit de compétition entre les travailleurs et de
détourner la *working class* de toute velléité contestatrice. C'est par exemple
ce que fera Arnold F. Hills, ancien élève de la *public school* d'Harrow
et propriétaire par son père de l'un des principaux chantiers navals de
Londres, The Thames Ironworks and Shipbuilding Company. Confronté
à d'importants mouvements de grève au tournant des années 1890 et à
la consolidation du mouvement syndical au sein de son entreprise, cet
ancien footballeur de renom fonde en 1895 le Thames Ironworks Football
Club avec pour objectif affiché de rapprocher les ouvriers des cadres de
la compagnie. « Notre club doit réunir les travailleurs de toutes conditions au sein d'une même communauté », explique-t-il[5]. Si l'équipe est
rapidement surnommée « The Hammers », en référence aux marteaux des
ouvriers-forgerons des chantiers, le comité directeur du club est composé
exclusivement de *gentlemen* et adoptera en 1900 le nom de West Ham
United avant de devenir une des équipes phares du championnat anglais.
De nombreux autres clubs d'ouvriers émergent sous le patronage des
dirigeants industriels. La compagnie ferroviaire Lancashire & Yorkshire
Railway lance ainsi sa propre équipe ouvrière de football en 1878. Elle
sera ensuite reprise par un riche brasseur soucieux de sauver le club de
la faillite financière, John Henry Davies, qui rebaptisera le club Manchester United en 1902. L'équipe de football de l'usine du Royal Arsenal de
Woolwich, dans le sud-est de Londres, est quant à elle créée à l'initiative
des ouvriers de l'armement en 1886. Dénommé le Dial Square FC, du
nom de leur atelier, le club adopte l'appellation d'Arsenal en 1891.

Ouvriers du textile de Manchester, métallurgistes de Birmingham,
dockers de Liverpool ou encore mineurs du Yorkshire, tous pratiquent
le football sur leur temps libre du samedi après-midi et dans le giron
de leur paroisse ou de leur employeur. Les conseils d'administration des
clubs sont aux mains des ecclésiastiques et des *gentlemen* qui n'hésitent

pas à sanctionner les joueurs si leur vie privée est jugée trop dissolue ou portée sur la subversion syndicaliste. La popularisation du football est ainsi porteuse d'une terrible contradiction sociale. Alors que le ballon rond devient un trait fondamental de la culture de classe ouvrière, sa démocratisation est également synonyme de pacification sociale et de paternalisme, au risque d'incarner un « instrument de contrôle de la bourgeoisie sur le monde du travail[6] ».

D'autres facteurs inhérents à l'industrialisation de l'Angleterre vont contribuer à populariser le football auprès de la *working class*. Les pubs se multiplient dans les quartiers populaires des villes industrielles et deviennent le creuset de nombreuses équipes de football, renforçant les liens de voisinage et les solidarités ouvrières. Ils font autant office de vestiaire que de lieu où l'on prépare les rencontres, fête les victoires ou pleure les défaites, où l'on se restaure avant et après le match. Les arrière-salles servent aux réunions, à l'organisation de paris sportifs ou encore à l'entreposage du matériel footballistique. Les tenanciers de pub sont parfois à même de mettre à disposition un terrain pour les matchs voire sponsorisent modestement les équipes ouvrières[7].

Les journaux locaux, les grandes éditions nationales tel *The Daily Telegraph* fondé en 1855, et les premiers magazines de sport, à l'image du *Bell's Life in London* publié dès 1822, commencent à partir des années 1880 à couvrir de plus en plus scrupuleusement le foot, les résultats des championnats régionaux et nationaux pouvant désormais être rapidement transmis aux rédactions grâce à l'efficacité grandissante des services télégraphiques. Le développement des transports publics urbains comme le tramway permet aux amateurs de ballon rond de sortir de leur quartier pour jouer dans les parcs municipaux et dans les premières installations sportives publiques. Les compagnies ferroviaires proposent pour leur part des promotions spéciales sur les billets de train afin que les ouvriers puissent voyager à travers le pays pour assister aux matchs de leur club favori. Lors de chaque finale de la Coupe d'Angleterre à Londres, des milliers d'ouvriers descendent désormais sur la capitale : « Durant toute la nuit, des trains bondés en partance vers le sud ont emprunté les grandes lignes pour décharger des cargaisons d'ouvriers du Lancashire et du Yorkshire dès les heures grises du petit matin, rapporte-t-on lors d'une finale de la Cup opposant Manchester United à Bristol City. Ils s'élancèrent, tumultueux et triomphants, à travers les rues de la métropole. [...] Ils portaient tous des casquettes de tissu gris et arboraient les couleurs de leur équipe ; c'étaient des hommes de petite taille, au visage à la fois débonnaire et ordinaire[8]. » Les stades se remplissent toujours plus lors des compétitions. 45 000 spectateurs assistent à la finale de la Coupe d'Angleterre en 1893, ils seront 120 000 en 1913. Lors de la première saison de la Football League – le championnat d'Angleterre de football – en 1888-1889, on dénombre un total de 602 000 spectateurs. Sept ans plus tard, on en comptera près de deux millions[9].

En à peine trente ans, depuis sa codification en tant que sport moderne en 1863, le football est devenu une passion populaire, une « religion laïque du prolétariat britannique » selon les mots d'Eric Hobsbawm, avec son église – le club –, son lieu de culte – le stade – et ses fidèles – les supporters[10]. « L'intérêt pour le football est désormais si grand et si répandu, qu'aujourd'hui on ne peut plus appréhender le cricket comme notre "jeu national" au sens propre du terme, écrit le joueur de cricket et footballeur Charles Burgess Fry en 1895. Le football a désormais conquis la première place dans le cœur du peuple[11]. » Étonnant retournement historique : alors que les communautés paysannes préindustrielles ont été dépossédées de leurs jeux populaires de *folk football* par la bourgeoisie agraire, la classe ouvrière s'est dorénavant entichée du ballon rond, initialement réservé à l'élite industrielle.

Passe décisive

Le *dribbling game* qui prévalait sur les terrains de football était pétri d'individualisme et faisait fi de toute subtilité : l'objectif unique durant les 90 minutes de jeu était de tirer de longs ballons au loin pour qu'un attaquant puisse tenter, seul, de marquer un but. Une stratégie footballistique appelée le *kick and rush*. Comme le rapporte un journal sportif de l'époque : « Les procédés étaient rudimentaires et consistaient en grands coups de botte à travers le terrain ; suivis de courses folles des avants qui, balayant tout sur leur passage, cherchaient au petit bonheur à faire rentrer la balle dans le but convoité[12]. » Imprégnés par l'esprit du *fair play*, les clubs aristocratiques issus des *public schools* tels les Wanderers ou les Old Etonians recherchaient alors autant la beauté du geste que l'exploit individuel, le fait même de passer le ballon à un coéquipier étant perçu comme un aveu de faiblesse.

Un autre style de jeu commence cependant à être distillé par quelques équipes écossaises, notamment celle du Queen's Park FC de Glasgow. Dès sa création en 1867, le Queen's Park FC a en effet toujours porté une attention particulière aux tactiques de jeu. Le club a ainsi adopté dans son règlement interne la pratique d'un hors-jeu plus restrictif – favorisant la passe du ballon entre équipiers et limitant les assauts des attaquants vers les buts – et encourage ses membres à s'entraîner trois soirs par semaine pour affiner leur jeu collectif. Par ailleurs, durant les rencontres pour les qualifications de la première Cup lors de la saison 1871-1872, les joueurs du Queen's Park[a] sont fortement impressionnés par l'« organisation irréprochable » et la beauté du « jeu intelligent » du Royal Engineers AFC, une équipe du génie militaire britannique qui, selon les termes du *Bell's Life in London*, a « appris le secret de la victoire au football : la conservation du ballon »[13]. Rapidement, les footballeurs stratèges de Glasgow se réapproprient ce style de jeu qui mise sur la coopération entre les attaquants et les défenseurs.

En mars 1872, lors d'un match de qualification de la Cup entre les Wanderers et le Queen's Park, le magazine sportif *The Field* s'étonne de la technique utilisée par ces derniers : « Ils dribblent peu et, la plupart du temps, ils se transmettent le ballon grâce à une série de longs coups de pied, le tout combiné à un judicieux jeu de passe[14]. » Lors du premier match de football international opposant l'Écosse à l'Angleterre le 30 novembre de la même année, *The Glasgow Herald* décrit ainsi les différences entre les deux équipes : « Les Anglais étaient physiquement avantagés, chacun pesant en moyenne 10 kilos de plus que les Écossais, et possédaient le rythme du jeu. Mais le point fort de notre équipe était qu'ils jouaient parfaitement bien ensemble. » Charles W. Alcock, footballeur et administrateur de la Football Association, porte aux nues le style écossais qu'il dépeint en ces termes en 1874 : « Rien ne vaut ce que j'appellerai le *combination game* [...] qui consiste à suivre un coéquipier pour l'aider si nécessaire, et pour reprendre le ballon si ce dernier est attaqué ou si on l'empêche de poursuivre sa course vers l'avant[15]. »

Grâce aux footballeurs écossais, que certains baptiseront par la suite les « Scotch Professors », le *combination game* se diffuse à partir des années 1880 dans les clubs de football du nord de l'Angleterre. En effet, appelés par une révolution industrielle qui requiert toujours plus de main-d'œuvre, de nombreux jeunes Écossais migrent à cette époque en masse pour être employés comme ouvriers dans les manufactures du Lancashire et des Midlands, mais sont aussi recrutés parallèlement pour jouer dans les clubs de football appartenant au patronat industriel. Certains clubs du Lancashire vont jusqu'à publier directement des annonces dans les journaux écossais afin de se procurer des joueurs locaux, réputés « courageux », « robustes », « durs avec l'adversaire » et « techniquement habiles »[16]. Ces footballeurs

a   Si une Scottish Cup est lancée lors de la saison 1873-1874, quelques clubs écossais seront un temps invités à participer à la Coupe d'Angleterre de football.

ouvriers vont alors rapidement développer un style de jeu à part entière, le *passing game*, qui fusionne le jeu de passe typique des clubs écossais à l'esprit de coopération et de solidarité qui règne au sein des usines. Reflétant la culture ouvrière, marquée autant par l'entraide que par la division du travail, le *passing game* consacre le football en tant que sport collectif, où le geste fondateur n'est plus de dribbler égoïstement pour tenter de marquer mais de donner le ballon à un coéquipier et de construire collectivement le jeu[17]. En opposition au dribble, qui valorise la prouesse individuelle, la passe incarne l'acte altruiste au service de toute l'équipe.

Grâce au jeu coopératif développé par les footballeurs ouvriers, les clubs du Lancashire apparaissent de plus en plus fréquemment dans les matchs de qualification pour la Cup. En 1883, lors de sa douzième édition, la finale oppose ainsi le très aristocratique club des Old Etonians au Blackburn Olympic, un club du Nord industriel. Le contraste social entre les deux équipes est édifiant. Les anciens élèves du prestigieux Eton College, déjà doubles vainqueurs de la compétition et tenants du titre, célèbrent leur sixième qualification en finale. Menés par l'excentrique directeur de banque Lord Kinnaird, les Old Etonians sont partisans du jeu de dribble rude et de l'action individuelle dans la pure tradition des jeux de ballon des *public schools*. Le Blackburn Olympic est quant à lui issu de Blackburn, une ville industrielle du Lancashire qui compte déjà plus d'une douzaine de clubs actifs – dont les Blackburn Rovers qui avaient par ailleurs perdu en finale contre les Old Etonians la saison précédente. Les joueurs s'entraînent sur un terrain pentu et boueux loué à un pub de quartier, The Hole-i'th'-Wall, et leur capitaine, Albert Warburton, est un modeste plombier. L'équipe compte plusieurs ouvriers tisserands, un fileur, un boucher, un ouvrier métallurgiste ainsi qu'un assistant dentaire. Sydney Yates, un riche industriel qui possède la fonderie de la ville, a investi 100 livres sterling dans le club pour que les joueurs-ouvriers puissent se consacrer pendant une semaine entière à l'entraînement dans la station balnéaire de Blackpool – une pratique à la fois totalement innovante et interdite à l'époque[18].

Devant 8 000 spectateurs dont « une horde du Nord, grossièrement vêtus et vociférant des jurons[19] » amassés dans un stade de cricket londonien, le Kennington Oval, le coup d'envoi pour la finale est sifflé le samedi 31 mars 1883. Les Etonians ouvrent le score à la trentième minute mais les Blackburn parviennent à égaliser à la seconde mi-temps. Face au *dribbling* et à l'individualisme des Old Etonians disposés sur le terrain en 2-2-6, le Blackburn Olympic, sous les yeux ébahis des supporters et des commentateurs sportifs, déploie un jeu de passe collectif mettant en scène l'entraide propre à sa condition ouvrière. Le but de la victoire n'arrive pourtant qu'à la quinzième minute des prolongations. L'attaquant du Blackburn, Jimmy Costley, jeune ouvrier fileur de 21 ans, reçoit un centre de Thomas Dewhurst, tisserand de son état, et frappe au but adverse du gardien John Rawlinson, grand avocat londonien et futur député conservateur[20].

Si, pour la première fois de son histoire, la Coupe d'Angleterre est emportée par une équipe d'ouvriers, ce qui met fin à l'hégémonie du football bourgeois et du *dribbling game*, la symbolique populaire de cette victoire alimente également une certaine fierté régionale, les habitants de Blackburn réservant un accueil triomphal aux joueurs victorieux. Après une parade en ville puis une cérémonie officielle à la mairie, le capitaine plombier Albert Warburton déclare : « Nous sommes heureux d'amener la Cup dans le Lancashire. Elle y sera comme à la maison et elle ne repartira jamais pour Londres. » Par cette phrase à l'apparence insignifiante, le joueur affirme son appartenance au Nord industriel et ouvrier face aux clubs de *gentlemen* du Sud qui dominaient jusque-là la compétition.

Un autre antagonisme rejaillit cependant à travers la déclaration de Warburton : alors que les clubs huppés des anciens élèves des *public schools* promeuvent la noblesse de l'amateurisme au sein de la Football Association, ceux issus du monde ouvrier, et tout spécialement ceux du Nord, sont quant à eux régulièrement suspectés de rémunérer leurs joueurs depuis le milieu des années 1870[21]. Face à l'accumulation des journées de travail perdues pour cause d'entraînement et de match, une compensation financière pour les footballeurs ouvriers, le *broken time payment*, a effectivement été discrètement mise en place par les patrons d'usine.

Suite à la victoire du Blackburn Olympic en mars 1883, les clubs de l'élite bourgeoise et certains journalistes sportifs, se doutant que les joueurs ont été rémunérés durant leur semaine d'entraînement intensif à Blackpool, demandent à la Football Association d'enquêter de plus près sur cet « amateurisme marron » des clubs du Nord. Pour les instances dirigeantes de la Football Association, l'« éthique amateur » et la prétention de jouer « pour le plaisir » ne doivent pas être usurpées et restent une question de principe, les *gentlemen* arguant qu'il est « dégradant pour des hommes respectables de jouer avec des professionnels[22] ». Mais la Cup draine de plus en plus de spectateurs, et la compétition est devenue, au grand dam des tenants de l'amateurisme, une affaire très lucrative (vente de tickets, débits de boissons, publicité, etc.). Dès avril 1883, la Football Association, pratiquant le pragmatisme économique, autorise le défraiement des billets de train des joueurs pour les demi-finales et les finales de l'épreuve. La saison suivante, l'industriel du textile William Suddel, qui préside un club du Lancashire, le Preston North End, reconnaît avoir recruté moyennant finance des joueurs écossais et est exclu de la compétition. Mais, en 1885, après la suspension de deux autres équipes pour soupçon de professionnalisme, les clubs industriels du Nord menacent de créer une fédération dissidente, obligeant la Football Association à reconnaître officiellement le statut de joueur professionnel.

Dès lors, le football devient un environnement aussi compétitif que d'autres secteurs industriels et les dirigeants des clubs appliquent les mêmes logiques économiques et gestionnaires qu'au sein des entreprises. Les clubs adoptent le statut de société anonyme par actions, tels les Hammers du Thames Ironworks qui se professionnalisent en 1898 et adoptent deux ans plus tard le nom de West Ham United Football Club Limited. Les dirigeants de clubs commencent également à investir massivement dans le recrutement de joueurs prometteurs et dans la construction de stades. Le propriétaire du West Ham United fait par exemple construire en 1897 un immense stade près de ses chantiers navals, le Memorial Ground[23]. L'organisation rationnelle et la spécialisation du travail se transcrivent quant à elles toujours davantage sur le terrain avec l'apparition des postes d'ailiers et de demi-centre ou encore celle des premiers juges de touche. En 1891, on compte déjà en Angleterre près de 450 joueurs professionnels, à temps partiel ou à temps plein. En 1914, on en dénombrera dix fois plus[24].

« *The Outcast FC* »

Rentabiliser à court terme les investissements des clubs exige cependant plus qu'une Cup annuelle et des multiples rencontres amicales sans grand enjeu sportif. À l'initiative de William McGregor, dirigeant d'Aston Villa, douze clubs créent en 1888 la Football League avec l'intention d'organiser des matchs opposant uniquement des équipes professionnelles, jugées plus lucratives pour les structures et plus attractives pour les spectateurs. La League instaure par ailleurs la même année l'organisation d'un à deux matchs chaque 26 décembre, jour du Boxing Day. Jour de repos traditionnellement offert, le lendemain de Noël, par la bourgeoisie victorienne aux domestiques méritants, le Boxing Day – référence aux boîtes que les employés présentaient à leurs patrons pour recevoir leurs étrennes – devient auprès des classes populaires le jour de congé où, pour se divertir, les hommes se rendent au stade pour assister à un beau match de football.

Néanmoins, malgré les recettes grandissantes qu'engendrent les différentes compétitions, les footballeurs professionnels demeurent assignés à leur précaire condition d'ouvriers. Alors qu'apparaissent les premiers frais de transfert entre clubs – l'achat d'un joueur pouvait déjà s'élever à 1 000 livres sterling en 1905[25] –, les patrons de clubs instaurent en 1893 le système du *retain and transfer* : chaque footballeur devient la propriété exclusive de la structure et ne peut quitter son club qu'avec l'aval des dirigeants et de l'entraîneur. Comme le révèle cette petite annonce publiée en 1891, certains joueurs sont achetés, vendus et négociés comme du bétail : « N° 163. Arrière gauche ou droit. C'est un des plus jeunes joueurs que je me suis jamais procuré. Sa réputation provient d'un journaliste célèbre qui l'a vu jouer à plusieurs reprises et a su déceler son potentiel et ses capacités futures. Notez bien – hauteur : 1 mètre 80, poids : 76 kg, âge : 20. Ce jeune géant est pour vous. C'est un poulain qui vaut la peine d'être formé[26]. » Enfin, la Football Association impose en 1901 un plafonnement des rémunérations hebdomadaires à 4 livres – le salaire moyen d'un ouvrier qualifié – et interdit toute prime. Si les footballeurs n'appréhendaient jusque-là leur paie que comme un petit complément à leur salaire d'ouvriers, de plus en plus de joueurs se sentent floués au vu des efforts physiques fournis, des blessures occasionnant des absences à l'usine et des profits engrangés par les clubs.

À Manchester, ville industrielle cotonnière agitée par un puissant mouvement ouvrier (la cité a vu la naissance du syndicat des syndicats, le Trades Union Congress, en 1868), le football devient un nouveau secteur professionnel à investir par le syndicalisme. Après une première expérience syndicale de 1893 à 1901 à travers l'Association Footballers Union, l'Association of Football Players' and Trainers' Union (AFPTU) est officiellement fondée à l'Imperial Hotel de Manchester le 2 décembre 1907, à l'initiative de Charlie Roberts et Billy Meredith, respectivement demi-centre et attaquant au Manchester United. Les footballeurs syndicalistes invoquent le « droit de tous les travailleurs de s'associer avec ses camarades afin d'être à même de secourir un collègue en difficulté[27] » et revendiquent la fin des salaires plafonnés à 4 livres, l'abolition du système du *retain and transfer*, des indemnisations pour les joueurs blessés et le droit pour les joueurs d'obtenir un pourcentage sur les frais de transfert entre clubs[28].

Les dérives autoritaires des patrons de clubs sont notamment dénoncées par le très populaire Billy Meredith, souvent sanctionné par les administrateurs de Manchester United pour « mauvaise conduite[29] ». Utilisant sa notoriété médiatique pour faire connaître le syndicat, il plaide vigoureusement contre le plafonnement des salaires, accusant le conservatisme des autorités footballistiques : « Je me suis entièrement consacré au football et je suis devenu un meilleur joueur que la moyenne au prix de nombreux sacrifices. Ils me félicitent, m'offrent des casquettes mais jamais ils ne me donneront un sou de plus que ce que gagne un joueur de l'équipe réserve où certains ne prennent même pas la peine de se perfectionner ou de prendre soin de leur condition physique. Si le football est le gagne-pain d'un homme et que celui-ci en sue plus que les autres pour son employeur, pourquoi ne bénéficierait-il pas d'un meilleur salaire[30] ? »

La Football Association et la Football League voient rouge quand l'AFPTU projette en 1909 de rejoindre la General Federation of Trade Unions, une puissante centrale syndicale. Les deux instances gouvernantes du football veulent conserver leur contrôle paternaliste sur les joueurs et pressent les footballeurs syndicalistes d'abandonner leur mouvement contestataire sous peine de sanctions individuelles et de ruptures de contrat. Alors que le syndicat menace de se mettre en grève, les autorités footballistiques suspendent dès le mois d'août tous les joueurs affiliés à l'AFPTU pour la saison 1909-1910 et constituent en urgence des équipes de fortune pour sauvegarder le championnat. Si la plupart des joueurs syndiqués regagnent leurs rangs, ceux de Manchester United refusent collectivement de renoncer à leur engagement militant. Malgré le fait que le club ne les rémunère plus, les Mancuniens continuent de s'entraîner quotidiennement et redoublent d'ardeur syndicale. Un matin, l'équipe séditieuse va jusqu'à dérober dans les bureaux du club des bibelots et divers ornements, qu'ils vendent au coin de la rue pour se refaire une santé financière[31]. Le demi-centre de l'équipe, Charlie Roberts, décide quant à lui de faire appel à la presse pour populariser les revendications des joueurs et demande à un photographe d'immortaliser les rebelles avec à leur pied un écriteau où l'on peut lire « The Outcasts F.C. » (« Les Bannis » ou « Les Parias »). L'image choc fait le tour de la presse et démocratise le mouvement, qui reprend de plus belle après le soutien public que lui apporte un autre joueur vedette : l'attaquant d'Everton Tim Coleman.

La Football Association propose de lever la suspension des syndiqués si l'AFPTU abandonne son projet d'affiliation à la General Federation of Trade Unions. En octobre 1909, les joueurs votent contre leur adhésion à la centrale syndicale et mettent fin à la grève. L'AFPTU reste donc un syndicat strictement professionnel et les footballeurs demeurent des travailleurs à part : la convergence des luttes entre les ouvriers du football et ceux de l'industrie a échoué. Dépité, Billy Meredith retourne sur le terrain dès novembre 1909 et déplore : « Beaucoup de joueurs refusent de prendre les choses au sérieux, se contentant de vivre comme de simples écoliers en faisant exactement ce qu'on leur dit… au lieu de penser et d'agir pour soi-même et pour sa classe[32]. » Si le syndicat arracha aux autorités footballistiques l'autorisation d'obtenir des primes de match et réussit à donner un coup de projecteur sur les conditions de travail des footballeurs, le plafonnement de salaires et le *retain and transfer* seront maintenus en Angleterre jusqu'en 1963…

Football Railway Company

Au même titre que le développement industriel et le productivisme productiviste s'exportent à travers la planète grâce à la domination géographique et économique de l'Empire britannique, le football industriel et l'idéologie sportive s'internationalisent. « Partout où se trouve une île, un îlot, un havre, […] là arrive l'Anglais, il dresse ses poteaux télégraphiques, il lance sur d'impraticables sentiers son chemin de fer. Et il joue au football », rapporte l'auteur italien Stefano Jacomuzzi[33]. La Football Association décide dès la fin du XIXᵉ siècle d'envoyer des équipes en tournée à travers le monde afin de promouvoir les vertus du ballon rond. En 1897, les Corinthians participent à trente-trois rencontres en Afrique du Sud puis, l'année suivante, les Queen's Park Rangers jouent dans les pays scandinaves. Quant aux Surrey Wanderers et au Southampton FC, ils se rendent en Allemagne et en Autriche au début du XXᵉ siècle pour une tournée de matchs amicaux. Mais ce sont surtout les étudiants étrangers fraîchement sortis des *public schools* ainsi que les principaux acteurs de la colonisation britannique – militaires, missionnaires et industriels – qui portent la bonne parole footballistique aux quatre coins du monde. Les élites anglophiles des pays du Nord comme du Sud s'approprient le football, érigé en symbole de l'*English way of life*, et en font une marque de distinction sociale et d'affirmation de la modernité industrielle[34].

Les pionniers du football sud-américain sont ainsi soit des ressortissants de l'*upper class* locale soit des employés des sociétés britanniques implantées dans les métropoles côtières[35]. Le Buenos Aires FC est le premier club du continent, fondé en mai 1867 entre autres par deux frères du Yorkshire, Thomas et James Hogg, salariés d'une entreprise de construction de chemins de fer. Sur l'autre rive du Rio de la Plata, l'ancêtre du Club Atlético Peñarol, le Central Uruguay Railway Cricket Club (CURCC), est fondé en 1891 par quatre employés anglais de la société britannique Montevideo's Central Uruguay Railway. Le CURCC rencontre régulièrement l'Albion FC où jouent de jeunes bourgeois anglais puis instaure avec trois autres clubs le championnat uruguayen de football dès 1900. Charles William Miller, fils d'un ingénieur britannique des chemins de fer travaillant au Brésil, part étudier dans une *public school* de Southampton et joue au sein des Corinthians de Londres avant de revenir à São Paolo en 1894. Embauché alors à la compagnie ferroviaire anglaise locale, il s'évertue dès son retour à créer une section football au sein du São Paulo Athletic Club et organise en 1895 une première rencontre entre une équipe de son entreprise et des joueurs de la société britannique Gás Company. Aux États-Unis, en revanche, le football-association prend difficilement racine car d'autres jeux de ballon – notamment le football américain – sont déjà durablement implantés au sein du système éducatif étatsunien. Malgré quelques exceptions comme Saint Louis dans le Missouri où le football se popularise grâce aux immigrants britanniques, le ballon rond ne représentait souvent aux yeux des élites étatsuniennes qu'une chimère sportive issue de l'ancienne métropole.

En Afrique, on retrouve des traces des premiers matchs de football – initialement réservés aux colons blancs – à Cape Town et Port Elizabeth, en Afrique du Sud, dès 1862[36]. Le ballon rond est par ailleurs vite perçu comme un « instrument de civilisation » en Afrique de l'Est, et c'est en Ouganda, *via* l'officier britannique William Pulteney – un ancien de l'Eton College – et des missionnaires de la Namirembe Church Missionary Society, que le football est introduit dès 1897[37].

Ce sont principalement les marins anglais et l'armée britannique qui importèrent le jeu sur la façade est-asiatique en 1873 grâce au *lieutenant commander* Douglas, instructeur à l'académie de la Royal Navy de Tokyo. Les Bengalis commencèrent quant à eux à pratiquer le football dans les collèges des colons britanniques et c'est en 1892 qu'un club indien de Calcutta, le Sovabazar Club, réussit à battre une équipe militaire anglaise, l'East Surrey Regiment. Dans la Russie tsariste, le foot est entre autres importé à Orekhovo-Zouïevo, près de Moscou, par deux industriels originaires du Lancashire : en 1887, ils mettent sur pied, pour les ouvriers de leur usine textile, une équipe de foot ancêtre du Dynamo de Moscou. En Turquie, à la fin du XIXᵉ siècle, les Britanniques initient au football les communautés grecques et arméniennes d'Istanbul et d'Izmir, suscitant la réprobation des autorités ottomanes, et il faudra attendre la révolution des Jeunes Turcs de 1908 pour que le ballon rond se démocratise à travers le pays[38].

Sur le Vieux Continent, le football débarque à Copenhague en 1876 grâce à des résidents britanniques puis se popularise dans les pays scandinaves[39]. Un des plus anciens clubs de football allemands a pour sa part été fondé à Hambourg en 1887[40] tandis qu'au sein de l'Empire austro-hongrois les premières équipes voient le jour à Prague et à Vienne dans les années 1890.

C'est à travers les grands centres industriels du nord de la Péninsule que le ballon rond se développe en Italie. À Turin, l'Internazionale Foot-Ball Club Torino est fondé en 1891 par Edoardo Bosio, un commerçant italien qui a travaillé un temps dans l'industrie du textile en Grande-Bretagne. Le football milanais se pratique pour sa part entre *gentlemen* anglais qui se réunissent en 1899 pour créer l'ancêtre du Milan AC, le très cossu Milan Cricket and Football Club. En Espagne, une poignée d'ingénieurs anglais de la région de Sunderland travaillant pour le port industriel de Bilbao fondent en 1894 le Bilbao Football Club – ancêtre de l'Athletic Club de Bilbao (1898) – et c'est dans une Barcelone en plein essor industriel que Hans Gamper, un Suisse travaillant dans l'import-export, rassemble en 1899 des expatriés anglais, suisses et allemands pour fonder le FC Barcelone. Quant au Portugal, c'est l'aristocrate Guilherme Pinto Basto, après des études en Angleterre à la Downside Scholl, qui organise dès 1888 un premier match réunissant des jeunes de la haute société lisboète sur les plages huppées de Cascais.

Le foot s'implante à Paris notamment suite à un voyage scolaire d'élèves de l'École Monge à l'Eton College et aux Anglais venus travailler pour l'Exposition universelle de 1889. Mais le premier club français, le Havre Football Club, est fondé en 1872 par des travailleurs britanniques du port normand, sous le patronage de Francis-Frederic Langstaff, dirigeant de la South Western Railway[41].

Face au succès grandissant du football en Europe, Édouard Pontié, rédacteur en chef de l'hebdomadaire sportif français *Armes et Sports*, écrit au début du XXe siècle : « Tout le vieux continent a des équipes de football-association. [...] L'Allemagne et l'Autriche, comme les pays bohême et hongrois, ont adopté le jeu, la Suisse a fait de même, l'Italie a de bonnes équipes à Turin, à Milan, à Rome et à Naples ; l'Espagne enfin s'intéresse au mouvement avec Madrid et Barcelone. Les soleils d'hiver n'éclaireront bientôt plus partout que des joueurs de football[42]. »

4

Les Munitionnettes.
L'épopée des premières footballeuses britanniques

> « Le football est un jeu pour jeunes filles rugueuses, mais peu recommandé aux garçons délicats. »
>
> Oscar WILDE[1].

« **D**'un point de vue de footballeur, le match était un fiasco, même si certaines avaient l'air de comprendre le jeu. » Tel est le commentaire cinglant du *Glasgow Herald* suite à la première rencontre internationale de football féminin, qui opposa le 9 mai 1881 l'Écosse à l'Angleterre à l'Easter Road Stadium d'Édimbourg. C'est que le quotidien écossais préfère s'attarder sur la tenue vestimentaire des footballeuses : « Les jeunes femmes, qui devaient avoir entre 18 et 24 ans, étaient très bien habillées. Les Écossaises portaient des maillots bleus, des culottes blanches, des collants rouges, une ceinture rouge, des bottes à talon et un capuchon bleu et blanc. Leurs sœurs anglaises avaient des maillots blancs et bleus, des collants et une ceinture bleue, des bottes à talon, et un capuchon blanc et rouge. »

Si des parties de ballon rond entre femmes mariées et célibataires ont été recensées en 1628 à Carstairs dans le Lanarkshire puis près d'Inverness dans les Highlands au XVIIIe siècle[2], le football moderne, codifié moins de vingt ans plus tôt, est dans les années 1880 une affaire exclusivement masculine. Alors que le golf, le tennis ou le hockey commencent à être pratiqués par les jeunes filles de l'élite bourgeoise en tant que signe de distinction sociale[3], le football demeure un bastion masculin et reste profondément marqué par la rigide division des sexes au sein de la société victorienne.

Sous le joug de la domination masculine

La condition féminine en cette fin de XIXe siècle est structurée par l'institution maritale où chaque femme, dont les droits juridiques sont alors similaires à ceux d'un enfant mineur, doit une obéissance aveugle à son époux tout en restant assujettie à son rôle social de gardienne du foyer. Au sein de la *working class*, les femmes sont dès leur plus jeune âge réduites à un état de quasi-esclavage tandis que la gent féminine bourgeoise est soumise à l'apprentissage en pensionnat des *accomplishments* – des « talents d'agrément », tels que la broderie, le chant ou l'aquarelle – afin d'être des épouses respectables et de bonnes mères de famille. Quant au corps féminin, il est la propriété absolue du mari et appréhendé comme un véritable sanctuaire de la pureté entièrement dédié à la procréation. Cette dépossession du corps à l'aune du puritanisme victorien se traduit entre autres par un code vestimentaire extrêmement strict, notamment au sein de la *upper class* où les femmes sont contraintes au port des lourdes et inconfortables crinolines – amples jupons à armatures métalliques.

La remarque peu élogieuse et l'obsession vestimentaire du *Glasgow Herald* à l'égard des footballeuses du match Écosse-Angleterre ne sont ainsi que le reflet de la réprobation morale de la société patriarcale britannique envers de jeunes mondaines s'adonnant à une pratique sportive mâle et, qui plus est, devant une foule masculine. L'hostilité dont elles sont l'objet est telle que les joueuses, pour se protéger, usent de noms d'emprunt. Organisatrice de cette compétition de football et gardienne de but de l'équipe écossaise, la militante suffragette Helen Matthews se fait ainsi appeler « Mrs Graham ».

Une poignée de jours à peine après ce premier match, les 5 000 spectateurs d'un deuxième duel féminin Angleterre-Écosse à Glasgow envahissent avec tumulte la pelouse, interrompant par là même le cours du jeu. « Vers la fin, quelques brutes se sont introduites sur le terrain, suivies d'une centaine d'autres qui ont violemment bousculé les joueuses. Elles ont dû se réfugier dans l'omnibus qui les avait transportées sur le terrain, rapporte le *Dunfermline Journal*. Elles n'étaient pas au bout de leurs peines car la foule a commencé à détruire les poteaux et à les jeter contre le véhicule en mouvement. S'il n'y avait pas eu de policiers, elles auraient pu être blessées[4]. » Quelques semaines plus tard, le 20 juin, à l'occasion d'un Angleterre-Écosse féminin à Manchester, une nouvelle émeute éclate depuis les tribunes mettant une fois de plus en péril les téméraires footballeuses. Subissant l'ire de la presse britannique, à l'image du *Manchester Guardian* qui parle de « curiosité vulgaire » et de femmes « aux accoutrements aussi disgracieux que malvenus »[5], déclenchant de dangereux débordements dans les stades, ces tentatives pionnières de promotion du football féminin par Helen Matthews sont rapidement mises entre parenthèses jusqu'à la moitié des années 1890.

À la fin de la décennie 1880, le football masculin s'est prodigieusement popularisé auprès de la classe ouvrière et s'est professionnalisé avec la création en 1888 de la Football League qui attire dès sa première saison plus de 600 000 spectateurs[6]. La même année sont fondés les Polytechnic Clubs, des clubs sportifs londoniens qui proposent des activités de basket-ball, de cricket et de natation aux employées de commerce et aux enseignantes de la capitale. Dans les institutions scolaires pour jeunes filles, le ballon rond fait pour sa part une timide apparition à la Brighton High School for Girls ou encore au Girton College et au Rodean College. Mais la pratique est vite prohibée par le corps dirigeant avant que le *British Medical Journal* proclame en décembre 1894 que « le football devrait être banni [pour les femmes] car il est dangereux pour les organes reproducteurs et la poitrine en raison des secousses brutales, des torsions et des coups inhérents au jeu[7] ». Robert Miles, *sportsman* accompli et éminent joueur de cricket pour l'équipe de l'université d'Oxford, enfonce le clou sexiste en prétendant la même année que « la maternité, c'est aussi un sport, le vrai sport de la femme[8] ».

C'est dans ce contexte socio-sportif délétère qu'est mis sur pied, fin 1894, le tout premier club de football féminin de l'Histoire : le British Ladies' Football Club, fondé par Nettie Honeyball, militante féministe dont le vrai nom est Mary Hutson, et Florence Dixie, écrivaine politique, correspondante de guerre et fille du marquis de Queensberry. Dès le 6 février 1895, à l'occasion d'un entretien donné au *Daily Sketch*, Nettie Honeyball, secrétaire du club, ne cache pas ses visées militantes. « Il n'y a rien de grotesque à propos du British Ladies' Football Club, affirme-t-elle. J'ai fondé l'association l'an dernier avec la ferme résolution de prouver au monde que les femmes ne sont pas ces créatures "ornementales" et "inutiles" que les hommes imaginent. Je dois avouer qu'en ce qui concerne les questions où la division des sexes est encore prégnante, toutes mes convictions penchent du côté de l'émancipation et j'attends avec impatience le temps où les femmes seront présentes au Parlement pour faire entendre leur voix dans les affaires qui les concernent. »

Le 23 mars 1895 au Crouch End de Hornsey, au nord de Londres, le British Ladies' Football Club organise sa première compétition opposant une équipe du nord de la Grande-Bretagne – dans laquelle joue la pionnière écossaise Helen « Mrs Graham » Matthews – à une formation dite du Sud. Alors que le match parvient à rassembler 10 000 spectateurs, l'événement reçoit à la quasi-unanimité les foudres de la presse[9]. « Il est clair qu'aux yeux de tous, les filles sont totalement incapables de s'adonner à la pratique brutale du football, proclame l'hebdomadaire *Sketch* le 27 mars. En tant que jeu de plein air, il n'est pas à recommander, et en tant que spectacle public il est à déplorer. » Les culottes bouffantes que portent sur le terrain les *ladies* sont pour leur part considérées à nouveau comme l'incarnation d'une certaine dépravation morale. L'injonction à la « féminité », que l'on retrouve dans toutes les chroniques, s'accompagne d'un intérêt croissant pour une jeune footballeuse de 14 ans, Miss Nellie Gilbert, que les journalistes surnomment « Tommy ». « Son apparence déclencha des fous-rires, mais c'était plus en raison de sa taille et de son allure de garçonnet que pour toute autre raison, détaille le quotidien londonien *Pall Mall Gazette* le 25 mars 1895. En premier lieu, elle avait l'air ridiculement petite pour participer à un match de football. Ensuite, elle était bâtie comme un garçon et courait comme les gamins qui peuvent courir très vite à l'âge de dix ans ». Unanimement perçue au gré des épreuves comme la meilleure joueuse du British Ladies' Football Club, l'ambiguïté de genre de Miss Nellie Gilbert est sans cesse lourdement martelée par les médias. « Il (ou elle) se déplaçait partout sur le terrain tel un jeune poulain, était souvent "sur le ballon", taclait avec courage, écrit le *Paisley and Renfrewshire Gazette*. Il (ou elle) était en alerte constante, agile et énergique[10]. »

Enchaînant plus de 150 matchs entre 1895 et 1897, drainant des milliers de spectateurs[11], les footballeuses cristallisent malgré leur popularité sportive l'anxiété masculine d'une remise en cause de la hiérarchie sexuelle. Cette focalisation autour du danger moral que représente le football féminin est d'autant plus exacerbée que la famille de Florence Dixie, présidente du British Ladies' Football Club, est alors au cœur d'un scandale national. Son frère a en effet accusé publiquement en 1895 le romancier Oscar Wilde d'être homosexuel – ce dernier entretenait une relation amoureuse avec Alfred Douglas, le neveu de Florence Dixie –, ce qui provoquera, après un procès retentissant, l'incarcération du dramaturge durant près de deux ans.

Jouissant d'une réputation sulfureuse suite à des compétitions gagnées contre des équipes masculines ou encore pour avoir aligné, une footballeuse noire, Emma Clarke, le British Ladies' Football Club, empêtré dans des difficultés financières, disparaît des pelouses durant près de six ans.

Après qu'en octobre 1902 la fédération anglaise de football a interdit formellement à tous ses joueurs affiliés d'affronter des femmes, le British Ladies' Football Club réapparaît effrontément pour trois matchs contre des escouades masculines. Leur dernière rencontre officielle, le 2 mai 1903, les a opposées aux joueurs de Biggleswade dans le Bedfordshire. Ayant remporté la partie 3 buts à 1, la feuille de match de cette ultime confrontation indique que les *ladies* du football avaient pour capitaine une certaine Miss Nellie Gilbert...

Des chaînes de montage aux terrains verts

Si 1903 signe la fin de l'aventure footballistique des pionnières du ballon rond, elle marque également la naissance du Women's Social and Political Union sous l'égide d'Emmeline Pankhurst, figure du mouvement des suffragettes. Manifestations sauvages, grèves de la faim, sabotages des lignes de communication ou encore lettres piégées, la lutte pour le droit de vote des femmes secoue vigoureusement le paysage politique britannique jusqu'à l'avènement de la Grande Guerre.

Il faut pourtant attendre l'entrée de plain-pied dans le conflit mondial pour qu'un vent d'émancipation féminine souffle sur le football anglais. Dès 1914, l'organisation industrielle est totalement reconfigurée. Dans le cadre de l'effort de guerre, les usines sidérurgiques ou textiles, qui ont été reconverties en chaînes de montage d'armes, d'obus et de munitions, recrutent nombre de femmes issues de la *working class* afin de suppléer à la main-d'œuvre masculine appelée sur le front. Au plus fort de la guerre, près d'un million d'ouvrières produisent 80 % de l'armement militaire britannique dont 700 000 uniquement dans l'industrie des munitions[12]. Surnommées les « Munitionnettes » ou encore les « Canaris », à cause de leurs visages jaunis par le TNT, ces jeunes ouvrières souffrent de conditions de travail physiquement harassantes. Elles travaillent douze heures par jour et la manipulation des explosifs les expose à des accidents réguliers. Toutefois, à partir de l'année 1915, le patronat industriel instaure diverses activités récréatives et sportives au sein de leurs usines dans le but d'encadrer les travailleuses qui pourraient être enclines à se mettre en grève ou à s'émanciper de tout cadre patriarcal en allant au pub après le travail.

Le ballon rond étant déjà profondément enraciné dans la culture ouvrière de leur père, frère ou époux, la pratique footballistique gagne aisément le cœur d'une partie des munitionnettes. C'est le cas au sein de la compagnie Armstrong Whitworth & Co, qui possédait des manufactures dans tout le nord de l'Angleterre : « Dans chaque section de l'usine, la danse et la natation étaient extrêmement populaires et presque chaque succursale gérait avec succès une équipe de football. [...] Le football féminin connaissait peut-être le développement le plus remarquable, parmi les loisirs, dans les usines de munitions[13]. » S'implantant principalement dans les comtés du Lancashire et de Cumbria ainsi que dans la banlieue industrielle de Londres, le football féminin d'usine se développe avec fulgurance sous l'égide du paternalisme social des dirigeants industriels. Entre 1915 et 1918, plus de 150 équipes de munitionnettes voient alors le jour[14]. Lors du Noël 1916, une première compétition officielle est organisée à Dragley Beck dans le Lancashire entre une équipe de l'usine voisine, les Ulverston Munitions Girls, et des athlètes locales. Quelques semaines plus tard, une nouvelle rencontre inter-usines oppose la formation des ouvrières de la Swansea National Shell Factory à celle des munitionnettes de Newport.

Le Premier ministre britannique, David Lloyd George, encourage ces « vaillantes héroïnes » à exprimer pleinement leur patriotisme en pratiquant le football sur leur temps libre[15]. Pour le gouvernement, qui instaure la conscription militaire en janvier 1916, il s'agit de renforcer l'image sociale d'ouvrières s'adonnant à un sport national sain et fortifiant, garant de leur capacité physique à remplacer la main-d'œuvre industrielle masculine désormais mobilisée en masse sur le front. Dès lors, à l'initiative des surintendantes d'usine et des directrices d'hospices, nombre de matchs de charité entre équipes de munitionnettes sont mis sur pied au profit des œuvres de guerre. Le 21 avril 1917, une rencontre entre les Carlisle Munition Girls et les Workington Munition Girls, organisée en faveur du Cumberland Prisoners of War Fund, attire quelque 5 000 spectateurs au Lonsdale Park de Workington, dans le comté de Cumbria[16]. Au total, près d'une quarantaine de matchs de munitionnettes se tiendront dans ce comté durant toute l'année 1917, dont les profits seront reversés aux hôpitaux militaires, au Soldiers' Comforts Fund ou encore à la Croix-Rouge. « Qui pouvait imaginer, il y a deux ans à peine, que les femmes puissent jouer au football. Mais les temps changent et nous changeons avec le temps, jubile la gazette d'usine *The Bombshell* en juin 1917. Dans leur effort déterminé pour sauver leur pays, les femmes n'ont pas seulement supporté sur leurs épaules le travail des hommes, mais aussi leurs passe-temps et leurs récréations[17]. »

Alors que le championnat anglais de football ainsi que la Coupe d'Angleterre sont suspendus jusqu'à la fin des hostilités, la dimension caritative de ces matchs entre ouvrières oblige les autorités footballistiques et la presse à faire preuve de bienveillance à l'égard de ces équipes féminines, perçues par la Football Association comme un épiphénomène provisoire et inoffensif qui s'éteindra dès le lendemain de la guerre. Considéré au départ comme une attraction ludique, voire comique – certaines parties se déroulant contre des hommes jouant les mains liées derrière le dos ou des soldats amputés de guerre –, le football féminin acquiert progressivement ses lettres de noblesse auprès du public qui apprécie le courage de ces jeunes ouvrières sur les chaînes de montage industrielles, leur engagement caritatif mais surtout leurs performances sportives.

Réputée pour la qualité de son jeu, la formation munitionnette des Dick, Kerr Ladies de la ville industrielle de Preston (Lancashire) a été fondée au cours de l'année 1917. « Nous jouions à shooter dans les petites fenêtres carrées du vestiaire, se souvient l'ouvrière-footballeuse Alice Norris. Si les garçons nous battaient au nombre de tirs cadrés dans ces fenêtres, nous devions leur offrir un paquet de cigarettes Woodbines, mais si on les battait, ils devaient nous acheter une barre de chocolat Five Boys[18]. » Employé administratif de Dick, Kerr & Co, Alfred Frankland s'amusait depuis son bureau à observer ces joueuses improvisées tapant le ballon à la pause de midi avant de prendre l'équipe sous son aile puis de convaincre le club professionnel du Preston North End FC de mettre à disposition leur stade, le Deepdale, pour un match caritatif. À l'occasion du Noël 1917, les Dick, Kerr Ladies parviennent ainsi à attirer 10 000 spectateurs à Preston pour un match contre les joueuses de la fonderie Coulthard en faveur du Moor Park Military Hospital, l'hôpital militaire de la ville – la rencontre engrangera l'équivalent de 40 000 livres sterling actuelles[19].

Parallèlement à la création des Dick, Kerr Ladies, certaines escouades de munitionnettes sont soutenues logistiquement par les clubs de football locaux. Les Blyth Spartans Ladies, qui adoptent les couleurs des semi-professionnels du Blyth Spartans AFC, sont entraînées par les marins de la Royal Navy qui viennent charger, sur le port de Blyth (Northumberland), les obus fabriqués par ces ouvrières-footballeuses sur les navires de guerre à destination du front européen. Face à cette multiplicité des équipes et au succès populaire des matchs de charité, le *Newcastle Daily Chronicle* annonce le 20 août 1917 la tenue à partir de l'automne d'une compétition de football exclusivement féminine et à dimension caritative, la Munitionettes' Cup. Quatorze équipes ouvrières participent à cette coupe, qui s'achève 18 mai 1918 par une finale à Middlesbrough opposant les Blyth Spartans Ladies aux Blockow Vaughan Ladies. Quelque

22 000 spectateurs se pressent à l'Ayresome Park pour assister à cette rencontre au profit du Teesside Medical Charities. Enfin, la même année, des matchs internationaux Écosse-Angleterre sont même organisés, à l'image de celui du 2 mars 1918 au Celtic Park de Glasgow où les munitionnettes écossaises de l'usine Beardmore affrontent les Vickers Munition Girls de Barrow-in-Furness.

Le lendemain de l'armistice, qui s'accompagne du retour des troupes britanniques au pays, sonne le glas de l'industrie de guerre et de ses munitionnettes. Entre novembre 1918 et août 1919, 750 000 ouvrières sont alors licenciées[20] tandis que les usines reprennent leur production d'avant-guerre, à l'instar de Dick, Kerr & Co. qui fabrique à nouveau des rails de chemin de fer. Toutefois, les ouvrières-footballeuses ne sont pas près de raccrocher les crampons : malgré la dissolution de quelques formations[a], la Grande-Bretagne comptait encore, à la fin de l'année 1918, une centaine d'équipes féminines prêtes à en découdre sur les gazons.

« *De bien meilleures frappeuses* »

Parvenant à être employées au sein de l'hôpital de la ville, les talentueuses Dick, Kerr Ladies, tout en étant appuyées par leur ancienne usine et encadrées par Alfred Frankland, continuent à susciter l'engouement populaire au cours de l'année 1919. Preuve que le football féminin a su fidéliser son public au cours de la Grande Guerre, une partie opposant, le 8 mars 1919, les Dick, Kerr Ladies aux Newcastle Girls attire 5 000 personnes et permet de récolter 179 livres sterling au profit d'œuvres de bienfaisance. Quelques semaines plus tard, la même affiche rassemble 35 000 spectateurs au St James' Park de Newcastle[21]. L'année suivante, les Dick, Kerr Ladies disputent une trentaine de matchs officiels – 25 victoires, 3 défaites, 133 buts marqués et à peine 15 encaissés[22] –, soit autant voire plus qu'une équipe professionnelle masculine de l'époque.

Le 26 avril 1920, seize footballeuses françaises débarquent à Douvres pour une série de quatre rencontres internationales contre les Dick, Kerr Ladies au profit de la National Association of Discharged and Disabled Soldiers and Sailors. Composée principalement de joueuses du Fémina

---

a   Les ouvrières-footballeuses ont été également décimées par la pandémie de grippe espagnole de 1918. Le 16 novembre 1918, par exemple, seules deux joueuses de l'Armstrong-Whitworth Co. se présentent à une compétition, les neuf autres venant d'être frappées par la grippe.

Sport et d'En Avant !, deux clubs parisiens, la sélection française est chapeautée par Alice Milliat, présidente de la jeune Fédération sportive française de sport féminin (FSFSF) [voir chapitre 19]. Cependant, le football féminin étant encore embryonnaire en France – on compte à peine une dizaine de clubs, presque tous franciliens –, la presse hexagonale est subjuguée par l'euphorie des 25 000 spectateurs venus assister à la première rencontre à Preston : « Le retour du premier match est épique : impossible aux voitures d'avancer, commente le journal *L'Auto*. Quant à la descente d'auto et à la traversée du trottoir pour pénétrer dans l'hôtel, c'est inénarrable : les robustes agents anglais essayaient de frayer un passage qu'ils étaient impuissants à maintenir libre plus de quelques secondes et si les Françaises réussissent à sortir victorieuses de cette foule ce n'est pas sans y laisser des lambeaux de leurs vêtements[23]. » Jusqu'à la dernière confrontation le 6 mai au Stamford Bridge, le stade du prestigieux club londonien de Chelsea, la tournée footballistique rencontre la ferveur chaleureuse des Anglais. « Aussi, nous subîmes avec le sourire le supplice que nous infligèrent, pendant plus d'une heure, au débarquement du train à Londres, reporters et photographes, rapporte Alice Milliat. À chaque gare importante, il nous fallut descendre sur le quai ou nous mettre à la portière des wagons pour faire prendre une fois de plus notre effigie. [...] Il faut avouer que l'accueil de la population entière de la grande ville de Preston fut pour nous très inattendu. Les rues étaient tendues de drapeaux, de bandes portant des inscriptions en français ; le maire se tenait sur les marches de l'Hôtel de Ville pour nous souhaiter au passage la bienvenue[24]. »

Cinq mois après le succès triomphal de ce périple sportif, les Dick, Kerr Ladies traversent la Manche afin d'effectuer une tournée de quatre matchs contre leurs homologues françaises. La première rencontre rassemble le 31 octobre plus de 12 000 curieux ainsi que l'ambassadeur britannique au stade Pershing de Paris[25]. Le lendemain, à Roubaix, 10 000 spectateurs assistent au Parc Jean Dubrulle à la victoire 2 à 0 des Anglaises. Lors de leurs déplacements dans le Nord puis les 6 et 7 novembre au Havre et à Rouen, les footballeuses se recueillent devant les principaux monuments aux morts qui émaillent le trajet, scellant par là même l'amitié franco-britannique qui s'est forgée durant la Grande Guerre.

Le point d'orgue de l'année 1920 advient le jour du traditionnel match de football du Boxing Day, le 26 décembre. 53 000 spectateurs s'agglutinent dans les gradins du Goodison Park, le stade de l'Everton FC de Liverpool, pour contempler les Dick, Kerr Ladies, qui l'emportent 4 buts à 0 face aux St Helen's Ladies. Les footballeuses sont escortées par les forces de police pour pouvoir parvenir jusqu'aux vestiaires et l'affluence énorme permet de recueillir la somme impressionnante de 3 115 livres sterling pour l'Unemployed Ex-Servicemen's Distress Fund[26]. La jeune footballeuse Lily Parr, âgée à peine d'une quinzaine d'années, devient alors la buteuse star de l'équipe. « Il n'y a probablement pas de plus grand prodige de football dans tout le pays, commente un journal local. Non seulement elle possède une vitesse et un excellent contrôle du ballon, mais son physique admirable lui permet de se dérober des défenseurs qui l'abordent. Elle stupéfie la foule par les chemins qu'elle emprunte depuis ses buts jusqu'au camp adverse[27]. »

L'année suivante, les Dick, Kerr Ladies égrènent les succès sportifs en disputant un total de 67 matchs – soit environ deux matchs par semaine durant la saison dont une série de rencontres en soutien au vaste mouvement de grève des mineurs déclenché en avril 1921 – devant une assistance moyenne de 13 000 spectateurs[28]. Impressionné par la qualité de jeu des Anglaises et par le public qu'elles drainent, le *Sport of Dublin* convient le 5 novembre 1921 : « Si les joueurs de la ligue irlandaise pouvaient jouer un football de l'habileté et d'un caractère aussi attractif que celui joué par les Dick, Kerr Ladies à Windsor Park la semaine dernière, il y aurait plus de foule et un plus grand nombre d'entrées. Les femmes étaient aussi rapides et habiles que les internationaux le week-end précédent et de bien meilleures frappeuses. »

Rappel à l'ordre masculin

Alors que la Football League a relancé le championnat professionnel anglais à la saison 1919-1920 et la Football Association sa Coupe d'Angleterre, les autorités footballistiques commencent à voir d'un très mauvais œil sinon la concurrence en termes d'audience et de spectacle sportif, du moins l'organisation de ces rencontres féminines dans les stades de ses clubs affiliés. Les importants profits générés lors des compétitions entre *ladies* agacent également les sphères dirigeantes du mouvement sportif qui se questionnent de plus en plus sur la nature de ce football féminin : est-il un simple prolongement des matchs de charité entre munitionnettes durant la Grande Guerre ou une pratique footballistique populaire qui est en train de s'implanter durablement dans la culture sportive du Royaume ?

Par ailleurs, le contexte social au tournant des années 1920-1921 ne penche plus en faveur de l'émancipation féminine. Alors qu'en 1918 le Parlement a adopté le *Representation of the People Act* autorisant les femmes mariées de plus de 30 ans à voter et que Nancy Astor devient en 1919 la première femme à siéger au Parlement, un souffle réactionnaire et patriarcal traverse la société britannique. Certes, la participation des ouvrières à l'effort de guerre a réussi à bouleverser un temps la rigide division sexuelle. Mais l'émergence dans les métropoles anglaises des « Flappers », mouvement de jeunes femmes qui revendiquent une sexualité libre, le port de cheveux courts ainsi que la consommation de tabac et d'alcool, provoque un véritable vent de panique morale.

Dans ces circonstances, le football féminin apparaît progressivement comme le vecteur d'une crise des identités de genre et d'une remise en cause du rôle procréateur assigné à la femme. Début 1921, une lettre à charge qui se présente comme celle d'une femme adressée à sa petite sœur footballeuse est publiée dans le *Blaydon Courier* : « Vous faites appel à la cause sacrée de la charité. Mais la charité est-elle la seule chose sacrée ? N'existe-t-il pas une belle fleur appelée modestie ? N'avez-vous donc aucun respect pour votre sexe ? Chère et gentille Jennie, ne savez-vous pas que chaque fois que vous entrez dans les vestiaires et que vous laissez votre tenue féminine pour un short de football masculin et un tricot, non seulement vous vous déshonorez mais vous abaissez votre sexe aux yeux de tous ceux qui ont un minimum de décence[29] ? » Dans une interview publiée le 21 avril 1921, le célèbre athlète Walter Goodall George déclare à propos du football féminin : « Nous devons garder à l'esprit nos besoins futurs en termes de maternité, et, en tant que nation, réfléchir si les efforts physiques inhérents au sport féminin et associés à un nouvel état d'esprit sont bénéfiques ou préjudiciables. Sur ce point, j'ai tendance à penser qu'il faut, sous les auspices du gouvernement, que les plus hautes instances médicales mènent une enquête officielle. »

Le retour à l'ordre patriarcal auquel aspirent les hommes passe ainsi par un retour à l'ordre footballistique que siffle brutalement la Football Association. Le 5 décembre 1921, la fédération anglaise interdit officiellement à ses clubs affiliés le prêt de leur terrain aux équipes féminines ainsi que toute assistance technique et arbitrale. Après avoir sanctionné lourdement le Winchester City FC pour avoir mis son stade à la disposition des équipes féminines de Plymouth et de Seaton, elle stipule que « le football n'est pas adapté aux femmes et ne devrait jamais être encouragé[30] ». Par ailleurs, la Football Association motive à demi-mot sa décision par des allégations de détournement d'argent récolté en faveur des œuvres de charité. Certes, les bénéfices qu'engendraient ces matchs ont dû aiguiser les appétits financiers des managers d'équipes féminines. Toutefois, si comme aux prémices du football professionnel masculin les joueuses recevaient de discrètes rémunérations pour compenser la perte de leurs journées de travail, les instigateurs de ces rencontres étaient davantage animés par la volonté de développer un football féminin de haute qualité sportive que par des préoccupations purement mercantiles[31].

Au lendemain de la décision foudroyante de la Football Association, le célèbre *tennisman* et promoteur de l'éducation physique Eustace Miles approuve : « Je considère que le football est un jeu inapproprié pour les femmes, particulièrement si elles n'ont pas subi préalablement un examen médical. [...] Tout comme la carrure d'une femme, qui est plus arrondie que celle d'un homme, ses mouvements devraient être plus courbes et moins angulaires[32]. » Le discours officiel de la fédération de football est pour sa part relayé par les cadres de différents clubs professionnels. Peter McWilliam, entraîneur du Tottenham Hotspur FC, explique ainsi dans les colonnes du *Hull Daily Mail* : « J'ai vu un ou deux matchs féminins qui m'ont convaincu que le jeu ne peut qu'avoir des conséquences néfastes pour les femmes. » Même son de cloche du côté de l'entraîneur d'Arsenal, Albert Leslie Knighton : « Toute personne connaissant la nature des blessures reçues par les footballeurs masculins ne peut s'empêcher de penser, en regardant les filles jouer, que si elles recevaient des coups et des contusions similaires, leurs devoirs futurs en tant que mère seraient gravement compromis[33]. » Le message politique envoyé par les autorités sportives est limpide : les stades de football doivent demeurer un temple de la masculinité et les femmes sont tenues de se consacrer à la régénération de la nation.

Une des premières conséquences directes de cette résolution radicale est qu'un nombre important de matchs féminins programmés dans la saison sont *de facto* annulés faute de stades disponibles. De même, sur les 150 équipes recensées fin 1921, seule une vingtaine parviennent, non sans difficultés, à pratiquer le football dans les années qui suivent[34]. Jouissant encore de leur notoriété sportive, les Dick, Kerr Ladies embarquent ainsi en septembre 1922 pour une tournée outre-Atlantique. Après une série de matchs contre des formations masculines de Baltimore, de Washington ou de New York, elles apprennent avec stupeur que leurs rencontres prévues au Canada sont annulées suite à une décision de la fédération canadienne de football. Dépitées, les footballeuses rentrent à Liverpool le 17 novembre 1922. Une célébration officielle accueille les joueuses à leur descente du paquebot et quelques édiles régionaux sont de la partie. Pourtant, les toasts portés à la gloire du football féminin sonnent irrémédiablement faux aux oreilles des Dick, Kerr Ladies. Quelques compétitions continuent à être sporadiquement disputées mais les duels France-Angleterre de 1922 et 1923 attirent beaucoup moins de public. En effet, les quotidiens nationaux tels que le *Manchester Guardian*, le *Daily Mail* ou le *Times*, qui annonçaient et rapportaient auparavant les différents matchs, ne font quasiment plus référence au football féminin dès 1922[35].

La mémoire collective de l'engouement populaire britannique pour le ballon rond féminin et ses ouvrières-footballeuses s'émousse alors progressivement au profit d'un football exclusivement masculin. En 1926, les Dick, Kerr Ladies sont même dépossédées de leur nom suite au désengagement financier de leur soutien industriel. Elles sont rebaptisées les Preston Ladies et la glorieuse formation féminine disparaîtra définitivement en 1965. Quant à la résolution du 5 décembre 1921, il faudra attendre exactement cinquante ans pour que la Football Association revienne sur le bannissement des femmes du ballon rond anglais...

5

Classe contre classe.
Le football ouvrier en France,
extension du domaine de la lutte

« Et quand viendra le Grand Soir, nous bombarderons
l'ennemi à coups de ballons. »

Le Socialisme, 9 novembre 1912.

« Ils sont 15, 20, peut-être plus. Les uns ont la cotte bleue de l'ouvrier, les autres le veston luisant aux coudes du petit employé. [...] Que faire avant de rentrer chez le patron s'enfermer jusqu'à sept heures du soir ? Allons au terrain de football. Quatre pierres plates représentent les quatre poteaux de football. On les place là où il faut. Les lignes de touche sont représentées par deux trottoirs et le ballon par une petite balle en caoutchouc. C'est au football-association que l'on joue... » décrit en 1904 un journaliste sportif se penchant sur la pratique du ballon rond à Paris à l'heure du déjeuner[1]. Le jardin des Tuileries est alors le premier terrain de jeu des Parisiens et, en périphérie de la capitale, le bois de Vincennes devient l'espace privilégié des rencontres de football. Les joueurs y transportent sur leurs épaules des buts en bois et, chaque dimanche, « toutes les pelouses se hérissent de poteaux qui délimitent les terrains de jeu, les buts se dressent et le passant non initié s'étonne de cette pousse de pieux dont il ignore l'utilité[2] ».

Si le foot n'est pas encore un sport de masse en France à cette époque – en 1906, on dénombre près de 4 000 footballeurs et 270 clubs, soit deux fois moins qu'en Allemagne[3] –, la loi de 1901 sur la liberté d'association dynamise le tissu associatif sportif. Dans un pays en pleine industrialisation, le club de sport propose une structure sociale conviviale et facilement accessible aux travailleurs fraîchement débarqués en ville. Pour l'historien français du football Alfred Wahl, l'émergence de ce sport « annonce une véritable révolution des modes de sociabilité et traduit simultanément un changement de sensibilité : une aspiration nouvelle vers le retour à une forme de vie communautaire, un engagement collectif. La convivialité tissée autour de la pratique du football s'inscrit dans

60

l'ensemble des phénomènes de la fin du XIXe siècle, caractérisés par un retour vers le sentiment associatif, en réaction contre l'éclatement des communautés traditionnelles et les conséquences de l'urbanisation[4] ».

N'ayant pas de terrain fixe et approprié où pratiquer leur sport, les footballeurs sont contraints à un nomadisme permanent et, comme les pubs en Grande-Bretagne, les cafés jouent un rôle de premier plan dans la naissance des clubs. Au début du XXe siècle, dans le département de la Seine, 59 des 140 sièges sociaux de clubs de football sont des cafés, des brasseries, des tavernes ou des débits de vin[5]. La brasserie Mollard, rue Saint-Lazare, devient ainsi un haut lieu de la sociabilité footballistique parisienne, accueillant le Racing Club de France, les White Rovers ou encore le Stade Français[6]. Les troquets servent autant de vestiaire que de lieu de remise du matériel et les joueurs y organisent leurs réunions, les assemblées générales de l'association et les banquets du dimanche après le match, quitte à y noyer dans l'alcool sa défaite, comme le raconte en 1921 le journal *Football Association* : « Vous avez loupé un but tout fait, vous avez centré derrière les buts, vous avez fait un *hand* qui a valu un penalty à votre équipe. Chez le bistrot, moyennant un export-cassis, vous avez tout loisir de vous justifier et d'annihiler par avance les illusions blessantes que les journalistes vous chercheront le lendemain[7]... »

Phobie sociale, valeurs martiales

S'intégrant dans un réseau associatif de plus en plus dense, les clubs de football sont cependant rapidement investis par les institutions sportives bourgeoises laïques et les patronages catholiques qui veulent encadrer les pratiques sportives de la jeunesse. L'Union des sociétés françaises de sports athlétiques (USFSA), fédération nationale omnisports qui tente de contrôler le mouvement sportif hexagonal, voit d'un mauvais œil l'arrivée du football. Dirigée par les très aristocratiques Georges de Saint-Clair et Pierre de Coubertin, la fédération défend bec et ongles l'amateurisme bourgeois et craint, à travers la popularisation du football, l'importation du professionnalisme britannique[8]. Pour tenter de tuer dans l'œuf la généralisation du modèle anglais, l'Union impulse ainsi en 1904 la création de la Fédération internationale de football-association (FIFA), qui sera dans un premier temps boudée par la Football Association anglaise en raison de l'hostilité des Français à l'égard du professionnalisme.

L'amateurisme restrictif de l'USFSA est aussi empreint d'une certaine phobie sociale envers les classes ouvrières. Les statuts de la fédération, établis en juillet 1890, stipulent dans l'article premier : « Nul ne peut être admis comme membre d'une société faisant partie de l'Union, s'il n'est amateur. Est amateur : toute personne qui n'a jamais pris part à une course publique ouverte à tous venants [*sic*], ni concouru pour un prix en espèces [...] ou qui ne se livre à aucune profession ouvrière. » Fondée par Pierre de Coubertin en 1890, *La Revue Athlétique* dénigre quant à elle la pratique du football par les plus modestes et révèle la conception très aristocratique du *fair play* qui règne au sein de la fédération sportive : « Joué par des mineurs et des ouvriers des grandes usines, gens qui ne passent pas pour avoir l'esprit chevaleresque, le football devient nécessairement brutal et dangereux, joué par des jeunes gens bien élevés, il reste ce qu'il est, un excellent exercice, d'adresse, d'agilité, de force, de sang-froid auquel on peut se livrer sans se départir des règles de courtoisie[9]. »

L'Église, à travers sa Fédération gymnastique et sportive des patronages de France (FGSPF), concurrente de l'USFSA, devient pour sa part la plus grande promotrice du ballon rond. La fédération catholique organise le 14 avril 1901, à l'hippodrome de Vincennes, son premier tournoi de football et met en place dès 1904 un championnat de France des patronages. En 1912, la FGSPF a déjà sous sa tutelle près de 1 000 équipes de foot, principalement dans la moitié nord du pays[10].

Pour l'USFSA comme pour les patronages catholiques, le football doit s'atteler à fortifier les corps et former le caractère au respect de l'autorité, au courage et à l'endurance. Aux yeux des dirigeants sportifs encore traumatisés par la défaite du pays lors de la guerre franco-prussienne de 1870, le football doit préparer à l'obéissance militaire toute une nouvelle génération de soldats : « La République, c'est très gentil en politique, mais sur le terrain de football, il n'y a qu'une forme de gouvernement qui soit capable de mener une équipe à la victoire : c'est le césarisme, autrement dit, le pouvoir absolu dans les mains du chef », affirme sans ambages le journal *Tous les Sports* en juillet 1901. Alors que la gymnastique était hégémonique en France jusqu'à la fin du XIXe siècle, l'esprit martial qui imprégnait la discipline se diffuse dans le football. Dans le premier ouvrage français consacré au football-association et édité en 1897, Eugène Fraysse de l'USFSA et le joueur anglais Neville Tunmer décrivent l'équipe comme un escadron militaire aux ordres de son officier : « Les nombreuses qualités que doit posséder un joueur pour remplir convenablement les fonctions de capitaine sont les mêmes requises d'un général ; son équipe est une petite armée qu'il doit savoir commander, instruire et diriger et celle-ci doit avoir une confiance illimitée en lui. [...] Une équipe qui se permet de discuter les ordres et la façon de diriger le jeu de son chef ne fera jamais rien qui vaille. » Être capitaine « c'est un don de la nature ; on naît bon général, on ne le devient pas et la science du commandement n'est pas donnée à tous[11] ». Dans *Les Jeunes*, le bulletin fédéral de la fédération sportive des patronages catholiques, les articles footballistiques sont également truffés de métaphores guerrières : « Lorsqu'une armée veut opérer, elle place généralement en tête de colonne ses détachements les plus actifs et les plus mobiles. [...] Dans une équipe bien organisée, les avants sont un peu comme les chasseurs, les éclaireurs de l'armée [...], ce sont eux qui doivent entrer en contact avec l'ennemi – pardon, l'équipe adverse – et par l'ardeur de leur attaque décider de la victoire[12]. »

Alors que l'empire colonial français est en pleine expansion en Asie du Sud-Est et en Afrique, l'anglomanie bourgeoise pour le ballon rond et l'appréhension du football comme une arme moralisatrice et disciplinaire au service des intérêts de la nation se traduisent jusque dans les discours des autorités sportives. En 1894, Pierre de Coubertin résume ainsi les vertus conquérantes attribuées au football : « Si vous êtes plus tard un grand commerçant, un journaliste distingué, un explorateur hardi, un industriel avisé, le comptoir que vous ouvrirez au loin, l'agence de nouvelles que vous établirez, le produit perfectionné que vous lancerez, seront autant de victoires pour la France. Pour ces œuvres-là, il faut être un homme d'initiative, un bon joueur de football, n'ayant pas peur des coups, toujours agile, de décision rapide, conservant son sang-froid ; il faut (pour traduire cette expression yankee si belle) être *self-governed*, c'est-à-dire exercer le gouvernement de soi-même. [...] Je voudrais que vous ayez l'ambition de découvrir une Amérique, de coloniser un Tonkin et de prendre un Tombouctou. Le football est l'avant-propos de toutes ces choses[13]. »

Jouer plus pour travailler plus

Si, durant la Grande Guerre, la France paysanne a commencé à découvrir les joies du ballon rond grâce à quelques parties improvisées à l'arrière des lignes de front, l'apparition du mouvement sportif corporatiste après guerre participe grandement à populariser le football à travers l'Hexagone. Appliquant l'adage d'Henry Ford « Faites faire du sport aux ouvriers. Pendant ce temps, ils ne penseront pas à l'organisation syndicale[14] », les grandes banques possèdent leur propre équipe de foot – tels les Cercles Athlétiques de la Société Générale – de même que les industries. Dans l'automobile, l'Association Sportive Michelin est fondée dès 1911 à Clermont-Ferrand et le Club olympique des usines Renault (COUR) est institué en 1917. Les mines de Drocourt constituent leur équipe en 1921 et la société des Tréfileries et Laminoirs du Havre lance l'Union Sportive des Tréfileries en 1922. Dépassée par l'émergence fulgurante des clubs d'entreprise, la toute jeune Fédération française de football-association (FFFA), fondée en 1919, les autorise à participer aux compétitions nationales à condition de retirer de leur nom la raison sociale de la société[15]. Le groupe stéphanois Casino ayant lancé son club de sport corporatif en 1919, l'Amicale des employés de la Société des magasins Casino (ASC) – dont la couleur verte est celle de la chaîne d'épiceries – doit ainsi modifier en urgence son nom en Amical Sporting Club afin de préserver les initiales ASC de son club... avant de devenir, à partir des années 1960, la légendaire et populaire AS Saint-Étienne.

Grâce aux activités sportives en entreprise, indique *Le Bulletin des Usines Renault* en janvier 1919, les ouvriers « prennent goût à la lutte franche, deviennent des hommes énergiques ayant l'ambition honorable d'améliorer leur situation et celle de leur famille, c'est-à-dire de produire plus. Celui qui pratique couramment les sports a une tout autre existence que celui qui passe ses heures de liberté au café[16] ». Dans une perspective à la fois hygiéniste et paternaliste, le patronat attend en effet de la pratique du football qu'elle améliore la constitution physique de ses ouvriers dans un objectif de productivité croissante du travail tout en développant l'identification à l'entreprise[17]. « Le sport corporatif est bon pour le développement physique de l'individu mais aussi pour le rapprochement entre employeur et employé », déclare ainsi le président de l'Union Sportive des Tréfileries lors d'une remise de coupe[18]. Fréquemment, la composition des instances dirigeantes du club reproduit la hiérarchie au sein de l'entreprise, le directeur présidant lui-même la structure et investissant dans des infrastructures sportives de qualité. « Jamais le sport ne s'est développé avec tant de rapidité dans notre région, souligne le journal d'entreprise de Peugeot en 1935. Et ceci grâce à l'esprit de compréhension du devoir social et à la générosité de Messieurs Peugeot, qui virent dans le sport un éducateur physique et moral de la jeunesse[19]. » Les patrons d'usine décèlent également dans le football un instrument pédagogique de la nouvelle organisation industrielle. Sur le terrain de jeu, engagement physique intensif des joueurs et compétition sportive font écho à la taylorisation de la production et à la concurrence économique[20]. *L'Effort,* le journal au titre évocateur de l'entreprise automobile Berliet, va jusqu'à préciser en 1920 qu'« une usine bien organisée doit être comme une équipe de football [...] où chacun se met de lui-même à la place qui lui convient le mieux, et où il remplit son rôle, avec orgueil, avec joie, de tout son cœur[21] ».

Néanmoins, les matchs de football du dimanche organisés par l'usine ponctuent les dures semaines de labeur des travailleurs et deviennent un nouvel espace de sociabilité ouvrière : « Le lundi matin, les discussions, à la tôlerie, ne roulaient que sur les matchs de la veille : commentaires, critiques et espoirs pour le dimanche suivant allaient bon train, témoigne un ouvrier de l'automobile en 1932. La production devait s'en ressentir le lundi mais, à cette époque, ce n'était pas, comme maintenant, une obsession[22] ! » Pratiquant sur les pelouses l'analogie physique et disciplinaire entre sport et travail industriel, les capacités footballistiques des joueurs se transforment en variable de recrutement de jeunes travailleurs. Les cadres des usines Renault utilisent ainsi leur Club olympique de Billancourt (COB) pour embaucher, ainsi que l'explique un menuisier-ébéniste au chômage en mars 1931 : « Je vais au stade du Club olympique de Billancourt, dans l'île Saint-Germain, faire apprécier mes talents de footballeur à l'entraîneur, un nommé Stutler, dit "La Cerise" à cause de son teint coloré. C'est un ancien équipier du Red Star [club de football installé à Saint-Ouen, commune limitrophe de Paris] où je joue depuis trois saisons en junior, en deuxième et maintenant en réserve. Cela m'ennuie de quitter un grand club comme le Red Star mais le "beefsteak" l'emporte car on m'a dit que si j'accepte de jouer au Club olympique de Billancourt, je serai embauché chez Renault. [...] À la fin de l'entraînement, la "Cerise" me laisse entendre que l'essai est concluant. [...] Me voilà donc menuisier chez Renault[23] ! »

L'engagement individuel au sein du club d'entreprise et les compétences sportives de chaque ouvrier participent à créer un classement social parallèle au sein de l'usine, voire à favoriser pour les plus performants la mobilité interne. « Je me retrouve dans le fief du football, à la grande usine, à l'atelier de tôlerie, précise l'ouvrier-footballeur de Renault un an et demi après son recrutement. Le patron de ce secteur de fabrication est président de la section football du COB ; tous les joueurs et dirigeants travaillent là. Je suis donc à la tôlerie comme ouvrier spécialisé [...]. Ce travail abrutissant, je vais le faire pendant un an. [...] Je relance sans arrêt mes dirigeants du football pour changer de travail. Je menace de quitter le COB ; et un beau jour, enfin, on m'offre une place au bureau central, comme graphiqueur. Je n'ai aucune idée sur cet emploi[24]. »

Inspiré par son homologue italien de Fiat qui dirige la Juventus de Turin, par la société hollandaise Philips qui a lancé le PSV Eindhoven ou encore par l'industriel chimique allemand Bayer qui a fondé le Bayer Leverkusen, Jean-Pierre Peugeot fonde en 1928 le Football Club de Sochaux. Alors que le groupe automobile entame un plan de rénovation et d'agrandissement de ses usines, la création d'une équipe de football permet à Peugeot de renforcer l'image de l'entreprise tout en mobilisant le personnel pour sa nouvelle stratégie commerciale et industrielle. « Cette équipe aura le devoir d'acquérir des adeptes à notre cause et de gagner définitivement les foules aux beautés d'un sport qui devient de plus en plus populaire, déclarent à la presse locale les dirigeants du groupe. Elle devra porter bien haut le fanion des automobiles Peugeot à travers la France au cours des rencontres qu'elle aura à disputer avec les meilleures équipes nationales et mieux faire connaître et estimer ce petit coin du Pays de Montbéliard[25]. » La nouvelle équipe doit donc être le miroir de l'entreprise et de ses automobiles. De fait, la presse sportive décrit le FC Sochaux comme une équipe « technique parfaitement réglée », au « jeu classique » et « élégant ». Jean-Pierre Peugeot demande aux joueurs-ouvriers non pas de gagner mais « de toujours bien jouer dans la correction, en donnant des spectacles sportifs de la meilleure qualité[26] ». Dans cette perspective, il lance en 1930 la Coupe Sochaux, réservée aux meilleurs clubs de France, compétition qui acculera les dirigeants sportifs français à instaurer un championnat de France de football professionnel en 1932.

Un nouveau terrain de lutte ?

Grâce à l'intensification des luttes ouvrières, qui se traduisent par la création des grandes centrales syndicales (la CGT est fondée en 1895) et par des grèves massives dans certains secteurs industriels, la réglementation du travail en France a évolué dès le début du XXᵉ siècle. Considérées comme les plus grandes conquêtes sociales de l'époque, la loi Millerand adoptée en 1900 limitant la journée de travail à onze heures et la loi de 1906 instituant la semaine de six jours favorisent l'essor des pratiques sportives parmi les travailleurs industriels. Néanmoins, l'idéal du *sportsman* promu par les classes dominantes suscite la méfiance du mouvement ouvrier. Irriguées par l'ouvriérisme comme culture de classe et la grève générale comme pratique de lutte révolutionnaire, les différentes composantes de la gauche ouvrière réprouvent systématiquement tout ce qui se révèle être par essence bourgeois. Accusé de détourner les travailleurs du combat pour leur propre émancipation et d'être l'instrument du capitalisme et du militarisme, le sport est critiqué par la presse contestataire, qui s'en prend particulièrement au football anglais dont les clubs sont décrits comme des « entreprises de spectacle » et des plaques tournantes de la « traite des Blanches »[27]. Plus pragmatiques, les syndicats soulignent quant à eux que les travailleurs ne sont guère prompts à s'adonner aux exercices physiques à la fin de leur journée à l'usine. C'est du moins ce qu'avance Léon Jouhaux, secrétaire de la CGT, en 1919 : « À l'ouvrier exténué par sa tâche quotidienne qui rentrait las de son labeur dans un logis déplaisant, il était difficile de demander de parfaire son instruction [...]. Quant à lui demander de faire du sport, c'eût été une amère dérision, n'est-il pas vrai[28] ? »

De plus en plus de militants prennent toutefois conscience que les vertus physiques du sport peuvent être réappropriées par les forces de gauche. Dès 1903, dans le quotidien socialiste *La Petite République*, le journaliste et professeur de culture physique Albert Surier objecte que « le sport, possible au peuple, est indispensable à son perfectionnement intellectuel et moral. [...] Le prolétariat d'aujourd'hui est considérablement inférieur en force physique à la moyenne bourgeoisie, qui depuis quelques années surtout s'est passionnément adonnée aux sports[29] ». *L'Humanité* encense régulièrement le ballon rond car « avec le football, particulièrement, le jeune homme apprend la nécessité de l'effort individuel mais au service d'une collectivité[30] ». Ce qui n'empêche pas le quotidien de Jaurès de dénoncer l'encadrement sportif d'une partie de la jeunesse par les patronages qui la tiennent savamment à distance des cercles de recrutement militant : « Patronages laïques et patronages cléricaux sont habiles, persévérants. Dès l'école, ils attirent les enfants chez eux les jeudis et les dimanches. L'enfant grandit, le voici apprenti et c'est alors qu'ils le retiennent en lui offrant selon ses goûts, de s'intéresser aux sports, à la gymnastique, à la musique. L'apprenti devient jeune homme, ils lui facilitent l'obtention du certificat d'aptitude militaire. Ils en font leur soldat. Ils le suivent au régiment même, les cléricaux surtout. Il est leur chose. Homme, ils ont toute chance de le garder à eux. Il reste perdu pour nous, le plus souvent parce que nous n'avons pas su préparer cet enfant à devenir un homme à nous[31]. »

Alors que le mouvement ouvrier s'unifie sous la bannière de la Section française de l'Internationale ouvrière (SFIO) en 1905, certains membres du parti se montrent sensibles à l'idée que le sport est un nouveau front de la lutte des classes et affirment qu'en tant que « sportifs socialistes », ils se doivent « de combattre le capitalisme dans le sport comme nous le combattons dans la vie politique et économique »[32]. Quelques militants de la SFIO dont Abraham Henri Kleynhoff, journaliste sportif à *L'Humanité*, proposent en 1907 de créer l'Union sportive du Parti socialiste, premier jalon du sport ouvrier autonome français. En novembre, ces militants appellent dans les colonnes de *L'Humanité* à une réunion dans le X⁰ arrondissement de Paris pour rédiger les statuts de cette association qui se donne pour missions de « développer la force musculaire et purifier les poumons de la jeunesse prolétarienne », d'offrir « un palliatif à l'alcoolisme et aux mauvaises fréquentations » et d'« amener au Parti de jeunes camarades ».

Dès l'année suivante est fondée la Fédération sportive athlétique socialiste (FSAS), organisation sportive ouvrière qui rassemble à sa naissance à peine moins d'une dizaine de clubs. « Nous voulons créer, à la portée de la classe ouvrière, des centres de distraction qui se développeront à côté du Parti et qui seront cependant, pour le Parti, des centres de propagande et de recrutement », déclarent ses fondateurs[33]. Les débuts sont modestes : en 1914, la fédération revendique 4 000 adhérents alors que les patronages catholiques en comptent 150 000 et l'USFSA 200 000. Le football s'impose cependant, auprès du mouvement ouvrier, comme un « véritable sport de caractère socialiste dans lequel les équipiers coordonnent tous leurs efforts et leur volonté en vue d'une action collective et d'un résultat d'ensemble[34] ». En 1909-1910, onze équipes provenant de six clubs participent au premier championnat travailliste de football. Quatre ans plus tard, une quarantaine d'équipes, issues de vingt clubs ouvriers, y prennent part[35].

Les clubs de football rouges composent alors au quotidien avec peu de moyens, mobilisant bénévolat militant, sociabilités ouvrières et solidarité familiale pour s'organiser au mieux. Le responsable de l'équipe est souvent à la fois entraîneur, arbitre et logisticien, et sa compagne, trésorière et administratrice du club. À sa création au début des années 1930, le Club populaire sportif du X⁰ arrondissement de Paris ne bénéficie par exemple d'aucune subvention ou infrastructure de la part de la fédération ou de la municipalité. Les footballeurs, qui financent l'achat de leurs propres maillots, s'entraînent en banlieue ou à la porte de Charenton, sur un terrain où « il était plus difficile de jouer d'un côté que de l'autre en raison de la déclivité[36] ». « On avait des chaussures, des survêtements qui n'étaient pas adaptés, se souvient un ancien joueur du club. On n'y pensait même pas. On a été très heureux. Il y avait une bonne camaraderie[37]. » En dépit des conditions matérielles précaires, l'ambiance chaleureuse, le plaisir de jouer ensemble et les retrouvailles dominicales transforment l'équipe en « bande de copains ». « Chaque fois, que l'on ait gagné ou perdu, on n'échappait pas à la choucroute chez Jenny. On se retrouvait ainsi une trentaine les soirs de match. Cela faisait une table très longue au rez-de-chaussée, rapporte un autre jeune footballeur de l'époque. C'était des retrouvailles amicales et c'était bien[38]. »

Les intenses débats politiques qui traversent le mouvement ouvrier, notamment après la révolution bolchevique de 1917, rejaillissent au sein de la sphère sportive travailliste. Pour contrer la mainmise de la bourgeoisie sur le sport, le courant léniniste exhorte la fédération sportive à aiguiser la conscience de classe et met en garde les « jeunes ouvriers [qui] pratiquent le football avec les classes bourgeoises », car comme l'indique le journal *Le Sport Alsacien* : « On sait que le sport est un moyen, et non le moindre, pour réduire les contradictions sociales. [...] Des gens en tenue de sport qui ne permet plus de reconnaître le riche du pauvre, et qui ont combattu pour les mêmes couleurs, sont devenus des amis pour la vie[39]. » De même, influencés par le mouvement soviétique culturel Proletkult et le modèle sportif de la « *fizkultura* », qui estimaient que la compétition sportive devait être abolie dans le cadre d'une révolution socialiste totale[40], les communistes condamnent la « compétition réservée aux as et non aux masses » quitte à « supprimer les championnats de football qui suscitent tant d'animosité entre les équipes »[41]. Aux yeux des révolutionnaires, le foot doit désormais devenir authentiquement prolétarien.

La scission de la gauche française lors du Congrès de Tours de 1920 entre communistes et socialistes se traduit également sur le plan sportif. Le football ouvrier se divise en deux organisations, la communiste Fédération sportive du travail (FST), qui se rallie à l'Internationale rouge sportive de Moscou en 1923, et l'Union des sociétés sportives et gymniques du travail (USSGT), fondée par les socialistes en 1925 et affiliée à l'Internationale sportive ouvrière socialiste[42]. Pour la FST, majoritaire, « le club sportif local demeure l'antichambre des organisations révolutionnaires[43] » et doit suivre la ligne de conduite stratégique du « classe contre classe » dictée par le Komintern[44]. En témoigne l'Étoile sportive de Gentilly qui, à sa création en 1930, proclame : « La bourgeoisie utilise le sport pour embrigader militairement les jeunes ouvriers et leur inculquer l'esprit chauvin. Le sport neutre n'existe pas. Vous ! Jeunes travailleurs, n'avez rien à faire dans ces formations de défense capitaliste. Seul votre développement corporel et moral de classe vous intéresse. Partout où vous vous trouvez, vous ne devez jamais oublier que vous êtes des ouvriers. C'est pourquoi, pour votre intérêt particulier, et dans l'intérêt de l'ensemble des travailleurs de Gentilly, vous viendrez nombreux à notre club[45]. »

Moins encline à la politisation radicale du sport, l'USSGT défend quant à elle l'accessibilité des activités sportives pour tous et s'attache à diffuser *via* ses clubs les « principes sportifs ouvriers » prônés par l'Internationale sportive ouvrière socialiste, comme l'« éducation dans le domaine de la solidarité, de la discipline et de l'esprit de sacrifice » ou l'amélioration de l'« état de santé de la classe ouvrière soumis aux dommages physiques résultant des méthodes de travail capitalistes et des conditions de vie modernes »[46]. Mais, alors que le mouvement ouvrier se fissure, le football se diffuse prodigieusement au sein des classes laborieuses. « Le football en France est un sport populaire, presque exclusivement populaire, affirme en 1926 *Le Miroir des Sports*. Il a pénétré profondément dans la masse. Il n'est pas exagéré de prétendre que la clientèle bourgeoise l'a beaucoup délaissé et qu'il n'a fait, parmi elle, que peu de conquêtes[47]. » En 1927, la FST revendique 160 équipes de foot auxquelles s'ajoutent une quarantaine d'équipes USSGT[48] et de nombreux clubs parisiens d'immigrés et réfugiés tels les Ashkénazes du Yiddischer Arbeiter Sporting Club ou les Espagnols de l'Armonia Deportivo.

Balle au pied, poing levé

Dans la région parisienne, les universités populaires et les coopératives ouvrières de consommation accompagnent sur le terrain les premiers pas du football ouvrier. Ces nombreuses structures autogérées – en 1907, on dénombre dans Paris et sa banlieue 41 sociétés coopératives de consommation et une trentaine d'universités populaires[49] – créent leurs propres clubs sportifs affiliés alors à la Fédération sportive athlétique socialiste (FSAS, avant la scission entre la FST communiste et l'USSGT socialiste). L'équipe de football du Club athlétique socialiste (CAS) de la Bellevilloise, coopérative ouvrière du XXᵉ arrondissement, voit le jour en 1909 et organise un match amical avec l'équipe du Club sportif de la coopérative de l'Union à Amiens pour fêter le nouvel an 1910[50]. L'Avenir de Plaisance dans le XIVᵉ arrondissement de la capitale, l'Utilité Sociale dans le XIIIᵉ, l'Égalitaire dans le Xᵉ ou encore le Progrès à Aubervilliers possèdent aussi leurs clubs de football destinés aux « camarades socialistes de ces quartiers si populaires[51] ».

Les coopératives servent également de support à la vie associative des équipes de football ouvrier. Le premier club rouge, l'Union sportive du Parti socialiste, célèbre ainsi le 1ᵉʳ mars 1908 sa naissance à la salle des fêtes de l'Égalitaire. L'Utilité sociale héberge à sa création le Club sportif de la Jeunesse socialiste du XIIIe arrondissement ainsi que le siège de la FSAS durant la Première Guerre mondiale. Le CAS de la Bellevilloise assure une permanence chaque matin à la buvette de la coopérative et le trésorier du club y donne ses rendez-vous[52]. La fédération sportive ouvrière recourt même à l'Harmonie de la coopérative pour animer ses manifestations sportives et y organise des meetings autour de sa politique associative.

Les coopératives ouvrières sont néanmoins soucieuses de préserver la diversité politique de leurs organisations économiques qui brassent autant des socialistes que des libertaires, des communistes comme des ouvriers non politisés. Certains clubs issus des coopératives dénoncent même régulièrement les tentatives de la FSAS d'imposer aux licenciés l'encartement politique au parti. Lors d'un congrès fédéral sportif en 1913, l'Étoile sportive socialiste de l'Utilité sociale propose sans succès que les coopératives et les syndicats puissent siéger au sein de la direction des sociétés sportives. Quant au club de l'Égalitaire, afin de ne pas effaroucher les « jeunes gens épris d'idées anarchistes ou libertaires », il suggère, en pure perte, à la FSAS d'adopter un nom se référant moins explicitement au socialisme[53].

Suite aux victoires communistes et socialistes lors des élections municipales de 1925 et 1929 dans la banlieue parisienne mais aussi à Lille, Roubaix ou Toulouse, de nombreux élus volontaristes participent pour leur part à l'essor local du football ouvrier. Dès 1926, le communiste Georges Marrane, nouvellement élu maire d'Ivry, interpelle ainsi son parti : « Il faudrait intervenir auprès des municipalités communistes pour arriver à obtenir des terrains de sport dans la banlieue parisienne. Si les jeunes ouvriers vont de préférence aux clubs bourgeois, c'est parce que ceux-ci disposent de beaux terrains[54]. » L'élu inaugure ainsi en 1926 le stade Lénine sur sa commune et l'Union sportive du travail d'Ivry, affiliée à la FST, reçoit le soutien de l'équipe municipale, passant dès lors de 39 adhérents en 1925 à 450 en 1933[55]. Le journal *Le Populaire* du 7 mars 1930 énumère les nouvelles installations sportives exemplaires de la municipalité socialiste de Pantin qui comportent deux terrains de football avec « eau et vestiaire sur le stade ». Quant au Club athlétique ouvrier de Villejuif, adhérent à la FST, son siège est déplacé d'un débit de boissons directement à la mairie devenue communiste en 1925. Les dirigeants du club, qui sont tous membres du conseil municipal, mettent en œuvre la politique sociale de la ville, facilitant l'adhésion pour les chômeurs dès 1933 ou organisant des matchs de soutien à la cause ouvrière[56].

La montée en puissance du football ouvrier offre un nouvel espace de distinction et d'affirmation militantes sur la scène sportive et municipale. Les clubs rouges déploient un ensemble de pratiques de solidarité pour leurs membres autant que pour l'ensemble de la communauté ouvrière. Les équipes offrent par exemple à leurs jeunes joueurs partis pour le service militaire le « sou du soldat ». Originellement instituée par la CGT en 1900, cette contribution financière, à la fois solidaire et antimilitariste, consiste à envoyer quelques francs aux ouvriers syndiqués incorporés dans l'armée afin qu'ils gardent le contact avec les sphères militantes.

De nombreux matchs sont aussi organisés au profit des luttes ouvrières. Ce sera par exemple le cas lorsque l'Union sportive ouvrière d'Halluin rencontre la Jeunesse sportive ouvrière de Puteaux au vélodrome de Vincennes dans l'optique de soutenir les grandes grèves de 1928-1929 dans les usines textiles d'Halluin[57]. D'autres sont l'occasion de porter des mots d'ordre directement politiques : une rencontre « mouvementée » opposant l'AS Roma au Stade de Paris le 29 décembre 1929 est interrompue par quelque 200 militants communistes et réfugiés politiques italiens qui scandent « des vociférations antifascistes » dans les tribunes et dont certains sont arrêtés pour « cris hostiles au gouvernement »[58].

Les clubs ouvriers manifestent leur appartenance politique dans leurs intitulés, utilisant de façon récurrente des termes tels « étoile », « prolétarienne », « ouvrier », « travail », « populaire » ou encore « socialiste », et *via* leurs maillots qui se déclinent en rouge, parfois teintés de noir et souvent frappés d'une étoile. Lors des rencontres sportives ouvrières, les stades sont systématiquement parés de drapeaux rouges, les footballeurs chantent *L'Internationale* en début de match et les supporters scandent dans les tribunes « Front Rouge ! », « Sport Rouge ! » ou « Vive les Soviets ! »[59]. L'hymne sportif de la fédération communiste assure que « La FST, grande famille/T'accueillera, frère ouvrier/Car son marteau et sa faucille/Pour tous les parias doivent briller ». En 1928, lors d'épreuves mises sur pied par la FST au stade Pershing de la ville de Paris, les écussons tricolores, « symboles néfastes des brutales équipes chauvines », sont arrachés et remplacés par les « étendards écarlates des organisations ouvrières »[60]. Les avant-matchs et les mi-temps sont également propices à la mobilisation et à la propagande politiques. En 1934, au stade Aimé Saunier de Bobigny, des militants communistes prennent la parole à la mi-temps pour appeler à la lutte contre le fascisme et l'imminence de la guerre. La même année, au stade de l'Unité de Saint-Denis, un match opposant le Club sportif ouvrier dionysien à une équipe londonienne est l'occasion pour un dirigeant de la FST de proclamer un discours devant

600 personnes enjoignant les ouvriers de rejoindre la fédération sportive[61]. Enfin, comme le souligne le journaliste sportif et spécialiste du foot ouvrier Nicolas Kssis-Martov, l'appellation des compétitions puise dans la mémoire des luttes et l'histoire ouvrière[62]. Dès 1920, est instaurée une Coupe nationale de football Jean Jaurès et le vainqueur de la Coupe des clubs métallos se voit attribuer un prix Benoît Frachon, intitulé ainsi en hommage au dirigeant syndicaliste communiste. L'Union des Syndicats CGTU organise en 1927 un Challenge Dzerjinski, du nom du patron de la Tcheka, la police politique soviétique, décédé l'année précédente, et un tournoi inter-dépôts est baptisé Yves Maurice en mémoire d'un chauffeur tué lors de la grève des taxis de février 1934[63].

Vers un football antifasciste

L'affiliation de chacune des deux fédérations sportives ouvrières françaises à l'Internationale rouge sportive (IRS), organisation communiste fondée en 1921 sous la tutelle du Komintern, ou à l'Internationale sportive ouvrière socialiste (ISOS), structure d'obédience socialiste née en 1913, offre la possibilité à certains footballeurs de participer à des compétitions placées sous le sceau de l'internationalisme ouvrier. Durant l'été 1928, une délégation de sportifs de la FST est envoyée à Moscou pour les premiers jeux internationaux créés sous l'impulsion de l'Union soviétique, les Spartakiades (le nom fait référence à Spartacus, le gladiateur rebelle qui prit la tête du soulèvement des esclaves contre l'élite romaine). Réunissant une douzaine de pays, l'IRS conçoit cet événement sportif à la fois comme une démonstration de la culture physique soviétique au service du mouvement révolutionnaire et comme un contre-rassemblement en opposition au sport bourgeois (les Jeux olympiques d'été 1928 se déroulent alors à Amsterdam)[64]. Mettant à l'honneur les sportifs ouvriers et permettant aux autorités soviétiques de faire visiter, entre deux épreuves, les usines ou les hôpitaux de la « patrie du prolétariat » aux athlètes étrangers, les Spartakiades de Moscou sont saluées par les communistes français comme la preuve éclatante de l'« apparition d'une nouvelle race, créée par la bienfaisance de tout un système politique[65] ».

Les Spartakiades servent également de relais pour la politique du « classe contre classe » énoncée par le Komintern. Alors que l'ISOS organise depuis 1925 des Olympiades ouvrières, les Spartakiades sont en effet l'occasion, pour les Soviétiques et leurs soutiens, de marquer leur différence avec les « socio-traîtres ». Qualifiées de « laquais des groupes bourgeois jaunes[66] », les sociétés sportives socialistes, pourtant invitées, refusent d'aller à Moscou en 1928. Les deuxièmes Spartakiades, qui se tiennent à Berlin en 1931, sont échafaudées en opposition aux Olympiades ouvrières qui se sont déroulées une semaine plus tôt à Vienne. L'IRS dénonce alors les « social-fascistes » de l'ISOS et argue que seules les Spartakiades sont le véritable étendard de la « lutte contre la paupérisation due au système capitaliste, contre le fascisme et la menace de guerre impérialiste, et pour la défense de l'Union soviétique[67] ».

En 1934, le Komintern opère néanmoins un changement stratégique radical au vu du contexte politique européen. Mussolini est au pouvoir depuis plus de douze ans, Hitler est arrivé à la tête de l'Allemagne en janvier 1933 et l'Espagne commence à se déchirer entre nationalistes et républicains. Moscou appelle donc les communistes à former avec les entités socialistes un front uni contre la menace fasciste. Dans cette perspective, les Spartakiades de l'été 1934, qui se tiennent à Paris, sont baptisées « Rassemblement international des sportifs contre le fascisme et la guerre ». Le temps est à l'unité tant sportive que politique et la FST, affiliée à l'IRS et organisatrice de ces jeux, convie les socialistes de l'ISOS *via* sa section française, l'USSGT, à s'associer à ces rencontres. Quelque 3 000 athlètes communistes et socialistes issus de 18 pays différents inaugurent alors début août le rassemblement sportif antifasciste au stade Pershing devant 20 000 spectateurs[68]. Sportifs de la FST et de l'USSGT défilent sous une même banderole « Sport Rouge, Front Rouge » pour manifester la dynamique unitaire en marche au sein du mouvement sportif ouvrier.

Alors que l'ISOS avait dès 1932 tenté de mettre en place un championnat d'Europe du football ouvrier, vite avorté suite à la disparition des sections ouvrières allemandes et autrichiennes après l'arrivée au pouvoir des nazis[69], une Coupe du monde du football ouvrier est organisée dans le cadre de ce Rassemblement international des sportifs contre le fascisme et la guerre. En réponse à la Coupe du monde officielle qui s'est tenue deux mois auparavant dans l'Italie fasciste et qui fut un incroyable outil de propagande au service du Duce [voir chapitre 6], la Coupe du monde du football ouvrier entend dépasser les chauvinismes sciemment « entretenus par la bourgeoisie » et être une vitrine de la solidarité internationale entre les peuples[70]. Douze équipes de football, dont les États-Unis, participent à cette compétition mondiale du 11 au 14 août 1934. En raison de la répression nazie contre le mouvement ouvrier, l'Allemagne est en revanche absente de la compétition. Une équipe d'Alsace et une équipe de Sarre sont cependant conviées, en témoignage des préoccupations pacifistes des organisateurs. Une formation soviétique est également invitée, au grand dam des autorités françaises qui n'apprécient guère ce tumulte sportif révolutionnaire – le 10 août, de sévères affrontements opposent des sportifs communistes aux forces de l'ordre à la gare du Nord.

La Coupe du monde du football ouvrier entend par ailleurs proposer un véritable contre-modèle aux compétitions à la fois mercantiles et nationalistes promues par la FIFA. Ce Mondial ouvrier est ainsi arrimé au Rassemblement international des sportifs contre le fascisme et la guerre, marquant le refus de la séparation, de la spécialisation et de l'apolitisation des différentes disciplines sportives[71]. De même, le football ouvrier ne dissocie pas les niveaux de pratique, des tournois régionaux entre clubs rouges locaux se déroulant en même temps que la Coupe. Les joueurs français eux-mêmes prennent part au bon déroulement de la rencontre, allant solliciter l'hébergement pour leurs camarades auprès des cafés qu'ils fréquentent, collant des affiches dans la rue ou distribuant 400 000 tracts pour l'événement dans les bus de la ville[72]. La Coupe ouvrière n'a pas non plus programmé de phases éliminatoires : chaque équipe invite l'autre dans le cadre de liens noués entre fédérations sportives. Enfin, les matchs sont évidemment chargés d'une dimension politique. Deux équipes hollandaises, affiliées respectivement à l'IRS et à l'ISOS, disputent ainsi une rencontre en faveur d'Ernst Thälmann, le secrétaire général du Parti communiste allemand emprisonné dès 1933 par le régime nazi. La Coupe est également l'occasion de montrer l'ancrage territorial du football rouge : les poules se jouent aux stades municipaux de Clichy, de Saint-Denis ou d'Ivry. Quant à la finale, elle se déroule au vélodrome Buffalo de Montrouge où, suprématie prolétaire oblige, l'Union soviétique l'emporte face à l'équipe norvégienne de l'ISOS.

Les balbutiements de la réunification du mouvement ouvrier mondial lors du Rassemblement international des sportifs contre le fascisme et la guerre galvanisent la dynamique de rapprochement entre la FST et l'USSGT. Au-delà des consignes de création d'un front uni émanant du Komintern, la situation internationale, marquée par l'accession au pouvoir de Hitler par les urnes, et l'atmosphère politique en France font craindre que les divisions entre socialistes et communistes fassent le lit d'une victoire électorale du fascisme dans l'Hexagone. Les émeutes antiparlementaires des ligues d'extrême droite devant l'Assemblée nationale du 6 février 1934 – perçues comme une tentative de coup d'État par les forces de gauche – et la contre-manifestation du 12 février où cortèges socialistes et communistes convergent en scandant « Unité ! », renforcent chez les sportifs ouvriers l'idée qu'il est désormais urgent de se coaliser[73].

Suite au succès de cet été sportif unitaire et antifasciste, les militants entrevoient désormais dans la fusion de la FST et de l'USSGT un test grandeur nature de la logique d'union du Front populaire qui prévaudra lors des élections législatives de mai 1936. Le 1er novembre 1934, Raymond Guyot, dirigeant des Jeunesses communistes, déclare déceler dans ce rapprochement sportif une préfiguration du Front populaire permettant d'« aller devant les travailleurs de France avec l'exemple précis d'un congrès de fusion de l'unité organique d'une grande organisation[74] ». C'est avec ce lourd poids politique sur les épaules que le congrès de l'unité sportive rouge, sous une banderole frappée d'un « En avant pour l'unité internationale », réunit les délégués de la FST (représentant 12 000 licenciés) et de l'USSGT (6 000 adhérents) le 24 décembre 1934 à la Maison des Syndicats dans le Xe arrondissement de Paris. Lors des débats publics, Georges Marrane, le maire communiste d'Ivry, expose à la tribune : « L'unité totale de la classe ouvrière étant encore impossible, nous la voulons là où c'est possible. Nous ne voulons pas de l'unité des militants communistes et socialistes dans les camps de concentration comme en Allemagne[75]. » À l'unanimité, les mains se lèvent pour la création de la Fédération sportive et gymnique du travail (FSGT). La charte constitutive de la nouvelle fédération débute par une véritable profession de foi antimilitariste et antifasciste : « Devant les menaces fascistes et les dangers de guerre, les organisations sportives des travailleurs ne sauraient prolonger plus longtemps leur division, ne méconnaissant pas les enseignements qui se dégagent des durs combats que la classe ouvrière des autres pays (Allemagne, Autriche, Italie, Lettonie) a dû engager contre des adversaires dont la victoire n'a été possible qu'en raison de la division ouvrière. »

À peine quelques mois après sa création, sous le slogan « Pas un sou, pas un homme pour les JO de Berlin ! », la FSGT mène une campagne de boycott contre la tenue des Jeux olympiques de 1936 à Berlin. La fédération se prépare également à participer à l'Olympiade populaire de Barcelone, manifestation alternative aux « Jeux de la honte » et qui n'attend pas moins de 6 000 sportifs ouvriers dont de nombreux exilés politiques[76]. « Nous luttons pour avoir des stades, des terrains, des subventions, précise *Sport*, le journal officiel de la fédération, le 10 avril 1935. [...] Nous voulons une jeunesse saine et solide, mais nous ne voulons pas la livrer aux mains des militaristes, des chauvins, des fascistes. Pas de sport au service des marchands de canons ! »

Ce sont pourtant les canons qui mettront fin à la tenue de ces Olympiades antifascistes de Barcelone. Le soir du 18 juillet 1936, la veille même de la cérémonie d'ouverture au stade de Montjuïc, le général Franco déclenche un soulèvement militaire pour destituer le Frente popular, élu en février. Certains sportifs antifascistes descendent dans les rues de Barcelone et participent aux premières batailles de la Guerre civile d'Espagne à l'instar d'Emanuel Mink, footballeur juif polonais d'Anvers qui s'engage au sein des Brigades internationales et restera en Espagne jusqu'en 1939. D'autres rejoindront la colonne Durruti ou encore le bataillon Thälmann et déclareront par la suite : « Nous étions venus défier le fascisme sur un stade et l'occasion nous fut donnée de le combattre tout court[77]. »

II

Attaquer.
À l'assaut des dictatures

6

« Une petite façon de dire "non" ».
Italie, URSS, Espagne :
les stades dans les régimes totalitaires

« Gardien de but, prépare-toi à la bataille,
Tu es une sentinelle devant tes buts,
Imagine que c'est la frontière de l'État
Qui est tracée derrière toi. »

Vassili LEBEDEV-KOUMATCH,
chanson composée pour le film soviétique
Gardien de but (*Вратарь*, 1937).

« Le spectacle n'est pas un ensemble d'images, mais
un rapport social entre des personnes, médiatisé par
des images. »

Guy DEBORD, *La Société du spectacle*, 1967.

« Vous, athlètes d'Italie, avez des devoirs particuliers, clame Benito Mussolini devant une foule disciplinée. Vous devez être tenaces, chevaleresques et audacieux. Rappelez-vous que lorsque vous participez à une compétition au-delà de vos frontières, vos muscles, et surtout votre esprit portent l'honneur et le prestige du sport national. Vous devez donc employer toute votre énergie et toute votre volonté afin d'obtenir la primauté dans tous les combats sur terre, sur mer et dans les cieux[1]. » En cette journée du 28 octobre 1934, lors d'une impressionnante parade sportive célébrant le douzième anniversaire de la marche sur Rome, le Duce jubile. Quatre mois auparavant, l'Italie fasciste a triomphé aux yeux du monde entier en organisant et en remportant la deuxième édition de la Coupe du monde de football.

Depuis son accession au pouvoir en janvier 1925, Mussolini fait du sport une arme politique comme aucun autre dirigeant ne l'avait fait auparavant. Dès l'instauration de la dictature, les institutions sportives sont purgées de toute présence communiste ou catholique puis inféodées aux autorités fascistes. L'ensemble des activités physiques doivent se développer au sein des organisations de masse étatiques, à commencer par l'Opera Nazionale Balilla, pour les enfants, et l'Opera Nazionale

Dopolavoro, pour les adultes. Forte de ses 15 000 sections sportives, cette dernière est en 1935 la plus grande organisation de loisirs au monde (devant son homologue soviétique[2]). La politique sportive mussolinienne vise à former de futurs soldats prêts à défendre la patrie et à faire émerger un homme nouveau, fer de lance d'une nation saine et régénérée. La dimension corporelle de l'idéologie totalitaire est quant à elle incarnée par le Duce en personne qui n'hésite pas à se mettre en scène en tant que « premier sportif d'Italie », le physique massif de l'autocrate reflétant la virilité et la masculinité guerrière propres au fascisme.

Chemises noires et maillots bleus

Le ballon rond n'échappe pas à la fascisation généralisée du sport. En 1926, Leandro Arpinati, un proche de Mussolini, est nommé à la tête de la fédération italienne de football. À partir de 1932, les Fasci Giovanili di Combattimento – organisation de jeunesse du Parti national fasciste (PNF) pour les 18-21 ans – sont incités à participer au championnat amateur et, en 1935, le football devient une des disciplines officielles des Littoriali dello Sport, les « Olympiades » de la jeunesse universitaire mussolinienne[3].

Les hiérarques fascistes se méfient néanmoins des origines britanniques du football et décident de le présenter comme le digne héritier du *calcio fiorentino* – jeu populaire collectif de ballon né au Moyen Âge à Florence[a]. La dénomination « Football Club » des structures sportives est remplacée par « Associazione Calcio » et certains clubs d'une même ville sont fusionnés dans l'optique d'être mieux contrôlés par le pouvoir. C'est le cas à Rome où le Fortitudo, la Roman et l'Alba Roma donnent naissance en 1927 l'AS Roma. L'Internazionale de Milan, qualification trop cosmopolite au goût des fascistes, est rebaptisée pour sa part en 1928 Società Sportiva Ambrosiana en hommage à Ambroise, saint patron de la cité lombarde. Enfin, le campanilisme[b] des fans de football est sciemment manipulé par le régime pour mieux exalter le caractère national du *calcio* (littéralement « coup de pied » en italien) et au début des années 1930

---

a   Le régime fasciste tentera d'imposer la *volata*, un sport collectif « authentiquement fasciste » entre foot, basket-ball et rugby créé de toutes pièces en 1928. Loin de séduire les Italiens, la pratique de la *volata* sera définitivement abandonnée en 1936.

b   Le campanilisme, ou « esprit de clocher », trouve ses origines dans la multitude de royaumes ennemis et de cités rivales qui émaillaient auparavant la péninsule Italienne.

apparaît le néologisme *tifosi* (de *tifo*, le typhus) pour désigner les supporters, ceux qui littéralement sont atteints de la « fièvre du foot ».

Tandis que le football est en pleine expansion auprès des classes populaires italiennes, Mussolini fait construire plus de 2 000 stades à la fin des années 1920[4]. Ces immenses enceintes où se disputent des compétitions de football réunissant des milliers de spectateurs deviennent aux yeux du pouvoir un espace propice à la propagande de masse. Les rencontres, de grande comme de moindre envergure, sont systématiquement accompagnées de musique militaire et de chants à la gloire du régime. Les tribunes arborent des portraits géants du Duce et des banderoles rappellent l'avènement de l'homme nouveau[5]. Divertir et galvaniser : telles sont les missions que le régime assigne au *calcio*.

Le développement de la presse écrite et de la radiophonie – on compte à peine 40 000 postes de radio dans le pays en 1927 contre près d'un million en 1938[6] – participe également à transformer le ballon rond en culture de masse. Les joueurs de la sélection nationale, les « Azzurri », tels Giampiero Combi, Giovanni Ferrari ou Giuseppe Meazza, sont divinisés et érigés par les médias en soldats de l'Italie nouvelle. Pour les autorités mussoliniennes, le football doit avoir « pour but naturel suprême l'honneur, la puissance et la grandeur de la Patrie[7] », chaque victoire de la sélection nationale illustrant dorénavant la puissance et la supériorité du régime fasciste[8].

En 1932, avec son dynamisme sportif, l'Italie apparaît aux yeux de la FIFA comme le pays idéal pour accueillir la deuxième Coupe du monde de football, du 27 mai au 10 juin 1934. La résonance du premier Mondial, organisé en juillet 1930 en Uruguay, avait été relativement modeste car, fortement touchées par la crise financière internationale, peu d'équipes européennes avaient effectué l'onéreux trajet en bateau. Ce demi-échec ne décourage pas la FIFA : bien décidée à contrer l'hégémonie du Comité international olympique (CIO) sur le sport mondial, elle mise sur l'Italie, ses stades modernes et son régime autoritaire garantissant la sécurité publique pour faire de la deuxième Coupe un succès retentissant. De son côté, le pouvoir fasciste compte bien utiliser la puissance symbolique du football sur la scène internationale pour asseoir sa suprématie. Deux ambitions, à la fois sportives et politiques, se croisent donc en cette année 1932. « Le but ultime du tournoi sera de montrer à l'univers ce qu'est l'idéal fasciste du sport dont l'unique inspirateur est le Duce », affirme sans ambages le général Giorgio Vaccaro, nouveau président la fédération italienne de football[9].

Face à l'incroyable écho médiatique qui sera donné au fascisme à travers cette compétition mondiale, le pouvoir mussolinien est fébrile.

Huit grands stades sont construits ou rénovés. Celui de Rome est baptisé stade du Parti national fasciste et l'on construit à Turin le stade Mussolini, alors le plus vaste et le plus moderne de la Péninsule avec ses 70 000 places. Fait sans précédent, plusieurs millions de lires sont dépensées uniquement pour la propagande et l'accueil des médias[10]. Seize nations sont attendues et plus de 400 journalistes internationaux sont conviés. L'affiche de l'événement est imprimée à des centaines de milliers d'exemplaires, un ballon de foot entouré de faisceaux orne tous les paquets de tabac du pays et un million de timbres commémoratifs sont tirés pour l'occasion. 7 000 Hollandais, 10 000 Suisses et 10 000 Français font le déplacement pour supporter leur équipe en terres transalpines[11]. Quelques temps avant le coup d'envoi de la compétition, le général Giorgio Vaccaro se réjouit : « Il suffit de penser [...] aux foules innombrables qui se regroupent autour des haut-parleurs, dans chaque ville ou chaque village dans les seize nations [...], pour comprendre que demain [aura lieu] plus qu'un spectacle de grande envergure, une cérémonie avec une signification profonde[12]. »

Entre sport-spectacle et spectacle fasciste

Dès le lancement de la compétition, l'effervescence nationaliste est à son comble. Les journaux d'État étalent avec véhémence leur ardeur fasciste. « L'esprit et le muscle, servis par la discipline fasciste, assureront la victoire », avance *La Nazione*. Pour certifier à la face du monde que l'Italie nouvelle concourt avec une équipe authentiquement nationale, les autorités sportives mussoliniennes naturalisent en urgence les footballeurs d'origine sud-américaine qui en font partie : Luis Monti, Enrique Guaita et Raimundo Orsi. Les Chemises noires, la terrifiante milice du Duce, sont quant à elles enrôlées en tant que stadiers pour contenir tout éventuel débordement qui viendrait entacher la manifestation.

Après avoir écrasé les États-Unis 7 buts à 1 dès l'entame de la compétition, les Azzurri rencontrent en quart de finale la talentueuse équipe d'Espagne le 31 mai 1934. À peine quelques minutes après le coup d'envoi, les joueurs transalpins font preuve d'une violence physique inouïe. Sept joueurs espagnols et quatre Italiens sont sévèrement blessés et évacués durant la rencontre, qui se solde par un match nul. La règle des tirs au but pour départager deux adversaires n'existant pas encore, la partie est rejouée dès le lendemain. La formation italienne l'emporte

1 but à 0 mais l'arbitre suisse René Mercet est si complaisant – il sera ensuite suspendu à vie par sa fédération – que l'envoyé spécial français du journal sportif *L'Auto* rapporte : « L'arbitre conduisit les opérations avec une telle désinvolture qu'il paraissait fréquemment être le douzième homme de l'Italie[13]. » Les menaces dans les couloirs d'hôtel accueillant les équipes étrangères, les pressions dans les vestiaires de la part des dignitaires fascistes et plus généralement la mainmise totale du pouvoir fasciste sur la manifestation feront dire à Jules Rimet, le peu regardant président de la FIFA, que, « durant cette Coupe du monde, le vrai président de la FIFA était Mussolini[14] ».

Toutefois, durant toute la compétition, la passion populaire est au rendez-vous. Les stades sont bondés de supporters et l'ensemble de la société italienne est conquise par les succès footballistiques des Azzurri. Quant à la retransmission radiophonique des matchs en tchèque, allemand ou espagnol, elle contribue à produire une image médiatique positive du régime fasciste à travers l'Europe. Quelques jours avant la finale, le général Vaccaro se félicite devant la presse italienne : « On annonce des trains spéciaux, des caravanes touristiques, même de l'étranger, de manière que la compétition mondiale sera close en présence du Duce, triomphalement, pour le prestige du sport italien[15]. » Tout est alors orchestré pour que la finale de la Coupe se transforme en consécration pour Mussolini et affirme la supériorité de l'Italie fasciste.

Le 10 juin 1934, le stade du Parti national fasciste à Rome accueille 50 000 spectateurs pour une finale de prestige qui oppose la sélection italienne à la Tchécoslovaquie, qualifiée après avoir barré la route à l'Allemagne nazie 3 buts à 1. Dans les travées émaillées de militants zélés du Parti, les *tifosi* scandent avec un rythme enfiévré « Italia, Duce ! Duce, Italia ! ». Dans sa loge drapée de pourpre, Benito Mussolini répond bras et menton tendus aux acclamations de ses partisans. « Quand les Tchèques sont entrés sur le terrain, le Duce s'est levé et les a applaudis, rapporte le *Berliner Tageblatt*. Le stade était en délire. L'ambiance était déjà à son apogée avant même le début du match[16]. » Dès le coup d'envoi, les Azzurri se montrent agressifs et envahissent rapidement le camp adverse. Mais la formation tchécoslovaque résiste jusqu'à la fin de la mi-temps. Le public n'en démord pas et entonne avec ferveur *Giovinezza*, l'hymne officiel du Parti national fasciste. À la reprise, après un premier but du Tchécoslovaque Antonín Puč, le fraîchement naturalisé italien Raimundo Orsi égalise dans une ambiance électrique. Le suspense prend fin au cours des prolongations lorsque l'attaquant bolonais Angelo Schiavio inscrit le but de la victoire. « Au lever du drapeau tricolore sur la plus haute hampe du stade, la multitude ressent l'émotion esthétique d'avoir gagné la primauté mondiale dans le plus fascinant des sports, rapporte le lendemain le journal romain *Il Messaggero*. Et dans cet instant où est consacrée la grande victoire – fruit de tant d'années d'efforts –, la foule offre au Duce sa gratitude. »

Le sacre médiatique du fascisme est total. Sous le regard bienveillant des dignitaires de la FIFA, Mussolini remet aux vainqueurs sa propre distinction, une imposante *Coppa del Duce* tout en bronze et en sévérité, en lieu et place du traditionnel trophée. Vittorio Pozzo, l'autoritaire sélectionneur italien, déclare à la presse : « Notre succès est une prime légitime au sérieux, à la fermeté morale, à l'esprit d'abnégation, à la ferme volonté d'un peloton d'hommes[17]. » Symbolisant l'aveuglement voire la complicité des observateurs étrangers face à l'instrumentalisation politique de la compétition, le président de la FIFA salue piteusement la victoire fasciste en proclamant : « La fédération italienne du jeu de balle [*sic*] et son équipe nationale ont donné cet exemple, sinon cette leçon, en organisant et en gagnant la Coupe du monde de 1934. Je les en félicite et j'admire la foi capable de susciter de telles vertus[18]. »

Au lendemain de ce succès politico-sportif, l'Italie multiplie les victoires footballistiques. Les Azzurri remportent la médaille d'or aux Jeux olympiques de Berlin en août 1936 et lors du tournoi de l'Exposition universelle de Paris à l'été 1937, l'équipe de Bologne, alors championne d'Italie, écrase ses adversaires français, tchécoslovaques ou anglais. Néanmoins, parallèlement à la montée en puissance des fascismes en Europe, le régime mussolinien se durcit. Durant l'année 1936, l'armée italienne envahit l'Éthiopie, satisfaisant les velléités coloniales du Duce qui envoie ensuite, de concert avec Adolf Hitler, des contingents militaires en Espagne afin de soutenir Franco. En novembre 1937, Mussolini signe le pacte antisoviétique promulgué par l'Allemagne nazie et l'Empire du Japon puis, à partir de 1938, décrète une série de lois antisémites qui vont se répercuter jusque dans le football. Deux entraîneurs juifs hongrois, Árpád Weisz (Bologne) et Egri Erbstein (Turin), sont contraints de quitter leurs postes respectivement en 1938 et 1939[19].

C'est donc dans un contexte international particulièrement mouvementé que s'ouvre la troisième édition de la Coupe du monde de football en France début juin 1938. Les forces armées nazies ont envahi l'Autriche trois mois plus tôt, la guerre d'Espagne est en passe d'être remportée par les franquistes et l'Hexagone est encore agité par l'expérience du Front populaire qui s'est achevée amèrement au printemps.

Arrivée à Marseille pour son match d'ouverture contre la Norvège, le 5 juin 1938, l'équipe italienne est accueillie à la gare Saint-Charles par 3 000 militants communistes et exilés italiens, qui sont violemment dispersés par la police[20].

Le jour de l'épreuve, la tension est à son comble au stade Vélodrome avant même le coup d'envoi de la rencontre. Le salut romain des Azzurri ainsi que l'hymne national sont copieusement sifflés par les quelque 10 000 manifestants antifascistes installés dans les tribunes. Bien loin de leur public habituel conquis par la propagande pro-Mussolini, les footballeurs transalpins jouent sous la pression continue des antifascistes qui tentent de perturber la partie[21]. Le 12 juin, l'Italie et la France se disputent les quarts de finale au Parc des Princes à Paris. Les deux sélections jouant en bleu, les Azzurri arborent exceptionnellement un maillot noir, une sinistre symbolique fasciste ordonnée par le Duce en personne qui provoque un tollé dans les tribunes. Comme le rapporte le lendemain le journal *L'Auto* : « Il y eut un instant d'émotion quand on vit les [tribunes] populaires bombarder de cailloux les filets italiens[22]. » Jusqu'à sa victoire en finale contre la Hongrie le 19 juin, la formation italienne jouera dans des stades au climat à la fois hostile et délétère. L'Allemagne nazie est pour sa part humiliée par la Suisse qui élimine la sélection du Reich dès le premier tour. Dans les travées, les bouteilles de verre et autres légumes avariés pleuvent sur les supporters d'Outre-Rhin. Sous les vertes pelouses couve déjà la guerre totale. Quatre ans après la spectacularisation du régime fasciste dans les arènes sportives de l'Italie mussolinienne, c'est dans les tribunes des stades qu'une première brèche vient fissurer l'ordre nouveau des totalitarismes footballistiques triomphants.

Un indomptable football soviétique

« Il est essentiel de considérer la culture physique, non seulement du point de vue de l'éducation physique et de la santé, [...] mais aussi comme une méthode à part entière pour éduquer les masses[23]. » Tels sont les austères objectifs de la *fizkultura*, la « culture physique soviétique », définis dans une résolution officielle du Parti communiste de l'URSS datant du 13 juillet 1925. Le modèle sportif bolchevique, qui promeut l'édification d'un *homo sovieticus* prêt à travailler et à défendre la patrie des prolétaires, se construit dans les années 1920 en opposition aux sports bourgeois capitalistes. Pour les tenants d'une authentique culture prolétarienne – *proletkult* –, l'esprit de compétition et le professionnalisme doivent être bannis des sports tandis que le football tend à être regardé comme une pratique physique décadente risquant de blesser le travailleur voire de le rendre improductif.

Ces aspirations à un sport purement prolétarien vont toutefois commencer à tomber en désuétude avec la montée en puissance de Joseph Staline au sein du Parti. Pour le dictateur, l'URSS doit désormais « devancer systématiquement les performances des athlètes bourgeois des pays capitalistes[24] ». Alors que la propagande soviétique institue le stakhanovisme, culte de la productivité du travailleur, la revue de l'Internationale rouge sportive annonce en juillet 1935 : « Nous travaillons, et nous devons travailler avec encore plus d'énergie, pour que les sportifs soviétiques deviennent les meilleurs sportifs du monde, pour que dans les prochaines années l'URSS devienne le pays des records du monde[25]. »

Les ouvriers soviétiques n'ont cependant pas attendu l'aval des bureaucrates du régime pour se passionner pour le football. « Prenons une grande usine comme Orekhovo-Zouïevo ou la banlieue industrielle de Leningrad. On verra que le sport et plus particulièrement le football joue un rôle de premier plan dans les loisirs des ouvriers, relève dès 1927 le journal sportif soviétique *Krasnyi Sport*. Au dernier Congrès des syndicats des travailleurs, il a été notifié que les rencontres drainaient tellement de spectateurs que les mines du Donbass étaient complètement désertées les jours de matchs importants[26]. »

De 1929 à 1933, le premier plan quinquennal provoque un exode rural massif dû à l'industrialisation à marche forcée du pays et à la collectivisation généralisée des terres. L'urbanisation s'intensifie et Moscou voit sa population passer de 2,3 à 3,6 millions entre 1928 et 1934[27]. Pour des milliers d'ouvriers fraîchement débarqués dans les faubourgs moscovites, comme pour leurs homologues confrontés à l'anonymat des métropoles d'Europe occidentale ou d'Amérique latine, le ballon rond constitue une nouvelle forme de socialisation masculine. L'engouement est perceptible dès la fin des années 1920, explique *a posteriori* un joueur du Dynamo de Moscou : « Aux premières lueurs du matin, durant les week-ends, un grand ballet de tramways débutait à Moscou, les joueurs et les supporters voyageant entre les stades et les différents terrains de la capitale. En moyenne, les meilleures équipes pouvaient déjà attirer cinq à dix mille spectateurs[28]. » Les infrastructures de la ville sont encore rudimentaires : le plus grand stade, le ZKS, offre à peine 5 000 places assises sur des gradins en bois[29] et les tribunes sont remplies par de modestes travailleurs. « C'était vraiment un public populaire, composé d'ouvriers, témoigne Konstantin Beskov, footballeur professionnel et entraîneur moscovite. Ils étaient habillés très simplement et tous de la même façon, portant des blouses de travail typiquement russes sous des vestons, tout en ayant leurs pantalons enfoncés dans leurs bottes[30]. » Pour les milliers d'émigrants issus des campagnes, assister à un match de football permet de retrouver un semblant de communauté. « Aller au stade, s'asseoir dans les tribunes et soudain c'est comme si vous connaissiez la personne assise à côté de vous depuis l'enfance. On se comprend sans dire un mot... » rapporte le journal le *Krasnyi Sport* en 1938[31].

Alors que l'obsession productiviste du régime stalinien s'accompagne des débuts de la féroce répression policière, le football est le théâtre régulier de nombreux débordements. Sur le terrain, le jeu est souvent rude voire violent et les rixes entre supporters sont récurrentes dans les tribunes. En 1934, à Leningrad, une rencontre de foot est interrompue suite à une bagarre généralisée sur la pelouse. En Crimée, à Simferopol, les autorités rapportent que des supporters ont frappé l'arbitre et un gardien de but durant un match tandis que des joueurs ivres se sont battus avec ceux de l'équipe adverse[32]. Le sport, dont le rôle officiel est d'élever le prolétariat en lui inculquant le patriotisme soviétique et la discipline, devient alors source de désordre au grand dam des autorités communistes.

Face à la popularité croissante du football et pour éviter les débordements qu'il occasionne, l'État soviétique planifie une grande vague de construction de stades. Le stade Dynamo, pouvant accueillir jusqu'à 50 000 personnes, est érigé à Moscou en 1928 et des enceintes sportives de plus de 20 000 sièges sont bâties à Leningrad, Tbilissi, Stalingrad ou encore Kiev au cours des années 1930. Au total, 650 stades de plus de 1 500 places seront construits durant cette décennie[33].

Au sein de ces arènes sportives incarnant la modernité urbaine, le football se mue progressivement en un véritable spectacle qui met en scène les différents corps de la société soviétique. Le CSKA, le club de football de l'Armée rouge, promeut l'image de marque des forces militaires sur les pelouses tandis que le Dynamo de Moscou, créé par le ministère de l'Intérieur en 1923 sous l'égide de la Guépéou, symbolise la puissance de la police politique. Généreusement financées par l'appareil d'État soviétique, ces deux sociétés sportives moscovites sont néanmoins concurrencées sur les terrains par une autre équipe : le Spartak.

Issu de Presnia, un quartier ouvrier de Moscou, ce dernier club a été fondé en 1922 par les frères Starostine. L'aîné, Nikolaï, qui a étudié le commerce, et ses trois cadets, Alexandre, Andreï et Piotr, organisent régulièrement des matchs sur les terrains vagues du quartier avant de fonder le club sans aucune aide financière de l'État ou du Parti bolchevique[34]. Durant la période de la Nouvelle Politique économique (la NEP, 1921-1928), la relative libéralisation de l'Union soviétique permet aux Starostine de jouir d'une certaine autonomie financière. Le club, alors dénommé Krasnaïa Presnia, dispute une trentaine de matchs par an et vit grâce à la vente des billets. Petite entreprise familiale rentable, le club déniche en 1926 un « sponsor », le Pichtchevik, syndicat des travailleurs de l'alimentation, puis se rapproche du Promkooperatsiya, une organisation coopérative d'artisans indépendants. Au-delà de ces soutiens financiers, le dirigeant du club, Nikolaï Starostine, trouve un relais politique institutionnel auprès d'Alexandre Kossarev, chef du Komsomol, l'organisation de jeunesse du Parti[35]. Enfin le club est renommé en avril 1935 « Spartak » (Spartacus en russe), en référence au gladiateur rebelle de l'époque romaine.

Financièrement indépendant du régime, n'étant affilié ni à la police politique ni à l'armée, le Spartak jouit d'une popularité croissante auprès des ouvriers soviétiques. Vivant dans les années 1930 dans un appartement communautaire (*kommunalka*) comme de nombreux travailleurs moscovites, Iouri Olechtchouk, alors adolescent et supporter du club, se souvient : « Nos discussions [au sein du *kommunalka*] tournaient en grande majorité autour du Spartak et quelques fois sur d'autres clubs. À l'école c'était pareil. Pourquoi ? Aujourd'hui je me rends compte que le Spartak était le club qui, pour les gens ordinaires, les représentait le mieux. Pourquoi ? Le nom avait un sens pour nous. Tous les enfants et même les adultes connaissaient alors le nom du meneur de la révolte des esclaves dans la Rome antique. Les appellations des autres clubs – Dynamo, CSKA, Lokomotiv ou Torpedo – ne pouvaient pas rivaliser avec cela[36]. »

L'année 1936 signe l'accaparement total et définitif du pouvoir par Staline à travers l'adoption d'une nouvelle Constitution sur le gouvernement de l'Union soviétique. En mai, le régime dictatorial reprend en main le football en organisant une ligue soviétique ainsi qu'un championnat national – auparavant, les matchs se disputaient entre clubs d'une même ville ou *via* des rencontres interrégionales. Alors que le régime bascule dans le totalitarisme et la terreur répressive, le ballon rond est devenu une passion soviétique que le Parti se doit de contrôler.

La professionnalisation des clubs est légitimée à demi-mot de même que l'exacerbation de l'esprit compétitif. Avec la création d'une ligue nationale, le football devient un phénomène de masse attirant 10 millions de supporters par an, soit 20 000 spectateurs en moyenne par match de première division[37]. Le Dynamo Moscou et le Spartak sont régulièrement en tête du championnat, suivis du CSKA, du Lokomotiv – l'équipe des sociétés de transports soviétiques – ou encore de clubs tels que le Dynamo Kiev, le Dynamo Tbilissi et le Torpedo, sponsorisé par le constructeur automobile ZIS. Dans un article intitulé « La sphère magique », le journal *Izvestia* rend ainsi compte de la fascination qu'exerce le ballon rond sur le peuple soviétique : « Des milliers de personnes, tous sexes, âges et occupations confondus, se lèvent de leur siège et regardent dans une même direction. Même ces citoyens qui se distinguent par leur extraordinaire esprit de sérieux et leur sérénité spirituelle commencent à se mouvoir et à gesticuler sauvagement sous l'influence du ballon de football[38]. »

Les matchs du Spartak suscitent pour leur part une ferveur populaire hors normes. À chaque rencontre, les stades sont le théâtre d'un chaos sans nom, des foules de jeunes envahissant les tribunes après avoir resquillé pour entrer. « Seul un fou pouvait avoir l'idée de passer seul au guichet, se remémore Iouri Olechtchouk. Il y avait une autre façon de faire, plus collective. C'était un système qui marchait bien, on appelait ça "la machine à vapeur". Trente, quarante, cinquante d'entre nous sans ticket formions une énorme queue devant une des entrées et à un moment convenu entre nous, nous nous jetions avec une force incroyable vers le portique. Les vendeurs de billets pouvaient crier, essayer de nous retenir avec leurs mains, mais il était impossible de nous arrêter[39]. » Les panneaux d'affichage des résultats ou les systèmes de sonorisation étant rares, la confusion règne pendant toute la partie, au cours de laquelle les spectateurs lancent sur le terrain les objets les plus divers. Les auteurs satiriques Illia Ilf et Evgueni Petrov moquent dans les pages du *Krasnyí Sport* l'archétype du supporter du Spartak, prêt, pour assister à un match, à déployer une énergie physique digne d'un militaire à l'entraînement : « Course derrière un trolley/Saut dans une rame de métro en marche/Dix-sept rounds de boxe à l'entrée du stade/Transport d'objets lourds (comme un enfant ou une femme)/Nage militaire (rester debout deux heures sous la pluie sans parapluie)[40]. »

« *À bas les flics !* »

Alors que la police politique, à la fois crainte et haïe, fait régner la terreur sur la société soviétique, la rivalité entre l'élitiste Dynamo et le populaire Spartak s'amplifie. « Les relations entre les supporters du Spartak et du Dynamo étaient hautement conflictuelles, se souvient un Moscovite. Dynamo représentait les autorités : la police, les organes de sécurité de l'État, les élites privilégiées détestées. Ils mangeaient mieux que nous, étaient mieux habillés, ne vivaient pas dans des appartements communautaires contrairement à nous qui étions tous des ouvriers[41]. »

Les 50 000 places du stade Dynamo sont régulièrement prises d'assaut lors des rencontres Dynamo-Spartak et les affrontements dans les tribunes sont légion. « C'était la guerre sur le terrain comme dans les gradins, raconte Iouri Olechtchouk. Les bagarres entre supporters étaient fréquentes. On les séparait pour prévenir toute émeute. Les supporters du Spartak étaient au virage Est, là où les places sont les moins chères, tandis que ceux du Dynamo occupaient les places des oligarques, situées au Nord et au Sud[42]. » L'Armée rouge en prend également pour son grade, comme le rapporte *Krasnyi Sport* lors d'un match contre le CSKA le 30 octobre 1936 : « À la mi-temps, les spectateurs qui étaient derrière les barrières lancèrent une attaque générale sur la pelouse. Des milliers de personnes dégringolèrent comme une avalanche et s'amassèrent autour du terrain, donnant à l'aire de jeu rectangulaire une forme ovale. » Le Spartak remporte le match 3-1 après qu'un des poteaux de but a été arraché par la foule...

Cet engouement populaire pour le Spartak et les débordements sauvages des supporters recèlent néanmoins un sens politique. « Dans un pays communiste, le club de football que vous supportiez était une communauté à laquelle vous aviez fait vous-même le choix d'appartenir. [...] C'était alors un des rares moments où vous aviez la liberté d'adhérer ou non à une communauté et de vous y exprimer sans contrainte, explique l'anthropologue Levon Abramian. À Moscou, il y avait de nombreuses équipes, chacune représentant un groupe social et la plupart des supporters du Spartak appartenaient aux classes inférieures[43]. »

Dans une société totalitaire stalinienne qui n'accorde que très peu de libertés individuelles, le football propose un espace où il est permis à chacun de supporter son équipe favorite, de choisir ses propres héros et non ceux que l'appareil d'État désigne. En affirmant leur soutien à tel ou tel club, les hommes de la classe ouvrière construisent de façon autonome une partie de leur identité sociale indépendamment de l'identité prolétarienne promue par le régime. Aussi infime soit-elle, cette liberté de choix individuel offre une brèche salutaire dans le quotidien morose des classes populaires de l'Union soviétique des années 1930. « Le football était en quelque sorte séparé de tout ce qui se passait autour de lui et il échappait d'une certaine manière aux autorités, précise Nikolaï Starostine dans son autobiographie. [...] Pour la majorité des individus, le football était le dernier espoir de maintenir dans son âme un semblant d'humanité[44]. »

La rivalité des deux équipes moscovites qui dominent alors le football soviétique met en scène deux modèles culturels, sociaux et corporels auxquels chacun peut s'identifier. Le Dynamo traduit sur le terrain le « rationalisme étatique » avec un jeu austère, mécanique et précis, basé sur de longues passes. Le club de la police politique reflète les valeurs officielles de l'*homo sovieticus* : l'ordre, la discipline, la santé physique, le respect de l'autorité. Le jeu du Spartak est *a contrario* qualifié de « romantique », le style de l'équipe étant plus imprévisible et improvisé. Dans une société patriarcale où les femmes n'ont pas leur place dans les tribunes – la pratique du football leur est interdite par la dictature car considérée comme « préjudiciable à l'organisme féminin[45] » – les deux clubs matérialisent dans les stades deux modèles de masculinité. Les cols-blancs du Dynamo qui représentent l'archétype de l'homme urbain éduqué contrastent alors avec la foule fruste, indisciplinée, qui chante, hurle, fraude et déborde littéralement des gradins.

Support d'une identité populaire qui abhorre l'appareil répressif d'État, le Spartak agrège également autour de lui une communauté composée de milliers d'individus qui, réunie dans les tribunes, permet à chacun de se soustraire durant 90 minutes à l'omniprésence de la police politique. Dans le tumulte des stades, l'anonymat de la foule entrave la surveillance policière et autorise sans grand danger les supporters à insulter avec fougue un adversaire qui cristallise leur haine contre l'oppression d'État et ses oligarques nantis. « Quand le Spartak affrontait le Dynamo ou le CSKA, vous pouviez entendre dans les tribunes "À bas les flics !" ou "À bas les soldats !" », affirme Boris Nazarov, un autre supporter de la formation moscovite[46]. Comme le relève l'historien Robert Edelman, dans une société où le simple regroupement de trois personnes dans un espace public suscite la méfiance de la police politique, soutenir l'équipe du Spartak représentait pour le peuple soviétique « une petite façon de dire "non"[47] ».

Sans être ni une soupape sociale sciemment entretenue par le régime, ni un spectacle à dimension carnavalesque, le football est devenu un phénomène à la fois urbain, populaire et masculin, dont la dimension politique a échappé au pouvoir stalinien. Le Parti réalise néanmoins rapidement que le relatif répit qu'offrent les stades, où chacun vocifère son rejet de la répression étatique, ne dure que le temps d'une rencontre et ne laisse en aucun cas la possibilité de jeter les bases solides d'une quelconque opposition au régime[48]. Ainsi, ce ne sont pas sa popularité et sa symbolique antiautoritaire mais ses performances sportives qui vont attirer sur le Spartak les foudres de la police secrète.

En novembre 1938, le Géorgien Lavrenti Beria est nommé à la tête de la police politique soviétique après avoir dirigé d'une main de fer les purges staliniennes dans le Caucase. En tant que chef de la police, Beria est également président d'honneur de la société sportive du Dynamo. Grand amateur de football et supporter du Dynamo Tbilissi, sa ville natale, il s'adonne à cette tâche avec passion. Mais le Spartak est alors au summum de sa popularité : déjà champion d'URSS en 1936, il réalise en 1938 le doublé coupe-championnat. Ses matchs attirent en moyenne 53 000 spectateurs – Everton, champion de la ligue anglaise, attire à la même époque 40 000 personnes[49] – et les frères Andreï et Alexandre Starostine, qui jouent dans la formation, sont devenus d'immenses célébrités. Les victoires sportives de l'équipe, le train de vie ostentatoire des frères Starostine ainsi que l'indépendance économique du Spartak commencent à sérieusement irriter la police politique.

Après avoir dominé le championnat durant toute la saison, le Spartak remporte, le 9 septembre 1939, la demi-finale de la coupe d'URSS face au Dynamo Tbilissi par 1 but à 0. Le score est contesté par la formation géorgienne mais le Spartak est qualifié pour la finale, qu'il remporte trois jours plus tard face au Stalinets Leningrad. À la surprise générale, le Comité central du Parti communiste de l'URSS annonce une semaine plus tard qu'elle invalide le but victorieux de la demi-finale opposant le Spartak au Dynamo Tbilissi et que le match doit être rejoué. Le 30 septembre 1939, devant 80 000 supporters en liesse et les dignitaires de la police dont Beria en personne, le Spartak écrase à nouveau son adversaire 3 buts à 2. Hors de lui, le sinistre chef de la police secrète quitte les tribunes avec fracas.

Dès lors, Lavrenti Beria, courroucé par ces deux humiliantes défaites consécutives, a pour obsession de mettre en geôle les frères Starostine. Problème : la fille de Nikolaï est la meilleure amie de celle du Premier ministre Viatcheslav Molotov, qui refuse de signer son ordre d'arrestation fin 1939. Trois ans plus tard, en pleine « guerre patriotique » contre l'Allemagne nazie, les quatre frères ainsi que leur entourage proche sont dénoncés puis arrêtés en mars 1942 pour propagande antisoviétique, pour corruption ou encore pour avoir fomenté un attentat contre Staline[c]. Les Starostine sont emprisonnés au lugubre siège des services de sécurité, la Loubianka, puis déportés pour une durée de dix ans au goulag[50]. Trop contents d'avoir sous la main ces célébrités du ballon rond, les généraux des camps sibériens soustraient toutefois la fratrie au travail forcé en les faisant jouer dans les équipes de détenus pour le championnat inter-goulags qu'ils organisent, ou en leur confiant des missions d'entraînement. « Leur pouvoir sans mesure sur les vies humaines n'était rien comparé au pouvoir que le football exerçait sur eux », note rétrospectivement Nikolaï Starostine[51]. La « place qu'ils avaient gardée dans le cœur des supporters[52] » permettra pour sa part aux frères footballeurs de surmonter les affres de la captivité, certains prisonniers, et même quelques gardiens, venant quotidiennement les épauler. Jusqu'à leur libération en 1954, les Starostine survivront de la sorte à l'enfer des camps soviétiques, grâce à l'immense popularité du Spartak et à une « petite façon de dire "non" » qui se prolongea jusqu'aux confins des goulags sibériens.

Real politique

Alors que les années 1940 signent en Europe le crépuscule du fascisme italien et de la tyrannie nazie, elles préfigurent en Espagne l'essor du régime franquiste après trois ans de Guerre civile. Afin de mieux consolider son emprise sur la péninsule Ibérique, Franco crée le 22 février 1941 la Delegación Nacional de Deportes (DND), institution proche de la Phalange – le parti politique espagnol d'obédience fasciste –, dans l'optique d'inféoder le sport hispanique au régime nationaliste. Mais les ambitions sportives du Caudillo demeurent plus modestes que celles de Mussolini ou de Hitler. Économiquement à bout de souffle et isolée sur la scène internationale, l'Espagne souffre d'un manque criant d'installations sportives et ne parvient pas à devenir une grande nation d'athlètes[53].

Conscient toutefois que les Espagnols sont de fervents amateurs du ballon rond, le pouvoir ordonne dès 1939 à la fédération espagnole de

---

c   Plus prosaïquement, il semblerait que les frères Starostine s'adonnaient en réalité au marché noir.

football de renommer la Copa del Rey, la coupe d'Espagne de football, « Copa del Generalísimo ». Le rouge des maillots de la sélection nationale est remplacé par le bleu phalangiste et les supporters sont encouragés à entonner l'hymne fasciste *Cara al sol* tout en criant dans les tribunes « Viva Franco ! ». Un des journaux officiels du régime, *Arriba*, se fait quant à lui le chantre de la *furia española* – la fureur, l'exaltation virile – sur les terrains verts : « La *furia española* est présente dans tous les aspects de la vie en Espagne, et ce plus que jamais depuis la "guerre de libération". Dans le sport, c'est au sein du football que la *furia* se manifeste le mieux, un jeu où la virilité de la race espagnole peut s'épanouir, s'imposant par elle-même lors des rencontres internationales face à des équipes étrangères certes plus techniques mais moins agressives[54]. »

Sous le régime franquiste, le digne représentant de la *furia* au sein des stades hispaniques et internationaux est le Real Madrid Club de Fútbol. Équipe favorite du Caudillo, la « Casa Blanca » – le club évolue tout de blanc vêtu – incarne pour le régime comme pour les amateurs de football l'unité de la nation espagnole et le centralisme étatique. Quant aux différents ministres des Affaires étrangères, tels Fernando María Castiella ou Gregorio López Bravo, ils confessent entrevoir dans la formation madrilène un « ambassadeur effectif du régime » qui offre une image honorable du franquisme sur la scène internationale[55].

L'Argentin Alfredo Di Stefano ou le Hongrois Ferenc Puskás, tous deux joueurs du Real Madrid, deviennent de véritables icônes populaires auprès des *aficionados*[56] et, face à la situation économique catastrophique et à la pesanteur de la dictature, le football se développe progressivement en tant que culture de masse et en tant que « culture d'évasion »[57]. Au début des années 1950, on compte dans la péninsule Ibérique pas moins de vingt-quatre hebdomadaires consacrés au football, sans compter les rubriques sportives qui se sont généralisées à l'ensemble des journaux (à commencer par celle du quotidien officiel *Marca*, vendu à 400 000 exemplaires)[58]. Alors que de nombreux Espagnols souffrent encore de la faim, les clubs de football, peu soutenus financièrement par la DND, font construire de gigantesques stades en faisant appel à la générosité de leurs *socios* – leurs membres sociétaires, détenant une participation au club et possédant le droit de vote lors des scrutins d'importance. Le Deportivo de La Corogne inaugure en 1944 le Riazor, une enceinte sportive pouvant accueillir 34 000 supporters. L'Athletic de Bilbao agrandit quant à lui son stade pour le faire passer de 35 000 à 47 000 places et le Real Madrid inaugure le sien en 1947 : le stade Chamartín, d'une capacité de 70 000 personnes, qui sera renommé Santiago Bernabéu en 1955.

Dans les années 1940, la société espagnole était « tremblant[e] de peur à cause d'une terreur blanche qui se prolongeait jusque dans la langue et dans la culture », écrit l'historien Josep Solé i Sabaté. Avant de préciser : « Le sport était cependant un espace où la population pouvait se sentir plus libre. [En ce sens], le FC Barcelone a été à la fois le refuge et le berceau, fluctuant et diffus, de l'identité de la Catalogne[59]. » En effet, malgré la féroce répression franquiste, sous les cendres de la Guerre civile couvent encore les velléités républicaines et antifascistes de la Catalogne. Pour mieux mettre au pas la région rebelle qui s'escrima à combattre jusqu'aux derniers jours les troupes nationalistes, le régime vindicatif organise à peine deux mois après son accession au pouvoir une humiliation en règle du peuple catalan en faisant disputer au stade de Montjuïc de Barcelone la finale de la première Copa del Generalísimo. Ainsi, le 25 juin 1939, devant 60 000 personnes, le discours inaugural du match est prononcé par l'intellectuel d'extrême droite Ernest Giménez Caballero – ardent défenseur de l'hégémonie linguistique castillane – qui s'enorgueillit de la libération de la Catalogne des griffes du républicanisme. Les joueurs des deux équipes finalistes, le Sevilla FC et le Racing du Ferrol, saluent bras tendu les hiérarques franquistes présents dans les tribunes avant que les haut-parleurs ne crachent l'hymne phalangiste *Cara al sol*. Quant au coup de pied d'envoi, il est donné par la fille du général José Solchaga, le dignitaire nationaliste qui mena la dernière et sanglante offensive militaire sur Barcelone[60]. En 1942, c'est au tour du Caudillo en personne d'effectuer dans le même stade une parade monstre, avec un défilé triomphal de 24 000 phalangistes et un lâcher de mille colombes blanches[61].

Si, aux yeux du pouvoir franquiste, la Catalogne est un bastion du républicanisme, elle est surtout un territoire insoumis au centralisme de la nation espagnole institué par la dictature. Le régime qui s'attache à museler toute forme de particularisme culturel et politique régional concentre son appareil répressif sur la communauté catalane. L'utilisation du catalan est prohibée dans l'espace public – dans la rue, les cafés, l'enseignement, la presse, etc. – de même que l'ensemble des pratiques culturelles locales telles que la Diada, la fête nationale catalane, les chants populaires traditionnels, la toponymie urbaine ou encore la *senyera*, le drapeau à quatre bandes rouges et or. Le FC Barcelone est pour sa part espagnolisé en Club de Fútbol Barcelona, le logo est épuré de son iconographie catalane et l'aristocrate franquiste Enrique Piñeyro de Queralt est imposé comme président du club en 1940[d].

Dès sa création en 1899, le club *blaugrana* – « bleu et grenat » – est en effet devenu une caisse de résonance des revendications catalanistes et républicaines. Lors d'une assemblée des *socios* le 27 juin 1920, ces derniers déclarent officiellement : « Nous sommes du FC Barcelone, parce que nous sommes catalans[62]. » En 1925, sous la dictature de Primo de Rivera, le club est suspendu durant six mois après que des milliers de supporters du Barça ont sifflé l'hymne espagnol. Le FC Barcelone investit à partir des années 1930 de plus en plus explicitement la scène politique et culturelle catalane, son bulletin officiel stipulant même en octobre 1932 que « la popularité de notre club est sans nul doute liée à nos engagements extra-sportifs[63] ».

Aux premiers jours de la Guerre civile espagnole en juillet 1936, la capitale catalane se soulève face à l'insurrection des généraux nationalistes. Le stade du club Esportiu Júpiter de Barcelone, situé dans le quartier de Poblenou alors aux mains de la Confédération nationale du travail (CNT), devient le point de ralliement des forces anarchistes. Les militants libertaires, qui profitaient déjà des déplacements de l'équipe pour transporter des pistolets cachés à l'intérieur des ballons, transforment la tribune du stade du Júpiter en arsenal clandestin. Le FC Barcelone s'engage quant à lui en encourageant ses joueurs à rejoindre le front antifasciste. Durant l'été 1937, des footballeurs du Barça réalisent même une tournée de rencontres au Mexique en tant qu'ambassadeurs de la lutte républicaine afin de récolter des fonds à la fois pour le club et pour la résistance antifranquiste[e]. Élu président du FC Barcelone en juillet 1935, Josep Sunyol, ancien député de la gauche catalane indépendantiste, disparaît pour sa part tragiquement dès le début du conflit : lors d'un trajet en voiture pour Madrid – vraisemblablement pour livrer des messages au gouvernement républicain de la capitale –, des miliciens nationalistes arrêtent son véhicule à un barrage dans la Sierra de Guadarrama et reconnaissent le dirigeant du club catalan avant de l'exécuter froidement le 6 août 1936.

Au lendemain de la Guerre civile, alors que nombre de joueurs du Barça sont exilés à l'étranger ou suspendus pour être partis en tournée

---

d   Le club basque Athletic Bilbao se voit également rebaptisé Atlético de Bilbao et est placé sous l'autorité du hiérarque franquiste Eduardo Lastaragay.

e   Une sélection basque effectue la même année une série de matchs pour soutenir la cause républicaine en Europe, en URSS, puis au Mexique. Le Pays basque étant ensuite occupé par les troupes nationalistes, ces joueurs deviendront des réfugiés politiques apatrides qui joueront avec succès dans des équipes mexicaines ou argentines.

de solidarité à l'étranger, le stade du club, Les Corts, est officiellement rouvert le 29 juin 1939. Malgré l'aversion de la dictature franquiste envers le FC Barcelone, le club remporte la Copa del Generalísimo en 1942. L'année suivante, les demi-finales de la Copa opposent le Barça à son grand rival, le Real de Madrid. Au stade Les Corts, les Blaugranas s'imposent 3 buts à 0 devant des supporters catalans qui n'hésitent plus à conspuer publiquement et avec fougue une formation madrilène reflétant à leurs yeux le centralisme et l'autoritarisme du régime. Scandalisés, les dirigeants franquistes décident d'intimider les joueurs barcelonais lors du match retour à Madrid. « Le soir précédant la rencontre, nous avons dû changer d'hôtel, et nous n'en avons pas bougé de la nuit, convaincus que nous serions lynchés dans la rue, se rappelle Angel Mur, soigneur de l'équipe. Durant le match, notre gardien était si pétrifié à l'idée de se faire blesser par les projectiles qu'on lui lançait qu'il passa la plupart de la rencontre éloigné des buts, permettant aux joueurs madrilènes de marquer aisément[64]. » Après avoir reçu la visite dans leurs vestiaires de José Escrivá de Romani, le sinistre chef de la Sécurité d'État, le FC Barcelone perd la rencontre 11 buts à 1 devant un public écœuré par cette mascarade franquiste. De peur que les incidents antirégime du match aller ne se multiplient dans le football, la Direction générale de la Sûreté de l'État fait publier en décembre 1943 dans le quotidien *Marca* un avis menaçant d'internement tout individu se rendant coupable d'« actes subversifs » dans les stades[65].

Le Camp Nou, un refuge de la résistance antifranquiste

« Dans les années 1950, alors que le Real Madrid est associé au pouvoir, le FC Barcelone commence à s'affirmer comme un outil de résistance sociopolitique et devient non plus un club barcelonais mais d'une certaine manière le club de la Catalogne », souligne l'historien Josep Solé i Sabaté[66]. Tandis que Franco tente d'instrumentaliser le football pour dépolitiser les foules et canaliser les revendications autonomistes, soutenir le Barça devient progressivement une forme d'antifranquisme populaire à la portée de n'importe quel Espagnol, quelle que soit sa catégorie sociale[67].

Lorsque le club catalan se confronte à son adversaire madrilène, les tribunes se métamorphosent en défouloir de toute une société muselée par la tyrannie franquiste. « Comme vous ne pouviez pas crier dans la rue "Franco, assassin !", les gens conspuaient les joueurs du Real Madrid, rapporte Lluis Flaquer, sociologue catalan et supporter du Barça. C'est psychologique : si tu ne peux pas hurler sur ton père, tu hurles sur quelqu'un d'autre[68]. » Au-delà de la dimension symbolique de résistance propre au club catalan, le pouvoir d'attraction du FC Barcelone réside également dans sa capacité à être une force intégratrice et un facteur de cohésion sociale dans un régime qui vise à atomiser les liens de solidarité entre les individus. À partir des années 1950, près de 2 millions d'immigrés issus du sud de l'Espagne s'installent en Catalogne alors en plein boom industriel[69]. Dans l'optique franquiste, cette migration économique est un moyen de diluer l'indépendantisme catalan et les autorités sportives escomptent que le RCD Espanyol de Barcelone, porte-drapeau footballistique de l'identité nationale espagnole en Catalogne, devienne le club d'adoption de ces nouveaux arrivants. Mais le FC Barcelone est un acteur culturel si puissant qu'il apparaît au contraire comme le meilleur moyen, pour les nouveaux venus, de s'intégrer localement. « Soutenir le Barça était la seule façon de se sentir pleinement partie de quelque chose qui dépassait la médiocrité de la vie, de s'immerger dans un univers plus large, de pouvoir pleurer et rire sans être puni pour cela, explique un supporter de l'équipe *blaugrana*. C'était aussi une manière de remercier les Catalans pour leur accueil car l'immigrant ne peut pas survivre longtemps s'il est considéré comme ingrat. Grâce au Barça, l'immigrant pouvait se tenir la tête haute le dimanche et dire, je suis Catalan bien que je vienne d'Andalousie[70]. »

De même, la dimension antifranquiste du club s'étoffe en mars 1951 suite à une série de grèves ouvrières – la première organisée depuis la fin de la Guerre civile – contre l'augmentation du prix du ticket de tramway à Barcelone. Au cours d'un match opposant le Barça au Racing de Santander, des tracts appelant au boycott massif des transports en commun sont distribués dans les gradins du stade Les Corts. Une provocation d'autant plus grave, sous la dictature, qu'à la sortie du match les supporters catalans refusent collectivement d'emprunter les tramways, chacun préférant rentrer chez lui à pied en signe de solidarité avec les grévistes[71].

À la même époque, le FC Barcelone décide de s'offrir un nouveau stade à la hauteur de ses ambitions sportives. Suite à trois ans de travaux, le Camp Nou, avec ses 93 000 places, est inauguré en grande pompe le 24 septembre 1957. Après la bénédiction du stade par l'archevêque de la ville, des milliers de spectateurs entonnent soudain en catalan un *Himne a l'estadi* – « Hymne au stade », une chanson composée par Adolf Cabané i Pibernat – devant le gouverneur civil de Barcelone et un parterre de dirigeants franquistes de la DND frappés de stupeur. Dès lors, le Camp Nou incarne physiquement une nouvelle arène politique, un refuge symbolique pour la résistance à la dictature et pour l'identité collective catalane. Alors que le catalanisme est cloîtré dans la sphère privée, la langue catalane est allégrement utilisée dans les gradins du stade tandis que les pamphlets antifranquistes circulent dans les tribunes ou encore que les cartes de membre du club sont imprimées en catalan. Sporadiquement, on entonne en chœur dans les travées du Camp Nou des chansons populaires interdites par le régime comme *Els Segadors*, chant de ralliement des Catalans républicains durant la Guerre civile d'Espagne, ou *La Santa Espina*, une sardane prohibée depuis la dictature de Primo de Rivera[72]. « Le catalan n'avait aucune existence légale, il était interdit de l'enseigner à l'école et de l'utiliser dans les médias, mais les supporters du Barça, eux, n'ont jamais cessé de le parler », avance Joaquim Maria Puyal, docteur en linguistique et journaliste pionnier des retransmissions de match en catalan[73].

À partir des années 1960, ce sont les *senyeras* qui font timidement leur apparition dans les gradins du Camp Nou tandis que des supporters clament « Independència » à la 17e minute et 14e seconde lors des matchs, en référence à 1714, année de l'entrée des troupes franco-espagnoles dans Barcelone lors de la guerre de Succession d'Espagne. Alors que la répression du régime est particulièrement exacerbée (en juillet 1963, deux attentats sont commis à Madrid contre la Direction générale de la Sécurité et le siège des syndicats franquistes), le Camp Nou inspire un sentiment d'appartenance inédit aux supporters barcelonais : « Dans la ville, le fascisme était très visible – les noms des rues, les bérets phalangistes, les portraits de Franco, les drapeaux – mais, dans le stade, vous étiez parmi les masses et je sentais – peut-être que je me l'imaginais, mais je le sentais tout de même – que tout le monde autour de moi était vraiment au fond de lui antifasciste », témoigne un *aficionado* du Barça des années 1960[74].

Enfin, en 1968, et pour la première fois depuis 1939, le FC Barcelone n'est plus dirigé par un homme issu du sérail franquiste. Narcís de Carreras, élu à la direction du club par près de 50 000 *socios*[75], annonce publiquement lors de sa prise de fonction le 17 janvier que le Barça est « *més que un club* » (« plus qu'un club »). Cette phrase mythique qui met en exergue la puissance culturelle du FC Barcelone devient dès lors la devise du club. Le Barça acquiert une popularité politico-sportive telle, qu'elle lui permet de repousser progressivement les limites imposées par le régime : à partir de 1972, les annonces dans les haut-parleurs du stade se font en catalan, provoquant l'ire du gouverneur civil et, l'année suivante, le club reprend sa dénomination originelle de Futbol Club Barcelona.

Le Néerlandais Johan Cruyff, un des meilleurs footballeurs internationaux de l'époque, rejoint quant lui au début de la saison 1973-1974 le Barça au détriment du Real Madrid, qui lorgnait sur le génie de l'Ajax d'Amsterdam. Le talentueux joueur insuffle dès lors un vent de liberté sans précédent sur le football espagnol en narguant la dictature : il donne le prénom catalan et interdit de Jordi à son fils ou encore dédicace une photo aux membres de l'Assemblée de Catalogne emprisonnés dans les geôles franquistes. L'arrivée de Johan Cruyff participe également à redynamiser un club qui n'a pas remporté le championnat espagnol depuis 1960, *a contrario* de son rival madrilène qui, sur la même période, a été sacré neuf fois champion du pays. Ainsi, dès octobre 1973, la formation catalane enchaîne les victoires et se hisse rapidement en tête de la compétition grâce à un Cruyff flamboyant.

Le 17 février 1974, dans le cadre de la 22e journée du championnat, les *Blaugranas* se déplacent à Madrid pour un match contre le Real. Dès le coup d'envoi, l'ambiance est électrique au stade Santiago Bernabéu mais les *aficionados* madrilènes déchantent rapidement. Avant la fin de la première mi-temps, les Barcelonais Juan Manuel Asensi et Johan Cruyff parviennent en effet à marquer deux buts. Comme pour mieux conjurer l'humiliante défaite de 1943 contre le Real Madrid (11-1), symbole d'un Barça sous le joug du régime dictatorial, le FC Barcelone inscrit ensuite trois autres buts somptueux, infligeant un score historique de 5-0 à la Casa Blanca. Préfigurant la fin du Caudillo, cet incroyable séisme footballistique au sein même du stade madrilène signe pour de nombreux Catalans le « véritable début de la transition politique[76] » qui aboutira à l'avènement de la démocratie en 1975. Un résultat écrasant baptisé « *la manita* » (« la petite main ») et qui, avec le temps, sonne rétrospectivement comme les cinq doigts d'une main donnant une gifle fatidique au pouvoir franquiste.

7

Balle au pied contre main de fer.
Résistances footballistiques
à la domination nazie

> « Parce que nous autres, les sportifs ouvriers, avons fait
> face et faisons encore face au Capital et à ses valets en
> chemises brunes dans un combat mortel [...] soyez unis
> et soudés dans le combat contre la direction sportive
> nazie et la dictature, contre le principe de l'autorité
> et l'action qui consiste à nous priver de nos droits. »
>
> Éditorial de *Rot-Sport*, journal sportif ouvrier allemand
> imprimé clandestinement, 16 novembre 1934.

S ix cent mille : tel est le nombre considérable de joueurs allemands affiliés à la Deutscher Fußball-Bund (DFB) en 1936[1][a]. Première fédération de football européenne autant en termes de clubs que de licenciés, l'imposante DFB est rapidement considérée comme un indéniable instrument de gouvernement et de domination des classes populaires par Adolf Hitler dès son accession au pouvoir. Dans *Mein Kampf*, publié en 1924, le Führer envisageait déjà le sport comme un outil de formation et de modelage corporel des masses au service du Reich. « Des millions de corps entraînés au sport, imprégnés d'amour pour la patrie et remplis d'esprit offensif pourraient se transformer, en l'espace de deux ans, en une armée », écrivait-il.

Suite à la nomination de Hitler à la chancellerie en janvier 1933, les institutions sportives allemandes sont immédiatement soumises à la doctrine du parti national-socialiste. L'officier SA Hans von Tschammer und Osten est nommé à la tête du ministère des Sports en tant que *Reichssportführer* et, le 23 avril 1933, le ministre de la Propagande, Joseph Goebbels, déclare que « le sport allemand n'a qu'une seule tâche : renforcer le caractère du peuple allemand, lui insufflant l'esprit combatif et la camaraderie indéfectible nécessaire à la lutte pour son existence ».

---

a   À la même époque, la Fédération française de football comptait environ 150 000 licen-
     ciés.

Entretenir l'unité politico-raciale et la santé du « corps du peuple allemand » – le *Volkskörper* – tout en inculquant les valeurs d'obéissance au chef, telles sont désormais les missions assignées au football. En parallèle des exercices paramilitaires, le ballon rond devient alors une activité sportive phare au sein des Jeunesses hitlériennes, dont l'objectif est de rendre les jeunes Allemands « vifs comme le lévrier, résistants comme le cuir et durs comme l'acier de Krupp[2] ».

Un nouveau football pour une Nouvelle Allemagne

Comme l'ensemble de la société allemande, le football se doit d'être aryanisé et débarrassé de ses « ennemis judéo-bolcheviques ». Les mouvements sportifs ouvriers, la Kampfgemeinschaft für Rote Sporteinheit – KG, plus communément appelée Rotsport, « Sport rouge » –, affilié au Parti communiste allemand, et l'Arbeiter-Turn-und Sportbund – ATSB, littéralement « Fédération de gymnastique et des sports des ouvriers » –, d'obédience socialiste, sont dissous dès 1933. Forts de leurs 3 400 clubs et de leurs 200 000 licenciés, les militants de la KG sont parmi les premières cibles de la terreur nazie : arrestations ou assassinats de dirigeants, incendies de locaux et d'infrastructures sportives ouvrières, expéditions punitives... Représentant au total près de 2 millions d'adhérents et plus de 20 000 clubs, le sport ouvrier allemand se voit confisquer son patrimoine – notamment 230 gymnases et 1 300 terrains de sport –, et sa structuration est démantelée par les autorités hitlériennes[3].

Quant à la DFB, elle perd toute autonomie en étant incorporée en tant que simple « section football » de la Fédération nationale-socialiste pour l'éducation physique, nouvelle organisation sportive interfédérale du régime totalitaire[4]. Sans sourciller et avec la volonté de préserver leurs intérêts financiers[5], les instances dirigeantes du football appliquent au sein des clubs les lois raciales et anticommunistes décrétées par le pouvoir. En avril 1933, les autorités fédérales du foot annoncent que « les membres de la race juive et les individus appartenant au mouvement marxiste ne sont plus autorisés à siéger au sein des postes dirigeants des organisations régionales et des clubs, lesquels doivent prendre au plus vite les mesures appropriées, si elles n'ont pas été déjà initiées[6] ». Sans ménagement et à cause de leur judaïté, Hugo Reiss, le trésorier du Eintracht Frankfurt, est exclu de son club et Kurt Landauer, le président du Bayern Munich – club qui compte alors de nombreux joueurs et supporters juifs –, est contraint de démissionner avant d'être déporté un mois au camp de concentration de Dachau en 1938 puis de s'exiler en Suisse. Des dizaines de footballeurs professionnels juifs sont pour leur part bannis de la fédération. Julius Hirsch[7], ancienne vedette du Karlsruher FV et légendaire ailier gauche de la sélection nationale allemande (la « Mannschaft »), est contraint de s'exiler en Alsace en 1933. Convaincu néanmoins de ne pas être en danger suite à son glorieux passé militaire durant la Première Guerre mondiale et à son mariage avec une chrétienne « certifiée aryenne », Hirsch rentre en Allemagne en 1939. Mais l'ex-international est déporté le 1er mars 1943 à Auschwitz où il trouvera la mort[b]. Son coéquipier du Karlsruher FV et de la Mannschaft, Gottfried Fuchs, buteur mythique des Jeux olympiques de 1912, échappera quant à lui de peu à l'enfer des camps en fuyant le pays dès 1937. Après l'exclusion des professionnels, c'est au tour des amateurs de confession juive de se voir interdire toute pratique sportive en novembre 1938, suite à la Nuit de Cristal. Fin 1938, le football allemand est officiellement décrété *« judenfrei »*.

Hitler déteste le football, trop urbain et pas assez germanique à son goût, lui préférant la boxe. Mais la popularité du ballon rond auprès des Allemands est telle que le Führer doit l'assimiler à la doctrine nationale-socialiste. Sur les terrains du pays comme à l'étranger, les footballeurs deviennent les fiers ambassadeurs du IIIe Reich voire, aux yeux des autorités sportives du pays, les dignes successeurs des guerriers germains. Les maillots sont frappés de l'héraldique nazie et les joueurs se doivent d'exécuter à la perfection le salut hitlérien et le nouvel hymne national, le *Horst-Wessel-Lied*. Le statut de joueur professionnel est définitivement abandonné au profit de la « pureté de l'amateurisme ». Plus nobles aux yeux des nazis, les footballeurs amateurs sont aussi mieux subordonnés au pouvoir hitlérien. « Nous avions des cours tous les mardis après l'entraînement, se souvient Herbert Moll, ancien joueur du Bayern Munich. Nous avons même dû passer un examen officiel d'État et ceux qui le réussissaient obtenaient un timbre nazi pour leur "passeport de joueur", des tickets repas, des billets de train en deuxième classe et quelques Deutschemarks pour chaque match[8]. » Les stades sont quant à eux méticuleusement remplis par l'organisation paraétatique chargée des loisirs,

---

b   Depuis 2005, la DFB décerne un prix Julius Hirsch à une personnalité ou à une organisation qui s'engage contre le racisme, la xénophobie et l'antisémitisme dans le sport.

la Kraft durch Freude (La Force par la joie), qui propose des billets à tarif réduit pour assister aux matchs, distribue aux supporters des drapeaux ornés de croix gammées et les incite à entonner des chants à la gloire du Reich[9].

Enfin, certains clubs, tel le Schalke 04 de la ville industrielle de Gelsenkirchen, dans le bassin de la Ruhr, se muent en vitrine du football totalitaire. Très populaire auprès des mineurs et des sidérurgistes de la région, le Schalke 04 domine le football national et remporte sous le régime nazi six fois le championnat allemand. Hitler se rend à plusieurs reprises sur ces terres d'industrie pour saluer le club prolétaire et ses vigoureux footballeurs, au jeu à la fois physique et discipliné. Représentant la « Nouvelle Allemagne », le Schalke 04 symbolise alors la conquête du monde ouvrier par la dictature hitlérienne[10]. Fils d'immigré polonais, le milieu de terrain du Schalke 04 et de la sélection nationale, Fritz Szepan, incarne cette dérive en devenant membre du parti nazi puis en déclarant en 1938 : « L'enthousiasme des supporters dans les stades du IIIe Reich témoigne de la santé et de la force de notre race. Un merci éternel au chef des Allemands pour avoir assuré notre avenir au sein de l'arène des sports et des jeux. Un "Oui" ardent à notre Führer Adolf Hitler[11] ! »

Le régime nazi s'évertue également à instrumentaliser le pouvoir d'attraction qu'exerce le sport sur la population. Les compétitions sportives deviennent un puissant outil de divertissement des masses mais aussi de propagande en faveur du national-socialisme. L'organisation des Jeux olympiques d'été de Berlin du 1er au 16 août 1936 signe ainsi l'acmé de la spectacularisation politique des athlètes allemands. ». Avec la complaisance du Comité international olympique (CIO), les autorités nazies transforment la grande manifestation sportive en spectacle de masse au service de la glorification du régime. Près de 4 000 athlètes issus d'une cinquantaine de pays accourent à l'Olympiastadion et, à l'instar de l'Italie fasciste qui remporta sa Coupe du monde de football en 1934, l'Allemagne nazie triomphe autant sur le plan sportif que politique. Les victoires olympiques du Reich et le succès populaire des Jeux sont décrits par la propagande officielle, mais également par nombre d'observateurs, comme la preuve de la supériorité de l'ordre nouveau du régime totalitaire[12]. Albert Berdez, le secrétaire du CIO, écrit ainsi à Pierre de Coubertin le 8 août 1936 : « L'organisation des Jeux est parfaite [...]. La part prise par la population est inimaginable[13]. » Le même conclura son discours prononcé lors de la cérémonie de clôture des Jeux olympiques par un retentissant :

« Que le peuple allemand et son chef soient remerciés pour ce qu'ils viennent d'accomplir[14]. »

Se félicitant de l'amélioration physique de la race allemande que les Jeux olympiques ont selon lui été l'occasion d'illustrer, le Führer jubile : « Des compétitions sportives, des concours, des jeux endurcissent des millions de jeunes corps et nous les montrent de plus en plus sous un jour qu'on ne leur connaissait plus depuis peut-être mille ans. Un nouveau type humain, rayonnant de beauté, est en train de croître[15]. »

Un grain de sable
dans la machine à propagande

Néanmoins, la représentation symbolique de l'avènement de l'« Homme nouveau » est écornée par le football qui vient abruptement enrayer la machine à propagande bien huilée du pouvoir hitlérien. Ainsi, le 7 août 1936, les quarts de finale du tournoi olympique opposent l'Allemagne à la Norvège, un des *outsiders* de la compétition. Guère enthousiaste à l'idée d'assister à un match de football, le Führer a tout de même fait le déplacement. Selon ses conseillers, la victoire allemande est assurée et sa présence dans la tribune officielle ne pourrait qu'être bénéfique à son image. À peine sept minutes après le coup d'envoi, l'Oslovien Magnar Isaksen inscrit pourtant à la surprise générale un premier but devant un Adolf Hitler décomposé. Sous les yeux de 100 000 supporters, la Mannschaft ne parvient pas à concrétiser ses occasions et le même Isaksen marque un second but décisif à 83e minute, éliminant sur-le-champ l'Allemagne de l'épreuve olympique. Ivre de rage et sans attendre le coup de sifflet final, le Führer quitte précipitamment le stade avec Joseph Goebbels, Hermann Göring et Rudolf Hess, tous venus l'accompagner pour ce qui devait être une consécration du ballon rond national-socialiste. Une semaine après cette rencontre, qui signera la première et dernière apparition officielle d'Adolf Hitler lors d'un match de football, l'Italie fasciste remporte la médaille d'or face à l'Autriche et dédie sa victoire flamboyante à Mussolini.

Loin des échos médiatiques internationaux, la résistance footballistique allemande à la dictature nazie se développe quant à elle dès 1933 de façon protéiforme à travers le pays. La plupart des 2 millions de sportifs ouvriers rejoignent les rangs des clubs « bourgeois », non mécontents de récupérer de nouveaux adhérents[c]. S'il reste difficile de créer des associations sportives clandestines (le football nécessitant de rassembler un nombre conséquent de joueurs sur un terrain en plein air), les footballeurs ouvriers constituent des groupes informels autonomes au sein des clubs alors en activité afin d'entretenir leur camaraderie sportive et militante. Refus de pratiquer le salut nazi lors des fêtes sportives, mise en place de caisses de solidarité pour les détenus politiques, affichage et tractage sauvages (notamment durant les Jeux olympiques de 1936 avec un tract intitulé « Le record du monde de la terreur »), arrachage de drapeaux, diffusion de la presse clandestine sont autant de pratiques de résistance déployées par ces sportifs rouges[16].

Les rencontres de football deviennent également l'occasion de manifester publiquement sa détestation du régime nazi. En octobre 1934, à Senzig, près de Berlin, un groupe de supporters locaux venus assister à un match de division d'honneur malmène à la fin de la partie l'arbitre pour avoir effectué à plusieurs reprises le salut hitlérien. Ce dernier témoigne alors dans le journal *Die Fußball-Woche* : « Une fâcheuse et vilaine scène a eu lieu après le coup de sifflet final au moment du salut allemand. Un spectateur m'a donné un coup de poing dans la nuque d'une telle puissance que je me suis aussitôt écroulé sans connaissance. Le coupable en fuite a été poursuivi par quelques joueurs de Stern, dont un a été gravement blessé par des spectateurs. La solidarité des spectateurs restants, qui ont empêché qu'on confonde le coupable, montre que ce "prolo", qui a exprimé avec tant de virulence sa haine du fascisme nazi, n'était pas le seul à avoir cette opinion[17]. »

À Berlin, en janvier 1935, l'équipe de football du SC Olymp, constituée en majeure partie d'anciens sportifs ouvriers, rencontre lors d'un match décisif un club rival nationaliste, le BFC Preussen, donné comme favori. Toutefois, la partie revêt aux yeux des joueurs comme des supporters une dimension politique. Il s'agit pour les footballeurs militants du SC Olymp de prendre une revanche symbolique sur ceux qu'ils désignent comme les « Prussiens » : « Dans ce club [le BFC Preussen], ils se montraient arrogants, réactionnaires au point d'en être puants et ethnocentriques car, selon eux, les Juifs ne pouvaient pas devenir "Prussiens", rapporte un supporter ouvrier berlinois. Le match disputé dans le Olymp-Platz a atteint une affluence record car les "Prussiens" alignaient toujours une équipe de choc. Les "petits jeunes" [du BFC Preussen] n'ont pas été accueillis

---

c   D'autres « camoufleront » leur club ouvrier, en modifiant les statuts et en lui donnant un nouveau nom à consonance plus nationale-socialiste.

amicalement car les deux équipes qui s'affrontaient ici, étant donné les différences de conditions de vie et de statut social, n'étaient pas faites pour s'entendre. L'avantage de jouer à la maison et la présence des supporters qui encourageaient fanatiquement les joueurs d'Olymp ont assurément contribué à la victoire par 4 buts à 1. Les deux buts de notre Helmut, le "sportif rouge", ont été déterminants[18]. » Le lendemain matin, la Gestapo arrête Helmut et ses coéquipiers encore ivres d'avoir trop fêté leur victoire. Comme l'on s'aperçoit que le buteur avait participé avant 1933 à des rencontres sportives ouvrières en Union soviétique, Helmut est alors condamné à une peine de prison ferme dans les geôles nazies[19].

Un homme de papier face au régime de fer

Le 12 mars 1938, deux ans après les Jeux olympiques de Berlin, la Wehrmacht envahit l'Autriche. L'Anschluss donnera naissance à une Grande Allemagne « plébiscitée » à 99 % par la population des deux pays suite à un référendum sous haute surveillance militaire le 10 avril 1938[20]. Une semaine avant le scrutin, pour célébrer les « retrouvailles » entre les deux peuples germanophones, les dirigeants nazis décident d'organiser à Vienne une rencontre footballistique amicale opposant l'Allemagne à l'Ostmark, nom alors donné à l'ex-Autriche devenue une province allemande. L'issue de ce match de propagande pro-Reich – appelé par la suite *Anschlussspiel* ou « Match de l'annexion » –, prévu pour le 3 avril 1938 au Praterstadion, est convenue d'avance par les autorités. La rencontre doit s'achever par un 0-0 afin de contenter les deux camps et incarner dans l'égalité sportive l'unité du Reich. Un frêle joueur viennois va toutefois mettre à mal le scénario préétabli du match. Surnommé le « Mozart du football » ou encore « *Der Papierene* » (L'Homme de papier) à cause de son physique chétif et de sa faculté à se glisser à travers les défenses adverses, Matthias Sindelar est considéré à l'époque comme l'un des meilleurs avants-centres mondiaux[21]. Originaire de Moravie, l'attaquant autrichien a appris le foot dans les rues sinueuses des quartiers populaires de Vienne. Et officie splendidement au sein de la sélection nationale autrichienne qui domine alors le football européen, lui valant le nom de « *Wunderteam* », l'« équipe de rêve ».

Mais Matthias Sindelar et ses coéquipiers n'ignorent pas que l'annexion de l'Autriche est également synonyme d'Anschluss sportif, l'équipe autrichienne n'existant officiellement plus et devant être intégrée au sein d'une sélection allemande d'un niveau bien inférieur. Le 3 avril 1938, quelques minutes avant l'entrée sur le terrain pour un match qui s'annonce comme une farce politique à la gloire de la Grande Allemagne, Sindelar défie les autorités nazies dans les vestiaires en exigeant de jouer avec le maillot rouge et blanc de la Wunderteam. Après leur avoir rappelé qu'il est interdit de marquer un seul but, les organisateurs permettent néanmoins aux Autrichiens de porter leurs couleurs.

Devant près de 60 000 supporters agitant machinalement des drapeaux à croix gammée, le match se déroule dans un silence de plomb. Durant toute la première mi-temps, aucun but n'est marqué mais, dans les tribunes, personne n'est dupe. La Wunderteam démontre par l'absurde sa supériorité technique face à l'arrogante sélection de leurs « frères allemands » en faisant preuve d'une gaucherie sans précédent et en multipliant de grossières maladresses dès qu'ils approchent de la surface de réparation. Mais à la 78e minute le grotesque de la situation s'effondre. Excédé, Matthias Sindelar ne peut s'empêcher d'ouvrir magistralement le score et lève ses poings serrés en signe de victoire[22]. Les gradins sont traversés par l'effroi tandis que Sindelar et son coéquipier Karl Sesta effectuent une insolente danse de la joie devant les tribunes officielles des hiérarques nazis abasourdis[23]. Quelques minutes plus tard, les velléités d'égalité sportive entre les deux peuples s'évanouissent quand, à l'occasion d'un audacieux lob sur coup franc à quarante-cinq mètres, Sesta marque un fatal second but[24].

Aux antipodes de l'archétype physique aryen, le fragile « Homme de papier » et Karl Sesta, d'origine polonaise et surnommé « le Gros », pulvérisent en deux buts l'appareil de propagande totalitaire. Les joueurs autrichiens exultent, fiers d'avoir pratiqué avec dignité leur talentueux football malgré les menaces des dignitaires nazis. Quelques maigres banderoles autrichiennes passées clandestinement s'agitent, célébrant le refus en acte de l'Anschluss sportif par leur équipe mais, dans les vestiaires, les footballeurs tremblent déjà. En humiliant effrontément les autorités nazies, chacun sait que Matthias Sindelar a signé son arrêt de mort. Toutefois, la popularité du footballeur auprès des Viennois est trop précieuse aux yeux des nazis qui préféreront manipuler l'image du sportif. Le jour même du référendum sur l'annexion de l'Autriche au IIIe Reich, le 10 avril, l'édition locale du *Völkischer Beobachter*, le journal officiel du parti nazi, publie une photo de Matthias Sindelar avec cette légende : « Tous les footballeurs remercient le Führer du fond du cœur et appellent à voter "Oui"[25] ! »

Deux mois plus tard, à l'occasion de la Coupe de monde de football de juin 1938 qui se déroule alors en France, le sélectionneur allemand,

Sepp Herberger, intègre plusieurs ex-joueurs de la Wunderteam à son équipe pour tenter de relever le niveau technique de la Mannschaft. Le régime est prêt à excuser la désinvolture de Sindelar si ce dernier rejoint la sélection nationale. L'attaquant viennois refuse néanmoins de jouer prétextant un genou capricieux et son âge avancé. Il fait alors sa dernière apparition publique dans un stade le 26 décembre 1938, sous les couleurs de l'Austria de Vienne, pour battre grâce à son seul but le Hertha BSC Berlin.

Matthias Sindelar vit dès lors dans une semi-clandestinité avec sa compagne juive italienne Camilla Castagnola. Traqués par les services de police, ils sont fichés comme « sympathisants juifs, tchèques et sociaux-démocrates[26] » avant d'être tous deux retrouvés inanimés dans leur appartement le 23 janvier 1939. Officiellement, leur décès est imputé à une intoxication au monoxyde de carbone, mais d'aucuns privilégient la thèse du suicide ou d'un assassinat perpétré par la Gestapo. Quoi qu'il en soit, Vienne a désormais son martyr. Sous l'œil vigilant d'un imposant dispositif de sécurité et malgré l'interdiction de toute manifestation publique de deuil par les autorités, 15 000 personnes assistent aux funérailles de Matthias Sindelar devenu un symbole de la résistance civile face à l'hégémonie nazie[d].

Le ressentiment contre les Allemands – qui sont qualifiés de « Prussiens » ou de *Piefke* – continuera de s'exprimer entre autres à travers le ballon rond jusqu'à la fin du IIIe Reich. Durant ces années sombres, les Viennois s'identifient à la créativité du football autrichien, traduisant sur le terrain la *Wiener Schmäh* – la légèreté et le sens de l'humour typiquement viennois –, qui contraste avec le football rude mais sans imagination des Allemands. Les stades sont particulièrement garnis lorsqu'une équipe locale rencontre un club de l'occupant et les gradins sont le théâtre régulier « de chants anti-allemands, de bagarres, de lancers de pierre et de supporters surexcités », rapporte la police secrète[27]. En novembre 1940, lors d'un match opposant le Schalke 04 à l'Admira Vienne, la rencontre vire à l'émeute après que l'arbitre allemand a refusé deux buts aux Viennois. « Résultat : la police a été appelée contre les masses révoltées, les sièges des tribunes ont été détruits et des fenêtres brisées, des policiers ont été battus et la limousine du chef de district Baldur von Schirach a fini avec les pneus crevés et les vitres brisées juste en face du stade. Un événement sportif s'est transformé en manifestation politique », rapportent les autorités locales[28]. Ces dernières n'ignorent pas

d   La rue de Vienne où vivait le gracile footballeur a été rebaptisée Sindelarstrasse.

111

que ce type de soulèvement spontané contre les « Prussiens » masque souvent un geste de contestation populaire face à la domination nazie. Et il arrive que le pouvoir national-socialiste se venge, comme ce sera le cas après une défaite humiliante du Schalke 04 face au Rapid de Vienne en juin 1941 : la plupart des joueurs du club autrichien seront envoyés sans ménagement sur le front de l'Est.

Le « Match de la Mort »

Le 22 juin 1941, le IIIᵉ Reich lance l'opération Barbarossa, avec pour objectif militaire l'invasion totale de l'Union soviétique. Kiev tombe aux mains de la Wehrmacht dès le 26 septembre avant que le *Generalmajor* Kurt Eberhard et ses forces armées n'asservissent par la terreur la ville occupée. Les 29 et 30 septembre, la capitale ukrainienne devient le théâtre du plus grand massacre par balles de la Shoah mené en URSS : aux abords du ravin de Babi Yar, plus de 33 700 Juifs sont assassinés.

Au lendemain de l'occupation de l'Ukraine par les armées de l'Axe, l'ensemble des équipes ukrainiennes de football sont dissoutes, à l'image du Dynamo Kiev, club phare de l'URSS fondé en 1927 sous l'égide de la police politique soviétique. Cependant, les autorités nazies réorganisent hâtivement un championnat de football local où se confrontent les équipes des différentes forces militaires. Début 1942, Josef Kordik, gestionnaire d'une boulangerie de Kiev et supporter inconditionnel du Dynamo, rencontre au hasard des rues sinistrées de la capitale Nikolaï Troussevitch, ancien gardien de but de son club favori. Mobilisé de force avec ses coéquipiers sur le front puis capturé par les armées du Reich, Troussevitch vient d'être libéré du camp de Darnitsa et erre, affamé, dans Kiev occupée. Kordik lui offre un emploi dans sa boulangerie et, au fil des semaines, germe en eux une idée folle : reconstituer une équipe locale afin de remonter le moral des Kieviens lors du championnat orchestré par les autorités nazies.

Au printemps 1942, Nikolaï Troussevitch parvient à retrouver l'ailier Makar Gontcharenko puis six autres de ses anciens coéquipiers du Dynamo ainsi que trois footballeurs du Lokomotiv Kiev. Certains d'entre eux sortant à peine des camps de prisonniers de guerre et dormant sous les ponts, Josef Kordik les embauche en tant que boulangers. L'équipe a piètre allure mais les mitrons du ballon rond rapiècent tant bien que mal des maillots de couleur rouge et se baptisent le FC Start, comme pour mieux objectiver collectivement ce nouveau départ.

Le 7 juin 1942, le FC Start dispute son premier match et bat à plate couture, 7 buts à 2, le Rukh Kiev, une équipe d'Ukrainiens collaborant avec les nazis. Durant deux mois, les footballeurs-boulangers remportent par des victoires écrasantes la dizaine de rencontres qui les opposent aux forces d'occupation. Le 21 juin, le FC Start vainc ainsi une garnison hongroise 6 buts à 2 et, une semaine plus tard, gagne 7 buts à 1 contre l'équipe de foot d'une unité d'artillerie de la Wehrmacht. Le 12 juillet, c'est au tour de travailleurs allemands de subir une terrible défaite de 9 buts à 1[29].

Cette série de succès sensationnels commence à sérieusement agacer les autorités nazies. Et cela d'autant plus que le FC Start humilie le 6 août, par un score de 5 buts à 1, la Flakelf, l'équipe comportant des aviateurs de la prestigieuse Luftwaffe. De peur que cet enchaînement de matchs remportés par une équipe de boulangers faméliques ne sape le moral des troupes de l'Axe et, surtout, insuffle aux Ukrainiens l'envie de défier l'occupant, les hiérarques nazis locaux imposent un match de revanche.

Kiev est alors recouverte d'affiches annonçant cette rencontre de football à haute tension pour le dimanche 9 août et, le jour J, les joueurs du Start et de la Flakelf entrent sur la pelouse du stade Zenit devant 45 000 spectateurs[30]. Malgré la présence dans les gradins du *Generalmajor* Kurt Eberhard et de nombreux gradés des forces d'occupation, les onze du FC Start refusent d'effectuer le salut nazi. Dès le coup d'envoi sifflé, les rugueux joueurs de la Flakelf assènent des tacles par-derrière et se livrent à des arrachages de maillots devant un arbitre – un officier SS – aveugle. Les Allemands ouvrent le score tandis que le gardien Nikolaï Troussevitch gît au sol après avoir été frappé à la tête. Ivan Kouzmenko, le géant avant-centre du Dynamo, parvient à égaliser et, lorsque la mi-temps est sifflée, le FC Start mène 2 buts à 1. Dans les vestiaires, les footballeurs ukrainiens auraient alors reçu la visite d'officiers nazis leur demandant de bien réfléchir à deux fois « aux conséquences » en cas de victoire[31].

Malgré ces lourdes menaces, le FC Start domine 5 buts à 3 et, avant que le match n'arrive à son terme, Oleksiy Klymenko humilie l'équipe nazie en dribblant l'ensemble des défenseurs et le gardien, puis en se retournant devant la ligne de but pour envoyer puissamment le ballon vers le rond central. L'arbitre SS siffle alors la fin de la rencontre avant même le temps réglementaire devant un *Generalmajor* et des officiels nazis mortifiés.

113

Peu de temps après, les footballeurs sont arrêtés à la boulangerie de Josef Kordik et certains sont interrogés durant une vingtaine de jours par la Gestapo au motif d'être membres de la police politique soviétique. Le joueur Nikolaï Korotkikh meurt sous la torture et huit autres sont déportés au camp de concentration de Syrets, près du lugubre ravin de Babi Yar. L'initiateur et gardien de l'équipe Nikolaï Troussevitch, le buteur Ivan Kouzmenko et Oleksiy Klymenko y sont froidement exécutés en février 1943, en représailles d'une attaque de la Résistance ukrainienne.

D'après la propagande soviétique – qui renommera la rencontre avec le Flakelf le « Match de la Mort » et réécrira grossièrement l'histoire du FC Start à son profit –, les joueurs-résistants auraient été arrêtés et déportés en raison du score final de leur match tumultueux contre la sélection nazie. Mais l'ailier Makar Gontcharenko donnera, soixante-dix ans plus tard, une version plus humble et tout aussi poignante de la mort de ses coéquipiers. « Ils ne sont pas morts parce qu'ils étaient de grands footballeurs ou des joueurs du Dynamo. Ils sont morts comme beaucoup d'autres Soviétiques parce que deux systèmes totalitaires s'affrontaient. Ils ont été victimes de ce massacre à grande échelle. La mort des joueurs n'est pas très différente de celles de beaucoup d'autres gens[32]... »

Résistances en eaux troubles

Alors que l'étau nazi se resserre sur l'Europe du Nord et de l'Ouest, plus que des actes de résistance politique, ce sont avant tout des pratiques de désobéissance civile au totalitarisme hitlérien qui se déploient au sein du football. En Norvège, pays envahi par les armées du Reich en avril 1940, le boycott sportif se popularise dans le milieu du football afin de contester la mainmise des autorités d'occupation sur le ballon rond. Le Reichskommissariat Norwegen, administration civile chargée de la mise au pas du pays, a en effet désigné un *Sportsführer* pour mieux asservir à l'idéologie national-socialiste l'ensemble des activités sportives. Peu enclins à suivre les recommandations du régime autoritaire, les sportifs norvégiens refusent collectivement de cautionner la restructuration sportive orchestrée par les nazis. Quelque 800 adhérents du FK Lyn, un des clubs de football d'Oslo les plus populaires du pays, renoncent à renouveler leur adhésion au club, alors déjà aux mains de l'occupant. Le plus grand centre sportif de la capitale, le stade Ullevaal, d'une capacité de 40 000 personnes, est littéralement déserté par la population. Quant à la demi-finale de la

Coupe norvégienne de 1942 à Bergen, on dénombre dans les tribunes à peine vingt-sept spectateurs[33]...

Asbjørn Halvorsen, footballeur professionnel très populaire auprès des Norvégiens, est alors l'une des figures de proue du boycott sportif durant l'Occupation. Ayant joué en Allemagne en tant que défenseur au sein du Hambourg SV jusqu'en 1934, Halvorsen bénéficie de son aura de sélectionneur de l'équipe norvégienne, celle-là même qui avait humilié la sélection allemande durant les Jeux olympiques de 1936. Lors de la finale de la Coupe norvégienne de football en 1940, Asbjørn Halvorsen, en tant que secrétaire général de la fédération norvégienne de football, refuse l'accès aux tribunes officielles au *Reichskommissar* Josef Terboven et à son cortège de dignitaires nazis en alléguant qu'elles sont habituellement réservées à la famille royale, alors en exil. Opposé à l'organisation de matchs de propagande à la gloire du régime, Halvorsen démissionne quelques mois plus tard de ses fonctions au sein de la fédération norvégienne de football avant de transformer les bureaux de cette dernière en point névralgique du boycott sportif[34].

Le mépris envers l'occupant nazi est tel que Heinrich Himmler en personne, chef suprême de la SS et ministre de l'Intérieur, intervient en Norvège à partir de 1943 afin d'asseoir l'autorité du Reich. En effet, au-delà de l'insoumission populaire face à la normalisation totalitaire du sport scandinave, certains vont jusqu'à mettre sur pied des matchs de football clandestins en milieu rural pour recruter de nouveaux engagés au sein des réseaux organisés de résistance[35]. La répression nazie s'abat alors sur tout sportif qui persiste à narguer le Reichskommissariat Norwegen. Asbjørn Halvorsen est déporté dès août 1943 au camp de concentration de Grini, près d'Oslo. Transféré au camp de Neuengamme en Allemagne, l'ancien joueur du Hambourg SV y rencontrera un de ses ex-coéquipiers, l'avant-centre Otto « Tull » Harder, devenu entre-temps gardien du camp avec le grade SS de *Hauptscharführer*[36]. À la fin de la guerre, Halvorsen, souffrant de pneumonie, de malnutrition et de typhus, réchappe de très peu aux camps de la mort. Il survivra difficilement jusqu'en 1955 tout en assurant avec ténacité ses fonctions de dirigeant de la fédération norvégienne de football.

Aux Pays-Bas, dès août 1941, la Nederlandsche Voetbal Bond (fédération nationale de football, NVB), sous le joug de l'occupant, bannit des arènes sportives les joueurs ou spectateurs de confession juive. « Mon père juif était un grand supporter de l'Ajax d'Amsterdam et on allait au stade tous les dimanches, se remémore Pelle Mug, un supporter de l'équipe hollandaise. Après l'interdiction des Juifs, j'allais seul aux matchs, sans lui. C'était horrible. Nous avions convenu avec mon père que si l'Ajax

115

gagnait, je devais siffloter l'hymne du club en marchant dans notre rue. Si je ne sifflais pas, cela signifiait que nous avions perdu. Mon père était toujours en train d'attendre avec impatience les résultats à la fenêtre. Et les soirs de défaite, il perdait tout appétit[37]... » Le 1er novembre 1941, les Juifs sont exclus de toute pratique sportive et à Amsterdam cinq clubs issus de l'importante communauté juive locale ferment leurs portes[38].

Certaines figures du monde du football commencent à disparaître du paysage sportif, rendant plus visible l'antisémitisme actif du régime hollandais. Hartog « Han » Hollander, premier grand commentateur sportif néerlandais à la radio, est déporté à cause de ses origines juives et meurt avec sa femme et sa fille en juillet 1943 au camp d'extermination de Sobibor[39]. Leo Horn, célèbre arbitre juif, rentre quant à lui en clandestinité dès 1941 sous le nom de Van Dongen et rejoint le groupe de résistance armée Stanz au sein duquel il participera notamment à la spectaculaire attaque d'un camion allemand chargé de munitions.

Si le monde du football néerlandais ne comprend pas de mouvement clandestin organisé, certains clubs abritent néanmoins des activités de dissidence, voire de résistance. L'Ajax d'Amsterdam, qui emprunte son nom au valeureux héros de la guerre de Troie, fonctionne comme un « réseau informel » qui porte secrètement assistance aux personnes, juives ou non, menacées par les nazis[40]. Les liens de solidarité au sein de l'Ajax permettent ainsi à des joueurs et des supporters d'échapper aux affres de la guerre. De confession juive, Jaap Van Praag, à l'époque simple membre du club – il deviendra président de l'Ajax dans les années 1960-1970 –, est caché par le joueur Wim Schoevaart avant d'être mis en sûreté durant plus de deux ans au-dessus d'un magasin de photographie (à l'insu du propriétaire). Durant la terrible famine de l'hiver 1944-1945 qui touche le pays, les joueurs de l'Ajax d'Amsterdam se serrent les coudes en collectivisant leurs maigres ressources alimentaires tandis que les adhérents se cotisent pour envoyer une vingtaine d'adolescents du club reprendre des forces dans les fermes du Friesland.

À l'opposé de certains footballeurs qui, naviguant dans les eaux troubles de la collaboration opportuniste, adhèrent au NSB (le parti nazi hollandais) à l'instar de Harry Pelser de l'Ajax, quelques joueurs s'affirment clairement antinazis. Jan Wijnbergen, de l'équipe première de l'Ajax, s'engage ainsi dans le mouvement résistant dès 1941. « Après avoir distribué des tracts pour un appel à la grève générale en février, [la Résistance communiste] m'a demandé de livrer des colis ou de maintenir des contacts, précise-t-il. Je jouais encore à l'Ajax mais cela devenait de plus en plus incompatible. Je devais annuler régulièrement les entraînements, même si, évidemment, ça ne plaisait pas au club[41]. » Il arrête rapidement sa carrière de joueur avant de participer à une filière de sauvetage d'enfants juifs, « convaincu que les activités de résistance étaient plus importantes que jouer au football[42] ». Quant à Rein Boomsma, ancien joueur du Sparta de Rotterdam et de la sélection nationale, il entre dans l'armée des ombres dès les débuts de l'Occupation et sera arrêté à trois reprises par la Gestapo avant de mourir au camp de Neuengamme en mai 1943.

Le club de football du nord d'Amsterdam, les Volewijckers, constitue pour sa part une des rares associations sportives néerlandaises à s'être investie pleinement dans la contestation de l'occupation nazie. De 1941 à 1943, Gerben Wagenaar, milieu de terrain et capitaine de l'équipe, est chef du Militair Contact, une organisation de résistance communiste, puis membre du Conseil de la Résistance jusqu'à la Libération en mai 1945. De surcroît, son frère Douwe, administrateur du club, n'hésite pas à afficher son opposition aux autorités nazies en faisant jouer les Volewijckers en orange, la couleur nationale, lors d'une rencontre le 3 août 1943, un acte pour lequel il sera incarcéré par la Gestapo durant trois jours[43]. Douwe Wagenaar organise également des déplacements afin que les membres du club puissent en découdre physiquement dans les tribunes avec les supporters de l'ADO de La Haye, dont l'équipe est surnommée le « Onze de Hitler ». La résistance du club s'illustre jusque sur les pelouses. Initialement en troisième division, les Volewijckers parviennent en effet à se hisser jusqu'au premier échelon national du football néerlandais en 1942 puis à vaincre leur rival pronazi, l'ADO de La Haye, en l'évinçant du sommet du championnat en 1944.

Le football hollandais s'étiole cependant au tournant de l'année 1943. Au-delà des pénuries alimentaires et matérielles qui s'aggravent et d'une répression nazie toujours plus brutale, l'ensemble des hommes valides âgés de 17 à 40 ans sont en effet appelés à aller travailler dans l'industrie de guerre en Allemagne. Les stades de football deviennent dès lors des lieux dangereux où il est aisé pour les commandos nazis d'effectuer des arrestations de masse afin d'envoyer des hommes dans les camps de travail du Reich. Ainsi, le 27 février 1944, après un match entre le PSV Eindhoven et le Longa, les Allemands rafflent 20 000 spectateurs qui quittaient le stade[44].

En septembre 1944, alors que le sud des Pays-Bas a été libéré par les Alliés, le gouvernement hollandais en exil appelle à la grève des cheminots afin de ralentir l'acheminement des vivres et des soldats allemands jusqu'au front. L'occupant nazi riposte aux débrayages en bloquant le transport des denrées alimentaires à destination du nord-ouest du pays, engendrant l'« hiver de la faim » 1944-1945. Les compétitions de football sont alors mises entre parenthèses, tout déplacement étant impossible, mais l'équipe des Volewijckers, en tant que champion national, continue à disputer quelques matchs amicaux en voyageant en carriole à cheval. À la Libération, au printemps 1945, les différentes organisations footballistiques – clubs, fédérations régionales, ligue professionnelle, etc. – sont « dénazifiées » par des comités d'épuration. Leo Horn, l'arbitre juif résistant qui était entré en clandestinité dès 1941, sera alors gardien du camp d'internement des anciens membres du NSB. Ironie de l'Histoire, il aura pour prisonnier Harry Pelser, le joueur de l'Ajax adhérent du parti nazi hollandais. Suite à son incarcération, ce dernier déclara : « Cette période a créé des blessures qui ne cicatriseront jamais[45]... »

Football clandestin, armes au poing

Après la signature de l'armistice du 22 juin 1940 qui inféode la France au IIIᵉ Reich, le gouvernement collaborationniste de Vichy, *via* son Commissariat général à l'Éducation générale et sportive (CGEGS), asservit l'ensemble des fédérations sportives à sa politique de « Révolution nationale » en promulguant le 2 décembre 1940 une loi dite « Charte des sports ». Le commissaire aux Sports, l'ancien *tennisman* Jean Borotra, puis son successeur, le colonel Joseph Pascot, interdisent à partir d'août 1941 toute rencontre franco-allemande de football, de peur que ces dernières ne se transforment en manifestations antinazies[46]. Le régime pétainiste condamne également le professionnalisme dans le sport et impose dès juin 1941 le « Serment de l'Athlète », ainsi formulé : « Je promets sur l'honneur de pratiquer le sport avec désintéressement, discipline et loyauté pour devenir meilleur et mieux servir ma patrie[47]. » En juillet 1943, les joueurs professionnels deviennent des fonctionnaires rémunérés par le gouvernement. Dans l'optique vichyste, les footballeurs français sont appelés à servir le régime : « La France a besoin que tous ses fils endurcissent leurs corps et trempent leur âme pour faire face aux rudes devoirs qui s'imposent à eux. Soyez les pionniers de la rénovation physique et morale », indique le CGEGS[48]. Du reste, 1943 marque l'intensification de la politique antisémite de Vichy dans les milieux sportifs, notamment avec le cas retentissant d'Alfred Nakache, nageur d'origine juive et champion de France, arrêté en novembre 1943 avant sa déportation pour Auschwitz.

Le mouvement sportif ouvrier, incarné par la Fédération sportive et gymnique du travail (FSGT) [voir chapitre 5], est néanmoins divisé dans son combat contre le pétainisme et la nazification du sport français. En effet, alors que les Français en âge d'être soldats étaient mobilisés sur le front suite à la déclaration de guerre à l'Allemagne le 3 septembre 1939, une minorité de dirigeants socialistes de la commission exécutive de la fédération se sont réunis dès le mois d'octobre de la même année. Ces derniers ont décidé lors de cette entrevue de bannir de la FSGT tout club ne répudiant pas le pacte germano-soviétique signé deux mois plus tôt. À peine quelques semaines plus tard, ce sera au tour des cadres communistes d'être exclus de la tête de l'organisation sportive avant que la Fédération ne devienne Union (USGT) et ne se conforme aux directives de Vichy.

En dépit de cette éviction, des ex-FSGT communistes, tels Auguste Delaune (ancien secrétaire général de la fédération), Robert Mension (ex-dirigeant FSGT) ou Aymé Radigon (gardien de but de l'équipe de Choisy et de l'équipe nationale de la fédération ouvrière), mettent sur pied début 1941 un réseau clandestin nommé « Sport libre ». L'objectif de cette structure de résistance est de dénoncer la politique sportive du régime pétainiste en mettant en exergue son antisémitisme et son collaborationnisme.

Sport libre invite dès lors ses militants à sensibiliser les sportifs à la base, au sein même des clubs. Le Club populaire sportif du Xe arrondissement de Paris (CPS X) reprend ainsi dès septembre 1941 un fonctionnement « normal » afin de « permettre aux jeunes, étudiants, lycéens, de pouvoir se retrouver et de pratiquer du sport[49] ». Sous couvert d'activités sportives, certains de ses adhérents entrent activement dans la Résistance. « Nous, il ne faut pas le cacher, on ne pouvait pas accepter l'Occupation, c'était moral, se souvient Albert Zandkorn, membre du club. [...] On a commencé par recevoir des tracts, que l'on nous donnait à distribuer dans les escaliers, soit aux sorties de cinéma, aux terrasses des cafés. Il fallait les lancer et s'enfuir immédiatement pour ne pas être attrapés. Cela a duré comme ça jusqu'en mai 1941[50]. » Les jeunes membres du CPS X et d'autres militants communistes, dont l'illustre Guy Môquet, se « donnai[ent] rendez-vous au Bois de Boulogne, sous le prétexte d'organiser des parties de football. C'était, en réalité, pour mettre au point quelque action contre l'occupant[51] ». Deux membres du club, Georges Tompousky, l'un de ses fondateurs, et Bernard Grimbaum, son secrétaire, seront néanmoins fusillés le 30 avril 1942[52].

En plus de cet activisme de terrain, le réseau Sport libre diffuse mensuellement des tracts clandestins appelant à des « activités sportives libres dans une France libre ». Au gré des publications, les sportifs résistants accusent en 1943 l'autoritarisme du Commissariat aux Sports, *via* un tract intitulé « Tempête sur le football[53] », ou appellent les sportifs à se rebeller contre l'occupant, comme le démontre un autre tract de l'été 1943 : « Sportifs de France, pour contribuer à abattre définitivement l'envahisseur, vous avez de grandes possibilités. Avant tout, unissez-vous et défendez vos revendications propres. Exigez du pain, un meilleur ravitaillement, des ballons, des maillots, des chaussures, des équipements. [...] Luttez pour l'abrogation de la Charte nazie du sport ; chassez de vos organisations les traîtres comme Pascot. Ainsi apporterez-vous une aide à la Résistance française contre l'ennemi[54]. » À la Libération de Paris en août 1944, les résistants de Sport libre reprendront le siège de leur fédération, la FSGT, armes à la main.

En dehors du réseau Sport libre, et alors que les footballeurs demeureront passifs face à l'Occupation à l'instar de la grande majorité des Français, une poignée de joueurs professionnels vont s'engager sans réserve dans la lutte armée[e]. Étienne Mattler, ancien défenseur du FC Sochaux et de l'équipe de France, contribue ainsi à la Résistance dans le territoire de Belfort, avant d'être arrêté par la Gestapo puis de participer à la Libération[55]. Le milieu de terrain des Girondins de Bordeaux, René Gallice, rejoint dès 1940 les rangs des Forces françaises libres au sein desquelles il prend part en 1942 à la bataille de Bir-Hakeim en Libye. Fils d'immigrés italiens et jeune ouvrier ajusteur d'Argenteuil, Rino della Negra, ailier droit du Red Star de Saint-Ouen, entre quant à lui en octobre 1942 dans la clandestinité et rejoint les Francs-tireurs et Partisans – Main-d'œuvre immigrée (FTP-MOI). Engagé dans le groupe Manouchian, le jeune footballeur participe en juin 1943 à l'exécution du général nazi Von Apt ou encore à l'attaque du siège parisien du parti fasciste italien. Le 12 novembre 1943, il est blessé puis arrêté suite à une action contre des convoyeurs de fonds allemands. Il sera fusillé au mont Valérien le 21 février 1944 à l'âge de 20 ans, laissant ces derniers mots à son petit frère : « Envoie le bonjour et l'adieu à tout le Red Star[56]. »

---

e   D'autres vont au contraire pleinement collaborer, tel l'ancien capitaine de la sélection française lors de la Coupe du monde 1930, Alexandre Villaplane, qui sera membre de la Gestapo française et gradé SS au titre de *Untersturmführer*.

8

La « démocratie corinthiane ».
Ballon rond et autogestion contre la dictature brésilienne

« Être Corinthian, c'est plonger
Dans l'océan de l'illusion qui nous noie
Qu'importe ce que nous réserve l'avenir
C'est toujours avec le cœur que l'on joue »

Gilberto GIL, *Corintiá*, 1984.

Depuis le 31 mars 1964, date du putsch militaire qui démit de ses fonctions le président João Goulart, le Brésil est gouverné d'une main de fer par une oligarchie de généraux qui agitent le spectre de la menace communiste sur le continent sud-américain. Soutenues par l'administration étatsunienne, les forces armées décrètent plusieurs « actes institutionnels » qui suspendent la Constitution et abolissent l'élection présidentielle au suffrage universel direct ainsi que le multipartisme.

Sous prétexte de « sécurité nationale », un régime d'exception s'instaure : les militaires s'arrogent le droit d'arrêter et d'emprisonner n'importe qui sans procédure judiciaire et lancent une guerre contre-insurrectionnelle visant à éliminer l'« ennemi intérieur »[1]. Alors que toutes formes d'expression culturelle sont censurées, la police politique, le SNI – Serviço nacional de informações –, terrorise la population et les médias[2]. Formés dans des écoles militaires nord-américaines, s'appropriant des techniques répressives françaises développées lors des guerres de décolonisation[3], les officiers systématisent la torture – après la fin de la dictature en 1985, on dénombrera « officiellement » 434 morts et 20 000 personnes torturées[4]. Des équipes de la SNI en civil enlèvent régulièrement dans la rue tout individu soupçonné d'être un opposant au régime et chaque manifestation de contestation est rapidement muselée. Une peur sourde règne sur le Brésil. Près de 10 000 intellectuels dissidents, militants de gauche et artistes – tels Caetano Veloso, Chico Buarque ou Gilberto Gil – sont contraints de s'exiler en Europe.

Après plusieurs années de lutte clandestine et de guérilla urbaine durement réprimées, la société brésilienne réclame de plus en plus ouvertement le retour à la démocratie. À partir de 1975, une vaste campagne pour la libération des prisonniers politiques est lancée et les manifestations étudiantes se multiplient[5]. Alors que la résistance armée tombe en désuétude, l'opposition de gauche compose avec l'intelligentsia, les mouvements sociaux ouvriers et paysans, et les prêtres partisans de la théologie de la libération. Menées par le syndicaliste Luis Inácio « Lula » da Silva, de grandes grèves secouent le secteur métallurgique de São Paulo dès 1977. Le 13 mars 1979, 150 000 métallos occupent la pelouse et les gradins du stade de Vila Euclides, dans la banlieue industrielle de São Paulo, pour tenir leur meeting. L'année suivante, les métallurgistes lancent une grève qui durera 41 jours. Les assemblées ouvrières qui se tiennent dans l'enceinte sportive de Vila Euclides sont survolées par des hélicoptères équipés de mitrailleuses...

Arrivé au pouvoir en mars 1979, le général João Figueiredo, ancien chef du SNI, doit alors faire face à des problèmes économiques sans précédent, conséquences du choc pétrolier et de la crise de la dette qui frappent les pays du Sud. Insolvable, l'État est au bord de la faillite tandis que le taux d'inflation s'envole vertigineusement. Le 30 novembre 1979, lors d'une visite d'État à Florianópolis, au sud du pays, Figueiredo est bousculé par plusieurs milliers de jeunes révoltés autant par leurs conditions de vie que par le mépris du général qui avait déclaré « préférer l'odeur des chevaux à celle du peuple »... Alors que la dictature militaire est aux abois, le Brésil entre en récession dès 1981.

Rompre avec l'ordre établi

« Au Brésil, le football est plus qu'un sport : c'est aussi un outil de socialisation, un système très complexe de transmission de valeurs et un territoire inclusif où se perpétuent les identités culturelles et idéologiques », analyse en 1982 l'anthropologue brésilien Roberto Da Matta[6]. Depuis que la Seleção a remporté en 1958 son premier titre mondial, football et identité brésilienne sont en effet intimement liés [voir chapitre 12]. Une étude d'opinion réalisée lors de la Coupe du monde de 1970 indique ainsi que, pour près de 90 % des Brésiliens appartenant aux classes populaires, le football est associé à l'idée de nation[7]. Dans cette perspective, aux yeux des généraux, le ballon rond doit être assujetti au pouvoir et n'être à aucun prix contaminé par l'agitation sociale qui traverse le pays. En 1981, la Confédération brésilienne de football est ainsi présidée par l'amiral Helenio Nunes, l'un des cadres dirigeants de l'Arena – Alliance rénovatrice nationale, le parti politique de la junte militaire. Quant au championnat national, il n'est, depuis le putsch de 1964, qu'un instrument aux mains de l'oligarchie militaire pour flatter les fiertés régionales et alimenter les logiques de corruption locales. En effet, la manipulation des compétitions – la première division de football comptera jusqu'à 94 équipes – et les constructions de stade servent à maintenir un semblant de paix sociale jusque dans les États les plus reculés et à distribuer de juteux contrats aux entreprises de travaux publics. « Quand l'Arena va mal, un club de plus dans le championnat national ; quand l'Arena va bien, un club de plus aussi », plaisantent les Brésiliens[8]. Mais, pendant que les caciques s'enrichissent sur leur dos, les conditions de vie des footballeurs professionnels sont déplorables. Inféodés à leur équipe par un système de contrat qui les lie à vie à leur club, infantilisés par des dirigeants autoritaires, la grande majorité des joueurs reçoivent un salaire de misère et sont mal nourris, souffrant régulièrement de dysenterie.

Tandis que les manifestations d'opposition à la dictature s'amplifient à São Paulo, le SC Corinthians, le club de football le plus populaire de la ville, végète en deuxième division et n'a pas remporté de victoire au championnat régional pauliste depuis trois saisons. Néanmoins, en novembre 1981 et conformément aux statuts du club, le SC Corinthians doit réélire ses instances dirigeantes. L'indéboulonnable Vicente Matheus, entrepreneur minier proche des militaires au pouvoir, doit alors céder la présidence du club à Waldemar Pires, un homme d'affaires de São Paulo. Orlando Monteiro Alves, vice-président des Corinthians, convainc le nouveau président de nommer son fils en tant que directeur sportif.

Sociologue de 35 ans, Adilson Monteiro Alves est une figure des mobilisations étudiantes des années 1970 qui a connu les geôles de la dictature. S'il avoue ne posséder que de rares connaissances footballistiques, la dizaine d'années qu'il a passées au sein du conseil administratif du club l'ont éclairé sur le quotidien précaire des professionnels du ballon rond. Et son parachutage au poste de directeur sportif n'est pour lui aucunement prétexte à passer sous silence ses velléités contestataires. « Les joueurs sont traités comme des esclaves, annonce-t-il dès son arrivée. Le modèle autoritaire est remis en question dans tout le pays, il doit l'être aussi dans le foot[9]. » Le soir de sa prise de fonction au sein du club, le sociologue anticonformiste rejoint l'ensemble des joueurs qui dînent en ville et leur déclare sans détour : « Le pays lutte pour se démocratiser. Même quand il va y parvenir, le foot tardera à en faire autant. [...] Nous, on va dialoguer. Dites-moi ce qui ne va pas, prenez vos destinées en main, ayez conscience que vous pouvez commander, nous déciderons tous ensemble[10]. » Si la plupart des footballeurs sont décontenancés par cette initiative aux antipodes de l'autoritarisme des précédents directeurs sportifs, d'autres se montrent immédiatement réceptifs à ce discours novateur. C'est le cas notamment de Sócrates, de Wladimir ou de Casagrande, trois joueurs politiquement engagés.

Admirateur de Kafka et de Garcia Marquez, le milieu offensif Sócrates, surnommé « Le Docteur » – il poursuit parallèlement à sa carrière un doctorat de médecine –, est un fervent opposant au régime. Adhérent du Parti des travailleurs dès sa fondation en février 1980[a], il raconte que sa politisation remonte à son enfance : « J'ai assisté à une scène qui m'a beaucoup marqué et qui, d'une certaine manière, a transformé ma vision du monde. J'ai vu mon père brûler des livres quand est survenu le coup d'État militaire du 31 mars 1964, alors qu'il les conservait comme les joyaux de la Couronne[11]. » Le latéral gauche Wladimir est pour sa part animateur du syndicat des joueurs de São Paulo. Se définissant lui-même comme un « ouvrier du ballon », il salue les grèves des métallurgistes et n'hésite pas à dénoncer la ségrégation raciale des joueurs noirs[12]. Jeune attaquant de 19 ans et fan de rock contestataire brésilien, Casagrande s'était quant à lui illustré, deux ans avant le changement de direction du club, en organisant une manifestation pour l'amnistie des prisonniers politiques.

Très rapidement, les promesses du jeune directeur sportif se concrétisent. Les réunions entre footballeurs sont quasi quotidiennes, et, à l'initiative de Monteiro Alves et des joueurs les plus politisés, des pratiques de démocratie directe s'immiscent dans le processus décisionnel du club. « Avant d'être un professionnel, le joueur est un citoyen, affirme le sociologue dissident. Le temps est révolu où l'étudiant devait étudier, le travailleur travailler et seul le politicien faire de la politique. Tout le monde doit avoir la liberté de participer aux décisions concernant son destin[13]. » L'ensemble des délibérations sont élaborées collectivement puis sont soumises au vote. Chaque employé du club dispose d'une voix, qu'il s'agisse des joueurs, des soigneurs, du chauffeur du bus ou du jardinier chargé de l'entretien de la pelouse. L'assemblée corinthiane

---

a   Le Partido dos Trabalhadores (Parti des travailleurs, PT) est fondé le 10 février 1980, principalement à l'initiative de Lula et d'Olívio Dutra. Il se définit alors comme un « parti démocratique, de masse et d'inspiration socialiste ».

vote dans un premier temps la redistribution à tous les employés des recettes de billetterie, du sponsoring et des droits télévisés. « On a aboli le processus paternaliste qui existe dans le foot, où les dirigeants font des joueurs des assistés, ne leur permettant pas de devenir adultes, témoigne *a posteriori* Sócrates. Au début cela a créé une certaine anxiété chez une bonne partie des collègues, qui n'étaient pas habitués à s'exprimer ou à prendre des décisions[14]. » Lors de ces interminables réunions, où l'on discute de philosophie, de politique et où l'on s'échange des livres, tout est voté à la majorité des voix : horaires et méthodes d'entraînement, date et choix des transports pour les déplacements, titulaires et remplaçants pour chaque match, prochains recrutements... « On a même voté pour décider si un joueur qui venait de se marier pouvait partir de Tokyo [où l'équipe devait disputer un match] rejoindre sa femme », ironise Wladimir[15]. « Nous décidions de tout par consensus, se rappelle Sócrates. Cela pouvait être sur des choses très simples comme "à quelle heure prend-on le déjeuner ?". On suggérait, disons, trois options possibles, et tout le monde votait. La décision majoritaire était acceptée de tous[16]. » Et d'ajouter : « Nous voulions dépasser notre condition de simples joueurs travailleurs pour participer pleinement à la stratégie d'ensemble du club. Cela nous a amenés à revoir les rapports joueurs-dirigeants[17]. » Les footballeurs vont jusqu'à faire appel à un psychologue pour mieux travailler à leur épanouissement personnel et collectif au sein du groupe, une idée totalement saugrenue pour les très conservatrices et archaïques instances du football d'alors.

Face au régime autoritaire des généraux, la résistance par la démocratie horizontale des Corinthians revêt une dimension plus politique dès 1982, lorsque les footballeurs élisent comme entraîneur Zé Maria. Joueur au sein de l'équipe et fort de son aura de champion du monde 1970, Zé Maria vient par ailleurs d'être récemment élu conseiller municipal lors des premières élections locales libres sous la dictature. « Nous avons opté pour une solution d'autogestion en choisissant l'un de nos joueurs pour entraîner l'équipe, raconte Sócrates. Croyez-moi, cela a entraîné toutes sortes de polémiques. D'un coup, on a eu 80 % de la presse contre nous[18] ! » Traités d'« anarchistes » ou de « barbus communistes », l'exercice au quotidien de la démocratie directe au sein du SC Corinthians agace la presse aux ordres de la junte militaire. L'hostilité grandit encore quand les joueurs décident collectivement de ne plus respecter la *concentração* (mise au vert). Cette pratique disciplinaire – le terme, d'origine militaire, désigne le rassemblement des troupes – consiste à enfermer les joueurs la veille des matchs de peur des dérives festives ou de potentielles virées sexuelles. Ce traitement paternaliste qui considère les footballeurs comme des individus irresponsables révèle aux yeux des Corinthians l'ineptie de la dictature qui, dans le football comme dans le reste de la société brésilienne, séquestre préventivement tout suspect afin de maintenir l'ordre social. « Dans l'esprit du pouvoir, le foot devait juste être l'opium du peuple, alors que c'était bien plus que cela, et il leur fallait contrôler au maximum les joueurs. Comme il ne pouvait pas le faire pendant les matchs, il était important de le faire avant et après, explique un journaliste pauliste qui a suivi l'aventure corinthiane. La *concentração*, c'était une façon de nier leur valeur humaine[19]. » Après un an de discussions houleuses et de votes, les Corinthians abolissent au sein du club les mises au vert. Les joueurs peuvent rejoindre leur famille les soirs d'avant-match ou se retrouver collectivement autour de barbecues géants. Sócrates et Casagrande n'hésitent plus à s'afficher ostensiblement avec une cigarette aux lèvres ou une bière à la main.

Cette rupture radicale avec l'autoritarisme et le moralisme sportifs se traduit également sur le terrain. Le jeu des Corinthians est plus offensif et artistique, propre à déstabiliser l'adversaire. Sócrates devient autant un ingénieux transmetteur de ballon qu'un attaquant au style élégant et technique qui célèbre chacun de ses buts en levant fièrement le poing à la manière des militants étatsuniens du Black Power. Au grand dam des autorités, les Corinthians, qui ne perdent aucun match entre novembre 1981 et juillet 1982, renouent avec la victoire : l'équipe, remontée en première division, atteint la quatrième place du classement national en 1982 et remporte durant deux années consécutives le championnat pauliste (une première pour l'équipe depuis trente ans).

« Nous exercions notre métier avec plus de liberté, de joie et de responsabilité. Nous étions une grande famille, avec les épouses et les enfants des joueurs. Chaque match se disputait dans un climat de fête, précise Sócrates. Sur le terrain, on luttait pour la liberté, pour changer le pays. Le climat qui s'est créé nous a donné plus de confiance pour exprimer notre art[20]. » Aux yeux des Brésiliens, si le régime autoritaire des généraux s'incarne au quotidien par une répression lugubre et une violente paupérisation, les pratiques autogestionnaires des Corinthians se concrétisent par des succès sportifs aussi spectaculaires que réjouissants. Les footballeurs illustrent comment créativité sportive sur le terrain et créativité organisationnelle au sein du club peuvent venir bousculer un système politique *a priori* cadenassé[21]. « Ces victoires ont été fondamentales pour le mouvement, poursuit Sócrates. Au départ, nous voulions changer nos conditions de travail, puis la politique sportive du pays. Puis la politique tout court[22]. » Alors que le SC Corinthians se revendique depuis sa création en 1910 comme le « club du peuple » – en opposition par exemple au plus huppé São Paulo FC –, l'équipe fournit à la société brésilienne un exemple vivant d'une expérience autogestionnaire qui tacle l'ordre établi, jusqu'à se muer en caisse de résonance des aspirations démocratiques de tout un pays.

Maillot antiautoritaire

D'après les statuts du SC Corinthians, ce sont alternativement le conseil délibératif et les sociétaires du club qui élisent les instances dirigeantes de la structure. En 1982, c'est au tour des *socios* d'être appelés à voter, et le président Waldemar Pires ainsi que le directeur sportif Adilson Monteiro Alves sollicitent un nouveau mandat. Washington Olivetto, grand publicitaire brésilien qui soutient le mouvement des Corinthians, et le journaliste sportif pauliste Juca Kfouri suggèrent alors au duo de nommer leur liste « Démocratie corinthiane », une formule subversive qui matérialise en deux mots l'aventure autogestionnaire du club. Sócrates menace quant à lui publiquement d'arrêter sa carrière si Vicente Matheus, l'ancien *caudillo* du SC Corinthians, revient à la tête du club. Le jour du scrutin, 60 % des voix vont à Pires et Monteiro Alves : forts du soutien de leurs *socios*, les Corinthians se sentent confortés dans leur militantisme antiautoritaire. Le souffle contestataire est d'autant plus fort que leur joueur emblématique, Sócrates, est titularisé comme capitaine de la Seleção lors de la Coupe du monde de l'été 1982.

La même année, suite à de rudes discussions entre le Conseil national des sports et les dirigeants des clubs de foot brésiliens, la publicité sur les maillots est autorisée par la dictature. L'assemblée corinthiane décide de floquer sur le dos des joueurs un « *Democracia corinthiana* » constellé de gouttes de sang évoquant la répression du régime. Dès septembre 1982, le maillot noir et blanc de l'équipe devient l'étendard de leur résistance et la retransmission à la télévision des matchs des Corinthians avec leur slogan popularise considérablement la démocratie corinthiane.

À peine deux mois plus tard, menacée par l'inflation galopante et le mécontentement populaire, la junte au pouvoir est contrainte de mettre en œuvre une politique d'ouverture et accorde la tenue des premières élections directes des gouverneurs des États le 15 novembre 1982. Ultime pied de nez à l'oligarchie militaire, lors de la finale du championnat pauliste qui se déroule une semaine avant le scrutin, les Corinthians entrent sur le stade avec l'inscription « *Dia 15 Vote* » (« Le 15, allez voter ») frappée au dos de leur maillot. Cette incitation à se rendre aux urnes devant les caméras des chaînes de télévision nationales achève de transformer le SC Corinthians en une identité politique autonome. Le football devient alors une arme se retournant contre le régime des généraux qui, désemparés, ne peuvent réprimer le sport roi au risque d'attiser le feu protestataire qui couve dans tout le pays. L'équipe devient le porte-voix populaire du mouvement d'opposition et reçoit le soutien des intellectuels et des artistes, créant par là même une passerelle entre les élites contestataires et la société brésilienne. L'architecte Oscar Niemeyer, l'écrivain Jorge Amado, les artistes Chico Buarque, Tom Jobim, Toquinho, Os Mutantes ou Gilberto Gil – qui compose alors *Corintiá*, une chanson en l'honneur de l'équipe – apparaissent auprès des footballeurs en lutte. « Pour moi, tout prenait forme comme je le rêvais, jubile Casagrande en 2014. Vivre et jouer aux Corinthians faisait partie d'un même tout : aller boire un verre, voir un concert de rock ou une pièce de théâtre, aller manifester[23]. »

La vague de mobilisation antidictature continue irrémédiablement de submerger le pays. En janvier 1983, le député Dante de Oliveira dépose un amendement constitutionnel afin que le président de la République puisse être élu au suffrage universel direct, provoquant l'ire de la junte militaire. Dès le mois de mars, est lancée une vaste campagne populaire, « Diretas Já » (« Des élections directes maintenant »). Le signe de ralliement du mouvement est la couleur jaune et des rassemblements s'organisent dans tout le pays, notamment à São Paulo où 15 000 personnes manifestent en novembre. Deux mois plus tard, Diretas Já réunit dans la ville 300 000 Brésiliens. Abasourdi, le régime déclare l'état d'urgence pendant soixante jours pour tenter de briser la mobilisation. Les Corinthians prennent part aux manifestations et, pour appuyer la campagne, les joueurs arborent subtilement sur le terrain le jaune caractéristique du mouvement à travers le brassard du capitaine Wladimir, le bandeau « Justice » qui enserre les cheveux de Sócrates, ou les chaussures de Casagrande.

Le climat politique est électrique. Alors que le taux d'inflation du pays dépasse 200 %, São Paulo est le théâtre d'émeutes de la faim les 3 et 4 avril 1983 : deux cents commerces sont saccagés et pillés[24]. Malgré la répression qui s'abat sur Diretas Já, la démocratisation est en marche et la presse nationale s'entiche désormais des Corinthians. Avec son physique longiligne, sa chevelure et sa barbe rappelant Che Guevara, Sócrates, charismatique et cultivé, devient pour les médias la figure emblématique de la démocratie corinthiane et de la soif de liberté des Brésiliens. Certains joueurs de l'équipe chantent sur scène avec la chanteuse psychédélique Rita Lee des Os Mutantes et on peut suivre sur TV Globo une *telenovela* narrant les aventures d'un footballeur du Vasco de Rio de Janeiro qui rêve d'être transféré aux Corinthians afin de pouvoir lutter pour la démocratie. Comme s'il s'agissait d'une recette magique synonyme de victoires sportives, d'autres clubs tels Palmeiras ou le Flamengo expérimentent à leur tour la démocratie directe au sein de leurs structures.

Déborder la junte militaire

Le 13 décembre 1983, veille de la finale du championnat pauliste qui les oppose au São Paulo FC, les Corinthians, tenants du titre, sont nerveux. Sur leurs épaules repose en effet l'avenir de la démocratie corinthiane. Une défaite serait interprétée comme l'échec de l'aventure autogestionnaire du club, intimement liée aux mobilisations en cours contre la dictature. Et, sans aucun doute, les généraux sauront instrumentaliser cette déroute sportive pour dénigrer l'élan démocratique qui érode chaque jour un peu plus le régime. Réunis pour le repas du soir, à vingt-quatre heures de cette finale décisive, les Corinthians discutent fiévreusement du slogan qu'ils dévoileront à leur entrée sur le terrain. Le lendemain, les footballeurs se présentent au stade de Morumbi devant 88 000 spectateurs. Il est 21 heures lorsque, en direct à la télévision, les Corinthians déploient face aux caméras et aux tribunes en liesse une immense banderole : « Gagner ou perdre, mais toujours en démocratie ». L'équipe, libérée de l'injonction de remporter la compétition à tout prix, développe alors tout son art du football. Sócrates marque le but de la victoire et, au coup de sifflet final, Casagrande fond en larmes sur l'épaule du « Docteur ». Les Corinthians ont réussi à déborder la défense du São Paulo FC autant que la junte au pouvoir.

Début 1984, Sócrates fête ses 30 ans. Considéré comme l'un des meilleurs joueurs des Corinthians et plusieurs fois sélectionné comme capitaine de l'équipe nationale, le « Docteur » attire l'attention du marché footballistique européen. Alors qu'il a refusé un contrat de la Roma en 1982, préférant rester au Corinthians afin de poursuivre le combat contre la dictature, il est l'objet d'une nouvelle offre de rachat, pour une dizaine de millions de dollars, de la part du club italien de la Fiorentina. Conscient qu'il s'agit de sa dernière opportunité de jouer sur le Vieux Continent, Sócrates est confronté à un dilemme politique. D'autant que la fièvre protestataire qui s'empare du Brésil continue de s'exprimer : Diretas

Jà exhorte la population à descendre massivement dans la rue pour défier le régime. Le 24 février 1984, 400 000 personnes se rassemblent à Belo Horizonte. Le 10 avril, on dénombre près d'un million de manifestants à Rio de Janeiro. Le 16 avril, un million et demi de Brésiliens défilent à São Paolo pour demander des élections présidentielles directes. Sócrates est en tête de cortège avec Wladimir et Casagrande. Lors du meeting de fin de manifestation, il prend le micro pour s'engager devant la foule à refuser son transfert à la Fiorentina et à rester au Brésil si le Congrès national (le Sénat et la Chambre des députés) accepte la revendication du mouvement Diretas Jà. Assiégés par des tanks et des mitrailleuses, les députés autorisent, le 25 avril, la tenue d'élections présidentielles... mais au scrutin indirect.

Dépité, Sócrates tire sa révérence et part pour l'Italie, mais il promet : « Je reviendrai, pour continuer notre lutte pour la démocratie politique et la justice sociale[25]. » Lors de sa première conférence de presse italienne, devant des journalistes sportifs médusés, il n'évoque que la situation politique du Brésil et les écrits d'Antonio Gramsci, fondateur du Parti communiste italien mort dans les prisons mussoliniennes en 1937. Peu après le départ du « Docteur », le buteur Casagrande subit une difficile opération du ménisque. Les performances sportives du SC Corinthians déclinent, l'équipe perdant notamment le championnat pauliste de 1984. Parallèlement, le paysage politique brésilien évolue : les forces d'opposition du pays concentrent leur énergie sur la campagne présidentielle, perçue comme l'ultime occasion de renverser la dictature. Les premières défaites sportives du club, conjuguées à cette reconfiguration stratégique du mouvement antidictature, participent à l'essoufflement de la démocratie corinthiane.

Toujours en embuscade, les vieux caciques du SC Corinthians, écartés de la direction du club au début des années 1980, profitent de la conjoncture. À l'occasion des élections des instances dirigeantes du club en 1985, une trentaine de conseillers « Démocratie corinthiane » sont insidieusement supprimés des listes électorales puis empêchés *manu militari* par la police de se présenter aux urnes. Malgré les cris de protestation des *socios*, les conservateurs reprennent les rênes du club et font table rase de trois années d'expérience autogestionnaire. Adilson Monteiro Alves est démis de ses fonctions tandis que Casagrande et Wladimir sont revendus à d'autres clubs. Mais l'esprit contestataire des footballeurs continue de souffler sur la société brésilienne. Dès janvier 1985, l'opposant Tancredo Neves, un civil qui a réussi à cristalliser toutes les composantes du mouvement d'opposition, est élu à la présidence du pays par un collège électoral et, en mai, le Congrès abroge les derniers vestiges constitutionnels de la dictature. Le crépuscule de l'expérimentation sociale corinthiane augure ainsi la transition démocratique du Brésil. Un renversement politique dont les Corinthians ont été de créatifs protagonistes, sinon des catalyseurs. « Pour tous ceux qui se sont battus dès 1964, qui sont morts, ont disparu, ont été torturés, emprisonnés, exilés, la démocratie corinthiane a tiré le penalty », résume Casagrande[26].

9

En première ligne, place Tahrir.
Les supporters Ultras Ahlawy
au cœur de la révolution égyptienne de 2011

« Je n'étais qu'un esclave du système,
et quand la Révolution a éclaté,
nous avons pris toutes les rues du pays.
Nous sommes morts pour la liberté,
et pour que tombent les têtes corrompues.
Nous ne sommes pas près d'abandonner,
car le régime continue de frapper.
Les chiens de la police èt l'injustice sont omniprésents »

Notre histoire, chant des Ultras Ahlawy.

« L e peuple veut la chute du régime ! » scandent ce vendredi 28 janvier 2011 des centaines de milliers de Cairotes sur le pont Qasr al-Nil. Depuis trois jours, le peuple égyptien descend dans les rues pour protester contre le régime militaire d'Hosni Moubarak. Violences policières, chômage de masse, corruption et état d'urgence permanent ont mis à mal le Raïs au pouvoir depuis trente ans. Alors que le gouvernement a tout simplement coupé Internet et la téléphonie mobile sur l'ensemble du territoire, en ce « Vendredi de la Colère » les forces de police décident soudain de charger la foule sur le pont Qasr al-Nil. C'est que ce dernier mène tout droit à la place Tahrir que les contestataires ont tenté d'occuper les jours précédents.

Face à la pluie de gaz lacrymogènes, les Ahlawy, reconnaissables à leur maillot rouge toqué d'un aigle noir, jettent une à une dans l'eau voire directement sur la police les grenades irritantes. Ces supporters du Al Ahly SC, club de football du Caire le plus populaire d'Égypte, font bloc. Après près de cinq heures de bataille rangée, la police est mise en échec, humiliée et remplacée en catastrophe par les forces armées. Les milliers de manifestants s'engouffrent alors sur la place Tahrir pour une occupation qui durera plusieurs semaines. Les Ahlawy jubilent et scandent, fumigènes au poing, un de leurs chants antirégimes qui résonnent régulièrement dans les stades : « Hé le gouvernement !/ Demain les mains du peuple vont te purifier/Hé stupide régime !/Quand comprendras-tu que ce que je demande/C'est la liberté, la liberté, la liberté[1] ! »

En fin d'après-midi, le siège du PND (Parti national démocratique), le parti au pouvoir, est incendié. Un symbole du régime tombe. Par leur savoir-faire et leur courage face à la brutalité policière, les Ahlawy sont devenus, aux yeux des anti-Moubarak, l'un des fers de lance de la révolution égyptienne en ce 28 janvier. Le fait que le Al Ahly SC est perçu en Égypte comme le « club du peuple », dont l'histoire se confond avec celle du pays, renforce cette image.

De l'anticolonialisme à la mise sous tutelle

« Les victoires de Al Ahly, notamment à ses débuts contre les Britanniques, ont exalté la fierté patriotique, explique Alaa Sadek, auteur d'un ouvrage de référence sur le club et spécialiste du football égyptien. Ces sportifs ont été les premiers Égyptiens et parfois Africains à participer à ou remporter des compétitions internationales, dont le footballeur Hussein Hegazi aux Jeux olympiques d'Anvers en 1920[2]. » En 1905, l'avocat et activiste indépendantiste Mustafa Kamil fonde le Students Club qui rassemble les jeunes Égyptiens exclus des infrastructures de sport réservées aux élites du pays et aux colons. Deux ans plus tard, le club devient officiellement le Al Ahly Sporting Club – « Le National » en arabe – et, par là même, un espace de rencontre et de militantisme pour les syndicalistes étudiants égyptiens en lutte contre le colonialisme britannique. Dès 1909, Saad Zaghloul Pacha, leader charismatique des nationalistes égyptiens et figure de proue de la révolution égyptienne de 1919, devient président de l'assemblée de Al Ahly. Alors que le premier club égyptien, le Al-Sakka Al-Hadid (The Railway Club), a été créé en 1903 par des ingénieurs du chemin de fer britanniques et italiens, le mouvement indépendantiste égyptien, voyant la popularité du football croître auprès des Cairotes, fait du Al Ahly SC une vitrine anticolonialiste[3]. Les joueurs enfilent des maillots rouge et blanc, couleurs du drapeau égyptien précolonial. De même, après avoir boycotté les matchs contre les équipes militaires britanniques dès le premier championnat du Sultanat d'Égypte en 1916[4], l'assemblée de Al Ahly décide en 1925, trois ans après la fin du protectorat britannique, de réserver l'adhésion au club aux individus possédant la nationalité égyptienne.

Après la Seconde Guerre mondiale, la popularité du « club du peuple » attise la convoitise des autorités égyptiennes qui s'immiscent dans les instances dirigeantes du Al Ahly. Le pouvoir appréhende ceux que l'on surnomme désormais les « Diables rouges » comme un instrument pour divertir les « masses égyptiennes » ou promouvoir les régimes en place. Dès son arrivée à la tête du pays en 1956, Gamal Abdel Nasser devient ainsi président d'honneur du club. En pleine période d'essor du nationalisme panarabe et suite à son élection en tant que secrétaire général du Mouvement des non-alignés en 1964, le dirigeant égyptien veut avoir la haute main sur le club à la symbolique anticolonialiste. En 1965, il ordonne au général Abdul Mohsen Kamel Murtaja de prendre la tête du Al Ahly afin d'améliorer les résultats sportifs du club qui, assez médiocres à cette période, sont perçus comme une possible cause de mécontentement populaire à l'encontre du nassérisme[5]. Après la cuisante défaite de la guerre de juin 1967 contre l'État hébreu, Nasser, qui cherche des causes tangibles à cette humiliation de la part de l'armée israélienne, décrète néanmoins cette même année la suspension de toutes les compétitions nationales de football, qu'il considère comme une distraction néfaste pour le peuple égyptien[6]...

Son successeur, Anouar el-Sadate, se déclare quant à lui grand fan du club cairote et réhabilite le ballon rond, pour revivifier un patriotisme en berne autant que sa propre popularité[7]. Al Ahly va jusqu'à prêter mainforte à la politique étrangère du régime. Signataire en 1978 des accords de Camp David avec Israël, el-Sadate fait régulièrement recruter par le club des joueurs palestiniens afin de restaurer l'image de son régime dans les Territoires occupés[a]. La notoriété de Al Ahly est depuis telle en Palestine que le journaliste britannique Steve Bloomfield rapporte : « Lorsque le Hamas et le Fatah se battaient pour avoir le contrôle de Gaza en 2007, le seul jour où les armes se sont tues fut lorsque Al Ahly gagna contre Zamalek [autre club cairote][8]. »

Toutefois, aucun dirigeant n'a été aussi attaché au ballon rond que Hosni Moubarak. Avec la montée en puissance du foot-business dans les années 1980, le régime transforme le championnat égyptien en véritable manne financière au service du clan Moubarak, les médias nationaux qui retransmettent les matchs ainsi que les instances dirigeantes des plus grands clubs et des groupes de supporters étant tous proches du Parti national démocratique[9]. Lors de l'élection présidentielle de 2005, Moubarak affiche une ostensible proximité avec le Al Ahly : il visite

---

a Le très estimé gardien de but palestinien des Diables rouges de l'époque, Marwan Kanafani, deviendra dans les années 1990 porte-parole et conseiller personnel de Yasser Arafat.

devant les caméras officielles le camp d'entraînement du club ou accueille les joueurs à l'aéroport après leur victoire à la Ligue des champions africaine[10]. Le Raïs assiste par ailleurs à tous les matchs de la sélection égyptienne et la machine de propagande du régime s'attache à distiller à chaque grande rencontre slogans et chants patriotiques pour alimenter le chauvinisme national[11].

En 2009, alors que l'Égypte est en pleine dépression économique et que le régime est confronté à une contestation croissante, le président tente d'instrumentaliser la défaite de l'équipe nationale contre l'Algérie qui l'empêche de se qualifier pour la Coupe du monde de 2010. Suite aux violences qui opposent les supporters des deux équipes en Algérie et en Égypte, Le Caire crie au scandale et rapatrie en urgence son ambassadeur d'Alger. Alaa Moubarak, fils aîné du président et riche businessman, appelle alors les Égyptiens à l'insurrection nationale lors d'un talk-show télévisé : « Nous nous sommes fait humilier et nous ne pouvons pas rester silencieux après ce qui s'est passé. [...] L'Égypte doit être respectée. Nous sommes Égyptiens et nous nous tenons la tête haute. Quiconque nous insulte devrait recevoir une claque[12]. » En représailles, Alger inflige au propriétaire égyptien de l'opérateur algérien Orascom Telecom une facture d'impôt d'un montant de plus d'un demi-milliard de dollars. La querelle diplomatique ne prend fin qu'après la médiation du dirigeant libyen Mouammar Kadhafi[13].

De même que le club Al Ahly est intimement lié à l'histoire contemporaine égyptienne, la rivalité que les Diables rouges entretiennent avec leur ennemi cairote, le Zamelek Sporting Club, est un élément structurant de l'imaginaire populaire égyptien. Si Al Ahly est le club du peuple aux origines anticolonialistes, Zamalek a été fondé en 1911 par un avocat belge, George Marzbach, venu en Égypte pour la construction du tramway du Caire. Zamalek a promu dès sa création le cosmopolitisme et voulait offrir aux élites européennes et égyptiennes de la capitale un espace de sociabilisation commun par le football. Se surnommant « Les Chevaliers blancs » en raison de la couleur de leur maillot, le club devint l'apanage des classes bourgeoises du pays et l'équipe favorite du roi Farouk Ier, qui régna de 1936 à 1952 (Zamalek se renomma même en son honneur Farouk Al-Awal de 1942 à 1950).

Entre les Rouges (le sang) ou les Blancs (la pureté), les Diables ou les Chevaliers, Nasser ou Farouk ou encore l'indépendantisme ou l'aristocratie élitiste, la rivalité entre les deux clubs cairotes est considérée comme l'une des plus violentes au monde[14] mais fait partie de l'identité sociale égyptienne. Comme le commente un supporter du Al Ahly, interrogé par le journaliste et expert du football au Moyen-Orient James M. Dorsey : « C'est comme une religion. Dans la plupart des pays, tu nais juif, musulman ou chrétien. En Égypte, tu nais Ahly ou Zamalek. Les gens ne te demanderont jamais ta religion, ils te demanderont si tu es Ahly ou Zamalek[15]. » Un match humiliant, où Al Ahly a battu Zamalek par 6 buts à 1 au cours du championnat d'Égypte de 2002, est notamment devenu mythique dans la culture populaire. Dans son roman *La Ronde des prétendants*, l'écrivaine Ghada Abdel Aal y fait même référence, un personnage de sa fiction proférant : « C'est un désastre ! Je suis perdu ! Je me sens autant humilié que Zamalek durant le championnat, maman[16] ! » Pour le sociologue du sport Michel Raspaud, cette émulation cairote symbolise avant tout la « situation duale de l'Égypte – une société qui a à la fois intégré et souffert de l'influence de certains aspects de la société coloniale britannique durant près d'un demi-siècle – entre le club populaire "nationaliste" (Al Ahly) et le club "cosmopolite" des classes supérieures (Zamalek)[17] ».

Une jeunesse autonome

La mainmise du régime de Hosni Moubarak sur le football égyptien et la rivalité centenaire entre Al Ahly et Zamalek vont cependant être bousculées par la déferlante du mouvement « ultra » en Afrique du Nord [sur la naissance du supportérisme ultra, voir chapitre 15]. Influencés par les ultras italiens et serbes découverts sur le Net, les supporters tunisiens de l'Emkachkhines, qui soutiennent le club Espérance de Tunis à partir de 2002, seront les premiers représentants de la culture ultra nord-africaine. Ces groupes de supporters sont caractérisés par leur engagement radical pour le club qu'ils soutiennent, leur autofinancement, la solidarité entre membres du groupe et surtout l'animation des tribunes à domicile comme à l'extérieur. Impressionnant les supporters des pays voisins pour leur passion envers leur club et par leurs *tifos*[b] déployés dans les stades à chaque rencontre, les ultras de l'Emkachkhines essaiment en Tunisie, au Maroc (les Ultras Askary Rabat supportent les FAR de Rabat depuis 2005) et en Algérie (les Ultras Mega Boys du MC Saïda ou les Ultras Verde Leone du MC Alger sont fondés en 2007). En Égypte, les Ultras Ahlawy ou UA-07, dont certains ont rencontré les Emkachkhines, sont créés en 2007 par des membres du Ahly Fans Club. En éternels rivaux,

---

b   Animation visuelle au motif de grande envergure pouvant remplir une tribune.

naissent la même année les Ultras White Knights (UWK ou Zamalkawy), supporters du club de Zamalek.

Dans un pays où la liberté d'association et de manifestation n'existe pas, les Ultras Ahlawy arrivent rapidement à rassembler 4 000 à 6 000 jeunes âgés de 15 à 25 ans, essentiellement issus des couches populaires et des classes moyennes[18]. En effet, au sein des sociétés arabo-musulmanes conservatrices et sous les régimes autoritaires d'Afrique du Nord, les tribunes de stade sont devenues l'un des rares espaces qui peut encore servir d'exutoire : les jeunes supporters viennent chercher leurs doses de liberté et de frisson hebdomadaires au stade, tout en consommant parfois drogues et alcool. Confrontés au chômage de masse et à l'emprise familiale, de nombreux jeunes appréhendent par ailleurs les groupes ultras comme une seconde famille, dont la force collective permet de mieux sublimer les affres du quotidien : « Les Ultras Ahlawy c'est comme une famille, voilà pourquoi nous sommes très sélectifs en ce qui concerne l'acceptation des membres afin de préserver l'ambiance familiale au sein du groupe », précise un membre des Ahlawy dès 2007[19].

Face aux carcans sociaux, religieux et moraux de la société égyptienne, les ultras proposent un style de vie à part entière, teinté d'individualisme, de plaisir brut et de romantisme contestataire : « Ce qu'on attend d'un ultra, c'est de savoir jeter des fusées éclairantes sur la piste du stade malgré les caméras de vidéosurveillance, malgré la police autour du terrain et celle en civil, qui, infiltrée au sein des tribunes, essaye d'arrêter n'importe qui possédant une fusée, assurent les Ahlawy. C'est quand tu manges, penser à un nouveau chant, quand tu bois, penser à une idée de *tifo*, quand tu sors avec tes amis, réfléchir à la façon dont coincer les gars de Zamalek la prochaine fois que tu les croiseras[20]. »

Par-delà ce mode de vie fraternel et grisant, émaillé par les déplacements autofinancés collectivement en camionnette à travers le pays, les ultras ont élaboré toute une culture autonome, indépendante des structures traditionnelles, patriarcales et autoritaires qui encadrent la jeunesse arabe. Chaque nouvelle saison de football est ponctuée par la sortie d'albums en libre écoute sur Internet, regroupant les nouveaux chants de stade des différents groupes d'ultras. Insultes adressées aux clubs rivaux, chansons à la gloire de leur équipe, dénonciation des violences policières, exaltation de leur liberté et de leur style de vie sont les principaux thèmes récurrents de cette riche production musicale. Dans les tribunes, les ultras d'Égypte élaborent, à grand renfort de fumigènes et de fusées artisanales, de véritables scénographies pouvant durer près d'une heure et des chorégraphies collectives géantes (les *dakhalat*). Ils regorgent de créativité picturale et déploient de gigantesques fresques de tissus (les *qomesh*), de larges bandes qui sont déroulées pour donner forme à une image (les *sharayat*) – ou encore des carrés de tissu soulevés par chaque supporter pour faire apparaître un message (les *galad*)[21]. Enfin, deux slogans phares déclamés en anglais réunissent sous une même bannière les adolescents, jeunes étudiants ou simples employés membres des ultras de Al Ahly : « *Together for ever* », symbolisant la solidarité entre Ahlawy, et « *We are Egypt* », incarnant la diversité sociale des supporters. L'éthique ultra se caractérise également par leur engagement total dans le groupe, affectant jusqu'à leurs études, leur travail et leurs relations amoureuses : « Nous avons choisi la dénomination ultra, car elle décrit le mieux ce que nous ressentons envers notre club qui est pour nous à la fois notre vie et notre mort, notre père et notre mère, nos femmes et nos enfants et notre religion. Vous vous réveillez le matin en pensant à Al Ahly, vous vous couchez en rêvant de Al Ahly et à quel *tifo* vous ferez lors de la finale. La mentalité ultra, c'est un mode de vie et un état d'esprit[22]. »

Les ultras égyptiens s'organisent autour de quelques individus qui, du fait de leur ancienneté, en « parrainent » d'autres mais aussi autour de forums Internet et de réseaux sociaux. Chaque groupe s'autofinance via les cotisations et la vente de matériel de supporting à ses propres membres. Cette autonomie organisationnelle et financière leur permet d'affirmer une indépendance farouche vis-à-vis de leur club, de tout parti politique ou de toute institution ainsi que d'afficher leur positionnement « antimédias », « anti-foot-business » et « antipolice »[23]. La méfiance tenace à l'égard des médias se traduit entre autres par l'anonymat de leurs membres et l'absence de leaders identifiables. Ils se considèrent comme les véritables propriétaires de leur club, les managers n'étant pour eux que des marionnettes du régime et les joueurs, des mercenaires. Ainsi, depuis leur fondation en 2007, les Ahlawy ne sont pas reconnus par les autorités officielles du club et protestent en masse contre le prix exorbitant des billets d'entrée au stade qui sert selon eux à alimenter les caisses occultes des caciques du PND[24].

Représentant d'une jeunesse à la fois autonome et insubordonnée aux pouvoirs politiques et religieux, les ultras sont devenus dès leur apparition dans les tribunes et dans les rues un problème majeur pour le régime égyptien qui les condidère comme une menace pour son autorité. Les stades sont de plus en plus militarisés et le terrain de jeu devient une zone infranchissable entourée de barrières et d'officiers de sécurité. Coups de matraque gratuits dans les tribunes, fouilles dégradantes, arrestations de supposés « leaders », tabassage systématique au commissariat... Des heurts avec les policiers éclatent chaque semaine et se prolongent en véritables émeutes urbaines. Aux yeux des ultras, les forces de sécurité incarnent le bras armé d'un régime autoritaire qui les harcèle afin de garder le contrôle total sur l'espace public. Dès 2007, les Ahlawy s'organisent pour affronter directement la police, à grand renfort de pierres, de cocktails Molotov et autres fusées artisanales. « Les ultras ont été le premier groupe en Égypte à réagir à la violence et à l'oppression du ministère de l'Intérieur par la violence », constate le politologue Ashraf el-Sherif de l'Université américaine du Caire[25].

La réputation des Ahlawy devient rapidement détestable, les médias sportifs les qualifiant d'« athées », de « drogués », de « voyous communistes » et de « déviants sexuels »[26]. Les violences policières, le discours médiatique et la haine du gouvernement radicalisent en retour les ultras égyptiens. Alors que personne n'ose encore critiquer ouvertement le régime, les Ahlawy et les Zamalkawy sont les premiers à faire massivement huer dans les stades Hosni Moubarak. « J'étais contre la corruption, contre ce régime et pour les droits de l'Homme, affirme en avril 2011 Mohamed Gamal Bechir, figure du mouvement ultra égyptien. L'anarchisme radical, c'était mon credo. Les ultras vivent en dehors du système. [...] Notre pouvoir résidait dans notre capacité d'auto-organisation[27]. » Forts de leur autonomie et de leur détermination à affronter la répression du régime égyptien, ils sont alors considérés, avec les Frères musulmans, comme les groupes les mieux structurés pour échapper à la tutelle du PND[28]. « Les deux plus grands partis politiques d'Égypte, ce sont Al Ahly et Zamalek », ironise en 2012 Assad, l'un des chefs de file des Ahlawy[29].

Si une partie des « têtes pensantes » des ultras de Al Ahly et de Zamalek se disent anarchistes, les ultras ne sont cependant pas idéologiquement unifiés. Ils rassemblent des Égyptiens simplement fans du ballon rond comme des militants politisés, laïques ou islamistes, gauchistes ou Frères musulmans. Seule la passion envers leur club les soude et les rassemble, ce qui déroute les organisations politiques égyptiennes. « Le football est plus grand que la politique, explique Assad. Il n'est qu'évasion. Le supporter de base de Al Ahly est un gars qui vit dans un appartement une pièce avec sa femme, sa belle-mère et ses cinq enfants. Il gagne le salaire minimum et il a une vie de merde. Son seul bon moment, ce sont ces deux heures, le vendredi, quand il va au stade et qu'il regarde jouer le Al Ahly. Les gens souffrent, mais quand Al Ahly gagne, ils sourient[30]. » Cette popularité des Diables rouges a fait émerger de nombreuses sections d'Ultras Ahlawy dans l'ensemble du pays. Partout où joue le « club du peuple », les ultras sont présents et se confrontent aux forces de l'ordre. En 2011, soit à peine quatre ans après son apparition, le mouvement ultra Ahlawy rassemble des dizaines de milliers de jeunes sans emploi pour qui Hosni Moubarak et ses forces de sécurité sont devenus l'ennemi juré[31].

Tous à Tahrir !

Quelques semaines avant le suicide par immolation de Mohamed Bouazizi à Sidi Bouzid en décembre 2010, point de départ de la révolution tunisienne, les ultras de l'Espérance sportive de Tunis s'étaient violemment affrontés avec les forces de police du régime de Ben Ali. Dès leurs prémices, les ultras tunisois avaient tissé des complicités avec Takriz, cyber-réseau militant et anonyme fondé en 1998. Les jeunes activistes tunisiens furent rapidement séduits par l'éthique et l'esprit contestataire de ces ultras, allant jusqu'à les aider à développer des forums Internet sécurisés pour qu'ils échappent à la surveillance des services de sécurité. Cette alliance entre supporters de football et militants radicaux se traduit dans les batailles de rue début 2011 qui conduisent au départ de Ben Ali : les ultras et Takriz forment le noyau dur des manifestants en première ligne des cortèges, les plus déterminés à affronter les policiers du régime.

Dix jours après l'exil de Ben Ali le 14 janvier 2011, les ultras égyptiens emboîtent le pas à leurs homologues tunisiens. La veille de la première grande manifestation antigouvernementale, le 25 janvier, baptisé « Jour de la Colère », les Ultras Ahlawy et les Ultras White Knights du Zamalek déclarent sur leurs pages Facebook respectives que chacun de leurs membres peut librement prendre part aux manifestations. En privé, certains ultras sont beaucoup plus directs : « Nous nous battons pour nos droits dans les stades depuis quatre ans, indique *a posteriori* l'un d'entre eux. Tout cela n'était qu'une préparation pour ce jour J. Nous avons dit à nos membres que cette manifestation était un test décisif pour nous. L'échec n'était pas une option[32]. »

Le 25 janvier, les Ultras White Knights mènent un cortège de 10 000 personnes et réussissent à franchir les sept barricades de sécurité menant à la place Tahrir, où des Ahlawy et d'autres contestataires les rejoignent. Certains ultras combattent même violemment pour tenter de percer le barrage de police qui protège le Parlement égyptien. « Nous étions sur la ligne de front, raconte un jeune Ultra White Knights. Lorsque la police a attaqué, nous avons encouragé tout le monde, en leur disant de ne pas courir ou de ne pas avoir peur. Nous avons alors commencé à tirer des fusées éclairantes. Les gens ont repris courage et nous ont rejoints. Ils savaient que nous subissions l'injustice et ont aimé le fait que nous nous battions contre le diable[33]. »

Expulsés de la place Tahrir le soir même, les révolutionnaires organisent trois jours plus tard le « Vendredi de la Colère » et reprennent la place grâce aux techniques de combat de rue des ultras. Tahrir devient l'épicentre de la contestation et est menacée chaque jour par l'armée, qui a remplacé la police. Le 2 février, montés sur des chevaux et des chameaux, les partisans de Moubarak appuyés par des hommes de main du régime, les *baltageya*, prennent d'assaut la place Tahrir en chargeant les manifestants à l'aide de bâtons et d'armes blanches. Leur objectif : vider la place pour mettre un terme à la révolution en cours. En direct devant les caméras d'Al-Jazeera, les ultras, Ahlawy en tête, protègent alors les occupants et mettent en déroute les pro-Moubarak. On compte trois morts et des centaines de blessés après des affrontements qui ont duré de 14 heures à 4 heures le lendemain matin[34]. Rivaux dans les stades, Al Ahly et Zamalek unissent leurs troupes pour se battre en ce jour décisif qui sera plus tard baptisé la « Bataille des chameaux ». Ahmed Radwan, l'un des fondateurs des Ultras Ahlawy, se souvient : « Nous tous, on était au premier rang des manifestations contre la police, en première ligne, et c'était tellement violent que je m'étonne moi-même de mon courage. Mais nous, les ultras, on a l'expérience de ces combats contre les forces de l'ordre. On a l'habitude de se battre contre eux dans les stades, on a la capacité de mobiliser des milliers de personnes à Tahrir[35]. » Face au mouvement contestataire de la place Tahrir, Hosni Moubarak quittera le pouvoir le 11 février.

Durant l'occupation de la place, les ultras deviennent jour après jour des acteurs à part entière de la révolution égyptienne. Leur expérience de la confrontation avec les forces de l'ordre, leur bravoure et leur solidarité envers les manifestants sont respectées, voire admirées, par les anti-Moubarak. Leur créativité, leur art de l'insulte et la rythmique scandée de leurs chants influencent grandement les slogans et chansons révolutionnaires. « À Tahrir, on s'est souvent cru au stade, surtout quand Moubarak a annoncé sa démission », rappelle le politologue Ashraf el-Sherif de l'Université américaine du Caire[36]. Sur la place, les ultras patrouillent, érigent des checkpoints et se répartissent les rôles : lanceurs de pierre, spécialistes du retournement et de l'incendie de voitures à des fins défensives, équipes chargées de la confection de projectiles, secouristes improvisés circulant à mobylette dans les nuages de lacrymos. « Ils vont là où les ambulances ne vont pas, constate alors un responsable d'un poste médical de la place occupée, et nous ont sûrement déjà évité une dizaine de morts[37]. » Mohamed Nagy, militant de la Jeunesse pour la liberté et la justice, affirme quant à lui : « Sans eux, rien ne serait possible car ce qu'ils font, personne d'autre ne peut le faire. [...] Ils nous ont montré qu'il était possible de répondre aux flics du dictateur[38]. » L'image des ultras change alors du tout au tout, comme le résume Céline Lebrun, sociologue travaillant sur les ultras du Caire : « Dans le processus de création d'un nouvel idéal-type d'une jeunesse "révolutionnaire", le jeune ultra va devenir un modèle incarnant la force, le courage et la détermination [...]. Les stéréotypes associés aux ultras ont radicalement changé suite au soulèvement du 25 janvier 2011. À l'image de voyou violent et dépravé a succédé celle romantique de jeune valeureux, héros "sans peur" ou encore "gardien de la révolution"[39]. »

Le Conseil suprême des forces armées (CSFA), organe militaire chargé d'assurer l'intérim du pouvoir égyptien, reprend les rênes du pays dès le 12 février 2011, au lendemain de la démission de Hosni Moubarak. Mais les braises antiautoritaires entretenues par les ultras couvent sous les cendres de l'occupation de la place Tahrir. En septembre, lors d'un match du championnat égyptien, 7 000 Ahlawy agitent sans relâche drapeaux tunisiens, libyens et palestiniens tout en scandant des chants hostiles à Moubarak et à l'ancien ministre de l'Intérieur Habib el-Adly[40]. Aux yeux des Ultras Ahlawy, tous deux sont responsables des centaines de morts provoquées par la répression lors des manifestations anti-gouvernementales. À la fin du match, on dénombre 130 blessés (dont 45 policiers) et une vingtaine d'ultras sont arrêtés suite à de violents affrontements avec les forces de sécurité[41].

« Tantawi, le peuple va t'exécuter ! » menacent le 18 novembre 2011 les manifestants qui reprennent la place Tahrir. Après la démission de Moubarak, le peuple égyptien demande au maréchal Mohamed Tantawi, président du CSFA, de céder le pouvoir aux civils. Supporters Ahlawy et Zamalkawy se retrouvent une fois de plus réunis dans de grands cortèges exigeant la fin du régime militaire et sont aux avant-postes pour défendre la place Tahrir et la rue Mohammad Mahmoud. Cette dernière, qui débouche sur la place, donne sur le quartier de Mounira où sont établis d'importants ministères, dont celui de l'Intérieur. « Nous sommes des gens normaux. Nous aimons notre pays, notre club et notre groupe, déclare un ultra présent dans les batailles de rue. Nous nous battons pour la liberté et c'est ce que nous avons en commun avec les révolutionnaires. Nous avons investi nos idéaux et nos sentiments dans la révolution[42]. »

La rue Mohammad Mahmoud est le théâtre des combats les plus rudes face aux militaires dépêchés par le pouvoir pour prêter main-forte aux unités antiémeutes débordées[c]. Au fil des jours, les murs de l'artère sont recouverts de représentations de martyrs, de slogans anti-CSFA, de géants *ACAB* (*All Cops Are Bastards*) et de fresques en l'honneur de chaque groupe d'ultras. À la fin du mois, on compte une cinquantaine de manifestants morts et des milliers de blessés : novembre 2011 sera considéré comme le mois le plus sanglant de la révolution égyptienne[43]. En parallèle des protestations antimilitaires, les chants des ultras et leurs appels à renverser le régime en place se font de plus en plus vindicatifs. Dans les stades, les Ahlawy déploient dès lors à chaque rencontre une banderole géante du maréchal Mohamed Tantawi représenté en vampire et scandent : « Les CSFA sont tous des chiens/Tout comme la police ! »

« Oh, Conseil des Salauds »

Le 1ᵉʳ février 2012, dans le cadre du championnat égyptien, un match se déroulant à Port-Saïd oppose l'équipe locale, Al Masry, au Al Ahly. Après le coup de sifflet final et une victoire 3 buts à 1 contre les Diables rouges, les supporters ultras port-saïdiens – les Green Eagles – envahissent soudain la pelouse sans réelle raison apparente. Mais, après avoir tenté d'agresser les joueurs encore présents sur le terrain, les Green Eagles grimpent dans les gradins opposés, armés des pierres, de couteaux et de bouteilles, pour s'en prendre physiquement aux Ultras Ahlawy.

« Ce n'est pas du football, c'est une guerre, les gens meurent sous nos yeux », hurle sur le moment, dans son téléphone portable, le joueur du Al Ahly Mohamed Abou Treika. En direct sur la chaîne de son club, le footballeur désespère : « Les forces de sécurité nous ont abandonnés. Elles ne nous ont pas protégés. Un de nos supporters est mort juste sous mes yeux[44]. » Les Ahlawy se font alors jeter du haut des tribunes, sont poignardés, étranglés ou piétinés. Peu de temps après le début de l'attaque, les lumières du stade s'éteignent brusquement et les portes de sortie sont verrouillées durant une vingtaine de minutes. Quant aux agents de sécurité, ils restent quasiment impassibles. L'agression vire au massacre : on dénombre 74 morts et près de 200 blessés graves.

---

[c]   Depuis ces affrontements, l'artère est surnommée *Sharei' uyuun al-huriyyah,* la « Rue des yeux de la liberté », en référence aux nombreux manifestants qui y ont perdu un œil suite à des tirs policiers.

Pour les Ahlawy, ce carnage est à l'évidence une vengeance de la part des membres du CSFA, pour avoir été le bras armé de la révolution et de la contestation contre le gouvernement militaire. Les supporters des Diables rouges pointent également la coïncidence de dates : le massacre de Port-Saïd est intervenu un an jour pour jour après la « Bataille des chameaux ». « Le ministère de l'Intérieur n'a jamais digéré cette humiliation, assure Ahmed Radwan des ultras de Al Ahly. Voilà ce qu'ils ont voulu nous dire : "Vous pensez que vous êtes les plus forts, eh bien, non, nous allons vous briser." C'est leur revanche[45] ! » Cet événement tragique bouleverse le football international comme l'ensemble des Égyptiens et des groupes ultras du pays. Apprenant la nouvelle alors que leur équipe est en train d'affronter celle d'Ismaïlia, les Ultras White Knights retournent leur bannière, un geste fort dans la symbolique ultra. « J'ai le cœur dur, jure Ahmed Radwan, qui était à Port-Saïd. Bien sûr que j'ai perdu beaucoup d'amis mais on ne peut plus reculer. On veut un pays qui nous respecte, on en a marre des "fils de" et des privilèges, on veut que les militaires partent[46]. »

Déchaînés, les Ahlawy recouvrent alors Le Caire de leurs « *ACAB* » ou de portraits à la gloire des supporters tués et organisent des manifestations pour exiger justice et réparation pour les « martyrs de Port-Saïd » : à leurs yeux, Mohamed Tantawi est responsable du massacre. Ultras Ahlawy et White Knights scandent à la sortie de chaque match et à chaque rassemblement : « Le ministère de l'Intérieur sont des voyous ! », « J'entends l'appel de la mère du martyr ! » ou encore « À bas, à bas, le régime militaire ! »[47]. En attendant le procès des événements de Port-Saïd – qui aura lieu en janvier et mars 2013 –, ils ne lâchent pas la pression : blocage de la gare du Caire, encerclement de la Bourse et de la Banque centrale, barricades sur les routes retardant le retour aux États-Unis de John Kerry, émissaire du gouvernement Obama. Un nouveau chant vient par ailleurs s'ajouter au répertoire des Ahlawy, « Oh, Conseil des Salauds », pour dénoncer la mort de leurs amis supporters : « À Port-Saïd les victimes ont vu la traîtrise juste avant leur mort/Ils ont vu un régime qui n'apporte que le chaos !/Ce régime a pensé que son emprise le rendrait intouchable/Et mettrait le peuple révolutionnaire à genoux face à la loi martiale/[...] Je ne te ferai jamais confiance et ne me laisserai pas contrôler un jour de plus !/[...] Oh salauds de CSFA, quel est le prix du sang d'un martyr[48] ? »

En 2013, lors d'un premier verdict, 21 supporters de Al Masry sont condamnés à mort. Mais les supporters des Diables rouges, révoltés par l'acquittement de sept policiers, mettent le feu aux bâtiments de la fédération égyptienne de football. Au total, 70 détenus ont été accusés d'homicide, dont 9 officiers de police et 3 travailleurs du stade de Port-Saïd[49]. En juin 2015, à l'occasion d'un second procès, la justice égyptienne condamnera la moitié des 21 supporters à la peine capitale. Mais les ultras dénoncent un procès où manquent les véritables commanditaires du drame : les hauts officiers du CSFA, le maréchal Tantawi en tête.

Irrécupérables

Se concentrer sur la justice pour leurs martyrs n'empêche pas les Ahlawy et les autres ultras de se greffer aux soubresauts de la révolution. En juin 2012, Mohamed Morsi, candidat des Frères musulmans, est élu président de la République égyptienne. Le 23 novembre de la même année, une vague rouge déferle sur le pont Qasr al-Nil, en direction de la place Tahrir. Les supporters de Al Ahly rejoignent alors des milliers de manifestants pour commémorer le sanglant mois de novembre 2011 tout en protestant contre le gouvernement Morsi. Les ultras demandent une réforme en profondeur des forces de police et la fin de leur présence dans les stades. Ils réclament la démission de l'ensemble des dirigeants du football égyptien, considérés comme corrompus et proches de l'ancien régime. Sous la pression des supporters, le président du Al Ahly, Hassan Hamdy, est alors interdit de voyage à l'étranger et voit sa fortune, estimée à 82 millions de dollars, gelée par les autorités pour suspicion de corruption[50].

Toutefois, suite au coup d'État militaire contre Morsi en juillet 2013 et à la prise du pouvoir par le maréchal Abdel Fattah al-Sissi, la répression s'abat à nouveau sur les ingérables ultras. Après les Ahlawy, c'est au tour des Zamalkawy d'être victimes de leur contestation anti-gouvernementale. Le 8 février 2015, lors d'un match du championnat égyptien auquel participe le Zamalek, les forces de police dispersent violemment les Ultras White Knights avec des grenades lacrymogènes et des tirs de chevrotine. Les Zamalkawy s'étaient massés devant le stade de l'armée du Caire, à la capacité de 100 000 personnes, mais où seules 5 000 places leur avaient été réservées par les autorités militaires. Les violences policières à l'encontre des supporters, coincés entre des grillages et une entrée du stade, font vingt morts. Le président du club de football de Zamalek, Mortada Mansour, accuse les Ultras White Knights d'être responsables de ce drame tout en les qualifiant de « phénomène criminel qui doit être éradiqué[51] ». Mansour ayant porté plainte contre eux, un tribunal égyptien ordonne, en mai 2015, la dissolution de tous les groupes ultras, les accusant d'être des « organisations terroristes[52] ». Malgré cette décision judiciaire et des matchs sous haute surveillance, les ultras égyptiens n'en démordent pas, et continuent d'entonner leurs chants et leurs insultes contre la police et le gouvernement. Dépité, le directeur du club de football du Al Ahly, Abdel Aziz Abdel Shafy, déclare durant une conférence de presse en décembre 2015 : « Nous [Al Ahly SC] présentons toutes nos excuses aux hommes des forces armées dont nous apprécions le travail. Le maréchal Mohamed Hussein Tantawi a beaucoup souffert et, dans sa grande mansuétude, nous lui demandons de nous pardonner[53]. »

Le 2 février 2016, les Ahlawy commémorent dans le stade de leur propre club, le Mokhtar El-Tetch Stadium, les quatre ans du massacre de Port-Saïd. Dans des tribunes et sur une pelouse pleines à craquer, les portraits des 74 martyrs sont affichés, encadrés d'une immense bannière « *Never Forget* ». Le rassemblement se transforme rapidement en énorme manifestation antigouvernementale car, pour les ultras, le maréchal Abdel Fattah al-Sissi est impliqué dans la tuerie en tant que membre du CSFA à cette période. Dès le lendemain, al-Sissi interpelle en direct à la télévision les Ahlawy et les invite à envoyer dix de leurs membres afin de rejoindre un comité chargé d'examiner les circonstances de l'agression de Port-Saïd. Considérée comme un véritable appel au dialogue, cette invective cathodique souligne également la reconnaissance officielle par le pouvoir des groupes ultras pourtant interdits par la justice. Sur leur page Facebook officielle, les Ahlawy opposent une fin de non-recevoir : « Les Ultras Ahlawy demandent réparation au gouvernement et au président pour les martyrs qui ont été tués durant les affrontements de Port-Saïd mais aussi la comparution devant le juge de tous ceux qui sont impliqués dans ce drame, même les hauts officiers responsables de la sécurité à cette époque. » Quelques jours plus tard, à côté des traditionnelles « *We are Egypt* » et « *Together for ever* », les Ahlawy feront fleurir dans les gradins comme dans la rue une nouvelle banderole en anglais : « *Ultras never die* ».

Par le rapport de force qu'ils ont su instaurer avec le pouvoir depuis 2011, les ultras attisent régulièrement les convoitises des organisations politiques égyptiennes. Les trois groupes d'ultras les plus conséquents d'Égypte – les Ahlawy, les White Knights et les Blue Dragons – réunissent par ailleurs près de 20 000 individus actifs et peuvent mobiliser à eux seuls plus de 50 000 personnes[54]. Mais ces derniers refusent farouchement toute forme d'institutionnalisation politique. « Ultras, c'est dans le stade, il n'y a rien qui s'appelle des ultras en dehors du stade », aiment-ils à rappeler[55]. Toute velléité de rapprochement avec un parti ou un syndicat leur paraît absurde, puisque les ultras revendiquent de représenter la diversité même du peuple égyptien dans ses contradictions. « Ils sont comme les Égyptiens, ils sont divisés », explique le journaliste footballistique égyptien de l'agence Reuters Oussama Khairy[56].

Après avoir incarné la figure du jeune héros courageux qui brise la barrière de la peur puis l'archétype du martyr, les ultras se sont cependant mal intégrés à la continuité du mouvement révolutionnaire. Tout d'abord, des manifestants, à l'instar des militantes de l'Union des femmes égyptiennes indépendantes, ont de plus en plus reproché aux supporters leur culture viriliste et une vision patriarcale de la société. En effet, certains ultras n'ont pas voulu se mêler aux femmes lors des occupations, voire leur ont demandé de rentrer chez elles le soir venu. « L'attitude des ultras envers les droits des femmes constitue le revers de l'exploitation des valeurs patriarcales du football par les régimes néopatriarcaux du Moyen-Orient et d'Afrique du Nord, analyse le journaliste James M. Dorsey. [...] Les manifestants, malgré leur esprit révolutionnaire, étaient souvent incapables ou peu désireux de se débarrasser complètement des valeurs patriarcales qu'ils intériorisent[57]. »

D'autre part, leurs membres ayant subi de lourdes pertes humaines, les groupes ultras ont progressivement préféré se replier sur eux-mêmes et retourner aux fondements de leur identité footballistique. « J'ai perdu dix de mes amis proches à Port-Saïd, raconte l'ultra de Al Ahly Ahmed Radwan. Si vous perdez dix amis avec qui vous avez mangé et vécu au quotidien, c'est un traumatisme énorme. Et vous perdez espoir. Vous arrêtez de vous soucier de qui prendra le pouvoir. Vous pensez juste : je veux revenir à ma vie. » Et d'ajouter : « Nous avons perdu nos amis sur la place Tahrir et à Port-Saïd, nous nous sommes battus contre la police et l'armée, mais nous n'avons pas atteint les objectifs de la révolution. [...] Après trois ans, nous avons besoin de revenir dans les stades[58]. »

Toutefois, malgré cette récente distanciation réciproque entre militants révolutionnaires et jeunes supporters ultras, Amr Abderrahmane, membre de l'Alliance populaire socialiste (coalition de gauche et d'extrême gauche née durant la révolution), rappelle : « Cette génération née sous Moubarak et avec Internet a été capable de créer une nouvelle identité anti-classe moyenne et de provoquer la moralité ambiante. Ils sont une face de la révolution que tout le monde voudrait oublier : celle de la rage, de la colère. Pas la face proprette à fleurs du jeune poli : la face antisociale, antifamille, anti-institution, antimorale[59]. »

III

Dribbler.
Déjouer le colonialisme

10

Le Onze de l'indépendance algérienne.
Une lutte de libération en crampons

> « Ils nous gouvernent avec leurs fusils et leurs machines.
> Mais en face à face, sur un terrain de football, nous
> pouvons leur montrer qui sont vraiment les plus forts. »
>
> Ferhat ABBAS[1].

« **P**our moi, je n'ai connu que dans le sport d'équipe, au temps de ma jeunesse, cette sensation puissante d'espoir et de solidarité qui accompagne les longues journées d'entraînement jusqu'au match victorieux ou perdu. Vraiment, le peu de morale que je sais, je l'ai appris sur les terrains de football et les scènes de théâtre qui resteront mes vraies universités[2]. » Cette réflexion footballistique d'Albert Camus sur un plateau de télévision en 1959 est passée à la postérité. Gardien de but au Racing Universitaire d'Alger dans les années 1930, Camus évoque sporadiquement dans son œuvre ses souvenirs d'un football algérois multiculturel, symbole d'une entente fraternelle entre les communautés musulmanes, juives et européennes du Maghreb. « Qu'ils s'appellent Mohamed ou Marcel, ils ont mouillé le même maillot, supporté les mêmes clubs, scandé ensemble les noms de Salva ou Haddad [noms de célèbres joueurs algériens des années 1940], rappelle l'historien algérien Abderrahmane Zani, tout aussi nostalgique. C'est aussi cela l'autre facette de l'Algérie, au quotidien, entre pieds-noirs et musulmans[3]. »

Mais ces réminiscences d'un football algérien métissé occultent le rôle réel qu'a joué le ballon rond dans la culture coloniale d'un territoire sous domination française depuis 1830. Activité sportive préférée des habitants de l'Algérie, toutes communautés confondues[4], le football constitue en effet, aux yeux des autorités coloniales, un instrument de contrôle social et d'acculturation des « indigènes ». Tout en renforçant les liens avec la métropole, le ballon rond se doit d'être un pacificateur social au service de l'ordre colonial. C'est par exemple ce qu'affirme en 1936 le général Henri Giraud, alors à la tête de la Division d'Oran : « Le sport doit être le lien qui permet d'unir Français et Musulmans dans le même désir de performances et de nobles aspirations, en éliminant toute rivalité de religions et de races[5]. »

Football et libération nationale

Néanmoins, les années 1920 voient l'émergence des premiers clubs de football algériens exclusivement « indigènes » au sein des ligues locales (Oran, Alger et Constantine). Dès la saison 1923-1924, on ne dénombre pas moins d'une dizaine de clubs « musulmans » dans la ligue oranaise (sur quarante clubs), quatre dans la ligue algéroise et quatre dans la ligue constantinoise[6]. Malgré leur caractère communautaire, ces clubs « indigènes »[a] bénéficient de la bienveillance des autorités coloniales car ils demeurent neutralistes vis-à-vis de la domination française tout en restant cantonnés à leurs ambitions récréative et hygiéniste[7]. De surcroît, les pelouses algériennes commencent à servir de vivier de recrutement pour les grands clubs professionnels de la métropole. À l'instar du secteur industriel qui fait appel massivement à la main-d'œuvre maghrébine, les premiers joueurs professionnels algériens, tels Ali Benouna, recruté par le FC Sète, ou Abdelkader Ben Bouali, brillant défenseur à l'Olympique de Marseille, évoluent au sein du championnat français dès le début des années 1930.

Deux mouvements parallèles contribuent durant l'entre-deux-guerres à faire du football un vecteur de politisation anticoloniale : la popularité grandissante du ballon rond, en métropole comme en Algérie, et l'essor des premières organisations indépendantistes algériennes (L'Étoile nord-africaine est fondée en 1926 et le Parti du peuple algérien en 1937). Les terrains de foot se transforment au fur et à mesure en lieux de conflic-tualité entre communautés et les clubs « indigènes » cristallisent les vel-léités d'indépendance vis-à-vis de la métropole. De nombreux incidents impliquant des supporters ou des joueurs éclatent dans le Constantinois et le gouverneur général de l'Algérie décide, le 20 janvier 1928, d'in-terdire les rencontres entre équipes européennes et « indigènes »[8]. Les instances footballistiques régionales tiennent cependant peu compte de cette proscription difficilement applicable localement et les accrochages intercommunautaires sur les terrains perdurent. C'est le cas par exemple dans le district de Djidjelli, au point que le préfet s'alarme le 22 décembre

---

[a] La communauté juive d'Algérie constituera également ses propres structures sportives tel l'Olympic Football Club d'Oran.

1937 auprès du gouverneur général d'une série de « manifestations regrettables susceptibles, les circonstances aidant, de compromettre l'ordre et la sécurité publique[9] ». Pour tenter de diluer l'affirmation de l'identité algérienne dans le football, une circulaire émanant des autorités coloniales oblige alors les clubs musulmans d'avoir un quota de trois puis cinq joueurs européens par équipe. Comme la précédente, cette décision administrative incongrue sera appliquée de façon discontinue et aléatoire en fonction des jeux de pouvoir dans les différentes ligues de football et dans les municipalités, jusqu'à être définitivement abrogée en avril 1945. L'expansion du mouvement indépendantiste au sein du football est toutefois de plus en plus difficile à endiguer. En décembre 1945, les forces de police de Tlemcen rapportent un incident lors d'un match opposant l'équipe de l'USM Témouchentoise aux Européens de Béni-Saf : « La chanson que l'équipe musulmane d'Aïn Témouchent a chantée avait pour titre "Min Djibaline" – "Dans nos Montagnes" – avec ces paroles : "J'aime les Hommes libres qui nous convient à l'indépendance"[10]. »

Après la Seconde Guerre mondiale, les aspirations croissantes de libération nationale se heurtent à une brutale répression militaire. À Sétif, le 8 mai 1945, des milliers d'Algériens sont assassinés par les troupes françaises et les colons suite à une manifestation indépendantiste. Mais, à l'échelle mondiale, le processus de décolonisation est en marche. La révolution égyptienne de 1952 et la politique panarabe de Nasser comme la débâcle des forces françaises d'Indochine à Diên Biên Phu au printemps 1954 suscitent un immense espoir chez les indépendantistes algériens. Le 1er novembre 1954, le Front de libération nationale (FLN) déclenche une insurrection armée en commettant une série d'attentats. La France réagit avec virulence et, croyant pouvoir éradiquer le nationalisme, s'acharne sur le peuple algérien.

Alors que l'Algérie s'enfonce dans une « sale guerre », le football se mue en champ de bataille. Au printemps 1956, la finale de la Coupe d'Afrique du Nord doit opposer deux clubs de Sidi Bel Abbès : le SC Bel Abbès, formation pieds-noirs, et l'Union sportive musulmane de Bel Abbès. Mais une polémique éclate autour de la titularisation d'un joueur du SC Bel Abbès alors que ce dernier a été officiellement suspendu. Le Maroc et la Tunisie venant de recouvrer leur indépendance au mois de mars, le climat politique algérien est explosif et cette querelle footballistique déclenche une vague de protestation populaire à travers le pays. De peur que la situation ne dégénère, le gouverneur général annule la rencontre, provoquant l'ire du FLN qui oblige dès lors l'ensemble des clubs de football musulmans à boycotter définitivement toute

153

compétition. Certains joueurs ou administrateurs de club rejoignent la lutte indépendantiste, à l'image de Mohamed Benhamed, de l'Union sportive musulmane d'Oran, devenu dirigeant du FLN au Maroc, ou de nombreux membres de l'Union sportive musulmane de Bel Abbès, qui s'engagent dans le maquis.

Durant la Bataille d'Alger, le 10 février 1957, l'organisation indépendantiste commet pour sa part deux attentats à la bombe dans les stades de foot d'El-Biar et du quartier de Belcourt, terrorisant les supporters pieds-noirs. Trois mois plus tard, c'est en métropole qu'agit le FLN : lors de la finale de la Coupe de France, le 26 mai, le député loyaliste Ali Chekkal est assassiné par un sicaire du FLN à la sortie du stade de Colombes, alors qu'il assistait à la compétition auprès du président de la République René Coty. Le gouvernement français continue quant à lui d'instrumentaliser le ballon rond pour asseoir son autorité coloniale. Certains stades algériens sont désignés par la Fédération française de football (FFF) pour accueillir, malgré le conflit, des rencontres du championnat français. Le 4 mars 1956, les huitièmes de finale opposant le Havre Athletic Club à l'OGC Nice se déroulent ainsi au stade Monréal d'Oran avant que la même ville ne soit choisie pour héberger les championnats du monde militaires de football de 1960[11].

Pourtant, jusqu'à l'automne 1957, la guerre de libération menée par le FLN bénéficie d'une exposition médiatique assez faible en France, la presse aux ordres du pouvoir l'évoquant comme de simples « événements » intérieurs. Sur le front militaire, le manque d'argent et d'armes se fait cruellement sentir et, sur le front diplomatique, l'ONU tarde à reconnaître le droit à l'autodétermination de l'Algérie. Afin de redorer le blason de la cause indépendantiste et de réinvestir le champ de l'agitation politique, l'idée germe au sein de l'état-major du FLN de contacter des sportifs professionnels algériens installés en France pour les inviter à rejoindre la lutte et à se faire les porte-drapeaux de la libération algérienne. Membre dirigeant de la section française du FLN, Mohamed Boumezrag, ancien joueur aux Girondins de Bordeaux et entraîneur de l'équipe du Mans, propose alors aux dirigeants de l'organisation indépendantiste de créer de toutes pièces une équipe de football estampillée FLN.

La mise sur pied d'une équipe « indigène » avait déjà été tentée trois ans plus tôt, mais à l'initiative des autorités françaises. Le 7 octobre 1954, la FFF a en effet organisé un match caritatif en soutien à la ville algérienne d'Orléansville (Chlef), frappée le mois précédent par un tremblement de terre. Au Parc des Princes, l'équipe réserve de France avait alors affronté une sélection dite « d'Afrique du Nord » avec, aux côtés de joueurs tunisiens et marocains, de talentueux joueurs algériens (comme Mustapha Zitouni, Abdelaziz Ben Tifour, Abderrahmane Boubekeur et Abdelhamid Bouchouk). Devant 90 000 supporters, l'équipe nord-africaine s'était imposée par 3 buts à 2... Ayant eu lieu quelques jours avant le déclenchement de la guerre d'Algérie, ce match revêtirait rétrospectivement une symbolique particulièrement forte.

Début 1958, sous les ordres du FLN, Mohamed Boumezrag est chargé d'exfiltrer vers Tunis, siège du Gouvernement provisoire de la République algérienne (GPRA), une poignée de joueurs professionnels évoluant en métropole afin de former une équipe étendard de la révolution algérienne. Durant la saison 1957-1958, une quarantaine de footballeurs professionnels algériens jouent au sein du championnat français[12] et nombre d'entre eux paient déjà périodiquement au FLN une « taxe révolutionnaire » qui peut représenter jusqu'à 15 % de leur salaire[13]. Au sortir des entraînements, en fin de match ou au détour d'une soirée, Mohamed Boumezrag approche personnellement un par un les meilleurs joueurs pour tenter de les convaincre de rejoindre la lutte indépendantiste. Après plusieurs mois de travail, le militant FLN parvient de la sorte à persuader douze footballeurs de quitter la France en toute clandestinité.

L'échappée belle

Le 14 avril 1958 au petit matin, le jeune attaquant de l'AS Saint-Étienne Rachid Mekhloufi sort de l'hôpital la tête bandée et encore vêtu d'un pyjama. La veille, lors d'un piètre match au stade Geoffroy-Guichard contre Béziers, il s'est malencontreusement accroché avec son coéquipier Eugène N'Jo Léa. Il s'engouffre sans attendre dans une voiture où l'attendent Mokhtar Arribi, un ancien joueur du RC Lens devenu entraîneur d'Avignon, et Abdelhamid Kermali, ailier de l'Olympique lyonnais. Deux jours plus tôt, les deux footballeurs ont réussi à convaincre leur cadet Mekhloufi, originaire comme eux de Sétif, de les rejoindre dans cette rocambolesque aventure indépendantiste. Ayant encore le douloureux souvenir d'Algériens assassinés à l'automitrailleuse près du domicile familial lors des massacres de Sétif de 1945, ce dernier n'a que peu hésité à s'exiler à Tunis.

Le trio démarre en trombe et se dirige vers la Suisse. Arrivés à Lyon, les footballeurs transfuges récupèrent Abdelhamid Bouchouk du Toulouse FC et passent la frontière suisse au moment même où une dépêche radio annonce la désertion de joueurs algériens. Quelques jours auparavant, cinq footballeurs algériens évoluant en première division, dont le très populaire Mustapha Zitouni, avaient en effet déjà fui secrètement la France. Les douaniers n'ayant pas écouté les informations, ils reconnaissent le buteur stéphanois Mekhloufi, qu'ils félicitent pour ses derniers exploits sportifs... L'équipe motorisée arrive sans encombre à rejoindre Lausanne, où Saïd Brahimi, attaquant au Toulouse FC, et Mohamed Boumezrag, instigateur de l'expédition, les attendent pour prendre le train jusqu'à Rome avant de gagner Tunis par avion.

Le lendemain, sur les douze footballeurs « recrutés », deux joueurs manquent à l'appel. Mohamed Maouche, du Stade de Reims, a été retenu à la frontière franco-italienne et Hassen Chabri de l'AS Monaco a été arrêté à Menton avant d'être incarcéré[b]. Néanmoins, dans une IV[e] République moribonde, l'opération retentit en France comme un véritable coup de tonnerre politico-sportif. Dès le 15 avril au matin, *L'Équipe* titre à la une sur la disparition des joueurs algériens. Le magazine *France Football* consacre quant à lui quatre pages à ce séisme qui secoue le ballon rond français. Une semaine plus tard, *Paris Match* publie un article aussi long qu'affligeant intitulé : « Vedettes du foot français les voici fellaghas ». Sous une photo montrant les mutins trinquant au champagne dans le bar niçois que possédait le joueur Abdelaziz Ben Tifour, le journal appose cette légende : « Maintenant ils sont au pays des femmes voilées et de l'eau[14]. » À la fois furieuse et scandalisée, la FFF publie pour sa part un communiqué de presse au ton cruellement paternaliste : « La foi dans l'avenir du football dans nos chères provinces nord-africaines pénètre leurs dirigeants [...] Les joueurs indigènes mordent à pleines dents dans le pain du football que nous leur distribuons[15]. »

La date choisie pour la défection footballistique est loin d'être anodine, de même que le nom des dix joueurs algériens rebelles. Le 16 avril, la sélection nationale française doit disputer un match de préparation contre la Suisse dans le cadre de la Coupe du monde qui se déroulera en Suède au mois de juin. Et le dissident Mustapha Zitouni de l'AS Monaco n'est rien de moins qu'un des défenseurs clé de l'équipe de France. De même, Rachid Mekhloufi, champion de France avec l'AS Saint-Étienne et champion du monde avec l'équipe de France militaire en 1957 (il est engagé au Bataillon de Joinville), est également présélectionné pour jouer lors du Mondial. D'autres fugitifs, tels le Monégasque Ben Tifour ou le Toulousain Saïd Brahimi, ont par ailleurs déjà enfilé à maintes reprises le maillot bleu.

---

b   Tous deux rejoindront plus tard l'équipe du FLN.

En affaiblissant l'équipe de France à la veille d'une rencontre de premier ordre, le FLN espère marquer l'opinion publique en métropole. Cet acte de guerre sportif vise également à démontrer que des stars du football professionnel sont prêtes à embrasser la cause indépendantiste algérienne. Dès le 15 avril, le FLN publie le communiqué suivant : « Le Front de libération nationale a la satisfaction d'annoncer qu'un certain nombre de sportifs professionnels algériens viennent de quitter la France et la principauté de Monaco à l'appel de l'Algérie combattante. [...] Reçus par le FLN, nos frères ont manifesté leur joie de se retrouver parmi nous. Ils nous ont longuement expliqué qu'au moment même où la France faisait, à leur peuple et à leur patrie, une guerre sans merci, ils refusaient d'apporter au sport français un concours dont l'importance est universellement appréciée[16]. » L'organisation termine sa déclaration en affichant sa volonté de créer une fédération algérienne de football et de s'inscrire à la FIFA. « Peu de Français connaissaient ce qui se passait en Algérie, se souvient Rachid Mekhloufi.[...] Le peuple français a pris conscience lors de notre départ qu'il y avait une guerre d'Algérie, une guerre de libération[17]. »

Deux jours après leur arrivée à Tunis, Ferhat Abbas[c], à la tête du GPRA, rend visite aux joueurs exilés. « Il est évident que nous attacherons une extrême importance à cette équipe, leur explique-t-il, car elle représentera à travers ses exhibitions à l'étranger l'image d'un peuple en lutte pour son indépendance[18]. » Sur les gazons en piteux état de la capitale tunisienne et sans réel équipement sportif, l'équipe séditieuse commence immédiatement à s'entraîner sous la houlette de Boumezrag et Arribi. Puisqu'il manque un onzième joueur, un défenseur algérien jouant au sein du Stade tunisien, Hammadi Khaldi, vient compléter l'équipe.

Le premier match de ceux que l'on surnomme désormais le « Onze de l'indépendance » se déroule le 9 mai 1958 contre le Maroc au stade Chedly Zouiten de Tunis dans le cadre du tournoi nord-africain Djamila Bouhired (du nom de la célèbre prisonnière politique algérienne). L'équipe du FLN s'impose face à la formation marocaine par 2 buts à 1. « La tribune était pleine d'Algériens combattants, se rappelle Rachid Mekhloufi. Quand j'ai vu notre drapeau se soulever, entendu l'hymne retentir, et les maquisards qui tiraient tout autour du terrain, j'ai été pris d'une énorme émotion[19]. » Deux jours plus tôt, la FIFA décidait, sous la

---

c   Pratiquant le football durant sa jeunesse, Ferhat Abbas a été un temps président de l'Union sportive musulmane de Sétif.

pression de la Fédération française de football, de suspendre les joueurs transfuges et de sanctionner toute fédération ou équipe qui accepterait de les rencontrer officiellement.

L'engagement militant demandé aux footballeurs, passés du statut de vedettes du football français à celui de joueurs clandestins non reconnus par les instances sportives, est total. Si chacun jouit d'un appartement meublé à Tunis et d'un petit salaire, les joueurs du Onze de l'indépendance consentent d'importants sacrifices. Ainsi, le jeune prodige stéphanois Rachid Mekhloufi ne doit pas seulement renoncer à l'exaltante idée de participer à la Coupe du monde en Suède : en tant que militaire, il risque la cour martiale pour désertion. Mais, pour l'ensemble des joueurs, s'exiler à Tunis et abandonner son club de première division du championnat français est avant tout synonyme de déchirement. Ils doivent délaisser un niveau de vie relativement confortable, une certaine reconnaissance sportive et populaire ainsi qu'une carrière, une vie familiale et des relations amicales. Mekhloufi ne pourra même pas assister aux funérailles de sa mère en septembre 1959. Revenant sur cette période des années plus tard, le même Mekhloufi ne regrettera pas : « Notre départ démontrait que toute la population algérienne était avec le FLN, pas seulement des bandits et des mercenaires. On était bien en France, on avait des situations, la population nous aimait. On n'était pas contre la France mais contre le colonialisme, contre les gens qui sont en Algérie et ont accaparé les biens[20]. »

Fellaghas du ballon

Après les premiers succès sportifs de mai 1958 – l'équipe du FLN écrasera entre autres la sélection tunisienne 6 buts à 1 –, les ambassadeurs en crampons de la cause indépendantiste algérienne débutent une tournée internationale. Avec leur maillot aux couleurs blanche et verte, la formation révolutionnaire s'envole en juin 1958 pour la Libye où elle bat à plate couture les équipes de Tripoli et de Benghazi. Preuve que tous les Français ne lui ont pas tourné le dos, c'est lors de cette tournée libyenne que Mustapha Zitouni reçoit de Suède une émouvante carte postale amicale de la part des Bleus Raymond Kopa, Just Fontaine et Roger Piantoni alors en pleine Coupe du monde. À l'été 1958, d'autres footballeurs insurgés viennent étoffer la sélection FLN au point que l'équipe va compter jusqu'à 32 joueurs dont d'autres recrues de renom tels Abderrahman Ibrir, gardien de but à l'Olympique de Marseille, ou les frères Mohamed et Abderrahmane Soukhane du Havre AC[d].

Bravant l'interdiction de la FIFA, l'équipe du FLN joue, de 1958 à l'indépendance de l'Algérie en 1962, plus de 80 matchs à travers quatorze pays[21]. La formation participe en particulier à trois grandes tournées internationales qui sont autant d'épopées politiques et sportives. Après une série de six matchs tumultueux en Irak durant l'hiver 1959, les joueurs disputent en Europe de l'Est, de mai à juillet 1959, une vingtaine de matchs en Bulgarie, Roumanie, Hongrie, Pologne, Union soviétique et Tchécoslovaquie où ils sont chaleureusement acclamés par les spectateurs lors des rencontres qui se jouent souvent à guichets fermés. Pour le FLN, ces matchs internationaux officiellement illégaux entre son équipe et celles des pays « frères » doivent préfigurer le contour des futures relations diplomatiques de l'Algérie indépendante.

Afin de conserver les bonnes grâces de la FIFA, les fédérations nationales qui les accueillent camouflent leurs équipes nationales en simples clubs locaux, voire en formations d'entreprises publiques ou de syndicats. Qu'importe, chaque rencontre doit avant tout être un coup de projecteur sur la révolution algérienne et l'équipe doit incarner la future nation indépendante. Les cadres du FLN – notamment Mohamed Allam, commissaire politique du FLN qui chapeaute la logistique de l'équipe – insistent systématiquement pour que les couleurs nationales soient hissées et que *Kassaman*, l'hymne algérien, soit exécuté, bien que ces derniers ne soient encore nullement officiels. À Varsovie, après avoir logé les footballeurs indépendantistes dans des chambres insalubres, les autorités polonaises refusent de sortir le drapeau algérien, de peur de froisser leurs homologues français et d'être exclues de la FIFA. Après une vigoureuse altercation, hymne et couleurs sont toutefois au rendez-vous. « Quand on partait dans les pays de l'Est ou les pays arabes, les politiques étaient au courant de cette guerre mais pas les populations, se remémore Rachid Mekhloufi. Notre rôle était d'informer les populations des pays qu'on visitait. Attention, on ne faisait pas que jouer au football ! On allait visiter les usines, on discutait avec les populations, on expliquait ce qui se passait en Algérie. On était le bras de la Révolution à travers le football. De plus, nos résultats et notre manière de jouer nous aidaient énormément. Les gens qui nous voyaient débarquer se posaient des questions : "C'est quoi

---

d Certains joueurs algériens évoluant en France refuseront les sollicitations du FLN tels Kader Firoud du Nîmes Olympique ou Khenane Mahi du Stade rennais.

cette équipe ? D'où ils viennent ces diables ?" On avait une équipe du tonnerre[22]. »

Sur le terrain, le Onze de l'indépendance illustre à travers son football les aspirations à l'émancipation collective du peuple algérien. Le jeu de l'équipe du FLN se veut très offensif avec une occupation totale de l'espace. Entre les différents joueurs, le ballon circule énormément, chacun faisant preuve d'une totale liberté d'improvisation, et la sélection inscrit en moyenne quatre buts par match. « Sur le plan tactique, une constante : l'attaque dans le spectacle, analyse Mekhloufi. Venus d'horizons différents, nous n'avons pas de problèmes pour réussir l'amalgame puisque nous vivons ensemble, partageons les mêmes joies et les mêmes peines. Autant de conditions idéales à un jeu collectif[23]. »

En octobre 1959, les footballeurs s'envolent vers l'Asie du Sud-Est pour une tournée de plusieurs semaines au cours de laquelle ils disputent une dizaine de matchs en République populaire de Chine et au Nord-Vietnam. Alors que les Algériens ont battu les différentes formations locales, le général vietnamien Giáp, artisan de la victoire à Diên Biên Phu contre le colonisateur français, assure à l'équipe du FLN : « Vous avez réussi à nous battre, donc en toute logique vous gagnerez votre indépendance[24]. » « Cette odyssée m'a ouvert de nouveaux horizons, poursuit Rachid Mekhloufi. Politiquement, cela m'a formé. Nous avons joué le rôle d'émissaires auprès des joueurs, entraîneurs, dirigeants et sportifs des pays afro-asiatiques. Humainement, l'expérience a été aussi bien passionnante que douloureuse[25]. »

Si les péripéties des footballeurs algériens en lutte font aussi office d'école de formation politique, les joueurs commencent toutefois à être exténués. Les conditions de voyage et d'acceuil sont souvent minimales et la lassitude pointe à force de se confronter à des formations moins talentueuses. Des tensions au sein de l'équipe éclatent régulièrement tandis que l'état-major du FLN se désintéresse progressivement de ses porte-drapeaux des terrains verts. La dernière grande tournée du Onze de l'indépendance est programmée de mars à juin 1961 avec une vingtaine de matchs en Yougoslavie, Bulgarie, Roumanie, Hongrie et Tchécoslovaquie. Au stade de l'Étoile rouge de Belgrade, le 29 mars 1961, Mohamed Allam déboule dans les vestiaires et prévient les footballeurs que l'ambassadeur de France en personne est présent dans les tribunes. La boule au ventre mais avec la rage de vaincre, les fellaghas du ballon remportent la rencontre 6 buts à 1 face à la flamboyante sélection nationale yougoslave. Avant même la fin de la partie, l'ambassadeur s'éclipse tandis que le public belgradois scande en solidarité avec le combat indépendantiste « Algérie libre ! ».

Les accords d'Évian entre le gouvernement français et le gouvernement provisoire de la République algérienne sont signés le 18 mars 1962, ouvrant la voie à l'indépendance de l'Algérie qui sera proclamée le 5 juillet de la même année. Quant à la FIFA, elle reconnaît dans la foulée l'équipe nationale algérienne. Les clubs français désirant récupérer au plus vite leurs vedettes, la suspension des joueurs rebelles est levée. Huit joueurs de l'équipe du FLN, dont Boubekeur, Mekhloufi et Zitouni, intègrent la nouvelle sélection d'Algérie formée en 1963 et la plupart des footballeurs évoluant auparavant au sein du championnat français rejoignent l'Hexagone[26]. Avant leur départ, Ferhat Abbas, conscient du rôle du Onze de l'indépendance dans l'internationalisation de la lutte de libération nationale algérienne, leur confie : « Vous avez fait avancer la Révolution de dix ans[27]. »

11

Quand la Palestine occupe le terrain.
Le football, une arme politique
aux mains du peuple palestinien

> « Nous serons un peuple lorsque le Palestinien ne se
> souviendra de son drapeau que sur les stades [...]. »
>
> Mahmoud DARWICH[1].

Jibril Rajoub ne décroche plus de son téléphone. Larges
épaules et crâne dégarni, cet imposant cinquantenaire
remue ciel et terre depuis six mois pour organiser la première rencontre
internationale officielle de football en Palestine. Mais, à deux jours
du match, les autorités israéliennes ont décidé de retenir l'équipe qui
affrontera les Palestiniens, la sélection nationale jordanienne, au poste de
contrôle frontalier du pont Allenby qui relie la Jordanie et la Cisjordanie.

Alors que les médias locaux titrent déjà sur cet « événement historique » à mesure que la journée du 26 octobre 2008 approche, Jibril
Rajoub ne désespère pas : « Je suis un combattant palestinien, quelle
que soit la situation, j'arrive à tout remettre en ordre et à élaborer des
plans d'action[2]. » L'homme n'est pas du genre à se laisser abattre. À l'âge
de 17 ans, il est condamné à la prison à perpétuité pour avoir jeté une
grenade sur un bus de soldats israéliens. Libéré après plus de seize ans
d'incarcération, il est déporté au Liban suite à sa participation à la première Intifada en 1988 puis rejoint les hauts rangs du Fatah pour devenir
le chef de la Sécurité nationale de Cisjordanie. Sa maison est bombardée
par les Israéliens mais ce hiérarque de l'appareil d'État palestinien s'en
sort indemne avant d'être élu en 2008 à la tête de la Fédération palestinienne de football.

La diplomatie au forceps de Rajoub a porté ses fruits. Le 26 octobre
le match amical a bel et bien lieu dans un stade Fayçal Husseini flambant neuf situé à Al-Ram, à deux pas du mur de séparation. Sous les
portraits criards de Yasser Arafat, de Mahmoud Abbas et du roi Abdallah
II de Jordanie, la rencontre se solde par un nul, un but partout. Trois
jours plus tard, ce sera au tour de l'équipe féminine palestinienne de se

confronter à son premier match international à domicile, toujours face à la Jordanie. Mais le résultat importe peu pour les Palestiniens. « Une équipe qui vient jouer sur nos terres, c'est une façon de reconnaître l'État palestinien, assure le footballeur Murad Ismail Said. Cela est profitable autant aux sports palestiniens qu'à la cause palestinienne[3]. » L'accueil de la formation jordanienne est loin d'être anecdotique. Nombre de Jordaniens ont un parent ou un descendant d'origine palestinienne et la capitale, Amman, a été l'une des terres d'accueil de la sélection palestinienne longtemps empêchée par l'administration israélienne de jouer à domicile. L'un des clubs jordaniens les plus populaires du royaume, le Al-Weehdat Club, est pour sa part originaire du camp de réfugiés palestiniens éponyme. Durant les années 1970-1980, l'équipe était l'une des rares incarnations sportives du peuple palestinien, ce qui fera dire à Yasser Arafat : « Les jours où nous n'avions plus de voix, Al-Weehdat était la seule qui nous restait[4]. »

Restrictions de mouvement

La première équipe nationale palestinienne – les « Lions de Canaan » – a été constituée en 1946 pour aussitôt disparaître dans les limbes de la guerre israélo-arabe de 1947-1948. Et il faudra attendre la signature des accords d'Oslo en 1993 pour que soient jetées les fondations d'une ligue palestinienne (1995)[5] et que la Fédération palestinienne de football soit intégrée à la FIFA (1998). Ce faisant, la FIFA est devenue la première organisation internationale à reconnaître la Palestine comme État indépendant (son intégration au sein de l'ONU en tant qu'« État observateur non membre » n'aurait lieu qu'en novembre 2012). Reconnue par les instances internationales et représentée par une équipe nationale prête à porter la cause hors des frontières, la Palestine investit l'arène footballistique au début des années 2000. « À travers cette équipe, nous espérons atteindre un but politique, montrer que nous méritons un État et que nous avons construit nos institutions, malgré l'occupation, la séparation entre Gaza et la Cisjordanie et la guerre contre nous », reconnaissait en 2015 l'entraîneur de la sélection Ahmed al-Hassan[6].

Partant, le football devient à la fois un prolongement et un miroir déformant des tensions israélo-palestiniennes. Les restrictions de circulation imposées à l'ensemble des Palestiniens par les autorités israéliennes se répercutent en effet sur les footballeurs qui se déplacent au gré du calendrier des matchs du championnat palestinien. Des rencontres sont régulièrement annulées, les joueurs voire l'arbitre restant bloqués aux différents check points israéliens qui quadrillent les territoires occupés.

Il en est de même pour l'équipe nationale, composée de footballeurs cisjordaniens, gazaouis, binationaux d'Israël ou issus de la diaspora. Cet éclatement géographique entraîne de nombreux déplacements pour les joueurs qui sont autant de prétextes brandis par l'État hébreu pour restreindre leur liberté de circulation. « Pour les qualifications au Mondial 2006, l'équipe a dû s'entraîner à Ismaïlia, en Égypte, et jouer ses matchs "à domicile" dans le stade de Doha, au Qatar, se souvient le sélectionneur palestinien Izzat Hamzeh. Afin de pallier l'absence de certains joueurs interdits de sortie par les Israéliens, on a même sélectionné des joueurs chiliens d'origine palestinienne[a][7]. » Le coup de grâce tombe en juin 2004, quand aucun footballeur gazaoui n'est autorisé à jouer en Ouzbékistan pour « raisons de sécurité ». Privée de quelques-uns de ses meilleurs éléments, la Palestine perd alors 3-0 face à la modeste sélection ouzbèke, voyant du même coup s'évanouir ses rêves de participation à la Coupe du monde[8].

En octobre 2007, les autorités israéliennes refusent à nouveau de délivrer les visas à 18 footballeurs et officiels résidant à Gaza pour un match de qualification pour le Mondial 2010 contre Singapour, obligeant les Palestiniens à déclarer forfait. Au match aller, qui se déroulait à Doha, l'équipe n'avait déjà pas pu aligner quatre de ses titulaires, dont son capitaine. « C'est un travail compliqué, soupire Mahmoud Jamal, entraîneur de la sélection en 2012. Je ne sais jamais de quels joueurs je vais pouvoir disposer. [...] En général je compose trois équipes possibles. Et à la fin, on voit qui l'on peut emmener[9]. »

La sélection nationale est ainsi suspendue au bon vouloir de l'administration israélienne. Tel-Aviv est en effet bien conscient que le ballon rond constitue un des ciments de l'identité palestinienne et un vecteur d'unité entre la bande de Gaza, sous contrôle du Hamas, et la Cisjordanie, aux mains du Fatah. Les autorités israéliennes vont jusqu'à harceler les équipes de foot locales. En 2012, elles firent temporairement fermer le Silwan FC de Jérusalem-Est, accusé d'être financièrement lié au Hamas. « Nous sommes sportifs comme n'importe quel sportif partout ailleurs, pas des "terroristes", proteste Nadim Barghouti, jeune joueur au Silwan. Les footballeurs palestiniens luttent pour se déplacer et, après chaque

---

a   La communauté palestinienne du Chili compte 300 000 membres. À Santiago, le maillot du Palestino, club de foot fondé dans les années 1920, porte aujourd'hui encore les couleurs du drapeau palestinien.

match, nous savons que nous pourrons être harcelés ou arrêtés au retour par des soldats israéliens. Les joueurs israéliens, par contre, voyagent sans problème et ne rencontrent aucune restriction. C'est une discrimination. C'est de l'oppression[10]. »

Les autorités israéliennes se montrent parfois plus coercitives encore. Le 12 juillet 2012, le footballeur gazaoui Mahmoud Sarsak est libéré après trois ans de détention administrative et plus de 90 jours de grève de la faim. Il avait été arrêté au terminal frontalier d'Erez – point de passage entre l'État hébreu et la bande de Gaza – au motif qu'il représentait « un danger pour Israël[11] ». Le joueur professionnel se rendait en Cisjordanie pour s'entraîner avec la sélection nationale et signer un contrat avec un club de Naplouse. Les réseaux militants de solidarité avec les Palestiniens et des personnalités, comme le footballeur Éric Cantona ou le rapporteur des Nations unies pour la Palestine Richard Falk, se sont alors mobilisés pour demander la libération de Mahmoud Sarsak. Dans un communiqué publié le 12 juin 2012, l'apathique président de la FIFA, Sepp Blatter, a même encouragé la fédération israélienne à intervenir en faveur des footballeurs palestiniens « détenus en violation apparente des droits de l'Homme et de leur intégrité, et ce apparemment sans droit à un procès ». À sa sortie de prison, Mahmoud Sarsak déclare : « Pour un Palestinien, pratiquer le football est devenu un acte de résistance aux yeux d'Israël[12]. »

Enfin, de nombreux footballeurs comptent parmi les victimes des offensives militaires israéliennes. Durant l'opération « Plomb durci », en janvier 2009, trois joueurs gazaouis, dont l'international Ayman Alkurd, ont trouvé la mort. Le 10 novembre 2012, au cours de l'offensive « Pilier de défense », les forces armées israéliennes bombardent sciemment un stade de Gaza et tuent quatre jeunes footballeurs âgés de 16 à 18 ans, provoquant l'indignation d'une soixantaine de joueurs professionnels européens. Deux footballeurs de 19 ans, Ahmad Muhammad al-Qatar et Uday Caber, ainsi que la légende du ballon rond palestinien Ahed Zaqout perdent la vie suite aux raids aériens lors de la guerre de Gaza de 2014. Un des derniers épisodes de violence armée s'est déroulé le 31 janvier 2014 quand des soldats israéliens d'un poste de contrôle ont ouvert le feu sans sommation sur Jawhar Nasser Jawhar, 19 ans, et Adam Abd al-Raouf Halabiya, 17 ans, deux nouvelles recrues du football palestinien rentrant chez elles après leur entraînement au stade Fayçal Husseini. Ayant reçu chacun plusieurs balles dans les pieds puis été sauvagement mordus par les chiens policiers, les deux jeunes espoirs ne pourront plus jamais jouer au foot[13].

Le parcours du combattant

La répression contre les sportifs palestiniens remonte à l'apparition même du football dans la région, à l'époque du mandat britannique. Importé par les missionnaires anglais et les immigrants juifs – le HaRishon Le Zion-Yafo, premier club de foot juif en Palestine et ancêtre du Maccabi Tel-Aviv, a été créé en 1906 –, la pratique du ballon rond s'est rapidement diffusée à partir des années 1920 dans l'ex-région ottomane. En juillet 1928, Yosef Yekutieli, un immigré biélorusse juif, fonde la Palestine Football Association qui regroupe tout autant des clubs juifs qu'arabes ou émanant des forces coloniales britanniques. Membre de la FIFA l'année suivante, la fédération se transforme rapidement en instrument de discrimination à l'égard des équipes arabo-palestiniennes. Dès 1931, les dirigeants juifs sont majoritaires au sein du conseil d'administration de l'instance footballistique. L'hébreu est imposé comme langue officielle, les couleurs israéliennes sont incorporées au logo de la fédération[14] et seuls l'hymne britannique (*God save the Queen*) et celui du mouvement sioniste (*Hatikvah*) sont interprétés au début des rencontres officielles[15]. « À partir de 1934, les clubs arabes n'avaient déjà plus leur mot à dire sur le fonctionnement de la fédération, alors que les Arabes constituaient plus des trois quarts de la population palestinienne, rapporte l'historien palestinien des sports Issam Khalidi. Dominer les activités sportives, marginaliser les Arabes et cultiver la coopération avec les Britanniques sont alors les principaux traits qui caractérisent l'implication sioniste dans le sport[16]. »

Cette confiscation de la Palestine Football Association par les élites favorables à l'établissement d'un « foyer national du peuple juif » reflète la volonté de ces dernières d'anticiper la création d'éléments constitutifs d'un futur État hébreu[17]. Promotion du projet sioniste et institutionnalisation du sport en Palestine mandataire sont dès lors étroitement liées. Yosef Yekutieli est également l'un des initiateurs des Maccabiades, des olympiades sportives organisées localement depuis 1932 par le Maccabi, organisation sportive fondée par l'aile civique et libérale du mouvement sioniste. Quant à la Histadrout, le puissant syndicat socialiste des travailleurs juifs d'Israël, elle développe sur le territoire tout un réseau de clubs à travers l'Hapoël, son association sportive. Les différents clubs affiliés au Maccabi ou à l'Hapoël servent autant à unifier par les activités physiques la diaspora juive nouvellement immigrée en Palestine qu'à recruter des athlètes pour les groupes d'autodéfense militaire.

L'ensemble des structures sportives sionistes contribue par ailleurs, tant au niveau régional qu'international, à représenter la Palestine mandataire comme une entité fondamentalement juive. À peine deux ans après sa création, la Palestine Football Association envoie en tournée en Égypte une formation dénommée « Palestine-Terre d'Israël » composée de six footballeurs juifs et de neuf Britanniques[18]. De même, lors des qualifications pour les Coupes du monde de 1934 et 1938, la fédération n'inclut aucun joueur arabo-palestinien dans sa sélection.

Les tentatives répétées du mouvement sioniste de marginaliser, voire d'exclure, les Arabes de la vie sportive se heurtent néanmoins à la montée en puissance du sentiment national arabo-palestinien. Quelques mois avant la révolte palestinienne d'août 1929, le journal indépendantiste *Filastin* rapporte de fréquents incidents, aux abords des terrains, entre supporters juifs et arabes, ces derniers étant irrités par les drapeaux israéliens et les chants sionistes[19]. Deux ans plus tard, en mars 1931, une sélection nationale arabo-palestinienne de football est mise sur pied à l'occasion d'une tournée de l'équipe de l'Université américaine de Beyrouth[20] et dans la foulée est créée l'Arab Palestine Sports Federation (APSF) en réponse à la ségrégation ethnique de la Palestine Football Association. Dès lors, certains sportifs n'hésitent plus à affirmer explicitement leur identité arabe, à l'instar des footballeurs palestiniens qui quittent le Club salésien de Haïfa en septembre 1934 pour en fonder un nouveau à la dénomination plus revendicative : le Shabab al-Arab (Jeunesse arabe). Les rencontres footballistiques sous l'égide de l'APSF renforcent les liens entre les différentes formations arabo-palestiniennes et avec les pays voisins, consolidant par là même leur appartenance à une même communauté arabe. À l'occasion d'un match entre le Club orthodoxe de Jaffa et une équipe égyptienne, *Filastin* loue en ces termes les performances palestiniennes : « L'équipe de l'Université égyptienne est venue en Palestine et a joué avec des équipes juives mais aucune équipe arabe n'a osé rivaliser avec elle, à l'exception du Club orthodoxe de Jaffa. [...] Cela nous a rendus fiers et fait comprendre à tout le monde qu'il y a des équipes arabes en Palestine qui sont habiles à ce jeu et qui ont le même niveau que les équipes britanniques et juives[21]. »

Las de l'oppression coloniale britannique et de l'ampleur croissante de l'immigration juive, une grande révolte populaire des Arabo-Palestiniens embrase le pays en 1936. Les jeunes footballeurs et autres sportifs palestiniens sont en première ligne des soulèvements, organisant entre autres la logistique et les soins aux blessés durant les manifestations antibritanniques[22]. L'insurrection ne prendra fin qu'en 1939 après une longue série de grèves, de sabotages, de guérilla urbaine et d'assassinats ciblés. Les représailles implacables de la part des forces britanniques et de la Notrim – police juive spécialement mise en place en 1936 – ont pour conséquence l'arrestation de deux cents hauts dirigeants arabo-palestiniens et le démantèlement des structures institutionnelles palestiniennes, dont l'Arab Palestine Sports Federation, qui cesse toute activité dès 1937[23].

Aux yeux d'une jeunesse activiste arabe qui aspire de plus en plus radicalement à l'indépendance, les autorités palestiniennes ont sous-estimé – contrairement à leurs homologues juives – le rôle que le sport pouvait jouer dans la construction d'une identité nationale et la résistance à l'oppression coloniale[24]. En mai 1944, l'Arab Palestine Sports Federation renaît de ses cendres et stipule dans son règlement que « ses membres se composent exclusivement d'institutions et de clubs arabes non juifs de Palestine ». Pour les dirigeants de l'organisation, il s'agit clairement de tirer la leçon politique donnée par les structures sportives juives en constituant une entité sportive arabo-palestinienne autonome capable de s'affirmer sur la scène internationale[b]. Les élites urbaines palestiniennes perçoivent dorénavant le football comme une arme politique au service des revendications indépendantistes. « Le football nous apprend à obéir à l'entraîneur et à l'arbitre, à se soumettre à la loi et à la justice, explique un éditorial de *Filastin* le 11 mars 1945. L'obéissance est l'une des qualités les plus importantes d'un soldat sur le champ de bataille et la guerre ne se gagne pas sans obéissance[25]. » Quelques pages plus loin, Muhammad Tahir Pacha, homme politique égyptien promoteur de l'olympisme et fondateur des Jeux méditerranéens[c], déplore : « L'Orient a négligé les sports pendant trop longtemps. C'est une des raisons, sinon la principale, de son déclin. » Dès lors, les autorités palestiniennes n'hésitent plus à honorer de leur présence les tribunes officielles durant les rencontres les plus importantes et, le 3 juin 1945 à Jaffa, le haut dignitaire Ahmed Hilmi Pacha assiste à la finale du premier championnat de football arabo-palestinien opposant l'Islamic Sports Club de Jaffa au Club orthodoxe de Jérusalem. Avant le coup d'envoi et en guise de geste de solidarité panarabe, deux minutes de silence sont respectées par les 10 000 supporters en l'honneur des victimes de guerre en Syrie et au Liban[26]. La fédération sportive

---

b   Quelques footballeurs juifs joueront toutefois au sein d'équipes affiliées à l'Arab Palestinian Sports Federation.

c   Compétition olympique fondée en 1951 et réunissant tous les quatre ans des athlètes issus d'une vingtaine de pays méditerranéens.

palestinienne compte en 1946 plus d'une cinquantaine de clubs de sport à travers le pays ainsi qu'une sélection nationale de football, les « Lions de Canaan ». Appuyée par les fédérations libanaise et égyptienne, elle demande même son affiliation à la FIFA, que cette dernière rejette au motif qu'une fédération palestinienne est déjà adhérente à l'instance internationale depuis 1929.

Un terrain contesté

Cependant, la guerre civile de 1947-1948 qui mène à l'indépendance d'Israël stoppe net cette dynamique de structuration du football palestinien. Aucune institution sportive arabe ne survit au conflit et le vide organisationnel ainsi créé profite à la Palestine Football Association rebaptisée Israel Football Association (IFA). Dans les années 1950-1960, la confiscation massive de leurs terres et la dépendance à l'économie israélienne prolétarisent les populations palestiniennes d'Israël[27]. Et nombre de jeunes ouvriers palestiniens issus des communes arabes israéliennes sollicitent la Histradout pour créer des infrastructures sportives. L'Hapoël mais aussi le Maccabi s'escriment alors à établir des dizaines de clubs arabes dont les équipes de football sont *de facto* affiliées à l'IFA. Pour les autorités, soutenir le sport dans les communautés arabes permet de tenir la jeunesse palestinienne sous surveillance, afin qu'elle ne verse pas dans l'activisme nationaliste, et d'éviter que se créent des clubs autonomes, qui pourraient se transformer en structures militantes et revendicatives.

L'essor du mouvement de résistance palestinien, marqué par la création de l'Organisation de libération de la Palestine (OLP) en mai 1964 et le déclenchement de la lutte armée par le Fatah en janvier 1965, va toutefois fissurer cette mainmise de l'État hébreu sur le football arabe d'Israël. En mars 1964, un match entre l'arabe Hapoël Bnei Nazareth et l'équipe du village juif voisin, l'Hapoël Migdal HaEmek, se termine en affrontement généralisé entre joueurs et supporters des deux parties. Le lendemain, des centaines d'ouvriers arabes se mettent en grève, refusant de se rendre au travail à Migdal HaEmek. Deux mois plus tard, l'Hapoël Bnei Nazareth célèbre dans la furie son accession en deuxième division en écrasant 8 à 0 l'équipe juive de Kiryat Shmona. Plusieurs milliers de supporters palestiniens prennent d'assaut le terrain puis défilent en portant sur leurs épaules les footballeurs de Nazareth à travers la ville pour fêter une équipe qui sera durant plus de quinze ans la première formation arabe remarquée au sein du championnat israélien[28]. La même année, l'État israélien dissout un réseau d'équipes de football qui tentent alors de former un embryon de championnat arabe entre les communes de Tira, Qalansawe, Kafr Qassem et Taybeh. Membre de cette aventure footballistique, l'écrivain et activiste Sabri Jiryis décortique à la fin des années 1960 la mainmise des autorités israéliennes sur le foot palestinien : « Elles sont les seules habilitées à établir des clubs dans les villages arabes, clubs qui sont les seuls à être autorisés à former des équipes de football, et c'est seulement une fois ces cercles bien définis que l'on décide comment le football doit être joué et avec qui[29]. »

Après la guerre de juin 1967 et l'occupation militaire israélienne des territoires palestiniens qui s'ensuit, le championnat de l'État hébreu se transforme dans les années 1970-1980 à la fois en outil d'intégration pour nombre de jeunes Arabes israéliens marginalisés et en espace d'affirmation de l'identité arabe. De nombreux joueurs sont élevés au rang de héros de la culture populaire palestinienne, à l'instar de Rifaat Turk, premier joueur arabe israélien à être sélectionné en équipe nationale d'Israël en 1976[d], ou de Najwan Ghrayeb, qui marqua sous les couleurs israéliennes l'un des deux buts de la victoire lors d'un match contre la brillante équipe argentine le 15 avril 1998. « Pour les Arabes israéliens, [le football] a été un terrain contesté entre deux tendances concurrentes : une opportunité d'intégration dans la société juive israélienne et d'acceptation par la majorité juive contre une forme de protestation politique et de fierté nationale », analyse le sociologue Tamir Sorek[30]. Alors que le nombre d'équipes arabes a considérablement augmenté au sein du championnat israélien, qui en comptait huit en 1976-1977 contre près d'une quarantaine en 2000-2001[31], c'est en mai 2004 qu'une équipe à l'identité arabe, le Bnei Sakhnin FC, remporte pour la première fois la Coupe d'Israël et est provisoirement érigée en symbole de la réconciliation entre Juifs et Arabes israéliens.

Au sein des territoires palestiniens occupés, si de précaires équipes nationales sont parvenues à représenter sporadiquement la Palestine – notamment aux Jeux panarabes de 1953 à Alexandrie et de 1965 au Caire –, c'est grâce à la solidarité internationale que va réellement naître un football palestinien affranchi de la tutelle israélienne. Alors que la Fédération palestinienne de football est fondée en exil en 1962, le Conseil de la jeunesse et des sports de l'OLP établit des relations avec des fédérations sportives européennes, notamment en France *via*

---

d   Officiant dès 1963 au sein du Maccabi Haifa, Hassan Boustouni est quant à lui le premier joueur arabe de la ligue professionnelle israélienne.

la Fédération sportive et gymnique du travail (FSGT) [voir chapitre 5]. En mai 1982, sous le mot d'ordre « Reconnaissance et solidarité avec les sportifs palestiniens », plusieurs matchs opposant l'équipe palestinienne à des équipes françaises sont organisés, à Vigneux, à Arcueil et au Havre. « Pour nous, c'était l'occasion de faire connaître la situation des sportifs palestiniens, de faire connaître la cause palestinienne à travers une lutte non violente, se souvient Anouar Abou Eisheh, alors président de l'association des étudiants palestiniens de France. La venue de l'équipe palestinienne avec la FSGT fut aussi l'occasion de voir officiellement pour la première fois levé le drapeau palestinien dans quelques stades en France[32]. » Trois ans plus tard, en juillet 1985, une équipe de football de la FSGT réalise à son tour une tournée à travers les territoires occupés.

Mais ce n'est que le 8 octobre 1993, à peine trois semaines après la signature des accords d'Oslo, que l'équipe nationale palestinienne parvient à disputer un match de foot sur son propre sol. La paix semble alors à portée de main et, sous l'égide de l'OLP, une sélection palestinienne accueille à Jéricho le Variété Club de France, une équipe tricolore composée d'anciennes vedettes du sport comme Michel Platini, Serge Blanco ou Yannick Noah. Dans un stade en liesse plein à craquer – 20 000 Palestiniens sont dans les tribunes d'une petite enceinte prévue pour 5 000 spectateurs[33] – et sur une pelouse dévastée, les joueurs palestiniens déploient face à une centaine de caméras étrangères un football parfois maladroit. L'enjeu est certes moins sportif que médiatique mais le but de la victoire marqué par le Palestinien Mahmoud Jerad donne ce jour-là plus que jamais sens aux mots de l'historien britannique Eric Hobsbawm : « La communauté imaginée de millions de personnes semble plus réelle quand elle se trouve réduite à onze joueurs dont on connaît les noms[34]. »

Carton rouge antiapartheid

Avec la reconnaissance officielle de la Fédération palestinienne de football en 1998, l'instauration d'un championnat palestinien ainsi que la construction d'une douzaine de stades grâce à l'aide financière de la FIFA, nombre de joueurs arabes israéliens, excédés par le racisme endémique à la ligue israélienne, sont attirés par les clubs professionnels de Cisjordanie. Rifaat Turk, le premier joueur arabe de l'équipe nationale israélienne, se souvient encore des mises en garde de son entraîneur Ze'ev Segal, après avoir rejoint les rangs du Hapoël Tel-Aviv : « Une règle importante. Nous vivons dans un pays raciste. Ils te maudiront, ils maudiront ta mère et ta sœur. Ils te cracheront dessus. Ils essaieront de te couper l'herbe sous le pied. Tu devras être assez malin à ce sujet et savoir comment bien gérer tout ça. Tu ne pourras pas répondre aux provocations. Tu devras rester concentré. Si tu es intelligent, alors tu survivras[35]. » Les supporters de certains clubs de football israéliens sont en effet notoirement connus pour leurs chants et slogans ouvertement racistes et islamophobes à l'encontre des Palestiniens. Les fans du Beitar Jerusalem, une des équipes les plus populaires et brillantes du pays, et en particulier les membres de son groupe d'ultras, « La Familia », sont régulièrement pointés du doigt pour les violences physiques qu'ils exercent sur les musulmans et pour les slogans qu'ils entonnent dans les tribunes (« Mort aux Arabes », « Que ton village soit brûlé », etc.)[36]. Le club, fondé en 1936 lors des premières insurrections palestiniennes par le Betar – un mouvement de jeunesse sioniste d'extrême droite –, a même souvent bénéficié d'une relative bienveillance de la part des autorités sportives israéliennes.

Ce racisme antiarabe et les restrictions de mouvement des joueurs palestiniens ont incité la Fédération palestinienne de football à déposer en 2015 une motion devant les autorités de la FIFA demandant l'exclusion de la fédération israélienne de l'instance internationale[e] tant que l'État hébreu entrave la liberté de circulation des footballeurs palestiniens. Le président de la FIFA s'étant contenté, en guise de réponse, de proposer un « match de la paix » entre Israël et Palestine, le président de la fédération palestinienne Jibril Rajoub fulmine et rappelle l'évidence : « Tout ce que nous demandons, c'est le respect de nos droits fondamentaux[37]. » De nombreux activistes du mouvement BDS (Boycott, désinvestissement et sanctions), qui cherche à faire pression sur l'État d'Israël pour l'obliger à changer sa politique à l'égard des Palestiniens, décident alors d'appuyer la motion portée par Jibril Rajoub. Reste que l'objectif est ambitieux : pour être acceptée, la motion doit obtenir les trois quarts des voix des 209 fédérations votantes au sein de la FIFA.

Initiée en 2005 par la société civile palestinienne, la coalition internationale BDS s'inspire des luttes politiques contre l'apartheid en Afrique du Sud dans les années 1960 à 1980 et considère le boycott – notamment sportif – comme un moyen de pression international supplémentaire pour dénoncer l'occupation israélienne[38]. Une campagne BDS a ainsi

---

e   Il faut noter qu'un an après la guerre israélo-arabe de 1973 et sous la pression des pays arabes belligérants, la fédération israélienne de football a été exclue de l'Asian Football Confederation. Elle rejoindra l'UEFA, la fédération européenne, en 1994.

été spécifiquement créée autour du boycott footballistique : « Red Card Israeli Racism » (Carton rouge au racisme israélien). « L'establishment du football devrait respecter les valeurs les plus louables de l'antiracisme, précise Geoff Lee, militant britannique engagé dans cette campagne. Il faut boycotter l'État israélien jusqu'à ce qu'il respecte les droits humains de tous les Palestiniens et se conforme au droit international[39]. »

Avant le vote de la motion, prévu pour le 29 mai 2015 lors du congrès de la FIFA à Zurich, le mouvement de solidarité internationale avec la Fédération palestinienne de football s'intensifie. Le quotidien britannique *Guardian* publie le 15 mai une tribune signée entre autres par le linguiste Noam Chomsky, l'écrivain John Berger ou le cinéaste Ken Loach. Rappelant que la FIFA avait suspendu l'Afrique du Sud pendant trente ans et la Yougoslavie entre 1992 et 1994, elle accuse la fédération israélienne de football de complicité avec le « régime meurtrier d'Israël[40] ». La veille du congrès, le *New York Times* publie pour sa part un plaidoyer du joueur gazaoui Iyad Abou Gharqoud pointant aussi bien les restrictions de déplacement que la passivité de la fédération israélienne face aux dérives antiarabes des supporters du Beitar Jerusalem[41]. Dans la presse israélienne, Gershon Baskin, militant de la paix et ancien négociateur israélien avec le Hamas, souligne quant à lui : « Que les Palestiniens remportent ou non ce scrutin n'est que secondaire car nous assistons avant tout aux premiers efforts diplomatiques des Palestiniens pour imposer des sanctions à Israël. Il n'est pas vraiment question de football ou de liberté de mouvement des footballeurs [mais bien] de la poursuite de l'occupation et du refus d'Israël de reconnaître le droit des Palestiniens à l'autodétermination dans un État indépendant voisin du leur[42]. »

Deux semaines avant le vote fatidique, le quotidien israélien *Haaretz* divulgue qu'Israël a exercé d'intenses pressions diplomatiques sur les ministères des Sports et les dirigeants des ligues de football d'une centaine de pays, leur assurant que de nombreux footballeurs professionnels palestiniens seraient impliqués dans des activités terroristes[43]... Suite à ces intimidations et à des tractations en coulisse sous la houlette de la FIFA, la fédération palestinienne renonce le jour même à soumettre au vote la suspension d'Israël en échange de la constitution d'un comité de surveillance chargé d'assurer la libre circulation des joueurs palestiniens. Lors du congrès, Ofer Eini, le président de la fédération israélienne de football, peut se féliciter : « Laissons la politique aux politiciens pendant que nous jouons au football du mieux que nous pouvons[44]. »

À peine trois mois plus tard, la finale de la Coupe de Palestine est reportée parce que les autorités israéliennes refusent l'autorisation de voyager à quatre joueurs de l'équipe gazaouie de Chajaïya, qui doit affronter le Ahli al-Khalil d'Hébron en Cisjordanie. En juillet 2016, c'est au tour de six joueurs et de l'entraîneur de l'équipe de Shabab Khan Younès de rester confinés à Gaza lors de la finale du trophée palestinien. Et les détentions administratives de footballeurs reprennent de plus belle : deux joueurs du Al-Samou Youth FC d'Hébron, Sami Fadil al-Daour et Mohamed Abou Khwais, sont par exemple incarcérés « préventivement » en mars 2016 à la prison israélienne d'Ashkelon.

Malgré l'échec de la motion palestinienne, la FIFA s'est muée en arène politique pour les Palestiniens. Fin 2016, la Fédération palestinienne de football, appuyée par une soixantaine de députés européens, proteste auprès de l'instance internationale contre six clubs de football installés dans des colonies israéliennes en Cisjordanie et affiliés à l'Israel Football Association. Les autorités footballistiques palestiniennes se demandent en effet pourquoi les clubs de ces colonies sont membres de la fédération israélienne alors que ces mêmes colonies sont illégales au regard du droit international. De même, les Palestiniens soulignent que les textes de la FIFA interdisent à une fédération nationale d'accueillir un club installé sur un territoire étranger. « En autorisant l'IFA à organiser des matchs à l'intérieur des colonies, la FIFA s'engage dans une activité commerciale qui soutient les colonies israéliennes, activité contraire à ses engagements en matière de droits de la personne, dénonce par ailleurs en septembre 2016 un rapport de Human Rights Watch. Les clubs de football des colonies fournissent des emplois à temps partiel et des services récréatifs aux colons, rendant la colonisation plus durable, et perpétuant un système qui repose sur de sérieuses violations des droits humains[45]. » Pour l'ONG, ces six clubs ignorent de façon flagrante le droit international tout en légitimant, avec la bienveillance de la FIFA, l'occupation illégale des territoires palestiniens. Parmi de nombreux autres exemples, Human Rights Watch indique que le club de la colonie de Giv'at Ze'ev organise sous l'égide de l'IFA des matchs sur un terrain homologué dont ont été expropriées deux familles palestiniennes de la commune arabe voisine de Beitunia, « terres agricoles auxquelles elles ne peuvent plus accéder depuis la construction du village en 1977[46] ».

En parallèle, le Conseil de sécurité de l'ONU condamne en décembre 2016 la colonisation israélienne dans les territoires occupés en demandant à l'État hébreu d'arrêter « immédiatement et complètement » de telles implantations illégales. Une pression internationale de plus sur la FIFA pour mettre définitivement fin à ces violations du droit international car, comme le précise Sari Bashi, une responsable de Human

Rights Watch, « la résolution stipule clairement que les colonies n'ont pas de validité juridique. [La FIFA doit] établir une distinction entre Israël et les territoires occupés[47] ».

Un football gazaoui par la bande

Pendant que les autorités palestiniennes font pression sur la FIFA, de nombreuses initiatives ont été lancées en solidarité avec les footballeurs palestiniens. En 2015, le Sevilla FC refuse ainsi un sponsoring de 5,7 millions de dollars pour une publicité vantant sur son maillot le tourisme en Israël. L'Hapoël Katamon Jerusalem, un club israélien créé par des supporters militants en 2007, a quant à lui lancé en mars 2015 « Equal Team », un programme de promotion du football en équipes mixtes incluant de jeunes joueurs issus du centre de formation de leur propre club et de l'académie de football de Beit Safafa, une localité de la banlieue palestinienne de Jérusalem.

Avant le coup d'envoi du match de qualification pour l'Euro 2016 Pays de Galles-Israël, le 6 septembre 2015, plusieurs milliers de supporters ont pour leur part manifesté à Cardiff leur soutien au peuple palestinien. Les membres des Easton Cowgirls, une équipe féminine de foot amateur de Bristol qui a effectué une tournée de matchs en Cisjordanie, étaient présentes dans le cortège. « Ce que nous avons vu là-bas nous a vraiment touchées, que ce soit les restrictions de déplacement ou l'oppression quotidienne que les Palestiniens doivent subir, assure Isabel O'Hagan, milieu de terrain de la formation. Nous leur avons promis que lorsque nous reviendrions chez nous, nous partagerions leur histoire[48]. »

Enfin, suite à un match de qualification en août 2016 pour la Ligue des champions entre le Celtic Glasgow et le club israélien de l'Hapoël Be'er-Sheva, les membres de la Green Brigade, l'un des principaux groupes ultras du Celtic, ont été condamnés à une forte amende par l'UEFA pour avoir, dans les tribunes, agité des dizaines de drapeaux palestiniens considérés par l'instance européenne comme un « message de nature politique étranger à l'événement sportif ». La Green Brigade avait préalablement appelé sur Facebook les supporters du Celtic à sortir ces drapeaux pour « afficher leur opposition à l'apartheid israélien, au colonialisme et aux innombrables massacres subis par le peuple palestinien[49] ». Afin de protester contre cette sanction, les ultras du club écossais ont alors lancé sur les réseaux sociaux le hashtag #MatchTheFineForPalestine (« Répondre à l'amende pour la Palestine »), levant des dizaines de milliers d'euros pour l'organisation Medical Aid Palestine et pour le Lajee Centre, un centre culturel palestinien pour les enfants d'un camp de réfugiés à Bethléem.

Ces solidarités footballistiques résonnent par ailleurs avec l'émergence de nouvelles formes d'expression alliant contestation politique et ballon rond au sein de la société palestinienne. Véritable acte de résistance à la restriction de leur liberté de circulation, les Gazaouis, durant la Coupe du monde 2010 en Afrique du Sud, ont organisé leur propre Mondial, la Gaza World Cup, avec pour slogan : « Si tu ne peux pas aller en Afrique du Sud, le Mondial viendra à toi ». Durant deux semaines, 16 équipes de la bande de Gaza – dont 14 clubs professionnels – rebaptisées « Angleterre », « Brésil » ou « Italie » ont participé au Mondial par procuration. La finale qui opposait le 15 mai 2010 la « France » à la « Jordanie » dans le stade Yarmouk de Gaza, a été retransmise en direct sur Al-Jazeera et les vainqueurs ont reçu un trophée réalisé par des artisans locaux à partir de métal retrouvé dans les immeubles bombardés par l'armée israélienne. « Nous voulons attirer l'attention du monde sur notre isolement et montrer qu'il y a une vie à Gaza, affirme alors Tamer Qarmout, l'un des organisateurs de cet événement. Les jeunes d'ici doivent avoir le droit de sortir, de circuler et de participer comme tout le monde à des événements culturels ou sportifs[50]. »

Pris en étau entre le blocus économique imposé par Israël et l'Égypte d'une part, et le conservatisme religieux du Hamas et la corruption de l'Autorité palestinienne d'autre part, le football demeure une rare échappatoire collective pour les Gazaouis. Et, aussi surprenant que cela puisse paraître de prime abord, le club le plus populaire parmi ces derniers n'évolue pas au sein du championnat palestinien mais n'est rien de moins que le FC Barcelone. Le porte-drapeau footballistique de la cause indépendantiste catalane [voir chapitre 6] résonne en effet tout particulièrement auprès de la population palestinienne[51]. « Nous nous identifions aux Catalans dont la lutte contre la grande puissance de Madrid nous rappelle notre lutte contre Israël », explique en 2012 un jeune supporter palestinien du Barça[52]. « Le FC Barcelone apporte sans doute plus de joie aux Palestiniens que n'importe quelle autre institution dans le monde, ajoute Jon Donnison, correspondant britannique de la BBC à Gaza et en Cisjordanie. À chaque fois que les Catalans jouent, vous pouvez être sûr que vous aurez du mal à obtenir une table dans les bars de Ramallah et les cafés de Gaza City. Les jours de match, une myriade de commerçants vendent à la sauvette les maillots bleu et grenat du Barça à Qalandia, le poste de contrôle militaire israélien toujours embouteillé qui sépare Ramallah de Jérusalem-Est[53]. »

À l'occasion d'un *clasico* FC Barcelone-Real de Madrid le 7 octobre 2012, l'équipe catalane annonce avoir accédé à une demande d'invitation en tribune de Gilad Shalit, un ancien soldat israélien capturé et détenu par le Hamas durant plus de cinq ans. Un geste qui n'est pas du goût des clubs de football gazaouis qui, dans une lettre ouverte au FC Barcelone, déclarent : « Les Palestiniens de Gaza soutiennent Barcelone plus que n'importe quel autre club [...] Comme l'a montré le boycott efficace des équipes sportives du régime d'apartheid sud-africain, le sport et la vie politique ne peuvent être séparés. Nous vous demandons de ne pas faire preuve de solidarité envers l'armée qui opprime, emprisonne et tue les sportifs palestiniens, hommes et femmes, en Palestine[54]. » Face à cette fronde, le Barça décide de convier Jibril Rajoub, l'indéboulonnable président de la Fédération palestinienne de football, ainsi que Mahmoud Sarsak, le footballeur gazaoui libéré quatre mois plus tôt après trois ans de détention administrative en Israël. Ce dernier décline toutefois l'invitation, affirmant, en signe de respect pour les prisonniers palestiniens, ne pas vouloir « jouer la symétrie entre "le colonisateur et le colonisé"[55] ». Le jour de la rencontre, d'anciens détenus portant des maillots du FC Barcelone et du Real Madrid ont décidé de taper le ballon sur un terrain en friche de Gaza afin de protester contre la présence de Gilad Shalit dans les gradins. « Le football est un sport qui porte un message de liberté et d'amour, mais pas quand un soldat est invité car il met sur un même pied d'égalité la victime et son bourreau », indique à la presse Yasser Saleh qui a passé dix-sept ans dans les geôles israéliennes[56].

Rappelant que les négociations concernant la libération de Gilad Shalit avaient permis la libération de mille prisonniers palestiniens, le Hamas exhorte en conséquence l'ensemble des Palestiniens à ne pas regarder la rencontre avant d'annoncer maladroitement vouloir à l'avenir censurer toute retransmission télévisée des matchs du FC Barcelone. Cette déclaration, qui appelle *de facto* les Palestiniens à renoncer à leur ferveur pour le club catalan, se retourne immédiatement contre le Hamas. Dans une société verrouillée par l'organisation islamique et les forces de sécurité israéliennes, « regarder le match » s'est matérialisé en une rare occasion de défier les autorités gazaouies et de manifester un mécontentement généralisé face à une situation économique désastreuse et des pourparlers israélo-palestiniens au point mort. Ainsi, le dimanche soir du 7 octobre 2012, les cafés de Gaza étaient comme à leur habitude bondés de supporters en bleu et grenat vibrant devant les postes de télévision. Malgré un match nul, les enfants portant des maillots contrefaits du Barça ont investi en courant le lacis des ruelles de l'enclave palestinienne. Et des essaims de voitures klaxonnantes ont plus que jamais débordé de passagers brandissant vers le ciel leurs drapeaux palestiniens. Ce soir-là il y avait football, et ni les soldats des check points israéliens, ni les caciques palestiniens n'ont pu le confisquer aux Gazaouis.

12

Dribbler, un art décolonial.
Identités afro-brésiliennes
et résistances indigènes dans le football

« D'un seul élan la foule
repentante dans un acte de mort
se dresse et crie à l'unisson son chant d'espérance.
Garrincha, l'ange, écoute et répond : – GOOOOOL !
Une image à l'état pur : un G shootant un O dans le
but, un L.
De la danse à l'état pur ! »

Vinícius DE MORAES, *L'Ange aux jambes tordues*, 1962.

« Salut avec un ballon, qui, comme les rêves, s'envole
très haut. »

Sous-commandant MARCOS,
lettre à Eduardo Galeano, juillet 1996.

« **N**ous qui avons une position dans la société, nous sommes obligés de jouer avec des ouvriers, avec des chauffeurs, déplorent en 1915 les footballeurs de Rio de Janeiro dans la revue *Sports*. La pratique du sport est en train de devenir un supplice, un sacrifice, en aucun cas une distraction[1]. » Introduit en 1894 et rapidement adopté comme activité de loisir par la bourgeoisie urbaine de São Paulo puis de Rio de Janeiro, le football est alors à l'image de la société brésilienne : élitiste et raciste. L'esclavage n'a été officiellement aboli au Brésil qu'en 1888, et les Noirs, les Métis, les Amérindiens mais aussi les Blancs les plus défavorisés sont exclus des premiers championnats de football pauliste (de São Paulo) et carioca (de Rio) établis au début du XXe siècle. L'amateurisme de la pratique sportive prôné par les élites anglophiles brésiliennes est prétexte à cultiver l'entre-soi bourgeois. Chaque rencontre est rythmée par des festivités typiques de l'*English way of life*. Entonner des chants britanniques, boire du whisky et assister aux matchs en haut-de-forme ou en robes de dentelle sont autant de marques ostentatoires de distinction sociale qui marginalisent les rares supporters brésiliens d'origine populaire s'aventurant dans les gradins[2].

Loin des tribunes huppées de l'aristocratie blanche brésilienne, se développe en parallèle un autre football, socialement et racialement métissé. À Campinas, une petite ville ouvrière de l'État de São Paulo, naît en août 1900 le club Ponte Preta qui regroupe des travailleurs non blancs œuvrant dans les chemins de fer. À chaque déplacement, des spectateurs accueillent la formation avec des cris de singe, mais Ponte Preta s'approprie le stigmate racial en adoptant comme mascotte un primate et en se surnommant « Os Macacas ». À partir de 1907, dans la banlieue de Rio, le Bangu AC, club émanant de l'usine textile locale, ouvre également ses portes aux footballeurs-ouvriers noirs et se voit immédiatement exclu du championnat carioca. Le racialisme revendiqué par les grands clubs de football de Rio se traduit par l'interdiction faite aux Noirs de jouer comme d'assister aux matchs et quand, en 1914, le premier footballeur métis, Carlos Alberto, rejoint l'équipe du Fluminense FC, il se blanchit la peau avec de la poudre de riz avant d'entrer sur le terrain[3].

« Quelque chose qui rappelle la danse »

L'apparition progressive de métis afro-brésiliens au sein des formations de football devient toutefois source de tensions sociales et raciales[4]. En 1919, la sélection nationale brésilienne remporte sa première compétition internationale en gagnant le championnat sud-américain de football – ancêtre de la Copa América. Mais le principal artisan de la victoire brésilienne et meilleur buteur du tournoi embarrasse les élites du pays. L'avant-centre Arthur Friedenreich est en effet le fils d'un riche Allemand appartenant au milieu des affaires pauliste et d'une lavandière brésilienne à la peau noire. Malgré ses origines sociales élevées, le footballeur, qui tente de masquer son afro-brésilianité en lissant ses cheveux crépus, est victime sur les pelouses du racisme des arbitres. Durant les matchs, les fautes que pratiquent sur lui ses adversaires ne sont pas sifflées, ce qui contraint Arthur Friedenreich à élaborer de subtiles feintes de corps afin d'esquiver leurs charges violentes lors de ses accélérations. « Ainsi naît le dribble au Brésil, analyse le journaliste et écrivain Olivier Guez. Ruse et technique de survie des premiers joueurs de couleur, le dribble leur évite tout contact avec les défenseurs blancs. Le joueur noir qui ondule et chaloupe ne sera pas rossé, ni sur le terrain ni par les spectateurs à la fin de la partie ; personne ne l'attrapera ; il dribble pour sauver sa peau[5]. » À travers ce geste technique, Friedenreich pose les premiers jalons d'un football brésilien qui se différencie de son *alter ego* britannique et met en scène la condition même du dominé qui, pour exister, doit avant tout se soustraire à la violence du dominant.

L'année suivante, toujours dans le cadre du championnat sud-américain, les rares joueurs métis de la Seleção sont victimes d'insultes racistes de la part des spectateurs argentins et de la presse uruguayenne qui les caricaturent en singes ou les dénomment « *macaquitos* ». Ces événements poussent le président de la République du Brésil, Epitácio Pessoa, à émettre en 1921 un « décret de blancheur » pour qu'au sein de l'équipe nationale ne soit dorénavant admis que « le meilleur de notre élite footballistique, les garçons de nos meilleures familles, les peaux les plus claires et les cheveux les plus lisses[6] ».

En 1923, le championnat carioca est remporté à la surprise générale par le CR Vasco de Gama. Fondé par des immigrés portugais, le club qui se veut démocratique et populaire – le noir, blanc et rouge de leur maillot représenterait les identités africaine, européenne et amérindienne du Brésil – aligne une équipe composée de chauffeurs blancs et d'ouvriers noirs. Un véritable affront pour les quatre grands clubs de Rio, Fluminense, Flamengo, América et Botafogo, qui, en plus de la blancheur des footballeurs, tentent sans succès d'imposer l'interdiction de présenter des footballeurs analphabètes ou travailleurs journaliers.

En guise de réponse à ces velléités de discrimination raciale et sociale, le Vasco de Gama remporte en 1924 pour la deuxième fois consécutive le championnat de Rio. En affirmant sa diversité, le club contribue à faire tomber les barrières de la ségrégation. À l'occasion de la première édition de la Coupe du monde de football qui se déroule en 1930 chez le voisin uruguayen, la Seleção titularise ainsi Fausto, un milieu de terrain noir repéré par le Bangu AC puis recruté au sein du Vasco de Gama. Les prouesses techniques du footballeur afro-brésilien subjuguent l'ensemble des chroniqueurs sportifs internationaux qui le surnomment la « Merveille noire ». Deux ans plus tard, lors de la Copa Rio Blanco, une Seleção métissée bat 2 à 1 les champions du monde uruguayens sur leur terrain. Le romancier brésilien José Lins do Rego souligne alors : « Les hommes qui ont gagné à Montevideo sont un portrait de notre démocratie sociale, où Paulinho, fils de bonne famille, s'est uni au noir Leônidas, au mulâtre Oscarino, au blanc Martim. Tout a été fait à la mode brésilienne[7]. »

Il faudra cependant attendre l'avènement du professionnalisme au Brésil, à partir de 1933, pour voir apparaître les prémices d'une véritable démocratisation du football. La compétition entre les grands clubs paulistes et cariocas pour s'arracher les meilleurs joueurs fait en effet rapidement table rase de toute préoccupation d'appartenance raciale ou sociale. Le Flamengo, auparavant si prompt à dénoncer les origines afro-brésiliennes des footballeurs du Vasco de Gama, engage en 1936 Fausto, Leônidas da Silva et Domingos da Guia, qui comptent parmi les trois meilleurs joueurs non blancs de l'époque et sont déjà largement adulés par les classes populaires. Chaque club n'hésite plus à recruter des footballeurs issus des catégories sociales les plus stigmatisées, attirant dans les travées un nouveau public provenant des quartiers pauvres des métropoles brésiliennes. Les premières associations de supporters, les *torcidas organizadas*, fleurissent dans les stades ainsi que divers éléments de la culture afro-brésilienne évoquant le Carnaval tels les feux de Bengale, les pétards, les orchestres de samba, les *tamborims*, *caixas* et autres percussions[8]. Le foot brésilien se « tropicalise » dans les gradins comme sur les terrains, donnant naissance, selon les mots de l'écrivain uruguayen Eduardo Galeano, à un football « fait d'esquives de la taille, d'ondulations du corps et d'envols de jambes qui venaient de la capoeira, danse guerrière des esclaves noirs, et des joyeux bals populaires des faubourgs des grandes villes[9] ».

Certes, avec le professionnalisme, le football offre aux Brésiliens métis, noirs ou amérindiens un ascenseur social sans précédent et les premiers joueurs professionnels non blancs y entrevoient un début de reconnaissance officielle en tant que citoyens à part entière[10]. Pour autant, ces figures footballistiques d'origine modeste rémunérées pour jouer au ballon sont considérées par la population comme des marginaux et pâtissent de préjugés raciaux encore profondément ancrés dans la société brésilienne. Pour avoir refusé d'être recruté par l'illustre club América, Leônidas da Silva, âgé d'à peine 18 ans, sera ainsi victime d'une violente campagne de presse raciste (il sera accusé d'avoir volé un collier à une femme blanche émanant de la bourgeoisie carioca).

C'est à l'occasion de la Coupe du monde 1938 en France que le Brésil, qui vivait encore à l'ombre des prestigieuses sélections argentine et uruguayenne, flamboie pour la première fois internationalement. Seule représentante du ballon rond sud-américain (l'Urugay et l'Argentine ont déclaré forfait en raison du coût de la traversée de l'Atlantique), la Seleção remporte la troisième place du Mondial devant des spectateurs fascinés par le style de jeu des Brésiliens. Le journaliste et ancien footballeur professionnel Lucien Gamblin décrit de la sorte les joueurs à l'entraînement : « Ils ne cessèrent de rire, de jongler avec le ballon, de dribbler à l'infini et de pratiquer un football compliqué pour amener le ballon devant les buts. [...] Les joueurs brésiliens sont de parfaits artistes du ballon, qu'ils contrôlent avec une parfaite facilité[11]. » Antithèse éclatante du football européen, « scientifique » et « rigoureux », le spectacle sportif offert par les Brésiliens déplaît cependant à certains commentateurs sportifs tel Maurice Pefferkorn : « [Devant] leurs petites passes transversales et répétées, qui ridiculisent parfois quelques adversaires, le public s'exclame et applaudit. Mais, en fin de compte, tout cela n'est que du petit jeu inefficace et peu productif[12]. » Quant à la presse officielle de l'Italie mussolinienne, elle célèbre la défaite brésilienne en ces termes absurdes : « Nous saluons le triomphe de l'intelligence italique sur la force brute des Noirs[13]. »

Malgré une deuxième victoire consécutive de l'Italie fasciste au Mondial, les deux vedettes unanimement remarquées lors de la compétition sont brésiliennes[14]. L'avant-centre Leônidas da Silva, *alias* le « Diamant noir », popularise dans les stades hexagonaux la « bicyclette » – le fait de frapper le ballon à la volée en effectuant un saut arrière – et est sacré meilleur buteur de la Coupe avec sept réalisations. Le défenseur métis Domingos da Guia a pour sa part conquis les amateurs de ballon avec ses *domingadas*, c'est-à-dire le fait de sortir de la défense en dribblant consciencieusement ses adversaires[15]. « Il n'assaille pas, ne brise pas, n'arrête pas brutalement, ni même en force ; il ne frappe pas ; il ne dégage pas : il intercepte, il détourne, il dévie, il subtilise, il escamote, sans heurter ni brusquer le ballon. Domingos est un footballeur tout en finesse, en délié, en astuce », rapporte le journaliste Gabriel Hanot dans *France Football*[16].

La mixité raciale de la Seleção de 1938 illustre aux yeux des commentateurs sportifs le succès de la démocratisation du football dans le pays. Quant au style de jeu déployé par les footballeurs brésiliens, il devient vecteur d'une identité collective populaire, la traduction sur les pelouses d'un football métissé, à la fois artistique et créatif, définitivement émancipé de ses origines anglaises et aristocratiques[17]. « Notre façon de jouer contraste avec le style européen par un ensemble de caractéristiques qui sont la surprise, la ruse, l'habileté, l'enthousiasme et je dirais même la spontanéité et le talent individuel qui expriment par là même notre métissage, analyse à l'époque Gilberto Freyre, anthropologue et figure intellectuelle alors incontournable au Brésil. Il y a quelque chose qui rappelle la danse, la capoeira, dans le football brésilien, qui adoucit et arrondit ce jeu inventé par les Britanniques, ce jeu pratiqué de façon si aiguë et anguleuse par les Européens – tout cela semble exprimer [...] le métissage à la fois flamboyant et ingénieux qui peut aujourd'hui être décelé à travers toute affirmation propre au Brésil[18]. »

Sous le régime autoritaire et populiste de Getúlio Vargas au pouvoir de 1937 à 1945, le football est instrumentalisé par les autorités pour devenir une culture nationale de masse qui cimente les différentes composantes socio-raciales de la nation brésilienne. Dans un mouvement d'industrialisation et d'urbanisation massive du pays, l'État appuie une politique de construction de grands stades. Getúlio Vargas inaugure ainsi en personne le stade Pacaembú de São Paulo en avril 1940, une enceinte à la capacité d'accueil de 70 000 personnes. Édifice géant pouvant contenir 180 000 spectateurs – un record mondial à l'époque –, le Maracanã de Rio de Janeiro est quant à lui inauguré dix ans plus tard après que le gouvernement a obtenu de la part de la FIFA l'organisation de la Coupe du monde 1950. Matérialisant l'affirmation d'un Brésil moderne et industrialisé sur la scène internationale, le vaisseau de béton est un véritable monument national avec ses terrasses, les *gerais*, conçues pour que même les spectateurs les plus défavorisés puissent, debout, assister aux matchs.

La sélection brésilienne est alors de loin la grande favorite de cette Coupe du monde 1950 et, aux yeux de tous, le Maracanã sera l'écrin de cette victoire assurée, symbole de l'unification de tout un pays. Spécificité unique dans l'histoire du trophée, l'épreuve sportive internationale ne se solde cependant pas par une finale mais par un tournoi opposant les quatre équipes arrivées en tête de leurs groupes respectifs. C'est ainsi qu'à partir du 9 juillet 1950 le Brésil, l'Espagne, la Suède et l'Uruguay s'affrontent mutuellement à travers une série de six matchs. Pour le plus grand bonheur des supporters brésiliens, la Seleção écrase dans un premier temps la Suède 7 buts à 1. La sélection brésilienne bat ensuite l'Espagne, le 13 juillet, par 6 buts à 1, dans une ambiance euphorique. « Dans les gradins, les spectateurs surcomprimés éclatent et débordent dans les enceintes avoisinantes malgré les interventions de la police, écrit alors un journaliste français. Des avions survolent le stade. Un tintamarre infernal, auquel la musique et soixante haut-parleurs apportent leur contribution, rend impossible toute concentration de l'esprit. Il y a 155 000 spectateurs, soit la plus grande foule jamais massée dans un si petit espace[19]. »

La dernière rencontre, Brésil-Uruguay, est celle qui doit sacrer définitivement la Seleção championne du monde. Le match apparaît comme une formalité, car les Brésiliens, en tête de ce tour final, n'ont besoin que d'un simple match nul pour remporter la compétition. La veille de la partie, les journaux locaux titrent déjà fièrement sur ses futurs vainqueurs, les footballeurs brésiliens reçoivent chacun une montre en or sur laquelle est gravé « Pour les champions du monde », et l'on achève avec assurance les derniers préparatifs des festivités mettant à l'honneur le Brésil triomphant[20]. Le 16 juillet 1950, dans un Maracanã fébrile, le maire de Rio inaugure le match final en s'adressant à la sélection brésilienne : « Vous, les joueurs, qui dans moins de deux heures serez acclamés par des millions de compatriotes qui fêteront votre titre de champions du monde, vous êtes, pour moi, déjà vainqueurs[21]. » Le coup d'envoi est sifflé devant une nuée de supporters aussi bigarrée qu'exaltée et, malgré une Seleção qui ne parvient à ouvrir le score qu'à la seconde mi-temps, l'humeur est toujours à la fête quand l'Uruguay égalise vingt minutes plus tard.

Pour autant, c'est devant une foule soudain pétrifiée et des commentateurs sportifs abasourdis qu'Alcides Ghiggia, l'ailier droit uruguayen, marque à la surprise générale un second but fatidique à dix minutes du coup de sifflet final. Une immense vague d'effroi traverse les gradins à la fin de la rencontre et les joueurs uruguayens ne semblent pas vraiment croire eux-mêmes en leur victoire. Après un interminable silence, les spectateurs brésiliens fondent en larmes, d'autres demeurent immobiles, comme sonnés par une violente commotion. La confusion la plus totale règne dans le stade et la cérémonie d'hommage aux vainqueurs est avortée. Jules Rimet, le président de la FIFA, remet à la sauvette le trophée au capitaine uruguayen Obdulio Varela. L'enceinte sportive s'est muée en tombeau.

La défaite est vécue au Brésil comme un drame national, un trauma historique dénommé depuis *Maracanaço* – le « choc » du Maracanã. L'échec de la Seleção traduit le fiasco de toute une nation qui s'essayait à construire à travers le football une identité collective multiraciale. Considéré comme le principal coupable de cette humiliation, le gardien noir Barbosa est ostracisé, accusé de porter malheur et condamné à vivre comme un paria dans son pays[a]. Le Maracanaço exacerbe également dès le lendemain de la défaite les préjugés racistes au sein des sphères footballistiques brésiliennes. Accusés d'être insuffisamment combatifs et pugnaces sur le terrain, les joueurs noirs sont en outre suspectés de ne pas pouvoir supporter la pression psychologique inhérente à une Coupe du monde. « Les joueurs de race nègre perdent une grande partie de leur potentiel dans les compétitions mondiales », peut-on lire en 1956 dans un rapport officiel de la Confédération brésilienne de football[22]. Pour les tenants d'un jeu à l'européenne, il faut mettre fin aux spécificités du *futebol arte* et « blanchir » l'équipe nationale en écartant les footballeurs

---

a   En 1993, désireux d'assister à un entraînement de la sélection brésilienne, Barbosa se voit refuser l'entrée au stade, ce qui lui fera déclarer : « Au Brésil, la peine maximale est de 30 ans, mais je paie depuis 43 ans pour un crime que je n'ai pas commis. » Il faudra attendre la Coupe du monde de 2006 pour qu'un gardien noir, Nélson « Dida » de Jesus Silva, soit titulaire de la Seleção.

afro-brésiliens plus enclins, selon les clichés racistes, aux gestes techniques spectaculaires qu'à la rigueur stratégique.

Dribbleur Social Club

L'arrivée au pouvoir en 1956 de Juscelino Kubitschek, président élu démocratiquement avec le slogan « 50 ans de progrès en 5 ans », signe l'entrée du Brésil dans l'ère de la prospérité. Le pays jouit d'un boom économique et urbain qui se répercute dans le monde du football. L'exode rural massif concentre dans les quartiers pauvres des grandes métropoles un vivier de potentiels jeunes talents tandis que les grands clubs, alimentés par les flux financiers engrangés par le développement économique, multiplient leurs efforts de recrutement[23]. La Confédération brésilienne de football élit en 1958 à sa tête João Havelange, riche propriétaire de la principale entreprise de transports brésiliens et homme d'affaires spécialisé dans la spéculation financière, la vente d'armes et les assurances-vie. Celui qui deviendra par la suite le président de la FIFA de 1974 à 1998 veut se donner les moyens financiers et matériels d'emporter la Coupe du monde 1958 en Suède.

Les vingt-deux joueurs qui prennent l'avion pour la Scandinavie à l'été 1958 forment alors une équipe brésilienne comportant aussi bien des vétérans, tel Nilson Santos qui a vécu le Maracanaço sur le banc de touche, que des joueurs au sommet de leur gloire sportive, comme l'ingénieux milieu de terrain afro-brésilien Didi. Mais deux jeunes recrues sélectionnées par l'entraîneur Vincente Feola, Garrincha et Pelé, attisent particulièrement la curiosité des amateurs de football.

Né avec une malformation congénitale – ses deux jambes, dont l'une plus longue de six centimètres, sont arquées vers l'extérieur –, Garrincha, de son vrai nom Manoel Francisco dos Santos, est le cinquième enfant d'une famille pauvre d'origine amérindienne de la cité ouvrière de Pau Grande. Il vit une enfance libre et sauvage, le rendant à la fois réservé et souriant, d'où son surnom de « Garrincha », un petit oiseau farouche au chant élégant mais qui meurt aussitôt capturé. Illettré, il est employé très jeune comme ouvrier textile avant d'être recruté dès l'âge de 15 ans par l'équipe de foot de l'usine. Son handicap physique rend en effet ses dribbles imprévisibles et ses feintes de jeu ravageuses. Repéré par le grand club carioca Botafogo, il devient à 19 ans un indispensable ailier droit pour son équipe. Ses origines modestes, sa simplicité et ses dribbles chaloupés en ont rapidement fait une idole populaire à laquelle les supporters s'identifient aisément.

À peine âgé de 17 ans, Edson Arantes do Nascimento *alias* Pelé est quant à lui le nouveau jeune prodige du pauliste Santos FC. Fils d'un ancien joueur afro-brésilien qui a dû abandonner sa carrière suite à diverses blessures, il aurait, selon la légende, juré en voyant pleurer son père le jour du Maracanaço de remporter une Coupe du monde en son honneur[24]. Loin d'être un simple jeu, le football est pour Pelé une profession à part entière, un statut pour s'échapper du déterminisme social et racial de la société brésilienne. Il passe alors l'ensemble de ses heures libres à s'entraîner intensivement afin de devenir un athlète complet.

Jeunes, talentueux, inventifs, Garrincha et Pelé sont au sein de cette équipe le reflet d'un peuple brésilien conquérant et voué à un avenir prometteur. Mais, pour la direction sportive, les deux footballeurs sont avant tout des joueurs non blancs. Encore traumatisée par la défaite de 1950 et en proie au débat sur la blancheur de ses joueurs, la fédération veut discipliner la Seleção et veiller strictement à la condition physique et psychologique de ses compétiteurs. Les footballeurs effectuent régulièrement des séjours en centre médical, révélant au passage leur malnutrition et leur état de santé général déplorable[25]. À leur arrivée en Suède, les joueurs sont cloîtrés dans leur hôtel. Leur régime alimentaire, leurs déplacements, leur vie familiale et sexuelle sont étroitement surveillés et le personnel hôtelier féminin est remplacé à la hâte par des hommes[26]. Appelé par la commission technique afin de sélectionner les joueurs mentalement aptes à concourir, le psychologue João Carvalhaes juge alors Pelé « incontestablement infantile ». « Il lui manque l'esprit de combat nécessaire, ajoute-t-il, et il ne possède pas le sens des responsabilités indispensable à tout jeu d'équipe[27]. » Garrincha aurait quant à lui un quotient intellectuel inférieur à la moyenne et, d'après le psychologue, il ne devrait pas participer à des matchs sous haute pression à cause de son manque d'agressivité.

Ces sordides conceptions racistes obligent Vincente Feola à ne pas titulariser ces deux joueurs lors des premiers matchs contre l'Autriche puis l'Angleterre. Mais, suite à un nul 0-0 contre cette dernière équipe, l'entraîneur s'essaye à faire entrer sur les pelouses scandinaves un duo offensif Pelé-Garrincha pour tenter de terrasser la redoutable URSS. La Seleção se transforme dès lors en machine à gagner. Garrincha martyrise par ses dribbles virevoltants le défenseur soviétique Boris Kouznetsov pour le plus grand bonheur des spectateurs tandis que Pelé inscrit le but de la victoire en quarts de finale contre le Pays de Galles avant de signer un triplé en demies contre la France.

Inventeur de la *folha seca* (la « feuille morte »), un tir brossé à la trajectoire courbe donnant un léger effet de boomerang au ballon, le meneur de jeu Didi déroule avec Pelé et Garrincha un jeu artistique et aérien, un *jogo bonito* (« beau jeu ») spectaculaire et offensif qui sonne comme une revanche créative face à l'austère style européen. Qualifiés en finale, les Brésiliens doivent affronter l'équipe suédoise le 29 juin au Råsunda Stadion, dans les faubourgs de Stockholm. Sous la plume des chroniqueurs internationaux, la confrontation devient symbolique : « Les Suédois sont grands, anguleux, pâles, homogènes et blonds. Les Brésiliens ne sont que mélange – mais surtout plus petits, plus ronds, plus sombres et plus noirs [...]. Le Vieux Continent contre le Nouveau Monde, l'industrialisation avancée contre celle qui a du retard, la démocratie consensuelle contre le populisme fébrile[28]. »

Les Scandinaves ouvrent le score dès la 4e minute, mais Vavá inscrit rapidement deux buts suivi par Pelé qui marque à la 55e minute suite à un majestueux coup du sombrero[b] effectué sur le dernier défenseur suédois. L'oiseau Garrincha éblouit le public avec ses contre-pieds fulgurants qui font littéralement tomber les géants nordiques. La rencontre se termine par une victoire de l'équipe brésilienne par 5 buts à 2. Émerveillé par le style brésilien, Sigge Parling, le défenseur chargé de marquer Pelé, confiera : « Après le cinquième but, j'avais moi-même envie de l'applaudir[29]. » « Ils déployaient un football à la conception totalement différente ; ils maîtrisaient ce ballon blanc et fuyant comme si ce n'était qu'une vulgaire boule de coton, écrit un journaliste britannique du *Times*. [...] Didi, comme flottant mystérieusement au milieu du terrain, était la cheville ouvrière, la dynamo remettant sans cesse les attaques en mouvement. Au-delà de Vavá et Pelé, véritable double percée centrale, ils avaient un homme qui survolait tous les autres, capable de transformer les citrouilles en carrosses et les souris en humains : Garrincha[30]. »

Avant de monter sur le podium, les footballeurs brésiliens offrent le ballon du match à leur supporter le plus fidèle, Américo, le masseur noir de l'équipe, puis quelques jours plus tard Didi est élu meilleur joueur du Mondial 1958. Le sacre international de la Seleção conjure la malédiction du Maracanaço et démontre à l'ensemble des Brésiliens que les jeunes joueurs non blancs peuvent non seulement « supporter la pression » d'un match de haute compétition mais sublimer la diversité raciale de tout un peuple. Pour le dramaturge Nelson Rodrigues, cette consécration sportive symbolise alors l'avènement de la fierté afro-brésilienne : « Avec la victoire de 1958, les

---

b   Geste technique spectaculaire consistant à dribbler en faisant passer le ballon par-dessus l'adversaire.

Brésiliens ont également changé physiquement. Je me souviens juste après la fin du match Brésil-Suède d'avoir vu une petite femme à la peau noire. Une habitante typique des bidonvilles. Mais le triomphe des Brésiliens l'avait transfigurée. Elle marchait le long du trottoir avec l'assurance d'une Jeanne d'Arc. Il en était de même pour les hommes noirs qui, – attirants, éclatants, somptueux – ressemblaient aux fabuleux princes d'Éthiopie[31]. »

Le triomphe brésilien sur le Vieux Continent entérine le *jogo bonito* comme forme d'expression collective à dimension décoloniale. Le *futebol arte* devient un langage corporel à part entière qui érige le métissage culturel en trait fondamental de l'identité brésilienne[32]. Ce détournement inventif d'une pratique sportive symbolisant l'hégémonie culturelle européenne réhabilite au demeurant une figure mythique populaire, celle du *malandro*. Voyou hédoniste et séducteur qui se joue de l'ordre établi, le *malandro* est alors incarné dans les stades par un Didi ou un Garrincha au jeu de jambes ravageur – la *ginga*, un mot désignant à la fois le balancement dans la démarche de la crapule des favelas et un mouvement de capoeira. « Figure classique des cultures minoritaires et opprimées, mi-canaille, mi-dandy, sans dieu ni maître, le *malandro* ne compte que sur sa roublardise pour gravir les échelons qui lui sont prohibés », précise le journaliste Olivier Guez[33]. « Le *malandro* danse et marche, simule et dissimule, à la frontière du bien et du mal, de la légalité et de l'illégalité, écrira pour sa part le musicien Chico Buarque dans un opéra dédié au gredin légendaire. Bluffeur, provocateur, c'est un dribbleur social[34]. »

Garrincha et Pelé vont néanmoins augurer deux modèles populaires de brésilianité diamétralement opposés : celui du *malandro*, de l'indigène insaisissable et ingouvernable d'une part, et celui qui veut s'assimiler, faire sienne la devise nationale « Ordre et progrès » d'autre part. Pelé mène en effet depuis son adolescence une vie ascétique, s'abstenant de tabac, d'alcool et de toute sortie nocturne. Sa rigueur sportive en fait un footballeur modèle, aussi humble qu'obéissant, aussi technique que physique. Pratique encore rare à l'époque, Pelé fait très tôt appel à un agent afin de négocier ses contrats et à un manager pour conjuguer au mieux football et business. Le nom de Pelé est par ailleurs déposé en tant que marque commerciale avant que le footballeur ne signe à tout va de juteux contrats publicitaires. Alors que des figures sportives internationales noires tel Mohamed Ali deviennent les étendards du Black Power, le Roi Pelé incarne une conscience noire plus consensuelle, rassurant par là même l'establishment du football[c].

---

c   Pelé sera par ailleurs nommé ministre des Sports en 1995.

Pendant que Pelé gère son avenir, Garrincha préfère vivre l'instant présent. Affublé du surnom de « *Alegria do povo* » (la « Joie du peuple »), le footballeur aime lors des jours de victoire revenir du stade avec les camionnettes de supporters puis fêter ses succès en se noyant dans l'alcool. Car l'oiseau farouche est aussi un oiseau de nuit, arrivant régulièrement en retard pour les matchs suite à ses virées nocturnes ponctuées de conquêtes féminines. Lors de la Coupe du monde 1962 au Chili, Garrincha est au sommet de son art – il sera élu meilleur joueur de ce Mondial – et, malgré un Pelé aux abonnés absents suite à une blessure, la Seleção remporte son deuxième titre de champion du monde face aux Tchécoslovaques. De retour au pays, Garrincha s'affiche aux bras d'Elza Soares, chanteuse afro-brésilienne star de la samba, provoquant une vague de scandale. Qu'importe, le peuple l'adule et le poète et musicien Vinícius de Moraes lui dédie un poème, « *O anjo das pernas tortas* » (« L'Ange aux jambes tordues »). Alors que le Botafogo continue à le rémunérer de façon dérisoire, la « Joie du peuple » sombre inexorablement dans l'alcoolisme. Lors de la Coupe du monde 1966 en Angleterre, Garrincha n'est plus que l'ombre de lui-même : l'Ange aux jambes tordues a déjà brûlé ses ailes[d].

En 1970, la Coupe du monde est pour la première fois retransmise en couleur, magnifiant la tenue *auriverde* (or et vert) de la Seleção sous le soleil mexicain. S'imposant en finale 4 buts à 1 face à une sélection italienne rapidement débordée, le Brésil survole la compétition internationale et fait passer à la postérité Pelé, qui devient le premier et le seul joueur à remporter trois fois le Mondial. Dans un pays sous le joug d'une dictature militaire depuis 1964, le président brésilien, le général Emílio Médici, instrumentalise alors la victoire à son profit afin de mieux asseoir son régime autoritaire. Posant devant les photographes avec le trophée mondial, le cacique militaire s'essaie même à quelques têtes. À la télévision et sur d'immenses encarts financés par le gouvernement, un Pelé volant est affiché avec ce slogan : « Plus rien n'arrête le Brésil. »

La mainmise de la junte militaire sur le ballon rond ainsi que le miracle économique sud-américain des années 1970 font progressivement disparaître le *futebol arte* des pelouses brésiliennes. Exit l'art du beau jeu inventé au cours des *peladas*[e] et des matchs sur les plages de Rio, labora-

---

d   Le 20 janvier 1983, rongé par l'arthrose et par l'alcool, Garrincha s'éteint dans la solitude, âgé d'à peine 49 ans. Son corps sera exposé au Maracanã où 100 000 Brésiliens viendront lui rendre un ultime hommage.

e   Parties de foot informelles où l'on s'amuse souvent à perfectionner ses gestes techniques [voir chapitre 22].

toires populaires de l'innovation footballistique. Garant de la paix sociale et de l'unité nationale, le football sous l'étreinte des militaires ne tolère plus les dribbleurs à dimension politique. Les formations entraînées par Telê Santana avec des joueurs clés comme Sócrates ou Zico durant les Coupes du monde de 1982 et 1986 symboliseront encore un football collectif et émancipé, reflet d'un pays alors en pleine redémocratisation. Mais elles tourneront les dernières pages du *jogo bonito* au profit d'un jeu « réaliste » plus conforme aux exigences de rentabilité du foot-business[35]. À l'instar de la star brésilienne Ronaldo, meilleur buteur de la Coupe du monde 2002 emportée par la Seleção, l'individualité créative au service du collectif et du plaisir des spectateurs s'est métamorphosée en individualisme exaltant la valeur marchande des joueurs. Le « dribbleur social » si cher à Chico Buarque s'est métamorphosé en dribbleur libéral.

La brèche amérindienne

Loin des préoccupations économiques du football mondialisé, l'empreinte laissée par les joueurs non blancs brésiliens des années 1950-1960 et plus particulièrement par la figure indienne de Garrincha va creuser le sillon d'un football à l'identité indigène sur le continent latino-américain. Une amérindianité en lutte va tout particulièrement émerger sur la scène sportive internationale lors de la Coupe du monde 2014 au Brésil, l'événement permettant une visibilisation sans précédent des résistances indigènes brésiliennes.

La contestation amérindienne, qui prend de l'ampleur plus d'un an avant le coup d'envoi du Mondial, démarre d'une bâtisse coloniale à l'abandon qui a longtemps abrité le Musée national des Indiens du Brésil. Situé face à la porte 13 du stade Maracanã alors en pleine rénovation, l'édifice est occupé depuis 2006 par une centaine d'Amérindiens issus de différentes communautés (peuples Guajajara, Guarani ou Tukano). Rebaptisé Aldeia Maracanã, le lieu est devenu un centre culturel indien autogéré, avec ses cours de langues amérindiennes, ses conférences sur la mémoire des combats contre l'expansion coloniale et ses pratiques cérémoniales traditionnelles. Ce carrefour vivant des luttes indigènes au Brésil a pour projet de se transformer en future université populaire construite par et pour les Indiens. Près du bâtiment, une immense affiche publicitaire de Coca-Cola, sponsor officiel du Mondial, montre l'image d'un Amérindien souriant, affublé d'une coiffe traditionnelle en plumes, avec le slogan « Tout le monde est le bienvenu à la Coupe du monde ».

Mais, aux yeux de la FIFA et du gouvernement brésilien, l'émergence politique des revendications indigènes à quelques pas du stade Maracanã, symbole de l'unité brésilienne autour du football, est inconcevable. Les occupants de l'Aldeia sont violemment évacués le 22 mars 2013 par les forces de police, avec l'illusoire promesse d'êtres relogés.

Malgré cette expulsion, le mouvement indigène ne se décourage pas et décide de pleinement s'inscrire dans les luttes sociales alors en cours contre la tenue du Mondial. « Nous allons nous joindre aux différents mouvements sociaux de Rio de Janeiro, ceux des favelas comme ceux du centre-ville, ceux des Gitans, ceux des Noirs, nous allons tous nous unir pour organiser la contestation », annonce Carlos Pankararu, l'un des porte-parole de l'Aldeia Maracanã[36]. Des Comités populaires de la Coupe du monde se sont en effet organisés dans les douze villes hôtes de la compétition afin de dénoncer les expropriations dues aux chantiers liés au Mondial et les énormes dépenses publiques injectées dans l'évé-nement[37]. Dès le 17 juin 2013, des millions de manifestants descendent dans les rues avec pour slogan « *Não vai ter Copa* » (« La Coupe n'aura pas lieu ») ou encore « Brésil réveille-toi, un professeur vaut plus que Neymar ! », une agitation sociale alors inimaginable dans un pays qui fait figure de patrie du football. Pelé puis le président de l'UEFA Michel Platini appellent publiquement à la fin des manifestations, soulevant un tollé d'indignation des protestataires.

La contestation reprend de plus belle dans une nation classée parmi les dix premières puissances économiques mondiales mais aussi comme l'un des dix pays les plus inégalitaires de la planète[38]. En mai 2014, devant le stade Arena Corinthians de São Paulo, 2 000 manifestants occupent un terrain situé aux abords de l'enceinte. « Nous avons baptisé notre occu-pation *Copa do Povo* [Coupe du Peuple] car nous avons compris que cette Coupe qui dépense des milliards tirés des coffres publics pour enrichir les entreprises et les amis du maire, sans rien apporter au peuple, qui ne pourra même pas se payer un billet pour assister aux matchs, cette Coupe-là n'est pas la nôtre », déplore Fabio, un militant brésilien prenant part à l'occupation[39]. Bia, jeune enseignante d'un lycée en grève, ajoute : « La Coupe du monde n'a fait que révéler l'inégalité et la violence d'un pays qui gaspille des millions pour organiser un méga-événement tout en traitant la population comme du bétail[40]. » Le 27 mai, à Brasília, la police charge une manifestation de milliers d'Indiens et de travail-leurs sans-abris autour du nouveau stade national Garrincha après que ces derniers ont investi le siège de l'entreprise propriétaire de l'édifice. À Recife, des centaines de supermarchés sont pillés tandis que deux matchs du championnat brésilien sont annulés en urgence. Des cérémonies officielles de présentation du trophée de la FIFA sont régulièrement interrompues par des manifestants tandis que des grèves des transports, des enseignants ou encore des hôpitaux gagnent l'ensemble des grandes métropoles brésiliennes.

Le 12 juin 2014, à l'occasion de la cérémonie d'ouverture du Mondial, un jeune Indien Guarani, un garçon blanc et une fillette noire lâchent devant des millions de téléspectateurs une colombe, symbole de la paix entre les peuples. En quittant le terrain, l'Indien de 13 ans sort soudainement de sa poche une frêle banderole rouge sur laquelle est écrit « *Demarcação* » (« Démarcation »). Le slogan est une allusion à la lutte des Indiens pour obtenir du gouvernement qu'il délimite les terres ancestrales indiennes qui subissent, au mépris du droit constitutionnel, la pression foncière des spéculateurs. Mais ce geste de protestation sera censuré, les caméras retransmettant en direct préférant déplacer leur regard numérique vers les tribunes.

Au-delà de ces tentatives de détournement politique du Mondial, les Indiens, à travers le continent latino-américain, se sont également emparés du football pour affirmer, voire raviver, leur identité indigène. Au Brésil, la première équipe professionnelle amérindienne du pays a ainsi été créée en 2009. Dénommée Gavião Kyikatejê Futebol Clube, la formation amazonienne évolue en première division de l'État du Pará et caresse le rêve de disputer la Coupe du Brésil. Sur le fronton du club, le slogan « Le peuple indigène n'est que lutte et résistance » rappelle à Aru, l'attaquant vedette du Gavião, ses débuts au sein de la ligue professionnelle : « J'ai souffert de nombreux préjugés. Des joueurs m'ont dit : "Rentre dans ta tribu", "Va jouer avec tes flèches", "Va plutôt courir dans la forêt, ici ce n'est pas pour toi". » « Nous, les Indiens, nous n'avons jamais eu de place dans le monde des Blancs, souligne quant à lui Zeca, le fondateur du club. L'idée m'est venue de créer une équipe professionnelle afin que nous ayons notre propre place et que nous puissions montrer notre talent[41]. » Avant d'entrer sur le terrain à l'occasion d'un match de qualification pour la Coupe du Brésil 2014, le corps d'Aru est peint aux couleurs du léopard, animal le plus rapide de la forêt amazonienne, tandis qu'une femme de la communauté Kyikatejê motive les footballeurs : « Cela fait 500 ans que nous sommes exclus de la société. 220 peuples, 180 langues... Rappelez-vous que vous n'êtes pas qu'une simple équipe de foot, vous êtes le rêve de tout un peuple[42]. » L'équipe n'est finalement pas parvenue à se qualifier mais la défaite n'est pas près de décourager Aru : « Quand je rentre sur le terrain, je me sens fier de représenter mon peuple. [...] Mon style ? Rentrer dans le camp adverse et me faufiler pour marquer[43] ! »

D'autres équipes de football fondées par les communautés indiennes ont essaimé à travers l'Amérique latine depuis ces dernières années. Ainsi en 2003, le Mushuc Runa (« Nouvel Homme », en langue quechua), club désormais en première division équatorienne, est né grâce au soutien d'une coopérative de micro-crédit créée par les paysans indiens de Pilahuín, Chibuleo et Quisapincha. « Ce projet n'est pas seulement basé sur le football ou [le fait] d'avoir un stade et [de] faire de la publicité, précise Luis Chango, l'un des Indiens à l'origine du projet. Le football est pour nous un moyen de causer un impact important dans la société équatorienne. Il vise à démontrer que le peuple indigène peut accéder à toutes les strates de la société[44]. »

Depuis 1995 est également organisé en Équateur un « Mundialito » indigène accolé à la traditionnelle fête des fleurs quechua d'Otavalo et qui oppose chaque hiver une douzaine d'équipes indiennes de la région. Le trophée ? Une réplique en bronze de la Coupe du monde et un Soulier d'or, en l'occurrence une sandale indigène recouverte de peinture. Au Pérou, près du lac Yarinacocha, un autre Mundialito indigène se tient chaque année avec vingt-deux équipes masculines et féminines formées par les communautés Shipibo, Ashaninka, Yines et Kakataibo d'Amazonie péruvienne. « L'objectif a toujours été d'unir les peuples, les communautés, les jeunes et de promouvoir les valeurs de solidarité par le sport, soutient Alejandro Ruiz Lopez, l'un des organisateurs du Mundialito. Mais ce tournoi a également un lien ancestral. Il remplace désormais ce qui était autrefois l'Ani Sheati, la grande fête de la nation Shipibo quand, une fois par an, toutes les communautés se réunissaient et réalisaient pour l'occasion des sacrifices et des cérémonies telles que les rites d'initiation des jeunes femmes à la vie adulte. Aujourd'hui, cette cérémonie annuelle n'existe plus et le tournoi de football est devenu une occasion pour les communautés de se réunir, de retrouver des parents qui habitent loin, d'être finalement tous ensemble[45]. »

Ballons zapatistes et rébellion indigène

C'est au sud-est du Mexique, dans la région du Chiapas, que football et luttes indigènes se sont le mieux conjugués pour porter en commun un puissant imaginaire politique. En décembre 1994, l'Armée zapatiste de libération nationale (EZLN), principalement ancrée dans les villages Tojolabales, Tzeltales et Tzotziles du territoire depuis les années 1980 et revendiquant l'autogouvernement des peuples indigènes, annonce la constitution d'une trentaine de « municipalités autonomes rebelles zapatistes ». La pratique du football, sport le plus populaire parmi les Indiens du Chiapas, se développe tout particulièrement au sein de ces communes autogérées où les populations indiennes expérimentent l'autonomie en dehors de toute emprise étatique. Dès lors, le ballon rond cadencera la vie politique de l'EZLN et jouera un rôle symbolique important tout au long de la sinueuse route du mouvement zapatiste vers la reconnaissance des droits indigènes.

Ainsi, le 16 février 1996, le dialogue entre l'EZLN et l'État mexicain débouche sur les accords de San Andrés, premiers pas vers l'autodétermination des peuples indigènes du Chiapas. Dès juillet de la même année, le sous-commandant Marcos, porte-parole de l'EZLN, adresse à l'écrivain uruguayen Eduardo Galeano, dans le cadre de leur correspondance amicale, une lettre intitulée « Tribulations poétiques d'un footballeur sur la défensive ». « Olivio est un petit enfant indigène tojolabal. Il n'a pas cinq ans et n'est donc pas encore sorti de cette tranche d'âge mortelle qui anéantit des milliers d'enfants indigènes ici. La probabilité pour qu'Olivio meure d'une maladie curable avant d'avoir atteint cinq ans est la plus haute de tout ce pays appelé Mexique, écrit-il. Mais Olivio est encore vivant. Il est fier d'être un ami du commandant "Zup" et de jouer au football avec le major Moisés. Jouer au football, c'est beaucoup dire. En réalité, le major se contente d'expédier le ballon assez loin pour se débarrasser d'un Olivio qui considère, comme tout enfant, que le travail le plus important des officiers zapatistes est de jouer avec les enfants. Je les regarde de loin. Olivio shoote dans le ballon avec une détermination qui donne froid dans le dos[46]. » S'ensuit une description minutieuse de l'enfant qui, jouant au football, se projette sur un authentique gazon vert entouré de tribunes pleines à craquer. Mais le ballon n'est qu'une petite balle de plastique et la pelouse un modeste terrain boueux où Olivio dribble entre les chiens et les souches d'arbre avant de frapper vers un but matérialisé par un amas d'herbes folles.

À travers cet échange épistolaire, le sous-commandant Marcos, à partir d'un match informel et enfantin de football, illustre les conditions de vie précaires des indigènes du Chiapas, population marginalisée au Mexique dans l'un des États les plus pauvres du pays[47]. Il révèle que les officiers de l'EZLN vivent au sein même des municipalités autonomes, démontrant que l'armée zapatiste est par essence populaire et indienne, contrairement au gouvernement fédéral qui l'accuse d'être un groupe terroriste manipulant les Indiens. Sans illusion sur une lutte armée zapatiste plus symbolique qu'opérante, le sous-commandant conclut sa lettre avec cet aveu : « Il n'échappera à personne que j'essaie de vous donner une image de la tendre fureur qui fait de nous, aujourd'hui, des soldats pour que, demain, les uniformes militaires soient réservés aux bals costumés et que, s'il faut alors porter un uniforme, ce soit celui qui sert à jouer au football. »

À peine six mois après cette correspondance, les négociations entre les zapatistes et les autorités mexicaines sont interrompues, le président Ernesto Zedillo étant persuadé de sa capacité à écraser militairement l'insurrection indienne. Le gouvernement orchestre alors l'armement au Chiapas de nombreux groupes paramilitaires qui déclenchent une guerre de basse intensité contre les communautés zapatistes. Quarante-cinq Tzotziles, principalement des femmes et des enfants, sont assassinés le 22 décembre 1997 dans le village chiapanèque d'Acteal, et plusieurs municipalités autonomes sont violemment démantelées au printemps 1998.

Un an plus tard, dans le cadre de consultations nationales avec la société civile mexicaine autour des droits des peuples indigènes, une délégation EZLN est mandatée à Mexico. Profitant de leur venue dans la capitale fédérale, une rencontre de football est organisée le 15 mars 1999 au stade Jésus Martinez Palillo entre une équipe zapatiste et une sélection formée par Javier Aguirre. Ancien international mexicain de renom et entraîneur, Aguirre est parvenu à rallier à la cause indienne d'ex-joueurs professionnels du pays, tels Raúl Servín, Rafael Amador ou Luis Flores, pour participer à cette opération politico-sportive. Ayant pour capitaine le commandant Tacho, les onze footballeurs chiapanèques se présentent sur le terrain avec leur habituel passe-montagne – signe d'anonymisation de leur lutte mais également pratique permettant d'échapper à l'identification policière – avant de demander au public de leur prêter des chaussures de sport pour remplacer leurs bottes de guérilleros. Sous un soleil de plomb, l'équipe de Javier Aguirre l'emporte 5 buts à 3, ce qui fera déclarer au sous-commandant Marcos, désigné « directeur technique du EZLN FC » : « En réalité nous n'avons pas perdu, il nous a juste manqué du temps pour gagner[48]. »

Durement réprimés par le gouvernement mexicain, et bien conscients que le rapport de force militaire leur est défavorable, les zapatistes diversifient leurs pratiques militantes pour populariser leur cause. C'est dans ce cadre que s'inscrit leur intérêt grandissant pour le ballon rond. Alors que leur combat est prioritairement local, le football leur apparaît comme un

« langage universel » capable de susciter de nouvelles formes de solidarités et de véhiculer leur message, à l'intérieur comme à l'extérieur du pays.

En mai 1999, une première équipe de football européenne, les Easton Cowboys and Cowgirls, un club amateur autogéré issu de la scène punk de Bristol, réalise une tournée de matchs de soutien en terres zapatistes. Six mois plus tard, c'est au tour du Lunatics FC, une équipe militante d'Anvers, de faire le voyage. En janvier 2001, les footballeurs « zapatisants » de Bristol reviennent au Chiapas avec comme gardien de but le *street artist* Banksy, qui réalise pour l'occasion une fresque murale footballistico-zapatiste au Caracol de la Realidad[f], avec pour slogan « *A la libertad, por el fútbol* » (« À la liberté, pour le football »). Parallèlement, la Résistance zapatiste entretient des liens serrés avec le prestigieux club professionnel de l'Inter de Milan. À la fin des années 1990, le capitaine des « Neroazzurri », l'emblématique international argentin Javier Zanetti, épouse la cause indigène et mobilise ses coéquipiers pour établir un programme de solidarité avec les communautés zapatistes. Des délégations de footballeurs milanais sont accueillies dans les municipalités autonomes et, progressivement, sur les terrains de fortune du Chiapas, apparaissent des maillots de l'Inter de Milan et de rutilants ballons officiels du *calcio* italien. « Nous croyons en un monde meilleur, un monde non pas globalisé mais enrichi de la diversité des cultures et coutumes de chaque peuple, souligne Javier Zanetti. C'est pour cela que nous souhaitons les soutenir dans leur lutte pour maintenir leurs racines et dans leur combat pour leurs idéaux[49]. » Le club milanais fait parvenir du matériel médical pour les micro-cliniques gratuites mises en place par les zapatistes et coorganise des sessions annuelles d'enseignement et d'entraînement au football pour les lycéens chiapanèques.

Un mois avant la « Sexta declaración de la selva Lacandona » (« Sixième Déclaration de la forêt Lacandone »), appel zapatiste aux différents secteurs de la société civile mexicaine afin d'aboutir à une nouvelle Constituante, le sous-commandant Marcos adresse le 25 mai 2005 une longue lettre à Massimo Moratti, président de l'Inter de Milan, pour lui proposer une série de matchs au Mexique et en Europe. Mêlant autodérision et ironie, l'officier insurgé interpelle le club milanais à venir affronter l'EZLN lors d'une « Coupe du Pozol de Barro », du nom d'une boisson traditionnelle à base de maïs. Les matchs seraient arbitrés par Diego Maradona, commentés par Eduardo Galeano et animés dans les

---

f   Les *Caracoles* (« escargots » en espagnol) sont les cinq entités politico-culturelles qui coordonnent l'ensemble des municipalités autonomes rebelles zapatistes.

tribunes par la communauté LGBT. Quant à l'équipe zapatiste, elle serait sexuellement mixte et renforcée par Maribel Dominguez « Marigol ». Brillante attaquante mexicaine ayant joué au FC Barcelone, la footballeuse est devenue célèbre en 2004 lorsque sa contractualisation au sein de l'équipe masculine professionnelle de l'Atlético Celaya a été rejetée par la FIFA sous prétexte de « maintenir une division claire entre le football masculin et féminin[50] ». « Comme il n'y a pas que deux sexes et qu'il n'existe pas qu'une seule réalité, il est toujours souhaitable que ceux qui sont persécutés pour leurs différences partagent des joies et se soutiennent mutuellement sans renoncer pour autant à être différents », précise dans sa missive le sous-commandant.

La lettre esquisse ensuite la trajectoire utopique de parties de football qui pourraient être jouées à l'échelle internationale en soutien aux indigènes chiapanèques, aux migrants latinos et africains ou encore aux prisonniers politiques. Le porte-parole de l'EZLN précise enfin la volonté de son équipe de se rendre à Gênes, à l'occasion des matchs retours en Italie. La ville ayant été le théâtre de vives protestations lors du G8 de 2001, les militants chiapanèques voudraient y « peindre des petits escargots [symbole du mouvement zapatiste] sur la statue de Christophe Colomb (note : la probable amende pour dégradation devra être prise en charge par l'Inter), et apporter une fleur en souvenir, sur le lieu où est tombé le jeune altermondialiste Carlo Giuliani[g] (note : la fleur c'est pour nous) ». Les matchs de cette rocambolesque Coupe du Pozol de Barro imaginée par le sous-commandant Marcos seraient autant d'occasions de tisser des liens de solidarité préfigurant le vaste mouvement de luttes qu'appelleront de leurs vœux les zapatistes quelques semaines plus tard.

La diffusion de la Sixième Déclaration de la forêt Lacandone est accompagnée d'une profusion de communiqués politiques, de contes pour enfants, de textes philosophiques ou poétiques édités par le mouvement zapatiste. C'est dans ce cadre que paraît à partir de 2005, sous la forme de chroniques puis de livre, *Des morts qui dérangent*, écrit à quatre mains par le sous-commandant Marcos et l'auteur de polars Paco Ignacio Taibo II. Au détour d'un chapitre, ce roman policier dépeint une rencontre de football au Caracol de la Garrucha entre une formation zapatiste et une équipe d'observateurs internationaux (composée de garçons et de filles). « Il y avait dans notre équipe deux Danoises impressionnantes, qui devaient mesurer deux mètres chacune, étonnamment habiles dans

---

g   Étudiant et militant italien âgé d'à peine 23 ans, Carlo Giuliani a été tué par la police le 20 juillet 2001 au cours d'une manifestation anti-G8 à Gênes.

le maniement du ballon. Avec leur taille, leur détente et la longueur de leurs foulées, elles dominaient de la tête et des épaules les zapatistes, qui, inutile de le dire, sont du genre courts sur pattes[51] », raconte un des protagonistes du livre, devenu le temps d'un match le gardien de but de la formation d'observateurs. Mais, face à la domination physique et sportive des internationaux, les joueurs locaux font part d'une étrange passivité : « Après notre deuxième but, les zapatistes se sont tous repliés dans leur moitié de terrain pour défendre. Ils ont laissé tout le champ libre à nos flambantes Danoises qui, toutes contentes, gambadaient d'un côté à l'autre. Mais comme la surface de réparation zapatiste était pleine de joueurs, elle s'est vite transformée en champ de boue. Le ballon restait collé comme dans du ciment et, pour le faire rouler, les internationalistes devaient s'y reprendre à plusieurs fois. "Ils se sont résignés, me suis-je dit, ils veulent juste éviter de perdre par dix buts d'écart"[52]. » Cependant, à partir de la seconde mi-temps, l'équipe étrangère s'épuise physiquement et s'embourbe peu à peu dans la boue jusqu'à ce que, comme un seul homme – ou une seule femme –, les zapatistes débordent puis écrasent leurs adversaires en inscrivant pas moins de sept buts en vingt minutes.

Forgés par cinq cents ans de guerre asymétrique contre le colonisateur, les Indiens ont appris à la fois à se replier face aux assauts répétés de leurs ennemis surarmés et à faire preuve d'opiniâtreté. Alors que le football implique avant tout d'être en perpétuel mouvement afin d'occuper le camp opposé, les joueurs zapatistes déjouent la domination physique de leur adversaire en restant patiemment près de leur but ainsi qu'en mettant en œuvre leur connaissance aiguë du terrain pour épuiser l'équipe rivale. Symbolisant la lutte des indigènes rebelles du Chiapas, le match décrit dans *Des morts qui dérangent* est également une métaphore footballistique qui traduit la stratégie des zapatistes face à l'État mexicain : ils ont esquivé le jeu politique imposé par le gouvernement fédéral, préférant construire localement l'autonomie plutôt que de s'essayer à l'électoralisme ou à la prise de pouvoir par la force[53].

La même tactique politique est utilisée en 2006. Alors que les autorités mexicaines préparent l'élection présidentielle, le mouvement zapatiste lance « La Otra Campaña » (« L'Autre Campagne »), un long périple à travers le pays à la rencontre des communautés les plus démunies afin de construire collectivement, « par en bas et à gauche », un large mouvement social mexicain. L'initiative sera la cible d'une sanglante répression policière mais donnera lieu à la constitution en 2013 d'un vaste réseau planétaire et informel de luttes anticapitalistes dénommé la Sexta. Rassemblée autour d'un premier « Festival mondial des résistances et des rébellions contre le capitalisme » en décembre 2014 au Mexique, la Sexta organise alors son propre tournoi mixte de « football rebelle » en soutien au Congrès national indigène[h] comme pour mieux célébrer la puissance politique du ballon rond chez les zapatistes et inscrire le football dans l'histoire des résistances indigènes.

De Garrincha, le « dribbleur social » d'origine amérindienne, au football autonomiste du Chiapas, le ballon rond s'est mué en l'espace de cinquante ans en une pratique décoloniale populaire. Langage aussi bien corporel que métaphorique, le football indigène s'est ainsi paré de différents masques politiques pour mieux dribbler les visages multiples d'un néocolonialisme mortifère. Et permettre aux Indiens de recouvrer leur dignité, un principe élégamment défini par les zapatistes comme « ce murmure du cœur qui ne se soucie pas du sang qui le fait vivre, cette irrévérence rebelle qui se moque des frontières, des douanes et des guerres[54] ».

---

h   Fondé en octobre 1996, le Congrès national indigène réunit plusieurs centaines de représentants des communautés indigènes mexicaines qui militent pour le respect de leurs droits fondamentaux.

13

Mettre le colonialisme hors jeu.
Football et luttes d'émancipation
en Afrique subsaharienne

> « Contre le devenir historique, il y avait à opposer
> l'imprévisibilité. »
>
> Frantz FANON, *Peau noire, masques blancs*, 1952.

Constituer une « force noire ». Inspirées par ce credo du général Charles Mangin, à la tête des « tirailleurs sénégalais » à l'orée du XXe siècle, les autorités coloniales françaises veulent au lendemain de la Première Guerre mondiale éduquer physiquement les « indigènes » pour soutenir la puissance militaire métropolitaine et forger une main-d'œuvre docile[1]. Dans cette perspective, l'administration coloniale d'Afrique occidentale française (AOF)[a] s'attache à développer auprès de la jeunesse africaine les activités physiques. Ces dernières lui inculqueront le « stimulant capable de donner à ces races l'ardeur et la vitalité qui leur manquent », peut-on lire dans un manuel d'éducation physique publié dans l'entre-deux-guerres[2]. Chargé entre 1923 et 1933 de l'éducation physique et sportive en AOF, le commandant d'infanterie coloniale Sergent écrit : « L'indigène a besoin plus que tout autre d'une culture physique associée à un relèvement sensible du niveau de vie qui feront de lui l'homme normal vers quoi doivent, d'abord, tendre les efforts de la colonisation française », avant d'ajouter que « les manifestations gymniques et sportives ont leur place marquée dans les distractions du paysan noir et doivent progressivement remplacer les traditionnelles et ancestrales coutumes dont quelques-unes freinent trop l'évolution des individus »[3]. Sur l'ensemble des territoires ouest-africains, gymnastique et exercices à teneur militaire sont imposés dès le plus jeune âge aux élèves des établissements scolaires coloniaux. Les sports modernes restent cependant réservés à l'élite blanche. Le football est notamment

---

a   Entité administrative coloniale qui regroupe de 1895 à 1958 la Mauritanie, le Sénégal, le Mali, la Guinée, la Côte d'Ivoire, le Niger, le Burkina Faso et le Bénin.

considéré en AOF comme un signe de distinction sociale et raciale et, à partir de 1913, des compétitions exclusivement destinées aux colons sont régulièrement organisées à Dakar[4].

Néanmoins, le ballon rond se popularisant massivement en métropole à partir des années 1920-1930, les Africains s'éprennent progressivement du football qu'ils découvrent au contact des employés expatriés des chemins de fer et des mines, des marins européens ou des militaires. En dépit des réticences des notables locaux, le pouvoir colonial entrevoit dans la pratique sportive un moyen de « civiliser les masses africaines » en leur inculquant les vertus de l'obéissance, du respect des règles et du contrôle individuel du corps[5]. « Nous croyons que les sports jusque dans les rangs populaires doivent être encouragés conjointement chez l'indigène et chez le gouvernant, confiait dès 1913 le baron Pierre de Coubertin. Les sports sont en somme un instrument vigoureux de disciplinisation. Ils engendrent toutes sortes de bonnes qualités sociales, d'hygiène, de propreté, d'ordre, de *self-control*. Ne vaut-il pas mieux que les indigènes soient en possession de pareilles qualités et n'en seront-ils pas ainsi plus maniables qu'autrement[6] ? »

Le club, un foyer de contestation

Comme en métropole, où la Fédération gymnastique et sportive des patronages de France est devenue une grande promotrice du football [voir chapitre 5], les missions et structures de jeunesse catholiques d'AOF diffusent la pratique du ballon rond dans les colonies. Pour les organisations religieuses, le football prolonge la mission civilisatrice de l'Église et les premiers clubs où officient des Africains voient le jour, sous leur patronage, à l'instar du Jeanne d'Arc de Dakar fondé en 1921 par le père Lecoq ou du Jeanne d'Arc de Bamako lancé en 1939 par le père Bouvier. Des clubs sportifs laïcs, directement administrés par les colons ou par des membres de l'élite urbaine africaine, émergent également, comme l'Union sportive indigène de Dakar (dont l'équipe de foot sera menacée d'excommunication par le père Lecoq), qui naît en 1929, ou l'Union sportive de Gorée, l'Athletic Club de Cotonou et l'Étoile filante de Lomé, créés au début des années 1930.

Les rencontres de football demeurent toutefois ségréguées, sur les pelouses comme dans les tribunes. Une perpétuation du clivage racial qui traduit implicitement la peur des autorités d'assister sur les terrains à une revanche symbolique des « indigènes » sur le colonisateur, propre à déstabiliser l'ordre colonial. En 1912, Pierre de Coubertin prévenait déjà : « Une victoire – même pour rire, pour jouer – de la race dominée sur la race dominatrice prendrait une portée dangereuse et risquerait d'être exploitée par l'opinion locale comme un encouragement à la rébellion[7]. »

En Afrique équatoriale française (AEF)[b], football et colonialisme vont également de pair. Dès 1929, des équipes informelles de Congolais s'auto-organisent à Brazzaville pour établir leur propre terrain de football. « Pendant six mois, tous les dimanches et pendant tous les congés, parfois sous la pluie, les employés de bureau et les ouvriers armés de houes, de binettes, de pelles, de râteaux et de machettes, défrichaient la brousse, arrachaient les racines et les souches, nivelaient et délimitaient leur terrain de jeu », se souvient un instituteur installé dans la ville à l'époque[8]. Mais l'enthousiasme pour le foot et la prise d'initiative collective de ces « indigènes » effraient les autorités coloniales qui décident de formaliser et mettre sous leur coupe le football noir local. À peine deux ans plus tard, on dénombre à Brazzaville plus d'une dizaine de clubs de football, un championnat régional ainsi qu'une fédération sportive « indigène », tous contrôlés étroitement par les Européens[9].

Au Congo belge voisin, l'apartheid sportif est également de mise. En mai 1911, une Ligue de football du Katanga réservée aux Blancs est constituée dans la ville minière d'Élisabethville (actuelle Lubumbashi)[10]. Le football pour les « indigènes » est quant à lui activement promu par le père flamand Raphaël de la Kethulle de Ryhove, qui expliquera *a posteriori* : « Le jeu du football bien organisé était un excellent moyen éducatif ; souvent les Nègres y devaient brider leur passion innée de se battre[11] ». Le ballon rond offrait selon lui « une occasion favorable au missionnaire d'établir des contacts avec les Nègres adultes, on pouvait même dire que plusieurs conversions se réalisaient par ce chemin[12] ». Surnommé localement « Tata Raphaël », le prêtre missionnaire est à l'origine en 1919 de l'Association royale sportive congolaise dont l'objectif est la « promotion du football autochtone[13] » puis du Daring Faucon, un club évoluant encore aujourd'hui sous le nom de Daring Club Motema Pembe. C'est également lui qui, dans les années 1930, fera édifier à Léopoldville (Kinshasa) le stade de la Reine-Astrid à la capacité d'accueil de 25 000 personnes.

Enfin, au Cameroun oriental, sous administration française, des unions sportives « indigènes » sont mises sur pied à partir de 1932,

---

b   De 1910 à 1958, l'AEF rassemble l'actuel Tchad, le Gabon, la République du Congo et la Centrafrique.

chaque club de quartier reflétant les divisions ethniques du territoire. Les Caïmans d'Akwa représentent ainsi la communauté Douala tandis que le Canon de Nkolndongo et le Tonnerre de Mvog Ada incarnent sur les terrains les deux quartiers Ewondo de Yaoundé. Cette « tribalisation » du football constituait pour l'administration française un outil de gestion supplémentaire de l'indigénat et permettait, comme l'indique l'historienne Catherine Coquery-Vidrovitch, de « classer et fixer ces populations mouvantes dont les noms, les langues et les coutumes paraissaient aussi nombreux que confus[14] ».

Peu à peu, le football échappe cependant au contrôle des autorités coloniales. Président du Comité central d'instruction physique et de préparation militaire d'AOF, le colonel Bonavita s'alarme dès 1938 de la prolifération des sociétés sportives « indigènes » qui, « trop nombreuses », deviennent ingouvernables[15]. Le phénomène s'accélère après la Seconde Guerre mondiale. Affaiblie par le conflit et redevable à son empire colonial qui joua un rôle déterminant dans la libération du pays, la France métropolitaine desserre l'étau colonial dans ses territoires d'Outre-Mer en initiant un prudent réformisme social. Le code de l'indigénat et le travail forcé sont officiellement abolis, et l'administration coloniale promeut une politique associationniste où les élites africaines urbaines seraient dorénavant à l'interface du pouvoir colonial et de l'indigénat[16]. Fonctionnaires, médecins et autres instituteurs africains vont alors progressivement apparaître au sein de la direction des clubs sportifs. De surcroît, l'extension aux colonies[c] de la loi sur la liberté d'association en 1946 fait exploser le mouvement sportif associatif. Le nombre de créations de clubs passe en AOF de 184 en 1943 à 438 en 1957 et les licenciés dans les clubs de football doublent entre 1952 et 1957, dépassant les 10 000 joueurs inscrits[17]. Une ligue de football d'AOF, dépendante de la Fédération française de football, est quant à elle instaurée à Dakar en mars 1946 et une Coupe de l'AOF est programmée l'année suivante. Alors que ce trophée était initialement réservé aux équipes sénégalaises, la fièvre compétitrice gagne les clubs d'Abidjan, de Conakry, de Bamako ou de Cotonou qui s'inscrivent massivement au tournoi. Le nombre d'équipes participantes, issues de toute l'AOF, augmente d'année en année, passant d'une cinquantaine en 1948 à plus de trois cents lors de la saison 1958-1959[18].

---

c   Plus précisément à l'AOF, à l'AEF, à Madagascar, à la Côte française des Somalis, aux Établissements français de l'Inde et de l'Océanie, à la Guyane, à la Nouvelle-Calédonie et dépendances, au Togo et au Cameroun.

Cette émulation footballistique reflète l'émergence du sentiment anticolonial préfigurant les indépendances des années 1960. Pour l'historien du football Paul Dietschy, si les équipes de football « indigènes » épousent les clivages religieux, ethniques ou linguistiques sciemment entretenus par le colonisateur, elles constituent également un objet fédérateur et populaire capable de cristalliser les aspirations à l'autodétermination[19]. Et, avec la montée en puissance des mouvements de libération, la portée anticolonialiste du football va se consolider. L'AOF d'après-guerre est en effet traversée par une agitation sociale grandissante qui débouche rapidement sur une claire volonté d'indépendance politique. En octobre 1946 est fondé à Bamako le Rassemblement démocratique africain (RDA), formation politique panafricaine qui vise dans un premier temps à conquérir l'égalité socio-économique au sein des colonies. De virulentes manifestations urbaines anticolonialistes et de vastes mouvements de grèves en AOF, notamment dans les chemins de fer entre 1946 et 1948 ou dans la fonction publique à partir de 1954, viennent quant à eux régulièrement secouer le système colonial[20]. Alimenté par la conférence afro-asiatique de Bandung en avril 1955 qui encourage la poursuite de la décolonisation, un vent d'indépendance souffle sur l'Afrique francophone.

Alors que les autorités coloniales voyaient dans les associations sportives un moyen de détourner les « indigènes » de toute activité politique, les clubs de football africanisés deviennent au contraire des foyers de contestation de la domination coloniale. Pour les historiens Nicolas Bancel et Jean-Marc Gayman, cette appropriation du football « marque un double mouvement : il témoigne de l'émancipation progressive des colonisés vis-à-vis du système colonial, mais également d'un processus d'acculturation, par ces pratiques culturelles d'importation[21] ». Les stades se transforment progressivement en une formidable caisse de résonance des revendications indépendantistes et les pelouses deviennent un espace de confrontation avec le colon.

Au Congo belge, une première rencontre officielle entre une équipe blanche, le Beerschot Athletic Club d'Anvers alors en tournée dans la colonie, et une formation locale mixte composée de six Africains et de cinq Européens est ainsi organisée en juin 1953 à Léopoldville. À la veille du match, la presse de Bruxelles distille sans ambages des préjugés racistes à l'encontre des joueurs congolais. « Qui n'a pas vu quatre ou cinq douzaines de négrillons jouer contre cinq autres douzaines de négrillons [...] ne sait pas ce que c'est qu'une corrida », affirme le journal *La Dernière Heure*[22]. Mais, à la surprise générale et devant plus de 70 000 personnes, la victoire du club de première division belge est moins éclatante que prévu. Les Anversois ne remportent la rencontre que 5 buts à 4 et, dans les travées, chacun constate que les six joueurs africains ont dominé la partie. Présent ce jour-là, Robert Van Brabant, entraîneur de foot à Léopoldville, estime qu'une équipe intégralement congolaise aurait encore plus durement malmené le Beerschot. « Ce n'était pas une expérience à tenter non plus, confie-t-il. Si le Beerschot avait été battu, sa défaite serait peut-être sortie du cadre sportif[23]. »

Quatre ans plus tard, le 16 juin 1957, un match de football oppose les Bruxellois de l'Union Saint-Gilloise à l'Association royale sportive congolaise dont la formation est exclusivement noire. L'Union remporte la partie par 4 buts à 2 mais, à cause d'un arbitrage partisan qui a abouti à l'annulation de deux buts congolais, des violences éclatent dans les gradins racialement ségrégués. Le public blanc déguerpit sous les huées des Congolais qui le traitent de « macaques de Flamands » ou de « sales petits Belges » et l'invitent à « retourner en Belgique ». Une cinquantaine de voitures sont détériorées à la sortie du stade et l'on dénombre une quarantaine de blessés[24]. Si, pour le quotidien local, « ces rencontres ne sont pas opportunes parce qu'elles prennent un caractère d'opposition beaucoup plus profond qu'un simple jeu de ballon[25] », aux yeux des historiens, ces événements tumultueux présagent les révoltes de janvier 1959 de Léopoldville, qui marqueront un tournant décisif dans l'accession à l'indépendance de la colonie en 1960[26].

Pressing anticolonial

Alors que le football catalyse le sentiment anticolonial dans toute l'Afrique francophone, c'est au sein des colonies britanniques que ce phénomène est le plus manifeste. L'*indirect rule*, le régime de colonisation déployé par l'Empire britannique dans la plupart des territoires africains et par lequel l'administration coloniale s'appuie sur les dirigeants autochtones, s'applique également dans le monde du football. Corrélativement, les valeurs de l'éducation sportive chères à la Muscular Christianity [voir chapitre 2] sont inculquées dès le début du siècle aux élites locales africaines qui constituent les premiers clubs de football exclusivement composés de « *natives* ». Ainsi en Rhodésie du Sud (actuel Zimbabwe), l'African Welfare Society est autorisée à promouvoir le ballon rond dans le district de Bulawayo dès les années 1930 et organise en 1941 une ligue de football *native* avec seize équipes locales[27]. Apeurés par cette capacité d'auto-organisation, les Britanniques suspendent en 1947 la modeste ligue, provoquant l'ire de la population noire. Benjamin Burombo et Sipambaniso Manyoba, leaders syndicalistes indépendantistes de Bulawayo et capitaines respectifs des équipes de foot des Matabele Highlanders et de la Red Army[28], lancent alors un boycott massif de toute rencontre officielle de football. Un an plus tard, toujours à l'initiative des syndicats anticolonialistes, une grève générale paralyse Bulawayo, et aux revendications salariales arrachées de haute lutte se mêle la possibilité de fonder une fédération africaine autonome de football, qui naît en 1949 sous le nom de Bulawayo Football Association[29]. Des clubs de foot de *natives* et des embryons de fédérations indépendantes des autorités coloniales britanniques éclosent dès lors également au Nigeria, en Côte-de-l'Or (Ghana) ou au Tanganyika (Tanzanie). « Les populations se reconnaissaient dans l'identité projetée par les différents clubs car ils étaient pleinement ancrés dans le quartier de la ville où elles habitaient, analyse le sociologue Ossie Stuart. [...] Ainsi, plusieurs décennies après son introduction, le football a été accaparé pleinement par les Africains. Il faisait partie d'une expérience partagée entre ceux qui vivaient à Bulawayo, Johannesburg, Lagos ou ailleurs à travers le continent. [...] Le ballon rond exprimait la défiance envers l'État et l'émancipation face à l'oppression coloniale[30]. »

Formés au sein du système éducatif colonial, les jeunes leaders indépendantistes des années 1930-1940, nourris de culture sportive anglo-saxonne, entrevoient dans le football un puissant instrument de recrutement et de militantisme anticolonial à destination des classes populaires africaines. Arrivé en 1915 à l'âge de 11 ans à Lagos pour étudier à la Wesleyan Boys' High School, Nnamdi Azikiwe, figure indépendantiste nigériane et futur premier président du pays, est formé à la pratique du football dur et viriliste des *public schools* anglaises[31]. *Sportsman* accompli, il est promu secrétaire général du Diamond Football Club, une formation noire qui remporte en 1923 le championnat local face au Lagos Athletic Club, un club européen alors invaincu[32].

Après un séjour aux États-Unis où il est impressionné par la place importante qu'occupent le sport et les médias de masse dans la société américaine, Nnamdi Azikiwe fonde un groupe de presse anticolonialiste en 1937, en lançant dans un premier temps le quotidien *West African Pilot*, puis crée un club sportif en avril 1938, le Zik Athletic Club (ZAC). Ouvert « aux sportifs et sportives de toute race, nationalité, tribu ou classe sociale résidant au Nigeria », l'organisation sportive pluriethnique incarne alors la modernité urbaine nigériane et la capacité d'autoadministration des Africains[33]. Grâce aux bénéfices générés par son entreprise de presse,

Azikiwe fait édifier pour son propre club un stade omnisports dans les faubourgs de Lagos avant que son équipe de football ne remporte en 1942 la Lagos League et la War Memorial Cup face à des équipes de colons.

En 1941-1942, Nnamdi Azikiwe et les meilleurs footballeurs du ZAC effectuent une tournée de matchs à travers le Nigeria dans l'optique de récolter des fonds pour contribuer à l'effort de guerre britannique contre les puissances de l'Axe. Mais, après chaque rencontre, Azikiwe se lance devant 5 000 à 10 000 supporters dans de virulentes diatribes anticolonialistes, pointant l'hypocrisie des Britanniques qui assurent se battre pour « la liberté et la démocratie » alors que l'Empire oppresse ses sujets africains et leur refuse le droit à l'autodétermination[34]. Un second périple politico-footballistique est organisé la saison suivante en soutien aux prisonniers de guerre nigérians et Azikiwe colporte devant des foules toujours plus denses sa rhétorique indépendantiste[35]. S'appuyant sur le maillage territorial des clubs de football de *natives*, la machine politique d'Azikiwe accouche en 1944 du premier parti indépendantiste nigérian, le National Council of Nigeria and Cameroon (NCNC).

À partir de 1951, une compétition de football financée par un revendeur de voitures, la Jalco Cup, oppose chaque année une sélection du Nigeria à la Côte-de-l'Or[d], ce qui ne manque pas d'affirmer l'imaginaire national dans chacune de ces colonies britanniques[36]. Le célèbre joueur ghanéen Charles Kumi Gyamfi se souvient de la première victoire de son équipe à Accra lors de la Jalco Cup de 1953 : « On était fous ce jour-là. Il fallait absolument qu'on marque et il ne restait que quelques minutes de jeu. Et j'ai marqué. Le public était euphorique et on m'a porté, jeté dans les airs. J'en ai marqué des buts mais ce qui s'est passé ce jour-là au Ghana, je ne l'oublierai jamais de ma vie[37]. »

La multiplication des clubs constitués par et pour les Africains, la création de fédérations sportives autonomes vis-à-vis du pouvoir colonial et les premières compétitions africaines de football ont ainsi servi de terreau aux luttes de libération anticoloniales. Avec l'accession à l'indépendance du Ghana en 1957 puis de la Guinée en 1958, s'ouvre le bal des décolonisations subsahariennes en 1960. D'un football « civilisateur » à un football émancipateur, le ballon rond se transforme en un instrument de mobilisation populaire au service des régimes postcoloniaux. Dans le cadre des festivités célébrant l'indépendance du Nigeria en octobre 1960,

---

d   Avec le Hearts of Oak d'Accra, premier club de foot ghanéen fondé en 1911, et l'Asante Kotoko, équipe du pays Ashanti, peuple connu pour son opiniâtre résistance aux Britanniques dans les années 1880, la Côte-de-l'Or est également une terre de football.

The Foot-Ball Play, Alexander Carse, vers 1830. Jeu populaire de football dans l'Angleterre rurale au début du XIXe siècle.

Partie enfiévrée de soule en Basse-Normandie. *L'Illustration*, 28 février 1852.

La *soule*, en Basse-Normandie.
D'après un croquis de M. J. L. de Conde.

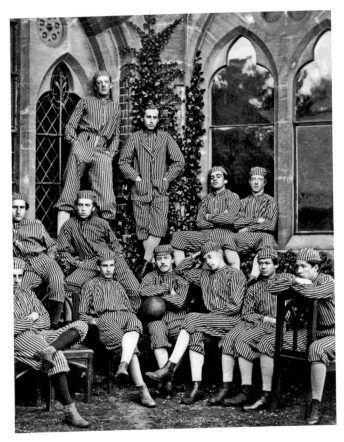

L'équipe de
football de la
prestigieuse
public school de
Harrow en 1867
© Pictorial Press
Ltd / Alamy Stock
Photo.

L'équipe ouvrière anglaise du Blackburn Olympic (Lancashire)
en 1882.

THIS IS *NOT* THE WAY THE TRANSFER OF A PLAYER IS ARRANGED.

Some people are under the impression that professional football players are bought and sold like cattle. Mr. W. I. Bassett in his excellent article explodes once and for all this erroneous idea. There is no law of the Football Association to compel any man to go where he does not desire to go. The transfer system only provides for the reasonable protection of the club.

Les patrons de clubs britanniques instaurent en 1893 le système du *retain and transfer* : chaque footballeur professionnel devient la propriété exclusive de la structure et ne peut quitter son club qu'avec l'aval des dirigeants et de l'entraîneur
© British Library Board / Leemage.

L'équipe féminine de football de l'Olympique de Pantin, 1er janvier 1925
© Agence Rol / Gallica.

Les ouvrières-footballeuses du Dick, Kerr Ladies de Preston en 1921
© Gail Newsham.

Les gradins du stade Dynamo à Moscou au début des années 1930. Les tribunes sont alors un des rares espaces publics où il est possible de se soustraire à la surveillance de la police politique soviétique © DR.

L'équipe 1 de l'Entente sportive travailliste d'Ivry, vers 1932, sur un des terrains acquis par la toute jeune municipalité communiste © USIvry.

L'attaquant viennois
Matthias Sindelar,
surnommé Der Papierene
(l'Homme de papier),
s'est opposé à l'annexion
sportive de la sélection
autrichienne par le régime
nazi © FIFA Museum.

Durant l'occupation
des Pays-Bas par l'armée
allemande, le footballeur
néerlandais Jan Wijnbergen,
de l'équipe première de
l'Ajax d'Amsterdam, s'est
engagé dans la Résistance
dès 1941 avant de participer
à une filière de sauvetage
d'enfants juifs © Jan
Wijnbergen – Collection
du musée de la Résistance
d'Amsterdam.

THE WANDERERS

L'équipe sud-africaine des African Wanderers en 1956. Issus du township de Chatsworth, près de Durban, les Wanderers sont considérés comme le premier club noir d'Afrique du Sud
© Archive Faouzi Mahjoub / FIFA Museum.

L'équipe de football du Front de libération nationale (FLN) algérien en 1961. Rachid Mekhloufi est le quatrième joueur accroupi en partant de la droite
© Archive Faouzi Mahjoub / FIFA Museum.

La sélection nationale du Ghana en novembre 1965 fête sa deuxième Coupe d'Afrique des nations après avoir battu 3-2 la Tunisie en finale. Baptisée les Black Stars, l'équipe est à la fois le porte-drapeau du panafricanisme de Nkrumah et la meilleure formation africaine du moment © Archive Faouzi Mahjoub / FIFA Museum.

Occupation du siège de la Fédération française de football avenue d'Iéna à Paris par le Comité d'action des footballeurs en mai 1968 © DR.

Supporters *hools* du Tottenham Hotspur FC dans les années 1970 © Paul Wombell.

Surnommé « la joie du peuple », le footballeur brésilien Garrincha aux côtés d'un policier anglais à l'occasion d'un tournoi à Liverpool en juillet 1966 © Sport Archive / FIFA Museum.

Sócrates, Casagrande et Wladimir du SC Corinthians de São Paulo. Au début des années 1980, le club s'essaya à l'autogestion et à la démocratie directe avant de devenir un symbole populaire du mouvement de lutte contre la dictature brésilienne
© DR.

Diego Maradona escorté par la police le 29 juin 1986, juste après la victoire de l'Argentine contre l'Allemagne de l'Ouest lors de la finale du Mondial 1986 à Mexico
© Sport Archive / FIFA Museum.

Les tribunes des supporters ultras de la Fossa dei Leoni (Milan AC) lors d'une rencontre contre la Sampdoria de Gênes durant la saison 1992-1993 © Matteo Papini.

Équipe zapatiste du Caracol de La Garrucha (Chiapas, Mexique) à l'occasion d'un match avec les Easton Cowboys de Bristol en 1999 © R. S. Grove / fellowtraveller.org 2017.

Banderole d'un fan du FC
United of Manchester, club
fondé en 2005 par une
coopérative de supporters
qui contestaient l'acquisition
de Manchester United par
le milliardaire étatsunien
Malcolm Glazer © Mark Lee.

« Supporters de St. Pauli contre la droite », mythique autocollant produit
par les supporters du FC Sankt Pauli de Hambourg depuis les années 1990
© DR.

Les ultras Çarşı du Beşiktaş dans les rues d'Istanbul lors des manifestations du 1er mai 2014 © Guillaume Cortade.

Considérés comme le véritable « bras armé » du Printemps arabe en Égypte, les supporters ultras Ahlawy ont manifesté dès janvier 2011 dans les rues du Caire contre le régime militaire égyptien © Amru Salahuddien / Xinhua / Photoshot.

Créées en 2012 à Paris, les Dégommeuses sont une équipe de football féminin engagée politiquement dans le combat contre le sexisme, les LGBT-phobies ainsi que toutes formes de discriminations © Max K. Pelgrims.

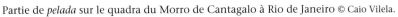

Partie de *pelada* sur le quadra du Morro de Cantagalo à Rio de Janeiro © Caio Vilela.

Une jeune supportrice palestinienne du FC Barcelone à Jénine © Giovanni Ambrosio / Black Spring Graphics Studio.

Partie de foot de rue à Clichy-sous-Bois, en banlieue parisienne. Le « foot de cité » met particulièrement en avant l'esthétique des gestes et la technicité des joueurs © Hélène Lenie.

Nnamdi Azikiwe n'oublie pas de mettre à l'honneur le ballon rond en organisant une rencontre de football. En Guinée, Ahmed Sékou Touré, grand amateur de foot, fait de l'équipe du Syli national le support de sa révolution marxiste. Quant au premier président ghanéen Kwame Nkrumah, il baptise l'équipe nationale les Black Stars – en référence à la Black Star Line, une compagnie maritime transatlantique pour les Africains-Américains impulsée par le militant panafricain Marcus Garvey au début des années 1920. Les Black Stars seront à la fois le porte-drapeau du panafricanisme de Nkrumah et la meilleure équipe africaine du moment (elle remporte la Coupe d'Afrique des nations en 1963 et 1965). Enfin, les premiers Jeux de l'Amitié, organisés à Abidjan en 1961 puis à Dakar en 1963, qui rassemblent des milliers de sportifs africains francophones, et les Jeux Africains à Brazzaville en 1965 (où 22 pays se rencontrent autour des épreuves de football) servent de catalyseur au sentiment national et participent à la reconnaissance internationale des jeunes États africains.

Considérée comme la première organisation panafricaine, la Confédération africaine de football (CAF) est pour sa part fondée en 1957 à l'initiative de l'Égypte, du Soudan, de l'Éthiopie et de l'Afrique du Sud. Toutes les sélections nationales nouvellement constituées se bousculent alors pour s'y inscrire. Lors de la remise en 1962 d'une coupe instituée dans le cadre de la CAF – qui compte alors une quarantaine de fédérations adhérentes –, Kwame Nkrumah déclare : « Il est encourageant de noter que, dans les progrès accomplis afin d'atteindre l'unité économique et sociale de l'Afrique, les échanges mutuels autour des activités sportives et culturelles ont fortement participé à créer une atmosphère sereine pour l'unité africaine et l'indépendance totale[38]. » Deux ans plus tard et toujours sous l'impulsion de Nkrumah, les fédérations africaines membres de la CAF boycottent en bloc la Coupe du monde 1966. Effrayée par le degré de politisation de la CAF, la FIFA a en effet attribué une seule place à la zone Afrique-Asie-Océanie pour les qualifications au Mondial contre 10 places pour les pays européens et 4 pour l'Amérique du Sud.

Cette « unité africaine » se fissurera néanmoins dès le milieu des années 1960. Le football postcolonial nourri de panafricanisme sombre progressivement dans la manipulation propagandiste et le contrôle par les autorités au pouvoir. C'est le cas au Ghana où la fédération nationale de football passe sous le joug d'une Central Organisation of Sports dirigée à vie par un Kwame Nkrumah devenu paranoïaque après deux tentatives d'assassinat. On observe la même évolution au Zaïre – nom de la République démocratique du Congo de 1971 à 1997 –, où Mobutu fait de l'équipe nationale, les Léopards, une vitrine de son régime dictatorial. Après avoir remporté la Coupe d'Afrique des nations en 1968, le flamboyant Zaïre rafle le trophée une deuxième fois en 1974 et devient la même année la première nation d'Afrique subsaharienne à être qualifiée pour un Mondial. Mais, dès le premier tour de la Coupe du monde 1974, les Léopards offrent un tragique spectacle. Défaite par l'Écosse (2 buts à 0) puis humiliée par la Yougoslavie (9 buts à 0), la sélection affronte ensuite le Brésil le 22 juin. Terrorisés par les menaces de Mobutu qui leur ordonne de ne pas perdre par plus de trois buts d'écart, suspendus de leurs primes de match, les joueurs tétanisés sont rapidement menés 2 buts à 0 par la Seleção. Alors qu'à la 78e minute les Brésiliens s'apprêtent à tirer un coup franc aux vingt mètres, le défenseur zaïrois Ilunga Mwepu, au coup de sifflet de l'arbitre, sort soudain du mur pour courir vers le ballon et le dégager puissamment sous les yeux médusés des joueurs et des spectateurs. Un geste tout aussi fou que surréaliste. Mwepu devient la risée des commentateurs, faisant resurgir les préjugés racistes sur les footballeurs noirs. C'est seulement bien des années plus tard que l'on comprendra la portée contestataire de ce tir qui venait briser, le temps d'un instant, la pesanteur du régime mobutiste sur les Léopards, et signer, dans l'espace-temps si policé du Mondial, la fin du football radieux des indépendances.

Football des townships contre soccer afrikaner

Tandis que les mouvements de libération s'étendent inexorablement à l'ensemble de la région subsaharienne, un dernier bastion du ségrégationnisme subsiste : l'Afrique du Sud. L'apartheid institué en 1948 par un gouvernement nationaliste nouvellement élu renforce l'âpre clivage racial qui prévaut au sein du sport sud-africain. Les Blancs préférant s'adonner au rugby et au cricket pour magnifier leur identité afrikaner, le football a été largement investi par les communautés noires, métis et indiennes du pays qui apprirent les joies du ballon rond avec les soldats britanniques et les marchands européens au début du XXe siècle.

L'urbanisation de l'Afrique du Sud et la prolétarisation des Noirs au tournant des années 1930-1940 favorisent le développement au sein des townships d'une culture informelle du football. Jouant au ballon pieds nus et sur des terrains de fortune, s'affublant de surnoms guerriers zoulous ou xhosas, les footballeurs des ghettos noirs se structurent en clubs, donnant naissance aux African Wanderers du township de Chatsworth près de Durban ou aux Moroka Swallows et aux Orlando Pirates, formations issues des townships de Soweto. La Johannesburg Bantu Football Association, une des multiples fédérations locales de football pour les non-Blancs, parvient pour sa part à rassembler chaque dimanche plus de 10 000 supporters pour ses matchs à partir des années 1940[39]. Les Orlando Pirates comptent quant à eux parmi les clubs les plus populaires auprès des Sud-Africains noirs grâce à leurs succès sportifs (ils se sont hissés en première division de la Johannesburg Bantu FA dès 1944) mais aussi grâce à leur jeu offensif et artistique qui emprunte au marabi, une culture musicale née dans les bars clandestins des banlieues noires (les *shebeens*). Les premiers joueurs stars, comme Eric « Scara » Sono des Orlando Pirates, émergent sur cette scène footballistique et deviennent des héros populaires avec lesquels leurs fervents supporters se sentent « *amathe nolimi* » – un proverbe Zoulou qui signifie « comme langue et salive »[40]. « Les matchs importants du week-end sont l'objet de discussions dans les bus, sur les trottoirs durant l'heure du déjeuner, dans les longues files d'attente où les Africains patientent des heures le matin et l'après-midi avant de pouvoir rejoindre leur destination, décrit le sociologue sud-africain Bernard Magubane au début des années 1960. Les corvées quotidiennes sont temporairement oubliées. Les conversations abordent autant la forme physique respective de chacun des joueurs que la probabilité de gagner le prochain match ou l'évaluation sportive des rencontres précédentes. Toutes ces préoccupations footballistiques viennent alléger des conditions de vie difficiles[41]. »

Un premier pas vers la contestation de la domination blanche dans le foot est franchi en septembre 1951 avec la création d'une fédération multiraciale, la South African Soccer Federation (SASF), fruit de l'union entre les trois grandes organisations de foot noire, *coloured* (métis) et indienne préexistantes. En 1956, la structure sportive dissidente regroupera 2 700 clubs et plus de 45 000 joueurs à travers le pays, soit quatre fois plus que son homologue exclusivement blanche, la South African Football Association (SAFA)[42]. Bien qu'aucune loi sud-africaine prohibant la mixité raciale dans le sport n'existe, le ministre de l'Intérieur, Theophilus Dönges, se fait menaçant : « Il n'y aura pas de possibilité de voyage, ni d'aide gouvernementale pour les organisations sportives non européennes animées par de telles intentions subversives[43]. »

En parallèle, la lutte antiapartheid s'internationalise progressivement dans les sphères footballistiques. Les premiers joueurs noirs sud-africains apparaissent au sein des grands clubs européens, à l'instar de Stephen

Mokone recruté en Angleterre dès 1955 ou d'Albert Johansen qui rejoint Leeds United en 1961, visibilisant par là même l'existence d'un brillant football noir en Afrique du Sud. Quant à la Confédération africaine de football, elle suspend l'affiliation de la fédération sud-africaine blanche – renommée entre-temps Football Association of South Africa (FASA) – après que cette dernière s'est obstinée à vouloir présenter une sélection 100 % blanche à la Coupe d'Afrique des nations de 1959.

L'opinion publique ne prend cependant véritablement conscience de l'abomination de la ségrégation raciale qu'après le massacre de Sharpeville. Le 21 mars 1960, dans ce township de la ville de Vereeniging, une manifestation pacifique antiapartheid est brutalement réprimée par les forces policières. On dénombre 69 personnes tuées et près de 200 blessés. Un an plus tard, face à l'indignation internationale et devant le refus explicite de la fédération sud-africaine d'abolir dans les clubs comme sur les terrains la discrimination raciale, la FIFA suspend temporairement l'Afrique du Sud[44]. Malgré cette mise au ban de la communauté footballistique mondiale, les pratiques ségrégationnistes au sein du ballon rond demeurent. La FASA établit une National Football League, une ligue professionnelle de football réservée aux Blancs et pousse le cynisme jusqu'à autoriser en 1962 un match interracial opposant les joueurs noirs du Black Pirates aux footballeurs blancs du Germiston Callies pour tenter de revenir dans le giron de la FIFA (sa suspension sera levée en 1963)[45].

Alors que la rebelle SASF organise tous les deux ans depuis 1952 une coupe interraciale, dès août 1959 le magazine *Drum*, au lectorat noir sud-africain, s'interroge : « Souvenez-vous que le football n'est qu'un sport comme un autre pour les Blancs. Le rugby attire les foules et le football ne fait qu'en ramasser les miettes. Mais le football est devenu LE sport national des Sud-africains non blancs. [...] Pourquoi alors ne pas créer nous-mêmes notre propre ligue de football professionnel interracial ? » En octobre 1960, à l'initiative de clubs non blancs tels les Cape Town Ramblers ou les Durban Aces United, est alors fondée la South African Soccer League (SASL), une ligue professionnelle rassemblant Noirs, Métis et Indiens dès la saison 1961-1962. Le Transvaal United, club d'un township de Soweto, gagne le premier titre de la SASL et, dès 1962, on voit apparaître au sein de la ligue les premières équipes féminines noires, à l'image des Orlando Pirates Women's Football Club ou des Mother City Girls. Dans ces années sombres de l'apartheid, la proximité des clubs de foot avec leurs supporters et les familles des ghettos fait que le calendrier des matchs de la League scande la vie festive et culturelle des townships[46]. La SASL est un succès sportif et populaire et chaque rencontre attire les foules dans les stades municipaux délabrés de Johannesburg, Durban ou du Cap.

Le régime de Pretoria et la FASA voient cependant d'un très mauvais œil le développement autonome de ce football interracial. Après de vaines tentatives d'actions en justice pour suspendre ces matchs qui transgressent la ségrégation raciale d'État, les autorités gouvernementales réussissent à interdire aux municipalités de prêter leurs terrains à la SASL[47]. Le 6 avril 1963, à Johannesburg, des milliers de supporters découvrent ainsi devant les grilles du Natalspruit Indian Sports Ground un décret municipal annulant la rencontre opposant le Moroka Swallows au Blackpool United. Bravant l'interdiction, joueurs et public escaladent les barrières et remettent en place une paire de poteaux de but initialement retirée. La partie se déroule fébrilement devant 15 000 personnes mais, après cette effronterie, plusieurs dirigeants de la SASL seront emprisonnés tandis que toute rencontre dans le cadre de la ligue sera prohibée. La SASL sera finalement dissoute en 1967[48].

La politique d'apartheid du Premier ministre afrikaner Hendrik Verwoerd rime également avec la répression implacable des organisations militantes implantées dans les townships. Dès avril 1960, suite au massacre de Sharpeville, les deux principaux partis de libération noire, l'African National Congress (ANC) et le Pan Africanist Congress (PAC), sont déclarés illégaux. De nombreux militants des deux structures sont condamnés à perpétuité sur la sinistre île-prison de Robben Island – dont Nelson Mandela, emprisonné pour être à l'initiative de la branche armée de l'ANC, l'Umkhonto weSizwe. Tout comme la plupart des Noirs sud-africains, les détenus antiapartheid sont férus du ballon rond – Albert Luthuli, président de l'ANC de 1952 à 1960, était dirigeant de la Durban and District African Football Federation puis du Natal Inter Race Soccer Board –, et réussissent à obtenir, après trois années de réclamations et de pétitions, la possibilité de pratiquer le football au sein de l'enceinte pénitentiaire. En 1966, cinq prisonniers politiques, Lizo Sitoto, Sedick Isaacs, Sipho Tshabalala, Mark Skinners et Anthony Suze, lancent la Makana Football Association, du nom du chef rebelle xhosa Makana Nxele, interné sur l'île au XIXᵉ siècle.

Conçue comme une ligue de football amateur à part entière, la Makana FA se conforme strictement au règlement officiel de la FIFA et est structurée en trois divisions de championnat, avec de véritables entraîneurs-détenus et un arbitrage rigoureux. Les prisonniers construisent les buts et les filets, drainent le terrain de football, sculptent à la main un trophée en bois et se parent tant bien que mal de différentes couleurs pour se distinguer entre équipes. Les rencontres de la Makana se déroulent sur une saison de neuf mois et l'organisation de la ligue autogérée par des centaines de détenus rythme le quotidien rude et monotone de Robben Island. Du lundi au mercredi, les captifs discutent collectivement des infractions aux règles durant les précédentes rencontres ; le jeudi et le vendredi sont consacrés à la composition et à la stratégie de chaque équipe en vue du match du samedi[49]. Jusqu'en 1973, un suivi intensif des compétitions est établi avec des formations de prisonniers phares tels le Manong FC qui joue sous les couleurs marron et jaune ou les Black Eagles tout de bleu vêtus. Au fil des ans, environ 1 400 détenus seront impliqués dans la Makana FA en tant que joueurs, entraîneurs, administrateurs ou arbitres[50].

Au-delà de l'occupation ludique et de l'échappatoire que procure la pratique du foot face aux difficiles conditions carcérales, la Makana FA devient un outil d'éducation politique et d'apprentissage de la culture démocratique pour les prisonniers de Robben Island. En s'essayant à l'universalité des règles du foot et à l'organisation collective d'activités sportives dans un contexte de grande précarité matérielle, les détenus militants de l'ANC et du PAC ont appris à transcender leurs profondes divisions politiques en s'unifiant pour mieux affirmer leur autonomie face à l'administration pénitentiaire. Le ballon rond permit ainsi aux prisonniers de Robben Island de se préparer politiquement à l'après-apartheid des années 1990 mais aussi de mieux appréhender le rôle prééminent du football dans l'histoire de la résistance à l'oppression raciale.

Le combat antisègrégationniste dans le champ du sport initié par la SASL a en effet perduré en Afrique du Sud dans les années 1970-1980. Suite à la sanglante répression de la révolte de Soweto du 16 juin 1976 contre l'imposition de la langue afrikaans à l'école[e], la FIFA exclut définitivement la fédération sud-africaine de football. De même, alors que le gouvernement de Pretoria continue impitoyablement de persécuter les militants noirs – Steve Biko, du Black Consciousness Movement, sera enlevé puis assassiné par la police en 1977 –, les matchs de football des townships servent à financer clandestinement les partis de libération noire toujours déclarés hors-la-loi, tandis que, dès les années 1980, des

---

e   Lors d'une manifestation pacifique rassemblant environ 20 000 étudiants des townships pour protester contre l'usage obligatoire de l'afrikaans comme langue d'enseignement dans toutes les écoles noires, la police tire à balles réelles, causant la mort de plusieurs centaines de personnes. Suite au massacre, l'ONU adoptera un embargo sur les ventes d'armes à destination de l'Afrique du Sud et un vaste mouvement de boycott politique et culturel sera mis sur pied jusqu'à la fin de l'apartheid.

drapeaux aux couleurs de l'ANC fleurissent de plus en plus ouvertement dans les travées des stades, démontrant par là même l'affaiblissement du régime ségrégationniste.

Créés en janvier 1970 par Kaizer Motaung, un ancien joueur vedette des Orlando Pirates revenu des États-Unis, les Kaizer Chiefs de Soweto survolent pour leur part à partir de 1974 le football noir sud-africain. Au plus fort de la répression du régime d'apartheid – Ariel Kgongoane, capitaine de l'équipe, mourra d'une balle perdue lors de la révolte de Soweto –, les charismatiques Kaizer Chiefs, avec leur slogan « *Love & Peace* » et leur surnom de « *Glamour Boys* », offrent une nouvelle image du football professionnel noir, moins conflictuel mais aussi plus lucratif. Les succès sportifs et les moyens financiers du club au maillot jaune ocre attirent même en 1978 un premier joueur professionnel blanc, Lucky Stylianou, qui sera suivi par Peta Bala'c, Jingles Pereira et Jimmy Joubert. Ouverte aux équipes blanches à partir de la même année, l'africaine National Professional Soccer League – qui deviendra en 1985 la National Soccer League, ouvertement multiraciale et antiapartheid – est alors emportée en 1979, 1981 et 1984 par les Kaizer Chiefs qui, capables de transcender les barrières raciales, deviennent incontestablement l'équipe la plus populaire du pays.

Le démantèlement progressif de la politique d'apartheid à partir de l'année 1990 s'accompagne de la libération des prisonniers politiques de Robben Island et de la fin de la ségrégation raciale au sein du football institutionnel. Une seule et pluriethnique South African Football Association est ainsi établie le 8 décembre 1991, fédération qui intègre les rangs de la FIFA puis de la CAF en 1992. Le football sud-africain gagne alors ses lettres de noblesse médiatiques. Dans la foulée de la victoire des Springboks en Coupe du monde de rugby, la sélection nationale et multiraciale des Bafana-Bafana (« Les Garçons » en zoulou) remporte en 1996 la Coupe d'Afrique des nations de football sur ses propres terres, le capitaine Neil « Makoko » Tovey devenant le premier joueur blanc à soulever le trophée africain.

Mais, au tournant des années 2000, la trajectoire du football sud-africain émancipé des spectres de l'apartheid prend une tournure bien amère. Objet d'une fierté continentale sans précédent, le pays est sélectionné pour accueillir en 2010 la première Coupe du monde de football sur le sol africain. Alors que nombre d'oiseaux de mauvais augure prédisaient un chaos logistique, l'organisation sud-africaine de la manifestation sportive sera unanimement considérée comme un succès. Elle sera cependant plus tard entachée par des scandales de corruption et de détournement d'argent. En 2015, la justice étatsunienne révélera en effet que des pots-de-vin ont été versés à la FIFA pour la décision d'attribution de l'événement et que des millions de dollars ont été dévoyés à des fins d'enrichissement personnel de cadres de l'instance internationale[51]. À peine vingt ans après avoir réadmis dans ses rangs la fédération sud-africaine, la FIFA aura réussi à transformer la première Coupe du monde africaine en symbole terni d'un ballon rond devenu définitivement « *amathe nolimi* » avec les mannes financières du foot-business.

IV

Supporter.
*Passions collectives
et cultures populaires*

14

You'll never walk alone.
Hooliganisme et sous-cultures de tribunes en Grande-Bretagne

> « Le football n'est pas une question de vie ou de mort, c'est quelque chose de bien plus important que cela. »
>
> Bill SHANKLY, entraîneur du Liverpool FC de 1959 à 1974.

> C'était un doux et tendre hooligan,
> Qui jura de ne plus jamais recommencer,
> Et bien sûr qu'il ne recommencera plus
> (Oh, au moins jusqu'à la prochaine fois)
>
> THE SMITHS, *Sweet and Tender Hooligan*, 1987.

« Ils étaient des milliers à Shrewsbury en ce lundi de Pâques, mais leur façon de parier, de boire, de parler vulgairement faisait peur à voir, de même que leurs cris et leurs hurlements le long des routes menant au stade représentaient une vraie terreur pour les paisibles résidents des alentours », écrit en 1899 un observateur lors d'un match à Shrewsbury, dans le centre de l'Angleterre[1]. À la fin du XIXe siècle, les foules ouvrières s'amassent chaque samedi dans les stades des grandes villes industrielles britanniques afin d'encourager fébrilement leur club. Durant la saison 1888-1889, plus de 600 000 spectateurs assistent aux différents matchs de la Ligue anglaise. Dix ans plus tard, les rencontres du championnat anglais parviennent à réunir un total de 5 millions de supporters dans les gradins[2]. La bourgeoisie victorienne est quant à elle absente des stades, horripilée par le comportement inconvenant de la *working class* durant les matchs de football. La passion populaire pour le ballon rond et le tumulte des tribunes qui l'accompagne désolent en effet la « vieille garde des défenseurs du sport amateur réservé à l'*upper class* », note l'historien Rogan Taylor. Ces derniers « exprimaient leur désarroi face à la réappropriation du jeu par les ouvriers de l'industrie du Nord en les décrivant comme des foules sales, inconstantes et dégénérées[3] ». Car, à l'opposé du flegmatique *gentleman*, tout en retenue et empreint de l'éthique du *fair play*, le supporter populaire soutient corps et âme son équipe dont les joueurs sont souvent issus de la même usine que lui ou d'une famille de son voisinage. Reflétant aux yeux de la *working class* le sentiment de fierté et d'appartenance à un même quartier, le club de football local est aussi le support d'une culture sportive partagée. Les victoires mémorables et les défaites allègrement arrosées au pub, les conversations à l'usine autour des performances du club ou encore les anecdotes sur les footballeurs les plus populaires participent à fédérer autour d'une équipe une même communauté ouvrière.

Alors que les rivalités entre les différents clubs de football s'aiguisent au fil des matchs – notamment entre les formations londoniennes, à l'instar des rencontres West Ham United contre Millwall –, menaces et injures à l'encontre de l'équipe adverse deviennent dans les gradins l'un des moyens d'expression privilégiés de l'attachement à son club. Et si « *Gi'it some clog !* » (« File-lui un bon coup d'latte ! ») est l'une des injonctions les plus populaires dans les tribunes[4], la ferveur du supportérisme va rapidement déborder en manifestations violentes.

En 1885, à l'issue d'un match amical entre le Preston North End et Aston Villa, des supporters caractérisés par la presse comme « *rough* » (« rugueux ») et « hurlants »[5] attaquent à coups de bâtons et de pierres les footballeurs de Preston au point qu'un des joueurs perd conscience. L'année suivante, c'est au tour de centaines de partisans du Preston North End d'agresser aux abords d'une gare ferroviaire les fans du Queens Park. Entre 1895 et 1914, le quotidien *Leicester Mercury* recense à l'échelle nationale 137 accrochages liés à des rencontres de football, tandis que la Football Association en décompte 116[6]. Invasions de terrain pendant le match, pugilat dans les gradins suite à une décision arbitrale contestée, rixes improvisées à la sortie des stades : la multiplication des incidents scandalise la presse conservatrice britannique. Cette dernière commence à désigner ces sulfureux supporters comme « *hooligans* », par allusion à un gang londonien de la fin du XIXᵉ siècle : les Hooligan Boys. Ce nom se référerait à une famille irlandaise des quartiers ouvriers de Londres connue à l'époque pour sa violence[7] et a été repris en 1899 par l'écrivain Clarence Rook dans *The Hooligan Nights*, roman qui narre les dérives nocturnes d'un jeune criminel dans les bas quartiers de la capitale.

Dès 1903, les autorités recommandent d'installer des grilles autour des tribunes et de creuser des tunnels dans les stades afin de protéger les footballeurs des jets de projectiles[8]. Des supporters du Preston North End, dont une femme de 70 ans « ivre et désordonnée » au moment des faits, sont quant à eux jugés en 1905 pour « *hooliganism* » suite à des troubles durant un match contre les Blackburn Rovers[9].

C'est néanmoins en Écosse que le hooliganisme deviendra pour la première fois un phénomène à la fois massif et particulièrement violent. En avril 1909, à l'occasion de la finale de la Scottish Cup opposant deux clubs traditionnellement rivaux, le Celtic, soutenu par la communauté catholique et irlandaise de Glasgow, et les Rangers, club enraciné dans la population protestante de la cité écossaise, une foule de 6 000 supporters envahit le terrain avant d'arracher puis d'incendier les poteaux et les clôtures du stade d'Hampden Park de Glasgow. La totalité des lampadaires du quartier sont détruits par les spectateurs et 54 policiers sont blessés, dont trois à coups de couteau[10].

Un public respectable

La Première Guerre mondiale va restructurer en profondeur la *working class* britannique et, par là même, reconfigurer la composition sociale des enceintes sportives. Après les grandes grèves qui ont secoué la Grande-Bretagne au tournant de l'année 1910, le syndicalisme ouvrier atteint le summum de sa puissance en 1914 avec la création de la Triple Alliance, union des trois redoutables syndicats des mines, des chemins de fer et des transports. Mais la Grande Guerre divise irrémédiablement les forces de la gauche ouvrière qui se déchirent entre positions pacifistes et déclarations belliqueuses. Au sortir du conflit, la Triple Alliance implose définitivement : le vendredi 15 avril 1921, les directions syndicales du rail et des transports n'appellent pas à soutenir une vaste grève de mineurs. À ce dénommé « Black Friday » s'ajoute le fiasco de la grève générale de mai 1926. Initié par le syndicat des mineurs, le soulèvement est étouffé par la grande confédération syndicale du Trades Union Congress qui préfère jouer la carte de la modération et des négociations. L'agitation ouvrière est quant à elle neutralisée avec le vote, en 1927, du *Trade Disputes and Trade Union Act* qui proscrit toute grève générale.

Abandonnant la stratégie de l'action directe et se désolidarisant de ses militants révolutionnaires, le mouvement ouvrier s'essaie alors au parlementarisme et au rapprochement avec le patronat industriel. Le syndicalisme ouvrier s'institutionnalise, développant l'art du compromis et des revendications matérielles au sein des entreprises. Le Labour Party et les Trade Unions conquièrent des avantages sociaux qui permettent à de larges pans du milieu ouvrier d'améliorer notablement leur niveau de vie. L'entre-deux-guerres signe ainsi l'émergence d'une classe ouvrière

221

dite *respectable*, plus attachée à son salaire régulier, à son syndicat et à son foyer qu'à l'esprit frondeur et *rough* perpétué dans les pubs et dans la « rue » par les classes ouvrières les plus défavorisées[11].

Ayant pu bénéficier d'une réduction du temps de travail et d'une augmentation de leurs revenus, les franges ouvrières *respectable* constituent dès le lendemain de la guerre la grande partie des tribunes des stades britanniques. Assister fidèlement au match de football du samedi après-midi devient alors le loisir familial populaire par excellence. La finale de la Coupe d'Angleterre en 1923 atteint des records de participation – 250 000 spectateurs se pressent aux abords du stade de Wembley pour un match qui se jouera devant 126 000 supporters – et la traditionnelle rencontre annuelle opposant l'Angleterre à l'Écosse attire en 1935 plus de 200 000 supporters[12]. Incorporant les valeurs de *fair play* et de contrôle de soi propres à la classe dominante, incarnant la prospérité et la dignité d'une classe laborieuse qui est parvenue à se soustraire de la misère sociale, le public *respectable* est moins disposé à l'indiscipline, aux beuveries sauvages et autres bagarres improvisées dans les gradins qui relèvent de l'attitude *rough*. Les comportements qualifiés de « hooliganisme » sont en net déclin à cette époque et de nombreuses familles ouvrières accompagnées de leurs enfants investissent des tribunes pacifiées[13]. « Il y avait une foule très mélangée, se souvient un supporter de Manchester City décrivant les stades dans les années 1940. Il y avait beaucoup de vieux et des femmes, même des femmes âgées. On se tenait tous ensemble. On connaissait tout le monde. On ne se voyait jamais entre les matchs mais on se tenait toujours à peu près à la même place et on connaissait les 40 ou 50 personnes autour de soi parce qu'elles étaient toujours là[14]. »

Le mode de vie *rough* de la classe ouvrière ne s'est cependant pas totalement effacé. Restés en marge du grand compromis social entre le Labour Party et les forces conservatrices du pays, de nombreux travailleurs non qualifiés et chômeurs ne se sont pas socialement intégrés à la bonne société anglaise de l'entre-deux-guerres. L'état d'esprit *rough*, qui met en avant les valeurs de combativité et de débrouille, le recours épisodique à la violence pour défendre sa communauté et la primauté de la « loi de la rue » face à la loi étatique, a perduré au sein des milieux les plus précarisés du monde ouvrier, notamment parmi les dockers et ceux qui vivent du trafic illégal portuaire à Liverpool ou sur les quais londoniens de l'East End[15]. Passionnés par le ballon rond, ces supporters *rough* n'ont pas disparu des stades et se sont installés dans les *terraces*, les gradins les moins chers où l'on assiste au match debout. Mais, cernés de toutes parts par les familles ouvrières, les quelques turbulents *roughs* sont tenus à la bienséance.

Au lendemain de la Seconde Guerre mondiale, l'instauration du *Welfare State* – l'État-providence développé par le pouvoir britannique – permet aux classes populaires *respectable* de bénéficier du partage relatif des fruits de la croissance économique ainsi que d'accéder à la petite propriété dans les quartiers résidentiels. En parallèle, les politiques de reconstruction et de relogement se concentrent sur l'édification de grands ensembles – les *public estates*, équivalents français des HLM –, et la réhabilitation des faubourgs populaires délabrés ou détruits par les bombardements.

Cette violente restructuration urbaine qui s'accompagne de la dispersion géographique des plus pauvres dans les banlieues des grandes villes industrielles, ainsi que l'amélioration notable des conditions de vie des travailleurs qualifiés détruisent tout un ensemble de liens communautaires propre aux quartiers populaires. Ces communautés ouvrières solidement ancrées dans un territoire urbain constituaient jusque dans les années 1950 un monde riche de relations sociales, de réseaux de solidarités et d'entraide mutuelle qui étaient centraux dans la survie des classes populaires pour faire face à l'insécurité sociale. Pour le sociologue du sport Patrick Mignon, « on [était] d'abord d'un quartier puis on [était] *Geordie, Mancunian, Scouser, Cockney*[a], avant d'être Anglais ou même membre de la classe ouvrière ; ou plutôt, l'appartenance à la classe sociale ne [pouvait] se penser qu'à partir de cette expérience locale[16] ».

Au-delà de ce déracinement territorial et social, l'avènement de la société de consommation contribue à effriter les sociabilités ouvrières et à bouleverser les modes de vie des classes populaires. Le traditionnel week-end ouvrier, rythmé par le match de foot du samedi après-midi, le déjeuner au pub du dimanche, ainsi que par les fanfares, l'élevage de lévriers ou la colombophilie, disparaît au profit de loisirs plus individualisés et centrés sur la famille, comme le cinéma, le jardinage ou le *shopping*[17]. Avec la popularisation de la télévision – au début des années 1960, quatre foyers sur cinq sont déjà équipés d'un poste[18] – et les premières retransmissions cathodiques des matchs, l'ouvrier *respectable,* qui n'appréhende plus le football comme une composante à part entière de sa vie sociale mais comme un simple divertissement consommable dans

---

a   Surnoms donnés respectivement aux habitants de Newcastle, Manchester, Liverpool et Londres.

son salon, déserte progressivement les stades[19]. Entre la fin des années 1940 et la fin des années 1980, le nombre de supporters britanniques dans les tribunes diminue de moitié[20].

Délesté de la surveillance des spectateurs *respectable*, le public virulent et *rough* revient dès lors sur le devant de la scène. Entre 1948 et 1958, la Football Association et la Football League recensent plus de 238 actes d'indiscipline de la part du public[21]. En 1954, par exemple, un match opposant les équipes de réserve d'Everton et des Bolton Wanderers est émaillé d'incidents : des feux d'artifice sont lancés depuis les *terraces*, un juge de touche est violenté et plusieurs centaines de supporters envahissent finalement le terrain... Au cours de la saison suivante et jusqu'en 1959, de nombreux trains sont saccagés par des supporters du Liverpool FC ou d'Everton[22]. À l'orée des années 1960, on estime que les actes de hooliganisme annuellement enregistrés ont doublé en vingt-cinq ans[23].

Faire foule pour renverser le monde

La recrudescence du hooliganisme n'est pas sans lien avec le rajeunissement du public. L'après-guerre voit en effet l'émergence des premiers *teenagers* qui se traduit entre autres par leur autonomisation culturelle. En rupture de ban générationnelle, déscolarisés et fans de rock'n'roll, les turbulents *teddy boys* apparaissent à Londres dans les années 1950. Ces jeunes prolétaires rebelles reconnaissables à leurs vêtements d'inspiration édouardienne remettent au goût du jour l'esprit *rough* de la rue avant d'être supplantés au début des années 1960 par les *hard mods* et les *rockers*. Rejetant l'embourgeoisement de la classe ouvrière, jouant de leur virilité adolescente et érigeant en contre-culture la violence organisée, ces gangs juvéniles s'approprient les tribunes des stades délaissées par les familles populaires. Aux yeux de ces nouveaux hooligans, l'attachement à un territoire local et l'affirmation d'une certaine *hardness* (« dureté ») sont alors les deux éléments structurants d'une identité ouvrière qu'ils veulent perpétuer. À l'instar des travailleurs *rough* qui défendaient à tout prix l'honneur de leur communauté ouvrière et la défense territoriale de leur quartier, les adolescents font du soutien à leur club le substitut symbolique aux anciennes communautés populaires. Quant aux *terraces*, elles deviennent le prolongement d'un nouveau territoire à défendre jalousement[24].

Face à la recrudescence des incidents dans les stades et à la baisse d'affluence dans les tribunes, les institutions du football tentent au début de la décennie 1960 de moderniser le football pour en faire un produit de consommation familial. Le plafonnement des salaires des footballeurs est aboli et leurs transferts sont libéralisés tandis que les droits de retransmission des matchs sont vendus aux chaînes de télévision les plus offrantes. Les stades se transforment progressivement en arènes commerciales avec l'apparition de tribunes réservées aux hommes d'affaires, l'affichage publicitaire massif et l'embauche de personnel d'accueil.

Parallèlement, les gradins sont de plus en plus ségrégués. Les supporters les plus fougueux préfèrent se séparer des partisans de l'équipe adverse et se retrouver à chaque match dans les *ends* (ou « virages »), les gradins les moins chers situés à l'arrière des buts. Les plus âgés profitent quant à eux des places assises des tribunes latérales afin de mieux profiter du spectacle footballistique. La volonté des clubs d'attirer dans les gradins des spectateurs-consommateurs, la difficulté à se reconnaître dans des nouveaux joueurs plus proches de la star que du « petit gars du coin » (à l'image du flamboyant Georges Best, attaquant à Manchester United de 1963 à 1974 et véritable pop-star surnommé « le Cinquième Beatles ») ainsi que l'effacement d'une culture populaire et locale du football au profit du foot-business ne font alors que décupler la rage *rough* des jeunes hooligans.

Au milieu des années 1960, une culture authentiquement « *hool* » commence ainsi à émerger au sein des *ends*. Les supporters les plus fébriles s'y réunissent en « kop », un terme inspiré du Spion Kop, l'un des deux *ends* du stade Anfield Road à Liverpool[b]. Le *taking of an end*, c'est-à-dire le fait d'envahir les tribunes des supporters adverses, devient pour sa part le jeu le plus pratiqué dans les stades britanniques[25]. Dans une société où la reconnaissance sociale s'obtient désormais par la réussite individuelle, charger collectivement le kop rival, capturer leurs banderoles et drapeaux puis s'accaparer son *end* devient aux yeux des jeunes précarisés un moyen d'asseoir le prestige de leur groupe tout en remobilisant les codes sociaux de la classe ouvrière *rough* originelle : le courage, la virilité, la solidarité, la camaraderie et la communion par l'alcool.

Les railleries, insultes et autres provocations verbales à l'encontre des adversaires sont élevées au rang d'art et de nombreuses chansons viennent densifier la culture hooligan au sein des *terraces*. Les supporters

---

b   Spion Kop est le nom d'une colline en Afrique du Sud, théâtre d'une âpre bataille en janvier 1900 pendant la guerre des Boers. Malgré leur défaite, les soldats de Liverpool furent reconnus pour leur résistance héroïque.

d'Oxford United possèdent ainsi un répertoire de plus de 250 chants[26] et le kop de Liverpool adopte pour hymne la reprise pop de *You'll Never Walk Alone*[c] du groupe local Gerry and The Pacemakers, chant devenu culte parmi les supporters du monde entier. La culture musicale et vestimentaire des hooligans se sophistique afin de créer des systèmes de distinction entre supporters mais aussi pour mieux se démarquer des courants culturels *middle class* alors en vogue, comme les hippies.

En 1969, au croisement des *hard mods* et des *rude boys* jamaïcains, les premiers *skinheads* apparaissent dans les gradins de l'East End londonien, caricaturant jusqu'à l'extrême les attributs des anciens ouvriers *rough* et délinquants des docks : chaussures de sécurité Doc Martens, bretelles et pantalons de travail, cheveux courts et tatouages. Le polo de *sportsman* Fred Perry permet tout autant de ne pas suer dans les boîtes de *soul music* que de cultiver subtilement sa différence en tant que supporter : liserés bleus pour les partisans de Millwall, bordeaux pour ceux du West Ham. Pour ces jeunes de l'East End confrontés à la fermeture des docks et à l'importante restructuration urbaine de leur quartier à la fin des années 1960, le football permet de raviver un semblant de culture communautaire et de solidarités territoriales. Les *skinheads* vont alors développer l'esprit *hool* dans les stades tout en le fusionnant avec la culture de bande violente héritée des *hard mods* et des *rockers*. « Avec leur arrivée, les gangs ont pris de plus en plus d'importance dans le football, analysent à la fin des années 1980 des chercheurs de Leicester pionniers de la sociologie du sport. L'agressivité affichée par les skins, le sens de l'organisation dont ils firent preuve dans les tribunes et le sens de la solidarité qu'ils surent inculquer aux jeunes supporters, tout contribua à intensifier la lutte entre les différentes factions pour la défense de leurs territoires respectifs. En cette fin des années 1960, il ne pouvait pas y avoir de plus grand déshonneur, de plus grande honte, que de laisser sa tribune aux mains de l'ennemi[27]. »

En plus d'amener à une véritable « guerre des *ends* » entre supporters, les déplacements à l'extérieur participent à forger une culture du voyage collectif à moindre frais chez les jeunes *hools* fauchés. Dans son livre-reportage intitulé *Parmi les hooligans* (*Among the Thugs*), l'écrivain américain Bill Buford se fait ainsi expliquer par Mick, un supporter de Manchester City, qu'« être *on the jib* [signifie] ne jamais dépenser d'argent. C'est toujours un défi pour ne pas payer les tickets de métro

---

c   À l'origine, cette chanson a été écrite en 1945 pour la comédie musicale américaine *Carousel*.

ou de train ou de place pour un match. Et si tu vas à l'étranger *on the jib*, t'en reviens généralement avec un bénéfice[28] ». Les voyages « *on the jib* », au-delà de la simple fraude des transports, peuvent en effet s'accompagner d'actes de vol massif dans les supermarchés et les boutiques de luxe, une pratique notoirement connue pour être une spécialité des hooligans du Liverpool FC et qui, au grand dam des clubs européens qui doivent rencontrer les Reds, fait connaître la culture *hool* auprès de leurs supporters locaux[d]. Les hooligans de Liverpool, habitués à avoir recours au système D pour survivre dans la cité portuaire sinistrée et forts des 18 000 supporters que forment leur kop[29], ont par ailleurs mis au point la technique du *bunking in* qui consiste à se ruer à plusieurs milliers à une entrée de stade afin de forcer le barrage de police et ne pas payer de billet. Le principe affirmé à travers la pratique du déplacement *on the jib* et du *bunking in* par les *hools* est simple : « Tout le monde, y compris la police, est impuissant en face d'un rassemblement d'individus bien décidés à n'obéir à aucune règle. Ou, si l'on préfère, en face d'une foule, il n'y a plus de loi[30]. »

Si cette foule antiautoritaire paraît homogène et fruste, les groupes de hooligans sont cependant astucieusement structurés pour assurer au mieux le soutien indéfectible envers leur équipe. Certains *hools* sont spécialisés dans la création de slogans, la confection de banderoles ou le vol de fumigènes tandis que les supporters expérimentés des années 1960, les *hard men*, lancent les chants et animations du kop sur la *frontline*, l'avant des gradins. Les plus jeunes, les *scouts*, se chargent quant à eux de repérer les forces de police et les supporters rivaux[31]. L'analyse de Stuart Hall, sociologue et figure des *Cultural Studies* britanniques, qui s'est penché dans les années 1970 sur le mouvement hooligan, mérite d'être relevée : « Leur organisation collective et leurs actions créent une forme d'analogie avec le match lui-même. Sauf qu'ici, la compétition se déroule non pas sur la pelouse mais dans les tribunes. Ils ont créé un parallèle entre le défi physique et le combat sur le terrain d'une part et leurs propres formes de défi et de combat entre *ends* rivaux d'autre part. Ainsi, à mesure que des points sont gagnés ou perdus sur le terrain, des territoires sont gagnés ou perdus dans les *terraces*. [...] Les hymnes, les slogans et les chansons permettent de manifester son soutien à l'équipe et d'intervenir dans le jeu lui-même, en encourageant les joueurs et en repoussant l'adversaire... La violence entre les groupes de supporters fait

---

d   La culture hooligan se diffusera ainsi parmi les *siders* belges et hollandais puis en Europe de l'Est et en ex-Yougoslavie.

partie de cette implication dans le jeu – violence qui est une extension du jeu sur le terrain et qui touche également les tribunes[32]. »

L'affichage d'une certaine agressivité, qui s'exprime autant par des menaces à l'encontre d'autres supporters que par des coups de poing lors d'une prise de *end*, voire par une bagarre généralisée à la sortie du stade, est également une des valeurs cardinales de la culture *hool*. Au même titre que la violence ritualisée des parties de soule pré-industrielles [voir chapitre 1], la violence mise en scène par les hooligans est en grande partie d'ordre symbolique. Car l'important n'est pas tant de commettre des actions agressives que *d'avoir l'air violent*, une attitude à part entière que les hooligans dénomment l'*aggro*[33]. Ridiculiser son rival, le menacer avec véhémence, charger collectivement le *end* adverse, voler une boutique avec panache sont autant de manifestations du style *aggro* qui, ancrées dans la tradition populaire de la raillerie, permettent de canaliser les pulsions de violence[34].

Les combats réels entre *hools*, s'ils sont rares, sont quant à eux appréhendés comme de véritables rites de sociabilisation masculine qui permettent à chacun d'exalter à la face de l'adversaire son courage physique. Si l'honneur et le prestige de sa communauté sont mis en jeu dans ces agressions, les risques de blessures graves demeurent néanmoins minimes[35]. Malgré l'apparence de chaos qui semble se dégager lors des affrontements dans les *ends* ou dans la rue, la violence n'est que rarement revendiquée pour elle-même, les hooligans recherchant avant tout la victoire symbolique, celle qui provoque la fuite et l'humiliation chez le rival. Les rixes ne se déroulent par ailleurs qu'entre ceux qui veulent bien en découdre. Quant aux coups assénés, ils sont strictement codifiés : tirer les cheveux ou frapper l'entrejambe sont prohibés, et l'acharnement sur un individu ou l'usage d'armes sont (théoriquement) proscrits[e]. « Si, par exemple, un de vos supporters apporte un couteau, eh bien c'est comme une espèce de poltronnerie, indique un hooligan. Il n'y a pas beaucoup de gens qui ont l'instinct du tueur. Je veux dire qu'une fois qu'on l'a mis par terre et qu'on lui a donné quelques coups de pied et qu'il saigne, eh bien ça y est... en moyenne ça veut dire qu'on perd une ou deux dents ou qu'on rentre à la maison avec un œil au beurre noir ou une balafre[36]. »

---

e   Certains objets telles des hampes de drapeau, voire des fléchettes et des pièces de 50 pences aiguisées, seront plus tard parfois utilisés... Les *hools* du club londonien de Millwall utilisaient dans les années 1970 la *Millwall brick*, un bloc de journaux compressés et rigidifiés.

Boire jusqu'à l'ivresse, jouer à envahir les *ends* de l'autre équipe, se défouler collectivement, hurler à pleins poumons, se grimer en individu bestial et agressif, faire foule pour mieux briser les carcans autoritaires, insulter l'arbitre – incarnation de la loi sur le terrain – et les adversaires, effacer un temps toute hiérarchie sociale en se parant des couleurs du club ou des codes vestimentaires de sa bande, sont autant de pratiques sociales transgressives propres à la culture *hool*. Le hooliganisme s'affirme ainsi en tant que catharsis dionysiaque au cœur même de l'industrie du loisir des Trente Glorieuses. « [Pour les hooligans], analyse Patrick Mignon, le football a bien une dimension carnavalesque : un match est un moment où on renverse le monde. On le renverse bruyamment, en chantant, en étant obscène et ivre, mais aussi en envahissant le terrain, non pas seulement parce qu'on pense que cela va annuler la partie que son équipe est en train de perdre, mais parce qu'on transgresse les lois du jeu, on impose la présence du peuple face aux autorités du club ou de la fédération. C'est une forme de rébellion[37]. »

La maladie anglaise

Si la télévision participe au déclin de la fréquentation des stades, la retransmission des matchs rend également visible le tumulte des gradins. Ainsi, c'est en direct devant des millions de téléspectateurs qu'éclate, en 1961, une rixe entre supporters lors d'une rencontre Sunderland-Tottenham après un but d'égalisation[38]. La ferveur des *ends*, les banderoles et autres animations des kops sont désormais filmées par les caméras, ce qui incite les supporters à rivaliser par écran interposé à l'échelle du pays. Fascinés par cette agitation, les tabloïds britanniques établissent à partir des années 1970 un classement des groupes de *hools* les plus dangereux tout en se délectant des « accidents » causés par ces supporters indisciplinés et violents. « Attention à l'émeute ! » titre à sa une *People* le 2 août 1970. « Scandale des sauvages du football : préparez-vous à la nouvelle saison », affiche pour sa part le *Daily Mirror* le 20 août 1973. La médiatisation des supporters va jusqu'à alimenter la surenchère[39]. En 1967, un fan de Chelsea comparaît ainsi devant un tribunal pour avoir amené un rasoir au stade. Pour sa défense, il déclare avoir « lu dans un journal local que les supporters du West Ham allaient causer des ennuis ». Les Stretford Enders de Manchester United, que les journalistes surnomment la « *Red Army* », vont jusqu'à afficher dans leur *end* : « Nous sommes des hooligans célèbres, retrouvez-nous dans la presse ! » Ces derniers ont fait les gros titres de la presse tabloïd pour avoir réussi à envahir, non sans grabuge, les *ends* d'Arsenal en 1972 puis de Chelsea en 1973.

En relatant et amplifiant systématiquement les faits d'armes des *hools*, les médias entretiennent la panique morale autour du hooliganisme. En 1974, les Stretford Enders, en première place de la « *League of violence* » établie par le *Daily Mirror*, ont envahi le terrain quelques minutes avant la fin d'une rencontre contre Manchester City qu'ils étaient en train de perdre. L'événement ayant provoqué l'ire du président de la Football League, qui les traite d'« animaux sauvages[40] », le club est relégué en deuxième division et les supporters sont parqués derrière de hauts grillages. Entassés comme du bétail, traités comme des bêtes de foire par les journalistes, les Stretford Enders, dépités, scandent alors depuis leurs tribunes : « *We hate humans !* » (« Nous détestons les humains ! »).

Le sensationnalisme de la presse se déchaîne dans les années 1970. « Voyous », « animaux en cage », « débiles profonds » et même « sous-humains » sont autant de qualificatifs méprisants qui s'étalent à partir de 1976 en une du *Sun* ou du *Daily Express*[41]. « Ils devraient être regroupés de préférence tous ensemble dans un même lieu public, fulmine en avril 1977 le *Daily Mirror*. De cette façon, ils pourraient être ridiculisés et exposés pour ce qu'ils sont : des abrutis écervelés sans respect pour la propriété ou le bien-être d'autrui. Nous devrions nous assurer de les traiter comme des animaux, car leur comportement prouve que c'est ce qu'ils sont[42]. » À l'instar du « *We hate humans !* » de Manchester United, la plupart des hooligans s'approprient alors les stigmates qu'on leur accole en jouant délibérément avec l'image agressive qu'ils renvoient ou en s'en moquant, tels les impétueux supporters de Millwall qui chantent dans les *terraces* dès 1977 : « *No one likes us, we don't care !* » (« Personne ne nous aime, on s'en fout ! »).

L'obsession pour ce que la presse britannique nomme désormais la « maladie anglaise » oblige l'État à commander en 1978 au Sports Council et au Social Science Research Council un rapport détaillé sur le phénomène *hool*. Mais la conclusion du rapport est édifiante : « Il est remarquable, étant donné les problèmes de la Grande-Bretagne contemporaine, que le hooliganisme ait reçu tant d'attention de la presse. Les événements sont certainement dramatiques et effrayants pour les spectateurs, mais le nombre d'accidents, de blessés et de personnes arrêtées et condamnées à la suite de ces incidents est négligeable par rapport au nombre de personnes impliquées[43]. » Au plus haut de la vague du hooliganisme, entre 1975 et 1985, de nombreuses études démontreront également que les violences dans le football sont surestimées[44]. En 1977, une étude de la police de la région de Strathclyde (Écosse) sur le hooliganisme rapporte une hausse de la criminalité de 1,7 % lors des matchs de football pendant l'année 1976. « L'obsession des médias pour le hooliganisme est disproportionnée par rapport à l'ampleur réelle du phénomène lors des matchs », commentent les auteurs du rapport[45].

En mai 1979, Margaret Thatcher arrive au pouvoir en promettant de réformer en profondeur un pays durement frappé par la crise industrielle et d'étouffer la contestation sociale en rétablissant « la loi et l'ordre ». En mettant fin à la politique du *Welfare State* et en libéralisant le secteur industriel, la Dame de Fer plonge brutalement la *working class* britannique dans les affres de la précarité. Le taux de pauvreté explose et le chômage passe de 5,5 % en 1979 à 11,3 % en 1986[46]. Liverpool est considérée en 1985 comme la ville la plus misérable d'Europe du Nord avec un taux de chômage moyen de 25 % en 1987 (il grimpe jusqu'à 96 % parmi les jeunes de la banlieue de Croxteth)[47]. « Pendant longtemps, Liverpool a été la ville oubliée du nord de l'Angleterre, souligne John Aldridge, attaquant du Liverpool FC dans les années 1980. Les docks étaient à l'abandon depuis 1972, Margaret Thatcher voulait nous rayer de la carte, on nous disait de partir, d'aller vivre plus dans le Sud, ou dans les terres. Quand tout allait mal, quand tout le pays nous regardait avec pitié ou dédain, les gens d'ici n'avaient plus que le club de foot pour défendre leur honneur[48]. »

Face à ce brusque accroissement des inégalités sociales et économiques, de violentes révoltes urbaines éclatent dans les quartiers populaires de Liverpool (Toxteth) puis de Londres (Brixton) en 1981. De nombreux *hools* sont alors en première ligne lors des affrontements avec la police. Ils prêteront également main-forte aux mineurs au cours des manifestations organisées dans le cadre du grand mouvement de grève de 1984-1985 contre la fermeture d'une vingtaine de houillères[49].

Bien que les supporters se montrent à l'occasion solidaires des immigrés en lutte ou des mineurs en proie à un néolibéralisme dévastateur, les jeunes *hools* ont toutefois tendance à se replier sur leur quartier et à mettre en avant leur identité blanche[50]. Dans une société britannique fragilisée, la dimension territoriale du hooliganisme, incarnée par la défense de sa communauté et le rejet des « adversaires » (les supporters des équipes rivales, les ouvriers qui aspirent à la respectabilité bourgeoise, les habitants des quartiers riches comme Chelsea, etc.), peut en effet rapidement basculer dans un rejet des « *outsiders* » et faire le lit de la xénophobie, à l'encontre notamment des populations pakistanaises ou caribéennes installées en Grande-Bretagne.

Dès les années 1930, la British Union of Fascists avait tenté de séduire de jeunes supporters de foot de la classe ouvrière pour les embrigader dans sa milice[51]. Dans les années 1950, la White Defense League vendait quant à elle son journal *Black and White News* aux abords des stades londoniens. Sous les projecteurs médiatiques dans les années 1970, les groupes de hooligans vont tout particulièrement attirer les activistes d'extrême droite. Pour ces derniers, les gradins offrent une formidable tribune politique, relayée de surcroît par la télévision, et un espace de recrutement parmi des jeunes défavorisés de plus en plus marginalisés. À partir de 1977, dans son journal *Bulldog*, le Youth National Front consacre ainsi une rubrique à part entière au ballon rond, intitulée « On the football front », et encourage les hooligans à concourir « pour les *terraces* les plus racistes du pays ». Les *ends* de Chelsea, Leeds United, Millwall, Newcastle United, Arsenal et West Ham pullulent de militants radicaux du British Movement, du National Front, du British National Party ou de groupuscules néonazis proches de certaines franges *skinheads*[f]. Bruits de singes adressés aux joueurs professionnels noirs, obscénités sexistes et chants antisémites sont de plus en plus fréquents dans les tribunes et détériorent encore l'image du hooliganisme.

Sur fond de chômage de masse et de déclassement ouvrier, la *hardness* et la violence entre supporters augmentent également, comme pour répondre à la violence sociale de la politique thatchérienne. Le hooliganisme s'éloigne progressivement des enjeux sportifs et les actes violents sont de plus en plus prémédités. De véritables opérations martiales aux abords des stades sont menées par des *firms*, de petites bandes très organisées à l'image d'Inter City Firm, un groupe agressif de supporters du West Ham créé en 1975 et qui fait rapidement des émules au début des années 1980. Le Service Crew de Leeds, les Gooners d'Arsenal, les Bushwackers de Millwall, les Headhunters de Chelsea ou encore la Baby Squad de Leicester sont alors autant de *firms* qui germent dans les arènes sportives du pays.

---

f   Après s'être essoufflé au début des années 1970, le mouvement *skinhead* se revivifie à partir de 1977, notamment autour de la scène Oi !, dont les morceaux au rythme plus lent que le punk permettent d'être repris dans les tribunes. Fans du West Ham United, les Cockney Rejects, formation Oi ! du quartier londonien d'East End, chantent *War on the terraces* ou jouent une version nerveuse de *I'm Forever Blowing Bubbles*, le vieil hymne des supporters du club.

Ces gangs ont été mis sur pied par de nouvelles bandes de *hools* qui se sont distanciés des *skinheads*. Dénommés les *casuals* (les « ordinaires »), ces hooligans se distinguent par l'effacement de tout signe d'appartenance à leur équipe ou à la *working class*. À l'origine trentenaires pour la plupart, ils ne se joignent pas au *end* de leur club, ne se déplacent pas avec les autres *hools*, préférant se dissimuler parmi les spectateurs plus passifs pour échapper à la surveillance policière et mieux agresser les supporters rivaux[52].

Le mouvement *casual* prend véritablement naissance en 1978-1979 à Liverpool, où les hooligans sont réputés pour leur pratique du vol de vêtements haut de gamme et de bijoux de luxe. Car les *casuals* cultivent un certain dandysme vestimentaire en affichant polos de grandes marques sportives (telle Lacoste, particulièrement populaire chez les supporters de Liverpool), manteaux Stone Island, casquette Burberry et écharpes Aquascutum. Le mode de vie *casual* reflète alors le libéralisme thatchérien triomphant des années 1980. Avec l'atomisation du monde ouvrier, le hooliganisme est devenu un espace de représentation de soi-même où s'affirme un mode vie hédoniste et individualiste fondé sur une logique du paraître[53]. Déconnectée territorialement et socialement des *terraces*, la violence pure devient un style de vie revendiqué, une recherche du plaisir immédiat et de l'adrénaline à travers des confrontations viriles qui s'organisent à l'extérieur du stade, sur les parkings ou dans les discothèques. Seul le calendrier des matchs vient signaler les occasions d'affrontements[54].

« Au début des années 1980, j'étais profondément impliqué dans l'organisation d'affrontements *firm* contre *firm*, se souvient un ancien *casual* de Mansfield Town. C'était à l'époque "le truc à faire", d'autant plus que, venant du milieu minier, la semaine de travail était toujours difficile et on attendait avec impatience de pouvoir libérer toute la colère refoulée au boulot le week-end, pour expulser son spleen tout en passant un bon moment de déconne… C'était nos deux heures à nous, où les règles étaient fixées par nous et par nous seuls. C'est un sentiment d'appartenance dont la plupart des gens sont envieux et, au football, on était plusieurs milliers à partager les mêmes sentiments que les autres, à être dans le même état d'esprit durant ces quelques heures autour du match de football[55]. » Certains *casuals* vont même jusqu'à ne pas boire afin d'être plus performants lors de ces combats et n'hésitent plus à utiliser lames et rasoirs pour asseoir le prestige de leur *firm*. En 1985, le *Daily Mirror* publie ainsi un article intitulé « Trouvez qui est le vrai voyou » en publiant la photo d'un hooligan « traditionnel » à gauche

d'un *casual*. Sous l'image à l'esthétique policière, la légende indique :
« Celui de gauche avec ses bottes de loubard semble prêt à faire le coup
de poing mais l'individu habillé de façon décontractée à droite porte le
nouveau déguisement à la mode. Et c'est bien lui le véritable salaud. Sa
tenue à 300 livres peut sembler classe mais, dans la poche interne de sa
veste italienne, il pourrait cacher un cutter mortel. »

Le tournant du Heysel

Le milieu des années 1980 marque toutefois un tournant dans
l'histoire populaire du supportérisme britannique. Le 11 mai 1985 au
stade de Valley Parade à Bradford, l'incendie accidentel d'une tribune
en bois, quelques minutes avant la mi-temps d'une rencontre entre le
club local et Lincoln City, provoque la mort de 56 supporters. Diffusé en
direct à la télévision régionale, ce drame démontre alors l'état de délabre-
ment généralisé des stades anglais et le peu de considération financière
que portent l'État et les institutions footballistiques aux infrastructures
sportives. Dans son éditorial du 19 mai 1985, l'hebdomadaire *Sunday
Times* proclame : « Le football est un sport de taudis, joué dans des
stades qui ressemblent à des taudis, regardé par le peuple des taudis et
qui décourage les honnêtes gens d'y assister. »

À peine quelques jours plus tard, au stade du Heysel à Bruxelles, le
Liverpool FC rencontre la Juventus de Turin le 29 mai, à l'occasion de
la finale de Coupe d'Europe des clubs champions. Quelque 60 000 supporters, dont un certain nombre de *hools* resquilleurs de Liverpool, s'en-
tassent péniblement dans un stade vétuste. Dans des tribunes surchargées,
les spectateurs sont parqués entre les grilles de sécurité et des forces de
police largement débordées. Mais soudain, à quelques minutes du coup
d'envoi, une centaine de hooligans anglais chargent la tribune voisine
emplie de *tifosi* turinois et de spectateurs italo-belges. Peu coutumiers
de cette pratique britannique de prise de *end*, les spectateurs affolés se
replient à l'autre bout des travées, provoquant un vaste mouvement
de foule qui fait s'acculer le public contre le mur d'enceinte. Quant à
la police, elle repousse les supporters qui tentent de se sauver de cet
effroyable piège par la pelouse. Le muret s'effondre alors sous la pression des centaines de spectateurs comprimés, provoquant une boiscu-
lade généralisée. Trente-neuf supporters de la Juventus trouvent la mort,
écrasés par le mur ou piétinés par la foule, et on dénombre près de
500 blessés. L'évacuation des corps est filmée en direct mais les autorités

footballistiques font jouer le match pour éviter de lâcher des milliers de supporters en furie dans la capitale belge[g].

Rapidement, la sauvagerie des *hools* anglais est pointée du doigt. Les médias européens se déchaînent contre « ces jeunes sans règles, sans loi, sans ordre » et dénoncent une police belge qui a laissé « la fureur et la rage de brutes alcoolisées s'exalter à la mesure de sa lâcheté »[56]. Les clubs anglais sont exclus de toute compétition européenne durant cinq ans, l'équipe de Liverpool écope quant à elle d'un bannissement qui durera six ans. Le procès du Heysel, qui débute en octobre 1988, démontre que des places réservées aux Belges ont été vendues au marché noir aux *tifosi*. Ces emplacements destinés à l'origine aux spectateurs « neutres » étaient par ailleurs situés à proximité des Anglais, les deux tribunes n'étant séparées que par un frêle grillage et un étroit *no man's land*. Si 14 supporters britanniques sont à la suite du procès condamnés à trois ans de prison, le capitaine de police Johan Mahieu, l'ex-secrétaire-général de la fédération belge de football Albert Roossens et le secrétaire général de l'UEFA Hans Bangerter seront également punis de plusieurs mois de prison avec sursis.

Deux mois après le drame du Heysel, Leon Brittan, secrétaire d'État britannique à l'Intérieur, annonce : « Les gens ont le droit d'être protégés contre toute agression, blessure, intimidation ou entrave, quelles que soient les motivations de leurs auteurs, et ce, qu'ils soient des manifestants violents, des émeutiers, des grévistes menaçants ou des hooligans[57]. » Pour Margaret Thatcher et son gouvernement conservateur, les supporters de foot, les mineurs, les syndicalistes ou les jeunes immigrés appartiennent tous à cette turbulente *working class* qu'il faut mater. L'intérêt des médias européens pour la « maladie anglaise » est alors le prétexte idéal pour durcir l'arsenal répressif et judiciaire à l'encontre des hooligans.

Dès 1982, la criminalisation et la répression du hooliganisme avaient été facilitées par la création d'une nouvelle peine de détention pour mineurs, ainsi que par le renforcement des dispositifs policiers lors des matchs et la mise en place de grillages pour ségréguer les supporters. En 1985, le *Sporting Events Act* cible tout particulièrement les *hools* en prohibant toute consommation d'alcool dans et aux abords des stades, en interdisant l'introduction d'objets dangereux comme les pétards ou les fumigènes ou encore en élargissant le droit de fouille de la police. Mais, après la tragédie du Heysel, le gouvernement tchatchérien fait

---

g   Michel Platini, auteur du but de la victoire turinoise, n'hésitera pas à célébrer joyeusement sa réalisation sur le terrain du Heysel quelques heures à peine après le drame, un geste polémique qui scandalisera les amateurs de football.

promulguer le *Public Order Act* de 1986, le *Football Spectator Bill* de 1989[h] et le *Football Offences Act* de 1991 qui inscrivent dans la loi toute une série de mesures sécuritaires à l'encontre des supporters et de nouveaux délits spécifiques tels l'envahissement de terrain ou le jet de projectile. La lutte contre le hooliganisme devient dès lors un laboratoire des nouvelles pratiques policières, et le stade, un lieu d'expérimentation pour la gestion préventive des foules et le ciblage des individus « suspects ». L'installation de caméras de surveillance se généralise dans les enceintes sportives. Les premières interdictions préventives de stade, les *banning orders*, voire de déplacement à l'étranger, sont décrétées, quitte à violer le droit à la libre circulation des personnes au sein des pays membres de l'Europe. « Les *banning orders* permettent aux forces de police de demander directement aux tribunaux d'interdire de stade un individu et de l'obliger à remettre son passeport durant les compétitions internationales, qu'il ait ou non été un jour reconnu coupable d'une infraction criminelle liée au football. Si cela avait été appliqué à d'autres groupes sociaux, cela aurait été considéré comme une violation des droits humains, mais comme il s'agit de supporters, on considère ça comme légitime », rappelle avec amertume un supporter de Portsmouth[58].

Des bases de données informatiques à l'échelle britannique puis européenne sont également mises en place afin de ficher et surveiller étroitement les hooligans. Les agents de police filment directement avec leurs caméras portatives tout début de violence dans les tribunes et, grâce à ce fichage systématique, peuvent repérer puis réprimer les fauteurs de troubles. Adoptant les mêmes stratégies d'infiltration qu'en Irlande du Nord contre l'IRA, des officiers en civil opérant sous couverture s'immiscent au sein des groupes de supporters. En septembre 1989, Douglas Hurd, ministre de l'Intérieur du gouvernement Thatcher, annonce la création d'une nouvelle section de renseignement policier, la National Football Intelligence Unit[59].

Face à cette vague répressive et liberticide, les *hools* se mobilisent collectivement. Dès le lendemain du drame du Heysel, ils forment à Liverpool la Football Supporters, Association, une organisation de défense des supporters. Au cœur du kop de Liverpool, les chants et slogans se veulent plus vindicatifs et on entonne alors avec allégresse « *We Gonna*

---

h   Le *Football Spectator Bill* prévoyait la mise en place d'une carte d'identité informatisée obligatoire pour les spectateurs avant que la mesure ne soit retirée suite au rapport Taylor de 1990 (voir *infra*). Ken Bates, président du Chelsea FC, proposera quant à lui l'installation de clôtures électrifiées autour des tribunes...

Have a Party when Maggie Thatcher Dies ! » (« On fera la fête quand Maggie Thatcher mourra ! ») ou encore « *We Shall Not Be Moved* », un *negro spiritual* utilisé par le mouvement pour les droits civiques aux États-Unis et par les syndicalistes. Las de l'image calamiteuse que leur renvoient les médias et les politiques, les supporters prennent également à bras-le-corps la question du racisme qui gangrène de nombreux *ends*. Une multitude de groupes autonomes antiracistes sont mis sur pied afin de lutter contre l'influence des activistes d'extrême droite, à l'instar du Leeds Fans United Against Racism And Fascism, créé en 1987, ou de la Supporters' Campaign Against Racism in Football (SCARF), fondée en 1991 pour contrer le regain du British National Party dans les gradins écossais.

Une profusion de fanzines voient également le jour et offrent une vision positive, militante et anti-business du football anglais post-Heysel. Un authentique discours *hool* se structure au gré de ces parutions artisanales issues initialement de la scène punk. Mêlant humour, ton irrévérencieux et autodérision, les supporters y critiquent les mesures sécuritaires du gouvernement Thatcher ou encore les visées affairistes des dirigeants de leur club. Chaque *end* autoproduit et diffuse alors son propre fanzine ronéotypé : *An Imperfect Match* à Arsenal, *The End* au Liverpool FC, *When Skies Are Grey* à Everton, *The Square Ball* à Leeds ou encore *A Love Supreme* à Sunderland... Des fanzines à diffusion plus large et non affiliés à un club, tels *Off the Ball* ou *When Saturday Comes* (ce dernier, créé à Londres en 1986, est à l'heure actuelle le plus important média indépendant anglais sur le foot), apparaissent, de même que des publications plus militantes, à l'image de *The Football Pink*, qui défend la cause LGBT au sein du ballon rond, de l'antiraciste *Marching Altogether* et du fanzine de football féminin *Born Kicking*. En 1995, ce mouvement contre-culturel dénombrera au total plus de 2 150 titres, dont certains existent encore aujourd'hui[60].

Gentrifier pour mieux pacifier

À l'occasion d'un match entre les Reds et Nottingham Forest au stade de Hillsborough à Sheffield, le 15 avril 1989, quatre ans après la tragédie du Heysel où les hooligans de Liverpool furent calomniés sur la place publique, 95 supporters du Liverpool FC – dont 39 âgés de moins de 20 ans – meurent écrasés suite à un mouvement de foule à l'entrée de l'enceinte. L'émotion suscitée par le désastre est immense dans le monde du football et les images de supporters utilisant comme civières de fortune des panneaux publicitaires arrachés tournent en boucle à la télévision. La haine envers les supporters et le mépris de classe reviennent à la une des journaux britanniques qui accusent le public de « chômeurs » et d'« alcooliques » de Liverpool d'avoir comme à son habitude fraudé en masse l'entrée au stade et créé une bousculade mortelle en arrivant après le coup d'envoi du match. Le tabloïd *The Sun* s'illustre quant à lui en publiant le témoignage – qui se révélera plus tard faux – d'un policier qui prétend que les supporters ivres de Liverpool ont uriné sur les cadavres après les avoir détroussés.

Dès août 1989, un rapport commandé à Lord Peter Taylor établit néanmoins que ce sont les négligences de la police, incapable de gérer l'afflux des supporters, et l'installation de clôtures à l'avant des *terraces* pour prévenir tout envahissement de terrain, qui sont à l'origine du drame[i]. Le rapport Taylor préconise de surcroît l'amélioration des conditions de sécurité et d'accueil dans les stades de 1re et 2e division, dont la majorité – 70 sur 92 – ont été construits avant 1914[61]. Les autorités britanniques impulsent alors une grande politique de rénovation des arènes sportives dont l'une des mesures phares est la destruction des *terraces* pour des tribunes entièrement constituées de places assises – *all-seaters*. Nombre de supporters, estimant que le soutien à son équipe se fait nécessairement debout, considèrent cette évolution comme une hérésie : obligerait-on les spectateurs d'un concert punk à rester vissés sur leurs sièges ? Dès l'été 1992, le mythique Stretford End de Manchester United et le virage Nord du stade d'Arsenal sont démolis et des places assises sont installées. Deux ans plus tard, ce sera au tour des légendaires *terraces* du Spion Kop de Liverpool puis du Holte End d'Aston Villa de disparaître.

À la même période, un nouveau tour de vis néolibéral et sécuritaire est initié avec le lancement de la Premier League, en 1992, puis l'organisation du championnat d'Europe en Angleterre, en juin 1996. Sous l'influence du magnat de la presse Rupert Murdoch, propriétaire entre autres de la chaîne par satellite BSkyB, la première division du championnat anglais est reconfigurée pour rassembler la vingtaine de clubs les plus talentueux du pays et est rebaptisée Premier League. Les investissements massifs des sponsors et les droits de télédiffusion mirobolants payés pour la retransmission des matchs (et principalement par

---

i   Ce n'est qu'en avril 2016, après une enquête indépendante accablante pour la police, que les forces de l'ordre ont été reconnues coupables de la tragédie ainsi que d'avoir produit de faux témoignages auprès de la justice.

BSkyB) dopent les clubs, qui se transforment en puissantes machines financières obnubilées par la maximisation du profit. Cinq ans plus tard, dix-sept clubs de Premier League, à l'instar de Manchester United ou de Tottenham Hotspur, sont cotés en Bourse...

La sécurité du championnat d'Europe 1996 est quant à elle directement planifiée et coordonnée par la National Football Intelligence Unit qui, depuis 1990, a déjà répertorié 6 000 noms de hooligans présumés, dont les photographies individuelles figurent dans une base informatique[62]. Ce système de fichage policier permet d'interdire de stade les *hools* jugés les plus turbulents durant toute la compétition. Une « hotline hooligan » est mise en place afin que les spectateurs puissent signaler par téléphone et anonymement tout incident. Une armada de *spotters*, des policiers en civil spécialistes des supporters, est parallèlement déployée dans les tribunes. L'événement est également l'occasion d'initier le « Programme Hooliganisme » sous l'impulsion du Forum européen pour la sécurité urbaine. L'objectif est de constituer un réseau international d'« échange de technologie préventive ou sécuritaire » en matière de gestion du hooliganisme dans les stades de football[63]. Quant au public populaire, il est largement évincé des gradins de l'Euro avec la mise en vente de billets à des tarifs ahurissants et la préréservation par les instances du football de places destinées uniquement à la clientèle d'entreprise. Pas moins de 14 000 invités de sociétés commerciales ont ainsi assisté le 15 juin 1996 au match opposant l'Angleterre à l'Écosse au Wembley Stadium de Londres[64].

Ce mouvement de fond anti-hooligan ainsi que la gentrification des stades initiée avec la disparition des *terraces* s'accompagnent d'une hausse drastique du prix des billets qui a pour conséquence une métamorphose radicale de la composition sociale des tribunes britanniques. Entre 1990 et 2011, le coût des places les moins onéreuses au stade Old Trafford de Manchester United et à l'Anfield de Liverpool augmente ainsi respectivement de 454 % et 1 108 %[65]. Un billet pour un match de première division coûtait en moyenne 4 livres en 1990 contre 35 en 2012[66] et les abonnements les moins chers pour les clubs de Premier League oscillaient en 2015 entre 450 euros et 1 360 euros, c'est-à-dire environ quatre fois plus que pour les autres grands clubs européens[67]. Cette tarification élevée permet aux clubs, en plus de financer la rénovation des stades, d'écarter des gradins les supporters issus des milieux les plus modestes, augurant « un scénario à l'américaine où les stades réunissent les classes solvables et où les classes populaires regardent le sport à la télévision[68] ». Alors que la moyenne d'âge des supporters dans les *ends* de l'Old Trafford était de 17 ans en 1968, elle atteignait 40 ans en 2008[69]. Selon la Football Supporters' Federation, le supporter type anglais est aujourd'hui un quarantenaire qui dépense en moyenne 116 € par match, déplacement et billet compris[70]. Le temps des bandes de jeunes hooligans fauchés voyageant *on the jib* et pratiquant le *bunking in* pour frauder l'entrée au stade est définitivement enterré.

La stratégie entrepreneuriale des clubs de football qui vise à transformer le supporter en consommateur et à attirer une nouvelle clientèle plus aisée et plus âgée modifie aussi en profondeur l'ambiance dans les tribunes de Premier League. Le développement de l'abonnement à la saison – dont le coût faramineux dissuade les supporters de prendre le moindre risque de se faire expulser du stade pour une quelconque infraction –, les stewards zélés dans les gradins, la multiplication des loges VIP et autres salons privés d'entreprise ou encore l'architecture préventive des nouvelles infrastructures qui facilite les interventions des forces de l'ordre sont autant d'instruments de pacification et de contrôle des comportements de supporters[71]. Entre les saisons 1988-1989 et 1998-1999, le nombre d'arrestations lors des matchs de football des deux premières divisions a ainsi diminué de 58 % et, en 2000, moins de 20 % des supporters ayant assisté à la Premier League affirment avoir été témoins d'un jet de projectile ou de tout autre incident lié au hooliganisme[72]. « Beaucoup de supporters anglais restent fidèles aux ligues inférieures. La troisième, la quatrième division. Pas pour se battre, non, mais parce que ça a un sens, témoigne Cass Pennant, célèbre leader noir de l'Inter City Firm du West Ham United et premier hooligan à avoir été condamné à la prison ferme. Ils voyagent ensemble, chantent, mangent. Maintenant, en Premier League, tout ça, c'est fini. C'est devenu "assieds-toi, donne-moi ton argent, ne fume pas, bois ta bière dans un verre en plastique". C'est seulement du business[73]. »

Fier des résultats des mesures sécuritaires déployées à l'encontre des *hools*, Bryan Drew, officier de renseignement britannique au National Criminal Intelligence Service, exultait ainsi dès 2001 : « Il existe dans notre société une composante à la fois mauvaise, répugnante et antisociale qui s'accroche au football et qui est difficile à éliminer. Ce qu'était devenue la "maladie anglaise" ne se caractérise plus par les affrontements de masse dans les *terraces* et les batailles de rue des années 1970 et 1980. Mais, comme pour d'autres infections, de nouvelles souches de hooliganisme pourraient se développer[74]. » Les violences inhérentes au hooliganisme britannique se cantonnent en effet aujourd'hui à des incidents qui adviennent sporadiquement aux alentours des pubs et qui sont l'objet lors de certains matchs, telles les rencontres à haut risque Chelsea-Millwall ou les compétitions européennes, d'une surveillance policière drastique. Ainsi, en vue de s'immuniser préventivement contre tout « risque hooligan », les 2 181 *hools* interdits en 2016 des stades britanniques[75] ont tous été contraints de laisser aux autorités leur passeport avant l'Euro qui se déroulait cette année-là en France. Ce qui n'empêchera pas deux cents supporters anglais de provoquer un scandale médiatique en se battant contre les ultraviolents hooligans russes dans les rues de Marseille, en marge du match Angleterre-Russie du 11 juin 2016[j]. De même, lors de la finale de la Ligue des Champions qui se tenait à Cardiff le 3 juin 2017, un nouveau système électronique de reconnaissance faciale automatique a permis de scanner les visages des milliers de supporters présents aux abords du stade et de les comparer à une gigantesque base de données policière afin de cibler toute personne passible de « comportements antisociaux »[76]. Comme l'écrit le romancier anglais John King dans son célèbre ouvrage *Football Factory*, « la violence footballistique est morte et enterrée. La société est infiniment mieux équilibrée aujourd'hui. Les conservateurs ont éradiqué le système de classe[77] »...

Alors que les fans les plus turbulents ont été contrôlés, fichés, exclus des travées ou incarcérés, l'imaginaire de la culture *hool* a pour sa part été recyclé par nombre de romanciers ou de supporters de l'ère pré-Taylor qui ont fait du récit sensationnel de hooligan un genre littéraire à part entière en Angleterre – *Casuals* de Phil Thorton (2003), *Terrace Legends* de Cass Pennant (2003), *Perry Boys* de Ian Hough (2007), *The Liverpool Boys Are Back in Town* de Dave Hewitson (2008) pour ne citer que les œuvres les plus connues – tandis que l'industrie du cinéma a tristement repris à son compte les clichés *bad boy* du hooliganisme avec des réalisations commerciales à gros budget comme *Green Street Hooligans* de Lexi Alenxander (2005) ou les films de Nick Love – *The Football Factory* (2004), *The Firm* (2009). Quant aux *casuals*, s'il existe encore à l'heure actuelle quelques *firms* extrêmement surveillées par la police, ils se sont pour leur grande part dissous en s'investissant dans le mouvement culturel *acid house* au tournant des années 1990. Les redoutables membres de l'Inter City Firm du West Ham United ont ainsi créé dès 1989 Centreforce, une radio

---

j   Une nouvelle génération de hooligans a émergé à la fin des années 1990 dans les pays de l'Est. Proches des groupuscules nationalistes, pratiquant intensivement les sports de combat, ces hooligans radicaux organisent régulièrement des *fights* collectifs déconnectés du calendrier des rencontres de football.

pirate pionnière dans l'émergence de la *house music*, et ont chapeauté, grâce à leur capacité de mobilisation et à leur art de déjouer la police, l'organisation des premières grandes « raves » clandestines de Londres. Une autre façon de perpétuer la tradition rebelle des *hools*.

15

Le douzième homme.
Le mouvement ultra italien :
du militantisme politique
à l'autonomie des supporters

> « Le football est la dernière représentation sacrée
> de notre temps. C'est un rite dans le fond, même
> s'il est évasion. Si d'autres représentations sacrées
> sont en déclin, y compris la messe, le football est la
> seule qui nous reste. Le football est le spectacle qui
> a remplacé le théâtre, [...] un spectacle dans lequel
> un monde réel, de chair, celui des gradins du stade,
> se confronte avec des protagonistes réels, les athlètes
> sur le terrain, qui bougent et se comportent selon
> un rituel précis. »
>
> Pier Paolo PASOLINI, *L'Europeo*, 31 décembre 1970.

Sur la Piazza Castello de Turin, près d'un demi-million de personnes se recueillent en ce triste matin du 6 mai 1949[1]. Un convoi funèbre alignant un nombre interminable de voitures expose aux yeux des Turinois les cercueils de 18 joueurs du Torino FC et de ses dirigeants. Deux jours plus tôt, suite à un match amical contre le Benfica à Lisbonne, l'avion qui ramenait l'équipe à Turin s'écrasait sur la colline de Superga, à quelques encablures de la cité piémontaise. La disparition brutale de ses 31 passagers – l'ensemble des footballeurs du Torino, les directeurs, les entraîneurs, le soigneur, trois journalistes sportifs et les membres de l'équipage – provoque une vague d'émotion dans toute l'Europe. Le drame est en effet d'autant plus retentissant que le Torino FC est à l'époque la formation la plus talentueuse de la Péninsule (elle a remporté quatre fois consécutivement le championnat italien), et que nombre de ses joueurs étaient titulaires de la sélection italienne. Pratiquant un jeu innovant, rationnel et technique, les succès du Torino symbolisaient de surcroît la reconstruction triomphante et la modernisation économique de l'Italie industrielle quatre ans seulement après la fin de la Seconde Guerre mondiale[2].

Rare source d'optimisme dans une ville qui a été occupée par les Allemands avant d'être lourdement bombardée par les Alliés, l'équipe du Torino est pleurée par la classe ouvrière turinoise. La formation était en effet la rivale populaire de la Juventus de Turin, club à l'image plus élitiste et propriété de la famille Agnelli, fondatrice des industries automobiles Fiat. L'édition turinoise de *L'Unità*, organe de presse du Parti communiste italien, décrivait pour sa part les joueurs du Torino comme « d'authentiques représentants du prolétariat et du progressisme[3] ».

Au lendemain de la catastrophe aérienne, une nouvelle équipe est mise sur pied mais l'âge d'or du « *Grande Torino* » est définitivement achevé. Le « *Toro* », surnom du club qui a un taureau pour emblème, a les pattes brisées. Dès la saison 1949-1950, la Juventus arrive en tête du championnat italien tandis que le Torino termine à la sixième place. Une tragédie supplémentaire pour les adorateurs du Toro.

Du spectateur au supporter

En ces temps difficiles, les plus fervents supporters *granata* – « grenat », la couleur du maillot du Torino – apportent leur soutien au club déclassé et meurtri en assistant systématiquement à tous les matchs pour encourager les nouveaux joueurs embauchés et renflouer les caisses d'un club financièrement fragilisé. Allant plus loin, les *tifosi* fondent en 1951, dans l'arrière-salle d'un restaurant populaire de la Porta Palazzo, le Gruppo Sostenitori Granata (« Groupe des partisans grenat »), la première association structurée de supporters créée en Italie. Pour les partisans du Toro, il s'agit de participer à la renaissance du club mais aussi de « se rencontrer fréquemment, dans les cafés du centre ou de la périphérie, pour donner libre cours à [sa] passion[4] ». Dès décembre 1951, à l'occasion du derby contre la Juventus, la tribune du Torino est « habillée comme pour un jour de fête », et remplie « de centaines de drapeaux et de pancartes »[5]. Une première dans un stade européen où les animations visuelles étaient presque inexistantes et où les spectateurs se contentaient de manifester leur soutien par des applaudissements, quelques encouragements épars et des cris d'émotion spontanés – le *sfogo*.

Progressivement, le Gruppo se constitue comme une instance représentative des supporters qui entend peser sur la vie sportive et politique du Torino. Il n'hésite pas, *via* sa gazette, *Toro*, à s'adresser aux joueurs pour qu'ils débutent chaque match avec, « dans le cœur, une seule palpitation, une seule âpre volonté » : celle de faire gagner le Torino[6]. Voyant l'existence de son grand club menacée par la baisse des performances de l'équipe et par les difficultés budgétaires, le Gruppo se positionne comme le gardien de l'identité *granata*. Ainsi, en août 1956, quand la direction du club envisage un rapprochement avec le frère ennemi au maillot noir et blanc, la Juventus, le groupe se renomme « Fedelissimi Granata » (« Les Très Fidèles Grenat ») avec pour objectif de « réunir en une seule association tous les *tifosi* sincères du Torino [...] et défendre l'existence du club contre toute fusion éventuelle[7] ». Deux ans plus tard, ils appellent au limogeage de la direction du Torino lorsque le président Mario Rubatto, afin de redresser économiquement le club, signe un contrat publicitaire qui implique de rebaptiser l'équipe Talmone-Torino (du nom d'une tablette de chocolat) et de floquer un « T » blanc sur le maillot des joueurs.

Depuis leur siège installé Via Carlo Alberto, les *fedelissimi* organisent d'innombrables collectes pour acheter des drapeaux aux couleurs grenat et s'occupent, en lien direct avec l'administration du club, de la vente de billets. En mars 1959, ils vont jusqu'à réserver un train spécial pour 400 supporters afin d'aller encourager leur équipe à Bologne. Alors que le Torino est relégué en Série B (la deuxième division du championnat) à la fin de la saison, le soutien des Fedelissimi Granata ne faiblit pas. En 1963, le Torino s'installe dans une nouvelle enceinte, le Stadio Comunale, et les *fedelissimi* s'approprient une des deux *curve* du stade – les « virages », derrières les buts, où les places sont moins chères –, institutionnalisant la *curva* dite « Maratona » en tant que lieu de rassemblement des fidèles *tifosi*.

À la fin des années 1950, le niveau de vie des Italiens s'améliore sensiblement, rendant l'entrée au stade plus abordable pour les classes populaires. Entre 1953 et 1963, le nombre de spectateurs augmente ainsi de près de 30 %[8]. S'inspirant de la loyauté indéfectible des *fedelissimi* qui tentent de compenser la faiblesse de leur équipe par un supportérisme exacerbé, d'autres associations de *tifosi* voient le jour sous l'impulsion des dirigeants des clubs, à l'instar du Gruppo Simpatizzanti Juventus di Torino (« Groupe des sympathisants Juventus de Turin ») ou des Moschettieri (les « Mousquetaires ») de l'Inter de Milan créés tous deux en 1960. Dans une optique de contrôle de ces groupements de supporters, des fédérations associatives comme le Centro Coordinamento Torino Clubs fondé en 1965 ou l'Associazione Italiana Milan Clubs en 1967 sont créées pour coordonner les dizaines de petites organisations de *tifosi* qui peuvent parfois être installées dans des villes éloignées de la cité originelle de l'équipe encouragée[9]. Les migrations ouvrières, assez massives à l'époque, dispersent en effet les supporters aux quatre coins du pays et au-delà des frontières. Des sections Fedelissimi Granata sont ainsi créées à Rome en 1971 ou à Pesaro en 1976. L'Associazione Italiana Milan Clubs fédère pour sa part plus de 1 300 clubs de supporters à travers le pays (ainsi qu'une douzaine d'associations à l'étranger) à la fin des années 1980[10].

Fortes de leurs milliers de membres – les *soci* –, ces associations de supporters établissent des relations étroites avec les instances dirigeantes des clubs qui voient dans cette coopération l'assurance de remplir leurs tribunes à chaque rencontre. Installées dans un bar ou dans leur propre local, les associations de supporters jouent également le rôle de maisons de quartier ou, à l'étranger, de lieux communautaires pour les travailleurs italiens émigrés. Elles proposent régulièrement des festivités : repas d'après-match, anniversaire du club, célébration d'une victoire marquante, etc. Elles deviennent par ailleurs le support d'activités sociales extrafootballistiques comme des sorties familiales, l'élaboration du sapin de Noël, des tournois de jeux de cartes et diverses actions caritatives de quartier. On y retrouve des hommes de tout âge, les jeunes étant souvent accompagnés de leur père. Quant aux femmes, elles restent cantonnées à la gestion des tâches administratives – vente des billets et des produits dérivés, mise à jour des cotisations, gestion des déplacements – ou à la préparation des grandes tablées festives.

À l'occasion des matchs importants, les *soci* commandent généralement une banderole au nom de leur association sponsorisée par un commerçant du quartier. Dans les gradins, ils brandissent drapeaux et écharpes achetées au club de supporters tandis qu'à l'extérieur ils n'hésitent pas à arborer un *distintivo*, une broche aux couleurs de leur équipe. À la fin des années 1960, les *curve* des stades italiens sont devenues les nouveaux territoires de chaque *tifoseria*. Au Stadio Comunale de Turin, la Curva Maratona, rassemblant les *tifosi* du Torino FC, s'oppose au virage Sud, la Curva Filadelfia de la Juventus, tandis qu'au Stade olympique de Rome la Curva Nord de la Lazio fait face à la Curva Sud de l'AS Roma.

Virage à gauche

L'année 1968 marque en Italie les débuts d'une ère d'intense agitation politique. La contestation sociale gagne aussi bien la jeunesse étudiante, qui s'émancipe de la tutelle des générations précédentes, que le monde ouvrier, qui s'affranchit de la pesanteur idéologique du Parti communiste italien (PCI). Baptisé « *Maggio strisciante* » (« Mai rampant ») en raison de la durée du mouvement, le Mai 68 italien débute à Rome le 1er mars 1968 par la bataille de Valle Giulia qui oppose les forces de police et les étudiants qui cherchent à occuper leur université. La révolte se propage ensuite à l'ensemble du pays et des liens étroits se tissent entre étudiants et ouvriers, notamment à Turin autour des industries Fiat. Mais les violences se multiplient. Le 2 décembre 1968, à Avola (Sicile), la police tue deux ouvriers agricoles en grève. Le 9 avril 1969, deux personnes sont abattues par les forces de l'ordre à Battipaglia (Campanie), au cours d'une manifestation contre des fermetures d'usine. Le 3 juillet, à Turin, les syndicats ouvriers des usines Fiat de Mirafiori déclenchent une journée de grève générale en soutien à la lutte contre la hausse des loyers. Le cortège est rejoint par les étudiants avant que la manifestation ne se transforme, dix heures durant, en émeutes et en durs combats de rue avec la police.

Le mouvement social se durcit et s'autonomise de plus en plus des directions syndicales ou de l'hégémonique PCI. De nouvelles organisations de gauche radicale émergent, notamment Lotta continua (Lutte continue) et Potere operaio (Pouvoir ouvrier), tandis que des Comités unitaires de base (CUB) éclosent dans toutes les usines du pays[11]. C'est alors que s'enchaînent sans discontinuité trois mois de grèves spontanées et sauvages, un temps combatif nommé l'« *Autunno caldo* » (« Automne chaud »). Les ouvriers turinois des usines Fiat enchaînent les grèves tournantes et, le 9 octobre, la grève générale est déclarée dans le Frioul et la Vénétie julienne. Dix jours plus tard, les habitants des bidonvilles de la Via Latina à Rome incendient leurs propres baraques en signe de révolte. Le 25 novembre, les ouvriers de la chimie inaugurent la grève générale puis, le 28, les métallurgistes de tout le pays convergent vers la capitale. « Ville après ville, quartier par quartier, les ouvriers sont en train de mettre en place les bases structurelles et culturelles d'un vaste réseau de pouvoir, qui continuera à fonctionner une bonne partie de la décennie suivante et va transformer en profondeur la société italienne, constatent Nanni Balestrini et Primo Moroni, écrivains et figures militantes de l'époque. Le climat politique est bouillant, les rues sont perpétuellement envahies par des dizaines de milliers d'ouvriers et d'étudiants en lutte[12]. »

Cette incroyable effervescence militante et antiautoritaire s'immisce également dans les tribunes des stades. Les jeunes mobilisés dans la rue, les usines ou les universités sont en effet les mêmes que ceux qui assistent aux matchs. À Milan, alors que la ville est fortement secouée par la révolte sociale, les plus jeunes supporters du Milan AC se retrouvent avant chaque match à la porte 18 du stade San Siro pour se rassembler entre eux, derrière les *tifosi* plus âgés, dans une Curva Sud déjà ancrée politiquement à gauche[13]. En 1968, ces jeunes marqués par les événements politiques en cours décident de fonder un petit groupe autonome de supporters, la Fossa dei Leoni (La Fosse aux Lions). Les Boys San de l'Inter de Milan, d'inspiration néofasciste, sont quant à eux créés dès 1969, tandis que les adolescents du quartier Sestri Ponente de Gênes, fans de la Sampdoria, s'unissent en Ultras Sant' Alberto avant de se renommer Ultras Tito Cucchiaroni, en l'honneur d'un populaire joueur argentin de leur équipe.

Ces nouveaux groupes de jeunes, qui reprennent rapidement entre eux la dénomination « *ultrà* » (les « extrêmes », les « ultimes ») brandie dès 1971 par les Ultras Tito Cucchiaroni, se distinguent des autres *tifosi* par leurs méthodes, qui s'inspirent de celles des organisations et groupuscules politiques radicaux. Comme les ouvriers qui rompent avec les centrales syndicales liées au PCI pour s'auto-organiser en Comités unitaires de base, les supporters ultras prennent leurs distances avec leur association de supporters originelle qu'ils jugent trop proche des instances dirigeantes du club et pas assez revendicative vis-à-vis des institutions footballistiques. Ils considèrent également que l'engagement pour une cause, en l'occurrence l'encouragement de leur équipe, doit être total et s'organiser au même titre qu'une lutte sociale.

Au croisement de la culture associative des clubs de supporters de leurs parents et du modèle organisationnel des groupuscules d'extrême gauche, les ultras se constituent en groupes très structurés où les décisions se prennent collectivement et où se dégagent, en fonction de l'investissement plus fort de certains membres, quelques têtes, les *capi*, voire, pour les plus grands groupes, un *direttivo*, équivalent d'un « bureau politique »[14]. Ces jeunes sont par ailleurs fascinés par le supportérisme hooligan en Grande-Bretagne. C'est le cas par exemple des *tifosi* de l'Inter de Milan, qui avouent avoir été subjugués par la ferveur du kop de Liverpool lors d'une demi-finale de Coupe des clubs champions européens en mai 1965, au point d'avoir éprouvé le mal de mer face aux incessantes vagues colorées ébauchées par les écharpes des supporters anglais[a][15]. Être « *ultrà* » implique un militantisme actif qui se traduit, pendant toute la durée du match, par un supportérisme sonore organisé à l'aide de tam-

---

a   Lors de la finale de la Coupe des clubs champions européens 1976-1977 opposant le Liverpool FC au Borussia Mönchengladbach au Stade olympique de Rome, la ferveur du kop anglais impressionnera les ultras romains qui en profiteront pour étudier de près ses animations.

bours, d'applaudissements rythmés et de slogans entonnés en chœur, et des animations visuelles, avec des écharpes tendues, des banderoles ou des drapeaux sur hampe. L'objectif est de produire collectivement la meilleure ambiance possible dans les tribunes et de la façon la plus créative qui soit. Dans les jours qui précèdent le match, les ultras se retrouvent ainsi dans un local, un terrain ou dans les coursives du stade pour planifier et élaborer tous ensemble le *tifo*, c'est-à-dire les chorégraphies, drapeaux (*bandiere*) et autres banderoles. Ces préparatifs permettent de tisser des liens d'amitié et de consolider l'unité du groupe, qui participent à leur tour à l'émulation et à la ferveur collectives. Gabriele, une figure des Leoni della Maratona, un groupe ultra né d'une scission en 1977 avec les Fedelessimi Granata, raconte la « joie immense » qu'il éprouve lorsque le Torino FC remporte une victoire : « J'ai les yeux humides, la chair de poule et le sentiment d'un juste retour des choses, du courage et du labeur récompensés[16]. » « En tant qu'ultra, je m'identifie à un mode de vie particulier, précise un fan de l'AC Milan. Nous sommes différents des supporters ordinaires en raison de notre enthousiasme et de notre excitation. Cela signifie, évidemment, de se réjouir et de souffrir beaucoup plus fortement que tout le monde. Être ultra signifie exagérer les sentiments[17]. » « L'amour et la passion que j'ai pour l'équipe, dans mon cas l'Atalanta, ce n'est pas une chose rationnelle. Ça ne peut pas s'expliquer par des mots, c'est une chose qu'on sent en soi. Si tu la sens, tu peux rester sept heures au stade à chanter et hurler », confesse pour sa part une supportrice ultra de l'Atalanta de Bergame[18].

Il existe par ailleurs une similitude entre les ultras dans les tribunes et les manifestants dans les rues. Les ultras se rendent en cortège au stade, se réunissent derrière une banderole portant le nom de leur bande et, comme dans une manifestation, une bâche, ou *bandierone*, délimite leur territoire dans les gradins afin de former un « bloc ». De même, les diverses animations visuelles et sonores sont impulsées par le *capo* qui, tel un chef d'orchestre, motive et coordonne sa troupe à l'aide d'un mégaphone, dos tourné au match. Rapidement, ces groupes autonomes de jeunes supporters se multiplient dans les stades italiens : Ultras del Napoli, Forever Ultrà del Bologna ou encore Ultras Granata au Torino FC, un véritable « mouvement ultra » prend forme dans l'Italie des années 1970.

À la même période, le contexte politique se tend dans le pays. L'« Automne chaud » s'achève avec l'attentat à la bombe de la Piazza Fontana à Milan, le 12 décembre 1969, qui fait 16 morts. Si le cheminot et militant anarchiste Giuseppe Pinelli est accusé par la police d'en être l'auteur, le mouvement contestataire impute l'attentat à l'extrême droite.

Tout en intensifiant la répression policière et judiciaire, l'État italien instrumentalise en effet des groupes néofascistes pour instaurer un climat de tension, justifier la répression contre les mouvements d'extrême gauche et précipiter le retour d'un régime autoritaire.

Certaines franges radicales de la gauche révolutionnaire décident alors de se défendre armes à la main contre les agressions des groupuscules fascistes et des forces de police, une stratégie d'autodéfense qui confine à l'insurrection. De nombreuses organisations armées clandestines voient le jour, à l'instar des Brigate Rosse (Brigades rouges) en 1970, des Nuclei Armati Proletari (Noyaux armés prolétariens) en 1974 ou de Prima Linea (Première Ligne) en 1976. Une vague de violence politique sans précédent déferle dans les villes. Attentats, assassinats ciblés, *gambizzazione* (tirs dans les jambes), enlèvements et échanges de coups de feu en manifestation deviennent monnaie courante. De 1969 à 1980, plus de 12 690 attentats provoquent la mort de 362 personnes, la plupart étant attribués à l'extrême droite qui s'attache à frapper massivement et à l'aveugle pour instiller la terreur[19].

Le paysage de la gauche révolutionnaire se caractérise quant à lui par l'émergence de l'Autonomie en tant que projet politique d'émancipation qui veut briser tous les carcans autoritaires de la société italienne. Autonomia Operaia (Autonomie ouvrière), vaste mouvement politique radical et horizontal dans lequel se dissolvent dès 1973 de nombreux groupes extraparlementaires, regroupe les partisans du communisme immédiat. La contestation sociale déborde alors des universités et des usines pour toucher les quartiers des villes, où les pratiques alternatives se multiplient (radios libres, autoréductions à grande échelle, occupations d'immeubles, etc.). Dès février 1977, vingt-trois universités se mettent en grève et initient un mouvement pluriel empreint de radicalité politique et de contre-culture. Émeutes urbaines, évasions de prison, grèves, attaques armées contre des représentants du patronat industriel et du pouvoir judiciaire, assemblées fiévreuses, le climat du printemps 1977 est explosif, et la répression policière, sanglante[b].

La violence politique qui traverse la société italienne dans les années 1970 se répercute au sein de l'embryonnaire mouvement ultra. Les formations de supporters qui fleurissent dans les tribunes se réfèrent sans ambages aux appellations des groupes armés d'extrême gauche

---

b   À l'image du 13 mars 1977 où des chars blindés entreront dans Bologne pour mater le mouvement social qui s'était embrasé après la mort d'un jeune militant de Lotta continua.

italiens[c], palestiniens et même latino-américains d'alors. Les Commandos Rossoblù naissent à Bologne en 1969, les Brigate Rossonere et Settembre Rossonero apparaissent en 1974-1975 au sein des tribunes du Milan AC. Le Commando Ultra Prima Linea est créé en 1978 à Cosenza tandis qu'éclosent les Commandos Fedelessimi au Torino, les Venceremos et Autonomia Bianconera à la Juventus ou les Fedayn et les Tupamaros à l'AS Roma[20]. Les *curve* sont conquises par une jeunesse engagée qui veut s'approprier le stade et en faire un théâtre d'expression antiautoritaire. Plusieurs meneurs des Fossa dei Grifoni du Genoa, créés en 1973, ne se cachent pas d'être des anciens militants d'Autonomia Operaia[21]. Giò, un ultra du Torino de 21 ans et ouvrier de la Fiat, affirme en 1977 qu'« actuellement la *curva* est majoritairement à gauche mais c'est un peu confus parce qu'elle est composée de membres du PCI, de Lotta Continua et de l'Autonomie[22] », un propos appuyé par Massimo, un jeune ultra de la Juventus qui assure que « ce qui nous unit c'est que nous soyons tous de gauche[23] ».

L'effigie de Che Guevera, les étoiles jaunes ou rouges, les poings levés sont autant d'iconographies que l'on retrouve sur les banderoles et les drapeaux des *tifosi*. Et, comme dans les cortèges, les ultras viennent au stade le visage masqué par un foulard, portant une cagoule ou un casque, et ovationnent l'entrée des joueurs en brandissant leur main avec trois doigts levés, un salut pratiqué par les militants autonomes qui symbolise le pistolet P38, l'arme favorite des groupes armés d'extrême gauche. Quelques footballeurs professionnels s'engagent également, sur le terrain vert ou sur la scène politique, à l'image de Paolo Sollier, avant-centre à Pérouse originaire du Val di Susa, qui salue son public le poing levé, milite à Avanguardia Operaia, une petite organisation de la gauche extraparlementaire, et publie en 1976 un livre de réflexion sur sa vie de footballeur-travailleur et de militant révolutionnaire[24]. Lors de la signature de son contrat professionnel avec Pérouse, le joueur réussit à y faire insérer une clause : à chacun de ses buts, le club devait souscrire deux abonnements au *Quotidiano dei lavori*, le journal de l'organisation Avanguardia Operaia.

Pratique alors inédite dans les stades de football italiens habitués aux encouragements spontanés et aux lénifiants « *Alè, alè...* », les chants et slogans entonnés collectivement par les supporters ultras expriment également les liens intimes entre culture militante et activisme footballistique. Valerio Marchi, sociologue italien spécialiste des supporters, parle

---

c   Entre 1970 et 1982, on recensera en Italie plus de 500 sigles de groupes révolution-
    naires d'extrême gauche.

à ce sujet de « réélaboration des slogans politiques par les ultras[25] ». Dès 1969, au Stadio Comunale de Turin, les ultras du Torino fredonnent en chœur un chant antipatronal pour railler la Juventus. Propriété de la famille Agnelli, la « Juve » est associée au patronat des usines Fiat, également détenues par les Agnelli et grand foyer de la contestation ouvrière en cours : « C'est lundi, quelle déception/Il faut retourner à l'usine/au service du patron/Ô Juve noire, va laver les pieds/de toute la famille Agnelli[26] ! » La même saison, le premier slogan jamais entendu dans le stade de Bologne est lancé par les Commandos Rossoblù à l'encontre des Boys San de l'Inter Milan. Un « Boys, charognes, retournez dans les égouts » directement inspiré du slogan antifasciste le plus populaire dans les cortèges politiques de l'époque : « Fascistes, charognes, retournez dans les égouts[27] ». Les Brigate Rossonere du Milan AC reprennent quant à elles à partir de 1975 l'air de la chanson *Per i morti di Reggio Emilia*, écrite par Fausto Amodei en hommage à cinq militants communistes assassinés par la police suite à une manifestation en juillet 1960 à Reggio Emilia. Les paroles sont adaptées par les *tifosi* milanais : « *Tifosi* rouges et noirs, *tifosi* de Milan/Tenons-nous par la main en ces jours tristes/ De nouveau à Marassi, de nouveau là-bas à Comunale/*Tifosi* rouges et noirs, on nous a conduits à l'hôpital/Sang dans les travées, sang dans les tribunes/Nous avons été pris mais nous ne sommes pas vaincus/C'est l'heure de la revanche, il est temps de se battre[28]. » Enfin, les ultras de Vicence chantent à destination de la tribune présidentielle de leur stade : « Vicence rouge, rouge, rouge/Vicence rouge/Bâtards de bourgeois [...]/ Vous finirez comme Aldo Moro », en référence au chef de la démocratie chrétienne assassiné en 1978 par les Brigades rouges[29].

Alors qu'à Turin, en 1968, les manifestants scandaient « *Il potere dev 'essere operaio* » (« Le pouvoir doit être ouvrier »), les murs de la ville offrent à lire à la fin des années 1970 des graffitis en hommage à la Juventus : « *Il potere dev 'essere bianconero* » (« Le pouvoir doit être blanc et noir [couleurs du club turinois] »)[30]. Quant aux Nuclei Armati Bianconeri de la Juventus, ils adoptent comme devise : « Pour une lutte continue, une armée toujours plus forte. » Cette circulation entre vocabulaires politique et footballistique n'a rien d'illogique pour certains ultras. « Crier au stade des slogans qui peuvent rappeler les manifestations politiques de gauche est quelque chose qui nous vient spontanément, parce que ce sont des slogans accrocheurs que vous pouvez scander à plusieurs, c'est normal, non ? C'est naturel de crier les mêmes choses que nous pouvons crier dans la rue », soutient en 1977 Gianni, un membre de la Fossa dei Campioni de la Juventus alors âgé de 18 ans[31]. Le recyclage des slogans politiques paraît d'autant plus évident que Gianni, comme d'autres ultras, est pleinement investi dans le mouvement autonome. « Nous, au moins une partie d'entre nous, étions sympathisants de Lotta Continua, à la fin de l'année [1976], poursuit-il. Ces derniers temps il y a eu une évolution, une maturité qui est venue de discussions entre nous. Nous, oui, nous sommes sympathisants de l'Autonomia Operaia. Nous nous sommes dit qu'il était plus pertinent de croire en quelque chose de plus radical [...]. Le fait de répondre à une police qui tire à balles réelles, c'est tout à fait normal, c'est sans aucun doute et à 100 % une forme de lutte juste et légitime parce que nous vivons dans un État policier[32]. »

Cependant, la dimension conflictuelle de la situation sociale, qui oppose dans la rue les groupes clandestins armés aux forces de l'ordre et aux groupuscules néofascistes, s'insinue dans les stades. Les violences verbales et physiques à l'encontre de la police et des groupes ultras rivaux, tous deux appréhendés comme des « ennemis », atteignent des sommets sans précédent entre 1974 et 1979[33]. Ainsi, à l'occasion d'un match contre la Juventus en février 1975, les Fossa dei Leoni et les Commandos Tigre du Milan AC lancent à répétition des fusées de détresse et des fumigènes sur les joueurs adverses avant qu'un ultra de la Juve ne soit poignardé et qu'une rixe n'éclate entre jeunes cagoulés armés de hampes de drapeau. En mars 1977, une bataille rangée à coups de couteau entre ultras de l'Inter Milan provoque de nombreux blessés graves. Vincenzo Paparelli, *tifoso* de la Lazio de 33 ans, décède quant à lui le 28 octobre 1979 après avoir été touché en pleine tête par un fumigène lancé par les supporters de la Roma.

La gauche dissidente voit dans ces affrontements de stade une symbolique des tensions sociales inhérentes à la société italienne. Le journal *Il Manifesto*, né d'une scission du PCI en 1969, analyse ainsi en 1976 un match entre Catanzaro et la Juventus de Turin comme une rencontre politique révélatrice de la violence arbitraire du pouvoir[34]. Catanzaro est décrite comme la modeste équipe de la province pauvre et rurale de Calabre qui affronte la riche Juventus, maintes fois titrée et symbole du patronat industriel du nord du pays. *Il Manifesto* s'attarde ensuite non pas sur les performances de chaque formation mais sur un supporter de Catanzaro qui pénètre sur la pelouse pour protester contre l'agression d'un joueur de son équipe par les footballeurs de la Juve. Le *tifoso* est « un adolescent d'environ quatorze ans. [...] il est mince et élancé, avec autour du cou un long foulard jaune et rouge, les couleurs de son équipe qui n'a jamais rien gagné. Il entre sur le terrain en courant de façon maladroite et bancale, comme tous les gens du Sud mal nourris depuis des générations ». Après avoir reçu un coup de matraque sur la nuque, le jeune supporter tombe à terre avant d'être battu au sol par huit policiers. Les autres *tifosi* de Catanzaro essaient en vain de retirer le pauvre hère des griffes de la police mais ils se font rudement réprimer tandis que « le garçon est traîné par les pieds, juste au-dessous de la tribune où est assis l'Avvocato [Gianni Agnelli, propriétaire de la Juve et dirigeant de Fiat] [...]. Quelques-uns crient "Fascistes, fascistes !" [...] Mais de longs et chaleureux applaudissements sont adressés aux flics et l'on entend "Vous avez bien fait !"[35] ». Pour *Il Manifesto*, la répression policière à l'encontre des classes populaires surgit aussi bien dans la rue que dans les stades et le *tifoso* incarne un nouveau sujet révolutionnaire au même titre que l'ouvrier ou le sous-prolétaire.

Malgré la politisation des *tifosi*, les ultras tiennent néanmoins à préserver le football de la sphère militante. L'extinction progressive de la culture révolutionnaire dans les tribunes coïncide alors avec l'épuisement de la contestation sociale après le printemps 1977 et la crise du mouvement suite à l'assassinat d'Aldo Moro par les Brigades rouges le 9 mai 1978. La brutale répression lancée par le gouvernement à partir d'avril 1979 mettra un terme à l'effervescence politique : plus de 6 000 militants sont incarcérés et près d'un millier partent en exil à l'étranger[36]. « On fait maintenant un salut romain avec dans l'autre main un P38 et c'est tout ! témoigne ainsi en 1979 Claudio, un supporter de 18 ans de la Juventus. On a exclu la politique parce que ça sert seulement à nous monter les uns contre les autres, alors que c'est mieux de rester unis. On a exclu tout discours politique[37]. »

Calcio dell'arte

À l'orée des années 1980, le nombre de groupes ultras décuple. Mais, alors qu'ils étaient massivement orientés à gauche dans les années précédentes, les ultras d'extrême droite, comme les Gioventù Bianconera à la Juve et les Granata Korps au Torino, sont de plus en plus visibles. Les *curve* des différents stades se polarisent, les ultras de Bologne, du Milan AC, du Torino, de l'AS Roma ou de Livourne ayant une teinte gauchisante, ceux de la Lazio, de l'Inter de Milan, de Vérone ou d'Ascoli affirmant leur orientation à droite. Les noms et l'iconographie des nouvelles formations ultras empruntent moins au politique qu'à la culture populaire, tout en convoquant l'ironie ou la provocation : Nuclei Sconvolti (Noyaux des Dingues) à Cosenza en 1983, Brianza Alcolica (Brianza [province au nord de Milan] alcoolique) à l'Inter de Milan en 1985 et Drunk Company Veneto Alcool à l'AC Milan, ou plus sobrement Ragazzi della Maratona (Les Garçons de [la *curva*] Maratona) au Torino en 1985. Les feuilles de marijuana et les chopes de bière remplacent les étoiles rouges tandis que les personnages de bande dessinée comme Astérix ou Andy Capp se substituent au Che ou à Geronimo. Adolescents des *borgate* (les bidonvilles et quartiers illégaux des métropoles italiennes), lycéens des quartiers résidentiels, jeunes ouvriers immigrés du Mezzogiorno, étudiants fringants issus des classes moyennes... les groupes ultras, contrairement aux hooligans britanniques originellement issus des franges les plus marginalisées de la *working class*, rassemblent tous les milieux sociaux et deviennent un incontournable « phénomène de masse » au sein de la jeunesse italienne[38]. En 1987, plus de 32 % des *tifosi* ont entre 14 et 24 ans[39]. Par ailleurs, avec les déplacements des supporters italiens à l'étranger et à travers les images télévisées (à l'occasion notamment de la victoire de l'Italie lors de la Coupe du monde de 1982), le supportérisme ultra s'exporte et fait des émules dans toute l'Europe : les Biris Norte du FC Séville apparaissent dès 1975, les Diabos Vermelhos du Benfica de Lisbonne en 1982, le Commando Ultra de l'Olympique de Marseille en 1984, les Bad Blue Boys du Dinamo Zagreb en 1986.

Cette densification du réseau ultra fait émerger entre les groupes un entrelacs mouvant d'alliances (les *gemellagi*, sortes de « pactes de non-agression ») et de rivalités qui aiguisent les hostilités inter-supporters. Ces jumelages recoupent dans un premier temps les affinités politiques mais sont aussi alimentés par les antagonismes traditionnels entre l'Italie du Nord et du Sud, par le campanilisme (l'« esprit de clocher », encore très fort en Italie) ou par des haines anciennes (trouvant leur origine dans un match particulièrement marquant ou dans le souvenir d'une bagarre entre *tifosi* restée dans les annales). Les ultras de l'Inter de Milan sont ainsi alliés à ceux de la Lazio de Rome et du club de Varèse tout en étant rivaux de l'AC Milan, du Napoli et de l'AS Roma. Les ultras du Torino entretiennent pour leur part un vieux *gemellagio* avec la Fiorentina fondé sur leur détestation partagée de la Juventus tandis que les *tifosi* de l'AS Roma ont des affinités avec les ultras grecs du Panathinaikos d'Athènes et ceux de la Lazio avec leurs homologues espagnols du Real Madrid.

Les stades où se déroulent les traditionnels derbys des trois grandes cités industrielles du nord de l'Italie, Gênes, Milan et Turin, qui possèdent chacune deux équipes, s'imposent comme les espaces privilégiés de la conflictualité entre ultras. Symboles des classes aisées, la Sampdoria de Gênes, l'Inter de Milan et la Juventus de Turin, informellement regroupés sous l'expression « SAINJU », se parent de sobres couleurs noires, blanches ou bleues, incarnent l'ouverture (ces équipes sont souvent adoptées par les populations ouvrières nouvellement immigrées de ces métropoles), l'innovation, le jeu élégant ainsi qu'un supportérisme discipliné et distingué. Avec leurs maillots comportant du rouge ou du grenat renvoyant à la tradition ouvrière, le Genoa, le Milan AC et le Torino, le « GEMITO », célèbrent quant à eux l'ancrage local, la fidélité, le jeu fougueux et la chaleur de leurs supporters[40]. L'émulation entre les grands clubs de la Péninsule est d'autant plus exacerbée dans les années 1980 qu'ils accueillent à l'époque de brillants joueurs internationaux qui rendent le championnat italien particulièrement attrayant : Diego Maradona à Naples, Michel Platini à la Juventus, Sócrates à la Fiorentina ou Arthur Zico à l'Udinese.

Associée à l'affirmation des rivalités entre clubs, la popularisation du mouvement ultra dans les stades italiens puis européens fait émerger une « *mentalità ultrà* », tout en décuplant la rhétorique guerrière initiée par les pionniers du mouvement. Les animations visuelles prennent ainsi une place croissante dans les tribunes italiennes. S'ils consistaient auparavant à agiter de grands drapeaux rudimentaires, les *tifos* deviennent de plus en plus élaborés et imposants. Le 23 octobre 1983, le Commando Ultra Curva Sud de l'AS Roma déploie par exemple un drapeau de 60 mètres de long sur 20 mètres de haut pour adresser à son équipe un message : « *Lo amo* » (« Je l'aime »)[41]. La même année, des ultras de la Sampdoria recouvrent entièrement leur tribune avec une bâche géante. Les engins pyrotechniques font leur apparition dans les stades des villes portuaires avant de se généraliser et de devenir un élément incontournable de la culture ultra. Les *striscioni*, de simples banderoles sur fond noir ou blanc, déroulent depuis les gradins des messages à l'encontre des adversaires (ou des dirigeants du club) ou en référence à l'actualité (hommage à un ultra décédé, dénonciation d'une décision de la fédération de football, etc.).

Déploiement d'un maillot gigantesque ou d'une voile aux couleurs du club du bas en haut de la *curva*, cornes de brume et embrasements coordonnés de fumigènes, jets de confettis, sauts et gestuelles cadencés sous la houlette du *capo* à des moments déterminés du match (coup d'envoi, relance après la première mi-temps, but contre l'adversaire) : tout est mis en œuvre pour offrir un spectacle total et créatif. Enfin, à l'aide de carrés de couleur, de petits drapeaux, de bandes de papier qui coulissent dans les travées ou de ballons de baudruche, de véritables chorégraphies, les *coreografie*, sont réalisées dans les gradins à l'occasion de l'entrée des joueurs sur le terrain. Initiées en 1986 par les ultras de l'AS Roma, ces œuvres d'art éphémères, qui ne durent qu'une poignée de secondes, nécessitent des semaines de préparation et un savoir-faire complexe[42].

Aux yeux des ultras, il s'agit désormais non plus d'*aller* au spectacle mais aussi de *produire* le spectacle, indépendamment des performances de l'équipe. Plus que de créer « un moment exceptionnel d'esthétisation festive de la vie collective[43] », un match dans le match se déroule dans les tribunes. « Faire le supporter pour faire gagner l'équipe, j'y crois et j'y crois pas, explique un ultra des Ragazzi della Maratona au début des années 1990. Pour moi, aller au stade c'est créer une chorégraphie avec des banderoles et toutes ces choses-là. On voit alors qui sont les plus forts ; il s'établit un classement. Si tu as fait quelque chose de beau, la télévision le reprend et montre aux autres clubs de quoi tu es capable[44]. » Un combat esthétique entre ultras qui les conduit progressivement à être davantage préoccupés par la réputation de leur propre groupe que par les résultats de leur club.

À cette rivalité par *tifos* interposés qui s'autonomise des performances de l'équipe s'ajoute une joute verbale entre *curve*. L'amour du club, l'attachement à sa ville et les dédicaces aux joueurs nourrissent les slogans et les chants des supporters. Tubes internationaux (*Sloop John B* des Beach Boys), airs d'opéra (la *Marche triomphale* de Verdi), chansons engagées traditionnelles (*Bella Ciao* ou *Bandiera Rossa*), hits populaires (*Sarà perché ti amo* de Richi e Poveri), musiques de film, variations folkloriques en dialecte local sont autant de sources d'inspiration des ultras pour composer leur vaste répertoire vocal. Mais ils savent également faire preuve d'une imagination débordante pour insulter l'adversaire, donnant lieu à une surenchère outrancière – parfois sexiste et homophobe – qui alimente la confrontation. Les ultras de la Juventus n'hésitent pas à convoquer le drame de Superga pour dénigrer les supporters du Torino en affichant comme slogan « Grande Toro, s'il te plaît : si tu prends l'avion, c'est nous qui te le payons[45] ». Les *tifosi* du nord de l'Italie, particulièrement ceux du Hellas Verona, haranguent pour leur part les Napolitains avec des phrases stigmatisantes comme : « Bienvenue en Italie ! », « Tremblement de terre, reviens ! » ou « Non à la vivisection, utilisons les Napolitains »[46].

Cet antagonisme guerrier permet d'accroître l'intensité dramatique de chaque rencontre tout en rendant la partie d'autant plus excitante et passionnelle. Rejetant l'éthique du *fair play* prônée par les instances du football[47], le match est aux yeux des ultras un combat entre deux entités où tout est bon pour discréditer l'adversaire : exposition de cercueils aux couleurs des clubs adverses, faire-part de décès symboliques, chahut organisé au pied de l'hôtel de joueurs afin de perturber leur sommeil la veille du match, sans compter la mobilisation de la *scaramanzia* (la superstition) où l'on fait appel au *jettatore*, le jeteur de sorts, qui fait le tour du stade en frappant ses cymbales pour éloigner le mauvais œil[48].

Unité de lieu (le stade), de temps (les deux fois 45 minutes du match) et d'action (la totalité du match se déroule devant tous les spectateurs), le football en tant que dramaturgie sportive propose à chaque rencontre un nouveau scénario qui s'élabore en simultané sous nos yeux. Drame, *commedia dell'arte* ou tragédie, la nature et la qualité du spectacle sportif dépendent de la performance des vingt-deux acteurs sur le gazon de la scène et des arabesques aléatoires tracées par le ballon. Mais, en s'investissant intensivement dans le soutien à leur équipe, les supporters ultras brisent les conventions de la représentation, où le public est habituellement cantonné à son rôle de spectateur. Nouveaux acteurs des stades, ils tentent en tant que « douzième homme » d'infléchir le dénouement du match en interagissant avec leurs joueurs, en déstabilisant les adversaires, en conjurant le hasard. Un douzième homme de poids car, au début des années 1980, les clubs italiens de Série A (première division) obtiennent en moyenne trois fois moins de victoires à l'extérieur qu'à domicile[49]. L'impact du public sur les performances sportives est tel que les dirigeants du Torino FC iront jusqu'à retirer le numéro 12 de l'équipe *granata* pour l'attribuer officiellement à la Curva Maratona.

Au tournant des années 1990, le mouvement ultra est à son apogée en Italie. Des formations comme la Fossa dei Leoni du Milan AC ou les Drughi de la Juventus comptent 10 000 à 15 000 membres en 1988[50]. À Naples, le Commando Ultra Curva B, fondé en 1972 sous la houlette du mythique *capo* Palummella, rassemble 6 000 jeunes, tire un journal à 10 000 exemplaires, *Napulissimo*, et dispose d'une émission télévisée hebdomadaire, « *Un'ora in curva B* »[51]. Des groupes ultras exclusivement féminins font par ailleurs leur apparition dans les *curve*, à l'instar des Ladies Napoli à Naples, des URB Girls à Bologne ou des Ultras Girls à la Sampdoria. 22 % des ultras de Bologne sont des jeunes femmes âgées de 22 à 24 ans et, à Turin, 18 % des supporters de moins de 24 ans sont des filles[52]. Dans certains groupes, notamment ceux de la Curva Sud de Milan ou ceux qui évoluent en deuxième division, tel Reggio Emilia, plusieurs femmes tiennent le rôle de *capo*.

Le *direttivo* de chaque organisation ultra se structure efficacement en se répartissant les tâches : vente de billets, organisation des déplacements, vente de matériel de supporter (écharpes, badges, etc.), gestion

des cotisations, édition du fanzine du groupe, coordination des *tifos*[53]...
L'indépendance et l'autonomie sont farouchement cultivées, se matérialisant concrètement par l'autofinancement du groupe et un certain culte
de l'anonymat. Les blocs dans les *curve* sont par ailleurs devenus des
territoires où s'ancre une conscience d'appartenance commune derrière
le *bandierone* de son groupe. Les virages des stades constituent des espaces
transgressifs libérés de toute autorité publique où la consommation de
drogue est tolérée et la présence policière inenvisageable. Ils représentent
surtout des lieux riches de socialisation, d'entraide et de solidarité entre
tifosi unis par l'amour inconditionnel de leur club[54]. On se cotise pour
payer le billet de celui qui n'a plus les moyens en fin de mois de venir
au stade ou on héberge un temps au local un jeune du groupe en galère
de logement. « Tous les profits sont mis en commun et sont à disposition
de ceux qui font partie du groupe, pour les déplacements, ou pour ceux
qui ont besoin de payer un avocat [pour les ultras arrêtés par la police] »,
insiste un ultra de l'Atalanta[55].

À mesure que le mouvement ultra se développe, la guerre symbolique à coups de spectacles visuels et de performances vocales se prolonge néanmoins de plus en plus souvent à coups de poing. Les actes
de violence entre ultras et contre les forces de police ne cessent en effet
d'augmenter dans les stades : alors qu'une dizaine d'accrochages étaient
répertoriés chaque saison au sein des deux premières divisions du championnat italien dans les années 1970, on en recense 72 en 1988-1989[56].
De surcroît, les gares, stations de métro, bars et parcs entourant les stades
constituent désormais, au même titre que la *curva*, des territoires exclusifs
à défendre des ultras ennemis et que l'on marque à grand renfort de
tags, de graffitis et de stickers.

Ces espaces urbains sont devenus le théâtre d'affrontements occasionnels – les *scontri* – entre supporters où la violence physique est un
moyen de remettre en jeu les rivalités après un match mais aussi un
rituel où les plus jeunes démontrent à leurs pairs leur courage et leur
attachement à leur identité ultra[57]. Se résumant à des embuscades où
sont assenés quelques coups de poing et sont lancés divers projectiles,
l'intensité et la durée de ces combats ritualisés sont étroitement canali-
sées par les meneurs ultras les plus âgés et les plus respectés du groupe
afin d'éviter tout accident grave pour leurs membres comme pour leurs
adversaires. Mais ces confrontations viriles servent d'abord à renforcer
la cohésion sociale du groupe et à entretenir la figure élémentaire de
l'« ennemi » nécessaire à la partisanerie ultra[58].

Police partout, liberté nulle part

À quelques mois de l'organisation en Italie de la Coupe du monde de football 1990, les ultras et leurs débordements occasionnels sont toutefois de moins en moins appréciés par les autorités du football et les pouvoirs publics qui voient d'un mauvais œil ces vociférants *tifosi*, indépendants de toute institution. Entre 1987 et 1990, les stades San Paolo de Naples, Olympique de Rome, San Siro de Milan, Renato Dall'Ara de Bologne ou encore Luigi Ferraris de Gênes sont entièrement rénovés. Des places numérotées et assises sont alors installées dans toutes les *curve* et les premiers parcages – secteurs d'un stade alloués aux supporters visiteurs –, grilles de séparation et autres vitres en plexiglas aux alentours de la pelouse font leur apparition dans des enceintes désormais sanctuarisées. En prévision de la Coupe du monde est également promulguée en décembre 1989 la loi n° 401 relative à l'ordre public lors des manifestations sportives. L'une de ses principales mesures est l'instauration du *Divieto di accedere alle manifestazioni sportive* (ou *Daspo*), une interdiction de stade d'une durée allant de 6 mois à 3 ans frappant tout supporter commettant des actes jugés violents. Après l'événement mondial, loin de s'essouffler, la mobilisation des forces de l'ordre s'intensifie : entre 1994 et 2002, les effectifs policiers dans les stades sont multipliés par deux[59].

Les années 1990 sont également marquées par l'avènement du néolibéralisme en Italie avec l'arrivée au pouvoir de Silvio Berlusconi en mai 1994. Son parti, Forza Italia (« Allez l'Italie »), s'est entre autres appuyé pour sa campagne électorale sur les associations de supporters du Milan AC, club que le magnat a racheté en 1986. Football, politique et business font dès lors plus que jamais bon ménage. En Italie comme dans les autres pays européens, le paysage du football mute radicalement. La libre circulation des footballeurs professionnels au sein de l'Union européenne, entérinée en 1995 avec l'arrêt Bosman[d], donne naissance à un juteux marché international des joueurs, le *mercato*, et amène les footballeurs à se faire embaucher par le club le plus offrant. L'inflation

---

d   En 1990, Jean-Marc Bosman, joueur professionnel belge du RFC Liège en fin de contrat, n'est pas autorisé par son club à rejoindre l'US Dunkerque en France. Bosman saisit alors la justice et parvient en 1995 à suspendre le système de transfert existant (qui obligeait un joueur en fin de contrat à demander une autorisation de départ auprès de son club contre indemnisation) et à mettre fin à la règle des quotas qui interdisait aux clubs européens de posséder plus de trois joueurs ressortissants de l'Union européenne.

mirobolante des droits de retransmission des matchs – Berlusconi étant par ailleurs propriétaire de la société Mediaset, qui regroupe les trois principales chaînes privées du pays – rend les clubs dépendants de la manne financière apportée par la télévision et les sponsors. « Ils veulent que les gens restent chez eux au lieu de se déplacer pour voir les matchs, et qu'ils regardent le match sur la télé payante, analyse un ultra de l'Atalanta. Comme ça, ils évitent le service d'ordre, ils peuvent faire des stades plus petits... Tout est une question de business et de profit[60]. » L'identité culturelle de chaque club se dilue progressivement dans le marketing : le nom du club devient une marque, l'écusson un vulgaire logo, le maillot un support publicitaire et le stade un complexe commercial à l'ambiance aseptisée où le supporter n'est qu'un client solvable tenu de consommer.

Se sentant dépossédés, les ultras cherchent à constituer un contre-pouvoir face à cette marchandisation au forceps du *calcio* et se posent en garants d'un football populaire, avec sa communauté, son histoire, ses rites, sa saisonnalité et son territoire. *« Against modern football »* (« Contre le football moderne ») devient l'un des mots d'ordre les plus partagés par les ultras italiens et européens. Ils estiment que les jours passés à organiser les *tifos*, les week-ends sacrifiés pour le soutien de l'équipe qu'il pleuve ou qu'il vente dans les tribunes, les kilomètres avalés en camionnette pour encourager les joueurs à l'extérieur, la fidélité en dépit des mauvais résultats sportifs leur donnent le droit de critiquer la politique du club. Ils vilipendent ainsi ouvertement certains joueurs ou entraîneurs qu'ils perçoivent comme des mercenaires aux salaires indécents et protestent contre les décisions de leur club qu'ils jugent erronées ou guidées par le souci de rentabilité.

Pour les ultras, le football n'est pas une industrie financière aux mains des annonceurs publicitaires et des dirigeants des instances footbal-listiques mais un bien public et un espace démocratique au sein duquel ils adoptent une posture syndicale. Tel un « partenaire social », ils reven-diquent en effet avec véhémence la défense de leurs intérêts en tant que supporters – pour l'abaissement du prix des places, contre le transfert d'un joueur populaire. Ils n'hésitent plus à menacer de se mettre en grève, c'est-à-dire de mettre fin à l'animation des tribunes, ou, à l'image d'une mobilisation syndicale unitaire, à se coaliser entre différents groupes ultras pour des luttes partagées (par exemple, s'opposer au changement d'horaires des matchs pour satisfaire aux *desiderata* des diffuseurs télés). Enfin, s'affirmant dorénavant comme un facteur de cohésion sociale à part entière au sein de la société italienne, les groupes ultras organisent régulièrement des événements familiaux au sein de leur quartier, des campagnes de soutien financier à des associations, des tournois pour et avec les réfugiés ou les jeunes précaires de banlieue, ou des collectes de dons pour les plus démunis. Les ultras de l'Atalanta ou du Livorno se sont par exemple illustrés après le tremblement de terre de L'Aquila en 2009 en se déplaçant sur place pour aider les secours et en levant des fonds en faveur des victimes.

Malgré cette puissance contestataire, la répression policière et juridique ainsi que le vieillissement et le non-renouvellement des meneurs *capo* provoquent la fragmentation des *tifoserie* et l'attractivité déclinante des groupes historiques d'ultras. Au sein de la Curva Maratona de Turin par exemple, les Leoni della Maratona suspendent leur activité en 1994 suite à l'arrestation de trois figures de leur groupe, dont leur *capo* (ils ne réapparaîtront que dix ans plus tard). Les éminents Raggazzi della Maratona s'autodissolvent en 2003 après s'être fait maladroitement voler leur bâche – humiliation ultime dans la culture ultra – par les Fighters de la Juventus. Le premier groupe ultra créé en Italie, la Fossa dei Leoni de l'AC Milan, préfère également mettre fin à ses activités en novembre 2005 après s'être fait dérober ses *bandierone* par des ultras de la Juve.

Dans une société italienne qui se droitise toujours davantage – Berslusconi sera à nouveau président du Conseil de 2001 à 2006 puis de 2008 à 2011 –, certains ultras se radicalisent au contact de militants d'extrême droite, notamment de Forza Nuova, un parti néofasciste créé en 1997 et bien implanté dans les stades. Parfois davantage par provocation que par réelle adhésion idéologique, des slogans racistes et antisémites ainsi que des drapeaux ornés de croix gammées ou celtiques font fréquemment leur apparition dans les virages de l'Inter de Milan, de la Lazio ou de Vérone. La disparition en 1999 du Commando Ultra Curva Sud, clairement orienté à gauche, fait quant à elle basculer politiquement la *tifoseria* de l'AS Roma. Sur 529 groupes ultras recensés en Italie en 2007, 72 sont considérés comme d'extrême droite contre 35 seulement d'extrême gauche[61].

Face à la montée en puissance du racisme, quelques ultras s'organisent et ripostent. À partir de 1997 et sous l'égide de l'association socio-culturelle Progetto Ultrà et de l'Unione Italiana Sport Per tutti est organisé chaque année un « *Mondiali antirazzisti* » (« Mondial antiraciste ») dans les environs de Bologne qui réunit dans un esprit festif près de 200 équipes de supporters et de militants antiracistes européens chaque été. Plus radicaux et plus politisés, les ultras de Livourne, Ancône et Terni fondent pour leur part au début des années 2000 le collectif antifasciste Fronte di Resistenza Ultra tandis que de nombreux groupes ultras « antifas », tels les Rude Boys de la Sampdoria, les Antifa Bergamo de l'Atalanta ou les Rebel Fans de Cosenza, s'affilient à Alerta Network !, un réseau international de lutte contre le fascisme et le racisme dans les tribunes créé en novembre 2007 à l'initiative des ultras du Sankt Pauli de Hambourg et de Munich.

L'émiettement des tribunes et la disparition des groupes phares brisent par ailleurs la transmission des règles implicites du mouvement ultra, notamment celles ayant trait aux violences physiques. Un nouveau phénomène apparaît ainsi sur les décombres des grands groupes historiques : les *cani sciolti* – « chiens errants » –, de jeunes supporters gravitant autour des bandes ultras mais qui se battent systématiquement à coups de couteau. Le 29 janvier 1995, Vincenzo Spagnolo, un supporter de la Genoa de 24 ans, meurt poignardé par un ultra de 18 ans du Milan AC, prélude d'une sinistre spirale de violences que tentent vainement d'apaiser plusieurs groupes ultras. Ces derniers publient, sous l'égide des Brigate Neroazzurre Atalanta, une déclaration commune intitulée « *Basta lame, basta infami* » (« Stop aux lames, stop aux infâmes »). Mais les hostilités entre *cani sciolti* restent incontrôlables et le nombre de personnes blessées dans et aux abords des stades triple entre 1995 et 2000[62].

Arsenal juridique ciblant spécifiquement les supporters, arrestations arbitraires couvertes par la hiérarchie, matraquages abusifs : une répression policière sans précédent s'abat au début des années 2000 sur les ultras qui servent de cobayes à de nouvelles stratégies de maintien de l'ordre. En 2001 puis 2003, la loi n° 401 sur l'interdiction de stade de 1989 est renforcée. Les conditions d'accès aux stades se durcissent et, avec le principe de la « flagrance différée », une personne peut être arrêtée sur preuve vidéo ou photo jusqu'à 36 heures après le match[63]. Les préfets peuvent pour leur part déprogrammer une rencontre ou interdire l'accès du stade aux visiteurs. À partir de 2003, plus de 8 000 policiers et *carabinieri* sont mobilisés chaque semaine à l'intérieur et aux alentours des enceintes sportives[64].

Tandis que les engins pyrotechniques sont officiellement prohibés dans les tribunes, les *tifosi* doivent désormais obtenir une autorisation légale pour pouvoir faire entrer toute banderole ou autre matériel d'animation visuelle dans les *curve*. Une nouvelle loi antiviolence promulguée en août 2005 généralise la sécurisation des stades, la vidéosurveillance dans les tribunes et la gestion nominative de la billetterie. Toute personne interrompant un match de football est dorénavant passible d'une peine allant d'un mois à trois ans d'incarcération[65]. Après la mort en février 2007 d'un policier au cours d'affrontements avec les *tifosi* de

Catane et celle, neuf mois plus tard, d'un supporter de la Lazio (Gabriele Sandri, abattu d'une balle par la police), le ministère de l'Intérieur interdit les déplacements collectifs de tout groupe de supporters considéré comme potentiellement menaçant pour l'ordre public.

Mais l'escalade répressive et juridique ne fait qu'attiser la haine « anti-flics » des ultras et éloigner des stades un nombre croissant de supporters. En 2001, un match de Série A attirait en moyenne 30 000 supporters contre moins de 18 500 en 2007[66]. Parallèlement, « *Ultra Liberi* » (« Liberté pour les Ultras ») et « *ACAB* » (« *All cops are bastards* » : « Tous les flics sont des salauds ») deviennent les mots d'ordre contestataires les plus populaires des ultras italiens, qui organisent des manifestations nationales contre les mesures antisupporters en octobre 2001 puis en avril et juin 2003. De même, les ultras n'hésitent plus à décréter épisodiquement l'« union sacrée » face à la répression. Ainsi en 2005, suite à l'interdiction de stade du *capo* Claudio « Bocia » Galimberti de l'Atalanta, leurs redoutables rivaux locaux, les ultras de Brescia, appellent à sa libération dans un communiqué intitulé : « Bocia, notre fidèle ennemi, ne lâche rien ! » De leur côté, les groupes de la Lazio et de la Roma unissent leurs forces pour attaquer conjointement les casernes de police de Rome fin 2007 suite à la mort de Gabriele Sandri.

À partir de la saison 2009-2010, le ministère de l'Intérieur tente de donner le coup de sifflet final à l'agitation ultra en déployant un nouveau dispositif sécuritaire : une « carte du supporter » (*tessera del tifoso*). Introduite sous le prétexte d'une meilleure gestion de la billetterie et d'une ostracisation des supporters les plus violents, la *tessera* fonctionne comme une carte bancaire qui contient les données personnelles du supporter mais aussi une puce électronique permettant de tracer le parcours du *tifoso* de stade en stade. Rendu obligatoire en 2010, ce puissant instrument de contrôle fédère le mouvement ultra qui le considère comme une atteinte aux libertés individuelles et comme l'incarnation même du foot-business, entre mercantilisme et surveillance policière.

Dès le 15 novembre 2009, une manifestation anti-*tessera* rassemble à Rome 5 000 ultras[67]. Issus d'équipes rivales, des ultras de tout le pays défilent habillés en blanc afin d'effacer les couleurs de chacun des groupes et mieux souligner leur solidarité dans cette lutte commune. Du refus d'encourager l'équipe à la grève des tribunes en passant par les *striscioni* insultant les détenteurs de carte, la contestation se fait progressivement plus radicale. Les ultras du Napoli publient en ligne un guide pour falsifier sa *tessera* tandis qu'une campagne nationale de non-renouvellement des abonnements au stade est lancée par trois groupes ultras de la Sampdoria qui déclarent par communiqué en avril 2010 : « Nous ne voyons pas d'autre solution, quel que soit le mal que nous avons fait, que de sacrifier notre bien-aimé abonnement plutôt que de nous soumettre à des mesures que nous avons longtemps combattues pour leur absurdité [...]. Il n'est pas normal que pour assister à un match, qui jusqu'à preuve du contraire reste un spectacle public, nous devions nous enregistrer (y compris les enfants) exactement comme pour une demande de permis de port d'arme ! [...] Nous n'avons jamais demandé l'autorisation pour exposer nos banderoles et nous ne demanderons pas l'autorisation pour entrer dans un stade. »

En juillet 2010, sous la bannière « *No alla tessera del tifoso* », 400 représentants d'une soixantaine de groupes ultras mettent leurs rivalités historiques de côté pour se réunir à Catane et coordonner leur action anti-*tessera*. Estimant qu'« un stade sans *tifo* est encore plus triste qu'un stade sans match de football », ils menacent les instances footballistiques italiennes d'« une grève générale et reconductible des tribunes »[68]. Un mois plus tard, les ultras de l'Atalanta parviennent à perturber un meeting de la Ligue du Nord, parti politique régionaliste et xénophobe, auquel était invité le ministre de l'Intérieur Roberto Maroni. Pendant qu'une poignée d'entre eux s'infiltrent dans le rassemblement armés de pétards et de fumigènes, 500 autres provoquent une émeute dans le quartier et incendient plusieurs véhicules de police.

Les Boys Parma 1977 haranguent pour leur part directement le ministère de l'Intérieur en novembre 2011 : « Cette carte, moyennant des frais de paiement, s'est révélée être une véritable carte de crédit, un produit bancaire, quelque chose de totalement étranger au football et à la sécurité, servant uniquement à collecter des données et à ficher en masse[69]. » Enfin, en février 2013, à quelques jours des élections générales italiennes, un millier d'ultras napolitains vont jusqu'à brûler leurs cartes d'électeur après avoir appelé avec les groupes ultras de Rome et de Gênes à boycotter le scrutin. Les *curve* se vident alors inexorablement et la sécurisation des stades tant vantée par les promoteurs de la *tessera* se solde par un échec retentissant après deux saisons d'application. Interdits d'entrer dans les parcages visiteurs car dépourvus de carte de supporter, certains se procurent en effet des billets individuels pour d'autres secteurs du stade et se retrouvent mêlés aux *tifosi* locaux, augmentant par là même les hostilités entre groupes lors des matchs à l'extérieur.

Suite à la résistance plurielle et opiniâtre du mouvement ultra, la *tessera del tifoso* est finalement abandonnée par les autorités en 2013 au profit d'une carte de supporter gérée par chaque club et qui n'est associée ni à un système de paiement ni à un système de traçabilité du supporter. En faisant appel à l'unité et à l'entraide, deux piliers de la *mentalità ultrà* trop rarement soulignés par les médias, les supporters ont ainsi arraché de haute lutte une victoire qui démontre que les si décriés ultras sont avant tout des vigies face à l'ordre sécuritaire grandissant et des défenseurs du football en tant que « bien commun ». « Pour ceux qui l'auraient oublié, le football appartient à tout le monde, en tant qu'agrégateur de communauté qui, en un demi-siècle, a rassemblé des générations d'Italiens : aujourd'hui encore le foot est le seul véritable phénomène social de notre pays capable de réunir des jeunes de toute l'Italie, rappellent ainsi les Ultras Tito Cucchiaroni de la Sampdoria, groupe mythique et pionnier du mouvement ultra italien. En devenant un business, le football a mué de peau, il a perdu en beauté, en poésie et en crédibilité. [...] La passion, le *tifo*, la foi, le désir de liberté, le grondement des tribunes ne peuvent pas et ne pourront jamais être réduits à une simple ligne budgétaire. Le football n'appartient pas à ceux qui en profitent, mais à ceux qui l'aiment[70]. »

16

« Dieu et le diable ».
Maradona, entre passion populaire
et culte de supporters

> « Et un beau jour la déesse du vent baise le pied de
> l'homme, ce pied maltraité, méprisé, et de ce baiser
> naît l'idole du football. »
>
> Eduardo GALEANO, *Le Football, ombre et lumière*, 1998.

« J'ai grandi dans un quartier privé de Buenos Aires... privé d'eau, d'électricité et de téléphone », s'amuse Diego Armando Maradona en mars 2004, lors d'une visite en Bolivie. Parmi le flot de déclarations provocatrices, égocentriques ou affligeantes du célèbre footballeur, émergent de temps à autre des réminiscences de son enfance modeste à Villa Fiorito, un bidonville de la banlieue sud de Buenos Aires. Jusqu'au coucher du soleil, le jeune Diego, surnommé « *Pelusa* » (« Peluche ») à cause de sa touffe de cheveux, passait alors le plus clair de son temps à pratiquer le football sur les *potreros*, ces bouts de terrains vagues où les enfants aiment à jouer.

En 1971, âgé de 11 ans à peine, le petit gaucher à la peau mate est repéré par Francis Cornejo, un recruteur des Argentinos Juniors, formation phare de Buenos Aires. Le club aux origines populaires – l'équipe se dénommait initialement les « Martyrs de Chicago », en hommage aux anarchistes morts suite au massacre de Haymarket Square en 1886 – intègre alors Maradona au sein des Cebollitas, son équipe junior. Aussitôt, les foules viennent admirer les dribbles ravageurs du talentueux *pibe*, le « gamin » des rues. Intriguée par ce phénomène sportif, la télévision elle-même viendra interviewer l'enfant prodige des bidonvilles alors qu'il n'a que 12 ans.

Contractualisé comme joueur professionnel à 15 ans, il irradie les Argentinos Juniors en hissant le club dans le peloton de tête de la première division argentine. Quelques mois plus tard, en février 1977, il enfile pour la première fois le maillot de la sélection argentine face à la Hongrie avant de remporter en 1979 la Coupe du monde des espoirs et d'être élu meilleur joueur de la compétition. Le *pibe* de Villa Fiorito

267

est baptisé par la presse le « *Pibe de Oro* » – le « Gamin en Or » – avant d'être racheté une fortune aux Argentinos en 1981 par le Boca Juniors, mythique club de Buenos Aires.

Dans un pays écrasé par la dictature militaire mise en place par le général Videla en 1976, le jeune Maradona insuffle un vent de liberté et de joie footballistique au sein du championnat argentin. En 1978, l'Argentine, qui organisait la onzième édition de la Coupe du monde de football, avait en effet suscité une controverse internationale et des appels au boycott afin ne pas cautionner cet événement manipulé par une junte qui exécute sans vergogne ses opposants[a]. Malgré les affres de la dictature, le *Pibe de Oro*, sous le maillot bleu et jaune des Boca Juniors, embrase les tribunes surchargées du mythique stade de la Bombonera[b] en faisant gagner à son équipe le championnat national et en humiliant son frère ennemi de Buenos Aires, le River Plate. Objet de ferveur de la part des supporters du Boca Juniors, il parvient surtout à conquérir au tournant des années 1980 le cœur de tout le peuple argentin. Car, à travers son football fébrile et ses origines sociales, le « Gamin en Or » exprime sur les pelouses l'essence même de l'identité collective argentine.

L'*agitateur* criollo

Introduit à Buenos Aires dès les années 1870 par des immigrants anglais, le ballon rond argentin a été dominé jusqu'à l'aube du XXe siècle par les clubs amateurs d'expatriés britanniques qui pratiquaient un football rude et physique, discipliné et mécanique. En opposition à cette *Britishness*, un style authentiquement argentin qualifié de *criollo* – littéralement « créole » – va néanmoins émerger dans les faubourgs populaires de la capitale, notamment avec l'influence des vagues successives d'immigration ouvrière italienne et espagnole[1]. Individualiste, nerveux et créatif, le style *criollo* s'affirme sur les terrains notamment lorsque, en 1913, une équipe ne comportant aucun joueur britannique,

---

a La fronde anti-Coupe du monde 1978 était menée notamment en France par le COBA (Comité pour le boycott de l'organisation par l'Argentine de la Coupe du monde de football). Sous Videla, on estime entre 10 000 et 30 000 le nombre de personnes assassinées par le régime ou disparues.

b L'ambiance bouillante du stade des Boca Juniors est légendaire. Certains spectateurs allaient jusqu'à y déverser durant les matchs des cendres de supporters, pour respecter leurs dernières volontés. Les cendres dégradant la pelouse, un cimetière spécial a été aménagé en 2006...

le Racing Club de Avellaneda, remporte pour la première fois le championnat argentin[2].

Dans une métropole cosmopolite comme Buenos Aires, dont plus de 60 % des habitants sont des immigrants en 1914[3], le football *criollo* devient un ciment social et un outil de différenciation culturelle face aux Européens et au voisin rival uruguayen[4]. Le style argentin *criollo* s'aiguise alors sur les *potreros*, ces interstices urbains qui ont survécu à la rationalisation industrielle de la ville entreprise sous la houlette des Britanniques. À l'instar du tango, qui reflète le mode de vie de ceux qui survivent par la débrouille dans les rues des quartiers malfamés de Buenos Aires, la feinte et la ruse, la victoire non par la force mais par la tromperie deviennent des traits caractéristiques de la pratique footballistique argentine – *la nuestra* (« la nôtre »), comme la baptisent les supporters du pays.

Le pouvoir d'attraction du football argentin est phénoménal : dès 1930, les stades des meilleurs clubs accueillent jusqu'à 40 000 personnes chaque fin de semaine[5]. Supporter fiévreusement son équipe dans les travées et y investir pleinement ses émotions devient une des rares expériences partagées dans un pays aux identités et aux cultures fragmentaires. Le ballon rond se transforme progressivement en facteur d'unité sociale, cristallisant un nouvel imaginaire commun à tous les Argentins. En 1948, en plein régime péroniste, le film *Pelota de trapo* (« Balle de chiffon ») de Leopoldo Torres Ríos connaît ainsi un incroyable succès populaire. Dans cette production, une vedette du football argentin d'origine ouvrière, Comeuñas, découvre suite à plusieurs malaises sur le terrain qu'il est atteint d'une grave maladie cardiaque. Lors de son ultime match, une finale de la Copa América contre le Brésil, un de ses coéquipiers le conjure de ne pas poursuivre la partie, mais le héros refuse. « Il y a beaucoup de façons de donner sa propre vie pour le pays, c'est l'une d'entre elles », rétorque-t-il. Après avoir marqué un but décisif, Comeuñas est récompensé pour service rendu à la nation[6].

À la fois inventif et imprévisible, le jeu typiquement *criollo* de Diego Maradona fait rapidement du jeune virtuose une pure incarnation footballistique de l'Argentine. De même, ses origines modestes, sa petite taille – il mesure à peine 1,66 mètre – ainsi que sa fougue sur les terrains sont interprétées par les supporters comme des traits distinctifs du *pibe*, une figure culturelle populaire argentine qui se réfère à l'enfant élevé dans la rue, bien loin de toute convention sociale[7].

À l'occasion de la Coupe du monde 1982 en Espagne, Maradona s'illustre ainsi pleinement en tant que *pibe* frondeur. Ce qui, à la grande surprise des Européens, renforce encore davantage sa popularité auprès des Argentins. En effet, le 2 juillet 1982, l'« Albiceleste » (surnom de l'équipe argentine dont le maillot est bleu ciel et blanc) affronte pour le second tour du Mondial la sélection brésilienne. Mais, dès le coup d'envoi, Maradona est la cible de défenseurs rugueux qui n'hésitent pas à le tacler dès qu'il s'approche du but adverse. Excédé par la précédente rencontre contre l'Italie, où il avait été harcelé par le défenseur Claudio Gentile, dominé par une Seleção qui mène par 3 buts à 0, le *Pibe de Oro* craque et frappe soudain d'un coup de pied dans le ventre le joueur brésilien Batista, à peine cinq minutes avant la fin du temps réglementaire. Maradona est expulsé sur-le-champ par l'arbitre avant que la sélection argentine ne soit définitivement éliminée du Mondial.

Un autre coup de sang viendra forger la réputation du joueur tempétueux. Transféré depuis 1982 au FC Barcelone, le génie de Buenos Aires est constamment martyrisé par les défenseurs du championnat espagnol, à l'image de l'imposant Andoni Goikoetxea, de l'Athletic Bilbao, qui brise la cheville de l'Argentin en septembre 1983, l'empêchant de jouer pendant plus de trois mois. Un an plus tard, à l'occasion de la finale de la Copa del Rey et en présence du roi d'Espagne Juan Carlos, le Barça rencontre à nouveau l'Athletic Bilbao. Maradona voit rouge face à son bourreau Goikoetxea et déclenche sur la pelouse une violente bagarre généralisée. La rixe amorcée par le bouillonnant Argentin suscite alors la controverse sur le Vieux Continent, les commentateurs voyant d'un très mauvais œil ce footballeur indiscipliné déjà notoirement connu pour ses frasques nocturnes dans les discothèques barcelonaises et pour son addiction grandissante à la cocaïne.

En juillet 1984, le prodige argentin accoste à Naples afin de rejoindre le SSC Napoli qui s'est ruiné pour s'offrir le *Pibe de Oro*. Maradona, accueilli tel un Messie par 80 000 *tifosi* au stade San Paolo pour sa scéance de présentation aux supporters, fait rapidement corps avec une Naples stigmatisée pour sa misère et sa délinquance mafieuse. Populaire, tumultueux et volcanique, le joueur se sent immédiatement à son aise dans la capitale décadente du sud de l'Italie.

Son corps trapu, ses cheveux aux grandes boucles noires, ses rites empreints de religion et de superstition – embrasser sa croix avant d'entrer sur le terrain, baiser le front de son masseur Carmano –, ainsi que son impétuosité sur les pelouses amènent rapidement les supporters napolitains à l'identifier au *scugnizzo*, garnement canaille des quartiers populaires de Naples qui résonne avec le personnage argentin du *pibe*[8]. « Avec ses courtes pattes, son torse bombé, sa gueule de voyou et son diam dans l'oreille, Diego était devenu pour nous un vrai Napolitain. Son amour des belles filles et de la bonne bouffe, sa folie des bolides [...] et, en même temps, son côté église et famille sacrée – toute la famille vit et prospère à Naples aux frais du club –, son sale caractère, capricieux, exubérant, indiscipliné, tout cela faisait de lui un vrai fils légitime de la cité », rapporte un chroniqueur de *L'Espresso*[9].

Après quatorze buts marqués par Maradona durant sa première saison, le SSC Napoli remonte la pente de la première division et, dès 1985-1986, les talents du joueur argentin, couplés à ceux de l'attaquant Bruno Giordano fraîchement recruté, hissent le club napolitain à la troisième place du championnat, pour le plus grand bonheur des *tifosi*.

Divinité footballistique

Après cette deuxième saison honorable à Naples, Maradona est titularisé capitaine de l'Albiceleste à la veille de la Coupe du monde 1986 au Mexique. Emportée par le jeu ardent d'un *Pibe de Oro* inspiré, la sélection argentine parvient sans grandes difficultés à se qualifier pour les quarts de finale, qui l'opposeront à l'Angleterre. Mais, à la veille de la rencontre, les médias internationaux attisent les rivalités en comparant le match au conflit argentino-britannique des Malouines de 1982. « La guerre des Malouines version footballistique », titre le quotidien espagnol *El País*[10]. « Ne manquez pas la deuxième version de la guerre des Malouines », propose le journal de référence mexicain *Excélsior*[11]. Le tabloïd britannique *The Sun* annonce quant à lui : « C'est une guerre[12] ! »

Quatre ans plus tôt, la junte militaire argentine, dont le pouvoir commençait à vaciller, avait en effet ordonné l'invasion des Malouines, un archipel au large des côtes argentines occupé par les Britanniques depuis 1833. En dépit des tentatives de conciliation de la part de la communauté internationale, Margaret Thatcher avait lancé une vaste opération militaire de reconquête qui s'était achevée, le 14 juin 1982, avec la mort de près de 650 soldats argentins et de 250 militaires britanniques. Si la dictature armée ne s'est pas relevée de cette humiliante défaite, la guerre des Malouines reste synonyme de traumatisme pour tous les Argentins.

Le 22 juin 1986, jour des quarts de finale contre l'Angleterre, la sélection argentine aligne une génération de joueurs dont la majorité ont échappé de justesse à l'embrigadement pour le conflit armé de 1982 grâce à leur statut de footballeurs internationaux. Autant dire que c'est avec une très forte pression médiatique et une farouche volonté d'essuyer l'humiliation des Malouines que le onze argentin entre sur la pelouse du stade Azteca de Mexico devant plus de 110 000 spectateurs. Sous le torride soleil mexicain, la première mi-temps s'achève sur un 0-0. Mais, six minutes après la reprise, Maradona, au maillot invariablement floqué d'un 10, perce soudain la défense anglaise pour faire une passe impromptue à l'attaquant Jorge Valdano. Alors que le ballon rebondit gauchement sur le pied du coéquipier du *pibe*, le défenseur anglais Steve Hodge, dépassé par la vitesse de l'échange, renvoie en cloche la balle à son gardien. C'est alors que surgit le petit Maradona à hauteur des gants du géant Peter Shilton pour effleurer, en tendant son bras gauche, le ballon de la main et l'amener au fond des filets britanniques. Les tribunes explosent et, malgré les vives protestations des joueurs anglais, l'arbitre tunisien Ali Bennaceur, n'ayant pas vu la main de l'Argentin, valide ce premier but[c].

Exactement trois minutes plus tard, tel un « cerf-volant cosmique », aux dires du commentateur sportif uruguayen Victor Hugo Morales[13], Maradona démarre en trombe une folle chevauchée depuis le milieu du terrain et dribble avec fulgurance une demi-douzaine de joueurs anglais aussi débordés qu'affolés pour inscrire un magnifique second but synonyme de qualification de l'Argentine en demi-finale. Un geste encore célébré aujourd'hui comme l'un des plus beaux buts jamais marqués dans l'histoire du football. « Tout s'est passé en quatre minutes, rapporte le quotidien espagnol *El Mundo*. Le vaurien et le génie, Dieu et le diable, un bonneteur de haut vol et une divinité footballistique, le meilleur joueur de football qu'une mère mortelle ait mis au monde au cours du XXᵉ siècle[14]. »

Durant la conférence de presse d'après-match, l'attaquant argentin attise la polémique en assumant fièrement avoir marqué « un peu avec la tête de Maradona, et aussi un peu avec la main de Dieu ». Tout en assignant une dimension divine à cette « Main de Dieu » désormais passée à la postérité, le capitaine de l'Albiceleste a avant tout, aux yeux des Argentins, vengé le pays de la blessure des Malouines grâce à une infraction au règlement officiel du football. Et si l'irrégularité de la Main de Dieu rend la défaite encore plus amère pour les Anglais, elle est d'autant plus appréciée par le peuple argentin qu'elle signe un geste purement *criollo*. Face à la domination physique anglaise, illustrée par la taille du

---

c   Le 17 août 2015, de passage en Tunisie, Maradona rendra visite à Ali Bennaceur pour lui offrir un maillot argentin dédicacé : « Pour Ali, mon éternel ami. »

gardien anglais (1,85 mètre), le petit Diego a en effet convoqué l'art de la duperie pour vaincre le Goliath britannique. « Cela venait du plus profond de moi, avouera plus tard Maradona. C'est quelque chose que j'avais déjà fait sur le *potrero*, à Fiorito[15]. »

Pour enrayer le système de jeu puissant et rationnel des Anglais, Maradona a déployé une astucieuse créativité propre aux habitants des quartiers pauvres[16]. « À Fiorito, le terrain sur lequel Diego jouait n'était pas plat et était recouvert de détritus et d'herbes folles. Il y a développé des capacités physiques hors du commun et sa technique basée sur l'évitement, affirme Fernando Signorini, préparateur physique de Maradona de 1984 à 1994. Dans ce bidonville oublié par l'État, il fallait être débrouillard pour s'en sortir. Petit, Diego était plein de malice pour prendre le train ou voler une pomme. Cela se retrouve dans son jeu[17]. » Le second but rappelle quant à lui une autre caratéristique du football *criollo*. « Il a démontré que le dribble est l'essence de notre style de jeu, explique Juanjo, un supporter argentin. Il a dribblé et dribblé encore, et ces quelques secondes sont toujours gravées dans ma mémoire comme si elles étaient suspendues à jamais dans le temps[18]. »

Dans *Homo ludens. Essai sur la fonction sociale du jeu* paru en 1938, l'historien néerlandais Johan Huizinga soulignait déjà : « Suivant notre conception, le recours à la ruse et à la tromperie brise et abolit le caractère ludique de la compétition. Toutefois, la culture archaïque ne donne pas raison sur ce point à notre jugement moral, pas plus que l'esprit populaire. » Cet « esprit populaire » qui entrevoit dans la Main de Dieu l'expression même de l'identité argentine par la transgression de la loi est depuis, et encore aujourd'hui, régulièrement sondé par les intellectuels argentins. « Nous [les Argentins] ne savons pas si nous sommes capables de maintenir un semblant d'ordre et de stabilité dans notre pays, s'interroge par exemple le journaliste et écrivain argentin Jorge Lanata en 1994. Pouvons-nous vraiment être une société moderne qui joue selon les règles des pays modernes, ou sommes-nous simplement ce garçon des quartiers pauvres pensant encore qu'il peut jouer avec d'autres règles tant qu'il ne sera pas pris la main dans le sac[19] ? »

À travers sa Main de Dieu, Maradona a mis en exergue une dichotomie sociale fondatrice de la nation argentine. En effet, dès le milieu du XIXe siècle, l'État argentin s'est affirmé comme une victoire de la « civilisation », symbolisée par la métropole industrialisée de Buenos Aires, contre la « barbarie » représentée par la pampa, espace sauvage où règne le *gaucho* qui n'obéit qu'à ses propres règles[20]. Le *Pibe de Oro* et son geste frauduleux reflètent ainsi cette part indomptable et furieusement rétive à l'autorité de la société argentine. Un rapport ambigu à la modernité occidentale relevé dès 1946 par l'auteur Jorge Luis Borges dans son essai *Notre pauvre individualisme*, dans lequel il écrit que « l'Argentin, à la différence des Américains du Nord et de presque tous les Européens, ne s'identifie pas à l'État. [...] L'Argentin est un individu et non un citoyen[21] ».

L'« individu » Maradona rentre début juillet 1986 à Naples après avoir remporté la Coupe du monde au Mexique avec, de surcroît, le titre de meilleur joueur du Mondial. Élevé au rang de héros mythique du football, le *Pibe de Oro* passe alors ses meilleures années sportives au SSC Napoli. Dès la saison 1986-1987, le club remporte pour la première fois de son histoire le Scudetto, le championnat italien, ainsi que la Coupe d'Italie. Épaulé par les attaquants Bruno Giordano et Careca, Maradona inscrit le club au sommet du football européen en s'emparant de la Coupe de l'UEFA en 1989 et d'un deuxième Scudetto l'année suivante.

Alors que le SSC Napoli était habitué aux menaces de relégation et aux classements de bas de tableau, Maradona, par ses exploits footballistiques, redonne sa fierté à l'ancienne capitale de l'Italie méridionale. Une revanche symbolique des *terroni* (les « culs-terreux ») du Sud déshérité et stigmatisé sur l'Italie du Nord industrielle et hautaine. Comme si ses buts prolongeaient les miracles de San Gennaro, le saint protecteur de Naples, Maradona est élevé au rang d'icône quasi religieuse et devient l'objet d'un véritable culte populaire. Son nom même possède une assonance avec « *Marònna* », la dénomination de la Vierge Marie en dialecte napolitain, et on le prie pour gagner le Scudetto en implorant : « Notre Maradona/Toi qui descends sur le terrain/Nous avons sanctifié ton nom/ Naples est ton royaume/Ne lui apporte pas d'illusions/mais conduis-nous à la victoire en championnat[22]. »

Des représentations du footballeur se référant à l'iconographie sacrée ou sur les genoux de San Gennaro ainsi que des autels dédiés au *pibe* ornent les rues de Naples, faisant de Maradona « une sorte de saint, le nouveau symbole d'un rituel pourtant archaïque auquel la culture populaire se réfère pour formuler ses demandes, pour exprimer ses privations, ses besoins, ses douleurs et, moins fréquemment, sa joie[23] ». Dans une ville alors entièrement drapée du bleu SSC Napoli, les démentes célébrations carnavalesques du premier Scudetto, en 1987, furent également l'occasion de communiquer avec les morts, une pratique populaire à Naples. Ainsi, sur le mur du cimetière de Poggioreale, fut peint en lettres géantes : « Vous ne savez pas ce que vous avez raté ![24] » avant que le lendemain un « Êtes-vous sûrs qu'on l'ait raté ? » n'apparaisse en dessous de la première inscription. Quant aux milliers de *tifosi* qui communient avec Diego chaque semaine dans les stades, ils font appel aux termes napolitains de « *malatia* » (« maladie ») ou de « *patuto* » (« envoûté, passionné ») pour exprimer leur ferveur de supporters. « *Diego, facce n'ata malatia !* » (« Diego, rends-nous malades ! ») devient alors une invocation rituelle des supporters napolitains[25]. Enfin, plus d'une vingtaine de chants sont uniquement dédiés au *pibe*, dont la fameuse ritournelle : « *O mamma mamma mamma/Sai perche' mi batte il corazon ?/Ho visto Maradona !/Eh, mamma', innamorato son.* » (« Oh maman, sais-tu pourquoi mon cœur bat ? J'ai vu Maradona ! Eh maman, je suis amoureux. »).

Santa Maradona

Néanmoins, début 1991, les frasques nocturnes de la star mondiale et ses saillies provocantes à l'égard de ses adversaires ou des institutions du football – le joueur entretient une haine féroce à l'encontre de João Havelange et de Sepp Blatter de la FIFA – attirent de plus en plus l'attention d'une presse à l'affût de scandales médiatico-sportifs. Accusé de trafic de drogue, de s'être lié à des clans de la Camorra puis d'avoir eu un enfant illégitime avec une jeune Napolitaine, Maradona est détecté positif à la cocaïne en mars 1991 à l'issue d'un match contre Bari. L'affaire fait la une des journaux, et le footballeur, suspendu pour quinze mois, décide de rentrer en catimini à Buenos Aires. À peine un mois plus tard, une descente de la police argentine dans son appartement donne lieu à une arrestation médiatique du *Pibe de Oro*, menotté sans ménagement après qu'on eut découvert sur lui des stupéfiants.

Maradona entame alors un véritable chemin de croix. Il rejoue sans grand succès au sein du FC Séville avant de revenir en Argentine auprès du Newell's Old Boys en 1993. Un temps ressuscité par l'Albiceleste pour la Coupe du monde 1994, le *pibe*, après un but magique contre la Grèce, est sommé de quitter le Mondial suite à un contrôle positif à l'éphédrine. Suspendu jusqu'en septembre 1995, moqué par la presse internationale, Maradona tombe dans la dépression. « On m'a coupé les jambes mais j'ai aussi été exproprié de mon corps, confie-t-il. Je suis vide… J'ai été tué aussi bien en tant que joueur qu'en tant qu'homme[26]. » En dépit d'une succession de cures de désintoxication et d'autres affaires dignes d'une mauvaise *telenovela*, le *pibe* raccroche définitivement ses crampons après un ultime test positif à la cocaïne en août 1997 suite à un match pour les Boca Juniors.

Paradoxalement, les diverses condamnations et suspensions pour consommation de stupéfiants n'écornent en rien la popularité du héros footballistique à Naples. Aux yeux de toute une jeunesse napolitaine, le parcours chaotique du *Pibe de Oro* symbolise en effet une certaine émancipation vis-à-vis de l'oppression étatique et de l'ordre moral des classes dominantes[27]. Quelques jours après la suspension de Maradona suite à son contrôle positif à la cocaïne en mars 1991, une jeune Napolitaine, interviewée à la télévision, rétorque ainsi : « Il a bien fait [...] Il a vraiment eu raison de faire tout ce qu'il a fait, de se droguer, de baiser, de se divertir, de s'en foutre de tout et de tous. Quelle chance il avait de pouvoir le faire[28] ! »

De même, en Argentine, le dévouement populaire envers le garnement de Villa Fiorito ne faiblit pas, bien au contraire. Au lendemain de son dépistage à l'éphédrine et de son éviction de la Coupe du monde 1994, le quotidien économique argentin *El Cronista comercial* rapporte : « Une vraie tristesse et une certaine folie étaient clairement perceptibles dans les rues de Buenos Aires. Dans les bars et les restaurants, les supermarchés, les petites échoppes de quartier, à travers les discussions intenses dans le bus et le métro, une réaction générale dominait chez les gens ordinaires : nous pardonnerons à Diego ; nous pardonnerons toujours à Diego Maradona. Les arguments présentés étaient divers. Certains ont vu son contrôle antidopage comme un complot contre Maradona et l'Argentine ; d'autres ont accusé Havelange, le président brésilien de la FIFA, d'en être l'auteur principal car Maradona l'a toujours désigné comme son principal ennemi en critiquant nombre de ses décisions. Mais tous, sans distinction, ont affirmé que Maradona était l'essence même de la joie dans la pratique du football, et que s'il avait consommé de l'éphédrine, il n'était pas responsable ; d'autres étaient responsables[29]. »

Réagissant à l'impunité dont jouit le *Pibe de Oro*, le romancier argentin Mempo Giardinelli s'insurge en 1994 : « Le respect de la loi n'a aucun prestige dans ce pays... On pourrait même dire que cela fait partie du *way of life* argentin. Croire que le bonheur est éternel, qu'il n'est pas important de suivre les règles ou d'assumer ses responsabilités. Qu'il est plus facile de blâmer les autres, d'imaginer des conspirations, de se dire que, quand on a commis une erreur, c'est n'est pas de sa faute mais de celle d'un autre[30]. » Pour les tenants de l'ordre et de la morale, Maradona doit se repentir et être puni pour ses actes. En revanche, pour beaucoup d'Argentins, « plus Maradona fait de bruit autour de lui, plus il devient naturellement l'incarnation d'un *pibe*[31] ». Toxicomanie, obésité, trafic de drogue, soutien politique à Hugo Chávez et à Fidel Castro, le parcours décousu de Maradona traduit ainsi à merveille ce qu'on attend du *pibe*, cet enfant irresponsable et facétieux auquel on pardonne tout[32].

Cette nature infantile, associant un esprit d'indocilité foncièrement ancré dans l'identité argentine, Maradona semblera en effet la rechercher inlassablement dans sa vie privée comme sur les terrains : « On m'en a donné des surnoms, mais *Pelusa* est celui que je préfère parce qu'il me ramène à mon enfance à Fiorito, déclare-t-il. Je me souviens des Cebollitas, des poteaux en bambou et quand on jouait seulement pour un Coca et un sandwich. Il n'y avait rien d'aussi pur[33]. »

La dimension christique de Maradona va par ailleurs s'étoffer en Argentine au gré de la médiatisation de ses frasques. Le corps même du footballeur sujet à la boulimie (il prendra puis perdra plus de 40 kg), dépendant à l'alcool, au cigare et à la cocaïne, ainsi que ses lourdes opérations chirurgicales en 2004 et 2007 sont autant de faiblesses mises à nu par la télévision auxquelles peut s'identifier le peuple argentin[34]. Si Maradona est un *pibe* malicieux et indiscipliné, ses fêlures en font un être vulnérable, qui, tel un martyr cathodique, a sacrifié son corps fatigué dans un ultime exploit sportif, celui d'aller à la Coupe du monde 1994 sous l'insistance des supporters argentins, avant qu'on lui « coupe les jambes » et le « tue en tant que joueur ».

Afin de prolonger leur dévotion envers Diego Maradona, à peine un an après la fin de sa carrière officielle trois supporters argentins créent à Rosario, en octobre 1998, l'Église maradonienne. Syncrétisme catholique entièrement dévoué au culte de Maradona rebaptisé « D10S », agencement typographique qui renvoie à *Dios* (« Dieu ») et à *Diez* (« dix », en hommage à son maillot), le mouvement footballistico-religieux compte aujourd'hui plus de 120 000 adeptes à travers soixante pays[35]. « L'Église maradonienne rassemble les fanatiques de Maradona du monde entier, explique Alejandro Verón, l'un de ses fondateurs. Notre religion, c'est le football et, comme toute religion, elle se doit d'avoir un dieu. Tout se passe dans le cadre du foot, dans le respect des croyances religieuses quelles qu'elles soient et sans la moindre volonté de les dénigrer[36]. »

Deux grandes fêtes rituelles viennent rythmer le calendrier maradonien (dont 1960, année de naissance de Maradona, marque le point de départ) : les Pâques maradoniennes, célébrées chaque 22 juin pour commémorer les deux buts face à l'Angleterre en 1986, et la Noël, qui a lieu le 29 octobre, la veille de l'anniversaire du D10S. « On passe sur écran géant les images des grands buts de Diego et nous invitons quelques-uns de ses proches pour qu'ils nous racontent des anecdotes vécues avec notre dieu, précise Alejandro Verón. Le tout dans une ambiance très festive, en attendant minuit[37]. »

À l'occasion d'une célébration d'un Noël maradonien en octobre 2008 dans l'arrière-salle d'une pizzeria de Buenos Aires, Hernan Amez, l'un des trois fans à l'origine du mouvement, souligne quant à lui : « L'Argentin est passionné, capricieux, sanguin. Maradona incarne ce personnage sur un terrain de football. Il est celui qui n'abandonne jamais. [...] Maradona nous rend si forts, c'est pourquoi nous l'aimons autant qu'un dieu[38]. »

Après que trois cents supporters ont entonné un Notre-Père marado-nien[d] – « Notre Diego, Qui est sur les terrains, Que ton pied gauche soit béni, Que ta magie ouvre nos yeux, Fais-nous nous souvenir de tes buts, Sur la terre comme au ciel » –, une cérémonie bon enfant est inaugurée dans une étrange solennité par dix apôtres-coéquipiers qui apportent différentes reliques tels des crampons, un ballon de football sanglant orné d'une couronne d'épines ou encore un chapelet à 34 perles rappelant le nombre de buts marqués par Diego pour la sélection argentine. Dans l'assistance et après plusieurs bières, Anthony Bale, un jeune supporter écossais membre de l'Église maradonienne, confesse : « Qu'est-ce que Jésus a fait que Maradona n'a pas fait ? Ils ont tous les deux fait des miracles, c'est juste que ceux de Maradona sont homologués[39]. »

d   Il existe également Dix Commandements maradoniens, qui stipulent entre autres : « Aimez le football par-dessus tout », « Diffusez les nouvelles des miracles de Diego dans tout l'univers » ou encore « Nommez votre premier fils Diego ».

17

« Nous sommes des amants, pas des combattants ».
Les ultras d'Istanbul face au pouvoir turc

> « Offrons le globe aux enfants, au moins pour une journée.
> Donnons-leur afin qu'ils en jouent comme d'un ballon multicolore,
> Pour qu'ils jouent en chantant parmi les étoiles. »
>
> Nâzım HIKMET, *C'est un dur métier que l'exil*, 2009.

> « Le parfum des amoureux de Beşiktaş, c'est l'odeur du gaz lacrymogène. »
>
> Un ultra Çarşı.

C'est une image devenue symbole des protestations sociales qui ont secoué Istanbul au printemps 2013. En pleine manifestation, place Taksim, un bulldozer s'élance bravement vers des policiers médusés. Aux manettes de l'engin de chantier détourné, des ultras Çarşı, reconnaissables à leurs écharpes ou maillots à bandes noires et blanches, floqués d'un A d'anarchie rouge vif.

Ces supporters du Beşiktaş JK, club de foot issu du quartier stambouliote éponyme, ont dès ses prémices rejoint le vaste mouvement de contestation contre les islamo-conservateurs au pouvoir depuis 2002. La répression policière brutale d'un modeste *sit-in* de militants écologistes fin mai 2013, contre le projet de destruction du parc Gezi, a donné naissance en quelques jours à une vague de soulèvements sans précédent dans toute la Turquie contre les dérives autoritaires de Recep Tayyip Erdoğan, alors Premier ministre.

Révoltés par la violence de la police contre les manifestants – les tirs à balles réelles, les gaz lacrymogènes et les canons à eau font 8 morts et 8 000 blessés[1] –, les ultras du Beşiktaş viennent rapidement prêter main-forte aux jeunes contestataires. « Les Çarşı ont organisé la défense du parc occupé, analyse Tan Morgül, journaliste et animateur d'une émission de football sur Açık Radyo. Ils ont été en première ligne face aux forces de l'ordre et une vingtaine d'entre eux ont même été arrêtés dès juin 2013. En Turquie, les supporters de foot font partie des rares groupes sociaux qui savent affronter la police[2]. »

Des stades de foot à la place Taksim

Les supporters du Beşiktaş entretiennent une tumultueuse rivalité avec les deux autres clubs phares d'Istanbul, le Fenerbahçe SK et le Galatasaray SK. Fondées au début du XXᵉ siècle, ces trois grandes formations turques ont été, après la Première Guerre mondiale, le vecteur de revanches symboliques contre les équipes des forces britanniques occupant Istanbul et ont cristallisé autour d'elles trois communautés sportivo-culturelles très clivées. Le Fenerbahçe représente ainsi le club huppé et aristocratique de la rive asiatique de la capitale tandis que le Galatasaray, qui emprunte son nom au prestigieux lycée francophone d'Istanbul, est un symbole des élites bourgeoises de la ville. Beşiktaş étant un quartier populaire historiquement ancré à gauche, l'équipe apparaît par contraste comme le « club du peuple ».

Après le coup d'État militaire de septembre 1980 qui interdit tout rassemblement ou activité d'ordre politique, le stade devient l'un des espaces d'expression sociale privilégiés pour tout un pan de la jeunesse stambouliote. « Supporter son équipe » devient dès lors un trait constitutif essentiel de l'identité masculine en Turquie, et les gradins, un lieu de politisation relativement libre. « On a créé les Çarşı en 1982, quand on avait à peine 15 ans, raconte Nizam, l'un des fondateurs du groupe[a]. On était une bande de sept ou huit copains. Des gars du Fenerbahçe sont venus dans notre quartier accrocher un drapeau de leur équipe pour nous provoquer et on leur a fait vite comprendre qu'ils devaient s'arracher. À la même époque, lors de matchs contre le Fenerbahçe, on avait besoin de se défendre physiquement face à leurs supporters qui voulaient nous tabasser et nous empêcher d'entrer au stade pour soutenir notre équipe. On s'est alors tout simplement appelés les Çarşı ["Marché central" ou "Bazar" en turc], parce qu'on venait du bazar de Beşiktaş[3]. »

À partir de 1984, la violence physique est de mise entre les trois frères ennemis d'Istanbul. Les rixes opposant des centaines de supporters et les accidents mortels dans les gradins sont fréquents car seul le stade Inönü de Beşiktaş accueille à l'époque l'ensemble des rencontres de la capitale

---

a   À la demande des Çarşı, les prénoms ont été modifiés.

– les deux autres stades étant en rénovation. « On dormait même la nuit dans le stade, la veille du match, pour avoir les meilleures places afin que notre groupe soit le plus visible possible, ajoute Nizam. On se bastonnait ensuite toute la nuit avec les supporters de l'autre équipe pour tenir le virage. » Les rangs de la bande du quartier de Beşiktaş s'étoffent alors à mesure que se multiplient les confrontations entre supporters et avec la police. Les poings et les cailloux sont peu à peu remplacés par les couteaux, les cocktails Molotov et les revolvers. Les batailles rangées avec les forces de l'ordre à la sortie des stades sont légion, forgeant par là même les premières pratiques d'autodéfense contre la police anti-émeute turque. Les affrontements brutaux entre supporters ne s'apaiseront qu'après qu'une trêve entre ultras rivaux eut été secrètement négociée au tournant de l'année 1991, suite à la mort d'un Çarşı molesté par une quarantaine de fans du Galatasaray[4]. Entre-temps, dix ultras pionniers des Çarşı auront disparu dans ces effroyables embuscades inter-supporters surnommées la « guerre d'Inönü »[5].

Si ces violents antagonismes footballistiques perdurent et débordent encore aujourd'hui régulièrement dans les rues d'Istanbul, ils ont été mis entre parenthèses lors du soulèvement de la place Taksim. Début juin 2013, au plus fort de l'occupation du parc Gezi, des dizaines de milliers de supporters ultras du Galatasaray et du Fenerbahçe, dont certains groupes ultras sont ancrés à gauche (à l'instar des Tek Yumruk du Galatasaray et des Vamos Bien du Fenerbahçe), rejoignent les Çarşı en scandant un slogan qui aurait quelque temps plus tôt paru invraisemblable : « Les Çarşı sont nos leaders ! » La place Taksim s'embrase alors aux cris de « Qui ne saute pas est pour Tayyip », tandis que s'élève un drapeau « *Istanbul United* », scellant l'alliance entre les trois groupes de supporters ennemis. Outre les violences policières, plusieurs événements survenus les mois précédents ont convaincu les supporters du Galatasaray et du Fenerbahçe de se liguer avec les Çarşı : les restrictions gouvernementales sur la consommation d'alcool, l'augmentation du prix des places dans les stades, les scandales qui minent un football turc gangrené par la corruption et l'interdiction aux ultras de manifester lors du défilé du 1er mai 2013[6].

Les supporters vont alors s'atteler à transmettre aux jeunes manifestants de Gezi leur longue expérience de lutte urbaine contre la police antiémeute en leur apprenant comment réagir face aux gaz lacrymogènes, repousser collectivement les assauts policiers ou ériger des barricades. Mais, plus que des pratiques d'autodéfense, c'est tout un esprit contestataire et non dénué d'humour que vont insuffler les Çarşı au sein du mouvement.

Si les supporters de l'équipe au maillot noir et blanc battent régulièrement les records du monde officiels de décibels dans les stades, les Çarşı sont surtout réputés pour les banderoles et autres *tifos* qu'ils déploient dans les tribunes. Arguant d'un jeu de mots entre Çarşı et *karşı* (« contre » en turc), leurs messages se veulent antifascistes, antisexistes ou écologistes. On a ainsi vu des banderoles « Çarşı contre le nucléaire » quand le gouvernement turc a décidé de doter la province de Sinop de centrales, ou « Çarşı contre la construction du barrage d'Hasankeyf », un projet de mégabarrage en Anatolie. « Le A d'anarchie de notre logo, c'est parce qu'il y a quelques anarchistes parmi les Çarşı, mais surtout parce qu'on est contre tout, même contre nous-mêmes ! » ironise Fahir, membre du Çarşı depuis 1992[7]. Les ultras du Beşiktaş sont également célèbres pour leur verve caustique, comme quand, à la mort de Michael Jackson, ils brandissent une banderole en hommage au *King of pop* et aux couleurs de leur équipe : « Une moitié de ta vie en noir, l'autre en blanc, repose en paix Michael, en grand fan de Beşiktaş. » Lorsque Pluton, à cause de sa petite taille, est déchu de son rang de neuvième planète du système solaire, les Çarşı affichent au stade une bannière clamant qu'ils soutiennent l'astre, car « ce n'est pas la taille qui compte ».

Au-delà de ces messages politiques ou potaches, les Çarşı n'hésitent pas à se solidariser activement avec les luttes sociales en manifestant leur soutien à la grève des ouvriers de Tekel en 2010 ou en défilant avec les travailleurs endeuillés après la catastrophe minière de Soma en 2014. Leur engagement militant se traduit également par la défense de nombreuses causes : mobilisation pour les droits des personnes en situation de handicap, chants dans les tribunes en langue des signes contre le racisme, actions sociales envers les plus précaires au sein de leur quartier ou encore campagne pour les refuges d'animaux.

« Lors du tremblement de terre de 2011 à Van, des milliers de supporters du Beşiktaş ont lancé sur la pelouse leur écharpe et leur maillot à la fois en don aux victimes du désastre et pour dénoncer l'inaction du gouvernement », raconte Cevat, 45 ans, un autre cofondateur des Çarşı. Le nez fraîchement abîmé, pin's du Beşiktaş en boutonnière, il ajoute : « Çarşı est un mouvement pluriel, hétéroclite, où on peut avoir des idées politiques différentes – on y trouve même des supporters de droite – mais qui, au final, s'exprime d'une seule voix, avec un esprit de solidarité entre ses membres[8]. » Les contours sociopolitiques de ce groupe ultra paraissent au premier abord indiscernables, mais un long poème écrit par les supporters et intitulé « Qu'est-ce que les Çarşı ? » précise : « Ce sont les gens dans les tribunes : un médecin, un ouvrier, un homme d'affaires, un enfant de rue illettré, un professeur. C'est le gauchiste, le droitiste, l'athée, le pèlerin, le Musulman, l'Arménien, le Juif, le Chrétien qui sautent côte à côte, les larmes aux yeux, s'époumonant : "Mon Beşiktaş, ma seule et unique chérie !"[9]. » À chaque rassemblement, qui commence immuablement à 19 h 03 (1903 étant la date de création du club de Beşiktaş), les Çarşı agitent un drapeau aussi bien à l'effigie de Che Guevara que de Mustapha Kemal Atatürk, père de la République turque et icône populaire dont les ultras célèbrent en chantant le penchant pour l'alcool : « Sur les traces de notre père/Nous mourrons de cirrhose. »

Cet art de la composition politique, de la convergence des luttes et du détournement permanent se retrouvera au sein du mouvement de la place Taksim qui réunira aussi bien des kémalistes laïques qu'un collectif de musulmans anticapitalistes, des féministes LGBT ou des militants révolutionnaires prokurdes. Quant aux slogans antirépression de Gezi, ils seront, à l'instar des mots d'ordre des Çarşı, parodiques et sarcastiques, tels « *Gas me baby one more time* », parodie d'une chanson de Britney Spears, ou « Tayyip, rejoins-nous, l'eau est super bonne ! », allusion aux canons à eau utilisés par les forces de répression.

« Il existe une tradition d'entraide dans le quartier de Beşiktaş et Çarşı y possède un rôle social prééminent », insiste Fahir. Il suffit effectivement de déambuler dans les rues de Beşiktaş pour constater que le club fait pleinement partie de l'identité du lieu, étendards d'ultras et statues d'aigle noir – symbole de l'équipe – émaillant les façades, les places ainsi que les nombreux bars du quartier. Et Fahir d'ajouter : « Participer à Gezi a été comme une évidence. Çarşı a dans un premier temps participé de façon simple et directe au mouvement en se défendant face à la police et puis, avec nos couleurs, on peut à la fois se retrouver et faire masse facilement, se repérer les uns les autres, mais aussi disparaître dans la foule aisément en enlevant notre maillot[10]. » « Nous ne sommes pas des hooligans, explique pour sa part Deniz. Nous sommes des amants, pas des combattants. Mais quand un combat survient, nous nous battons mieux que quiconque[11]. »

Si, durant le soulèvement, les Çarşı sont en première ligne des batailles de rue, ces derniers militent aussi en parallèle dans les tribunes en scandant toutes les 34e minutes de match (34 étant le code postal d'Istanbul) un des slogans phares du mouvement : « Taksim partout ! Résistance partout ! » Réciproquement, de nombreux chants de supporters sont aussi repris par les manifestants de Gezi. « Nous avons bien défendu la planète Pluton, alors nous étions obligés de défendre la place Taksim qui est à peine à un quart d'heure de notre quartier ! plaisante Nizam.

Nous avons retrouvé dans ce mouvement l'esprit des stades, où nous sommes tous unis, quelle que soit la classe sociale, l'origine. Mais nous avons aussi été touchés par tous ces jeunes qui, pour la première fois, luttaient contre l'autoritarisme du gouvernement. Pour moi, ce sont eux les véritables héros de Taksim, et non pas les Çarşı, comme les médias ont tenté de le faire croire pour nous criminaliser[12]. »

Un football sous la coupe d'Erdoğan

Nul ne sait combien les Çarşı comptent de membres. En l'absence de carte officielle, un simple maillot et la participation aux matchs ainsi qu'une certaine motivation à scander chants et slogans suffisent pour être un Çarşı. Pas de réel dirigeant non plus, juste quelques figures de proue, tel Alen Markaryan, *alias* « Amigo ». Ce Turc arménien qui possède un kebab à Beşiktaş a été un temps le visage public des Çarşı, un véritable symbole dans un pays où la communauté arménienne est âprement marginalisée. « Çarşı n'est pas un groupe ou une organisation, souligne Alen Markaryan. Nous n'avons pas non plus de leader. C'est avant tout un état d'esprit partagé[13]. » Cette culture de l'anonymat et de l'horizontalité qui les rend insaisissables, leurs débordements aux abords des stades ainsi que leur engagement dans les luttes populaires ont rapidement conduit les Çarşı dans le collimateur du pouvoir turc. Alors que les occupants du parc Gezi sont expulsés *manu militari* le 15 juin 2013 et que la fronde contre le gouvernement islamo-conservateur s'essouffle, les autorités turques s'attellent à purger le pays de ses dissidents les plus virulents et visent tout particulièrement les Çarşı, considérés comme les fers de lance du mouvement contestataire. Tout chant ou banderole politiques sont alors officiellement prohibés dans les tribunes turques et le gouvernement impose aux supporters de signer, à l'entrée des stades, un texte dans lequel ils s'engagent à ne participer à aucune activité susceptible de déclencher des « événements idéologiques ».

Les « Taksim partout ! Résistance partout ! » continuent cependant de résonner dans les enceintes sportives, entraînant une réaction du pouvoir sur le terrain judiciaire. En septembre 2014, trente-cinq ultras Çarşı sont inculpés pour avoir, selon le procureur antiterroriste Adem Meral, formé un groupe armé ayant pour objectif « de renverser le gouvernement turc démocratiquement élu [...] en s'emparant des bureaux du Premier ministre à Ankara et à Istanbul[14] ». À la veille du procès, le 15 décembre 2014, Emma Sinclair-Webb, chercheuse pour Human Rights

Watch en Turquie, déclare : « Inculper ces supporters du Beşiktaş en tant qu'ennemis d'État pour s'être joints à une manifestation publique est une mascarade ridicule. L'acte de condamnation qui étaye les accusations de tentative de coup d'État ne contient aucune preuve et ne mérite même pas d'être présenté devant un tribunal[15]. » Les ultras Çarşı contestent également par un communiqué officiel : « Le système veut que nos vies restent cantonnées à 90 minutes durant lesquelles nous devons soit nous réjouir des buts marqués, soit déplorer les buts concédés [...]. Ils veulent que nous "ne voyions rien, n'entendions rien et ne parlions de rien" qui ait un quelconque rapport avec ce qui se déroule en dehors du terrain, comme si les moments avant le coup d'envoi ne comptaient aucunement. [...] L'esprit collectif, la mémoire partagée, tous deux véhiculés par le football, nous offrent l'occasion d'aller vers l'autre, d'être ouvert sur le monde. Cet état d'esprit perpétue les valeurs humaines et dans les stades comme dans la vie, nous devons nous révolter contre tous ces cartons rouges injustes qui se dressent face à nous[16]. »

Alors que des ultras du Fenerbahçe et du Galatasaray, des familles de victimes de violences policières ainsi que divers collectifs impliqués dans le mouvement Gezi manifestent devant le tribunal leur soutien en scandant « Tous unis contre le fascisme » et « Çarşı ne marchera jamais seul », l'audience judiciaire débute par l'explosion d'hilarité des Çarşı après la lecture des chefs d'inculpation. Devant ses avocats portant le maillot du Beşiktaş, le premier accusé, appelé à la barre, honore les magistrats d'un « salut de l'aigle », signe distinctif des ultras Çarşı. Le juge l'interroge alors : « Êtes-vous le chef du groupe ? Avez-vous participé à la tentative de coup d'État ? – Aucun Çarşı ne peut donner d'ordre à d'autres Çarşı, répond malicieusement le supporter. Et si nous avions la capacité de fomenter un coup d'État, ce serait pour sacrer le Beşiktaş champion de Turquie[17] ! » Après un report du procès en avril, le parquet d'Istanbul refuse de suivre la réquisition du bureau de lutte antiterroriste, à savoir la prison à perpétuité, et acquitte les trente-cinq accusés le 29 décembre 2015.

Cette victoire judiciaire ne met pas fin pour autant aux velléités du pouvoir turc de contrôler le football. Dès 2011, Recep Tayyip Erdoğan – qui a été dans sa jeunesse un joueur semi-professionnel – a en effet accru son emprise sur le football turc dans l'espoir de tirer profit de son potentiel mobilisateur. Un mois après les élections législatives de juin 2011, qui ont conforté la domination du parti gouvernemental, l'AKP, une lutte opposant Erdoğan et son ennemi juré Fethullah Gülen pour le contrôle du Fenerbahçe s'est traduite par un énorme scandale de corruption puis par la nomination en mai 2012 d'hommes proches du pouvoir au sein du conseil d'administration du club[18]. Un an plus tard, suite au soulèvement de la place Taksim, un nouveau groupe de supporters, les « Aigles de 1453 » (année de la prise de Constantinople par les Ottomans), fait son apparition dans les travées du Beşiktaş. Proche de l'AKP, ce dernier tente de semer la discorde dans les tribunes et de déclencher des débordements lors des matchs du Beşiktaş afin de discréditer publiquement les Çarşı. « Le parti essaie de dominer tous les secteurs de la société, mais le football lui échappe jusqu'ici, comme on l'a vu en juin 2013. Or les stades sont un lieu important de contestation politique », explique Murat Sicakkanli, membre des Çarşı. « On parle d'une cinquantaine de types à qui l'AKP donne des miches de pain et des places gratuites pour assister aux matchs, appuie Deniz Kiliç, un autre Çarşı. Ils ne sont rien[19]. » D'autres pseudo-groupes de supporters pilotés par l'AKP tenteront également d'émerger dans les rangs du Galatasaray et au Fenerbaçe, scandant sans vigueur ni rythme « Erdoğan » et autres funestes mots d'ordre favorables au pouvoir.

Certains clubs de football sont par ailleurs devenus de véritables vitrines politiques de l'AKP, à l'image de celui issu de Başakşehir, un quartier résidentiel d'Istanbul à l'électorat conservateur. Créé de toutes pièces dans les années 1990, le modeste club municipal initialement dénommé Istanbul BB a été rebaptisé en 2015 Medipol Başakşehir, du nom d'un sponsor dont le dirigeant n'est autre que le médecin personnel d'Erdoğan. Grâce aux flux financiers de l'AKP, la formation, présidée par Göksel Gümüşdağ – mari de la nièce d'Erdoğan, élu stambouliote AKP et dirigeant de la Ligue des clubs professionnels turcs –, est parvenue à concurrencer les trois grands clubs historiques de la capitale en étant sacrée vice-championne de Turquie en 2017.

Les subventions que le gouvernement distribue généreusement au football sont, en outre, massivement orientées vers les équipes qui prêtent allégeance au pouvoir, comme le démontre la vingtaine de stades ultramodernes bâtis ces dernières années pour les clubs des villes fiefs de l'AKP telles Kayseri, Konya ou Samsun[20]. Enfin, signe ultime de la mainmise du parti gouvernemental sur le foot, la Fédération turque de football a publiquement appelé à voter pour le renforcement des pouvoirs accordés au président Erdoğan lors du référendum constitutionnel d'avril 2017...

Cohésion sociale contre clivage martial

« Depuis Gezi, le gouvernement se méfie des ultras, affirme Gökhan, supporter du Beşiktaş. Il peut dompter la population, la police, la justice, les médias avec des menaces d'emprisonnement, mais il ne peut pas faire taire ses opposants dans un stade. Du coup, il a instauré le Passolig[21]. » Excédées par le militantisme anti-Erdoğan des supporters et par leur style de vie antiautoritaire qui va à l'encontre du modèle islamo-conservateur prôné par le gouvernement, les autorités turques ont en effet décidé d'introduire en 2014 un système de vente de billets électroniques baptisé « Passolig ». Pour chaque place ou forfait acquis, les supporters doivent dorénavant livrer un ensemble de données personnelles, leur numéro de siège dans le stade ou encore leur identifiant bancaire.

« C'est une façon de fliquer les supporters, de retrouver plus facilement les perturbateurs mais aussi de sécuriser et contrôler les entrées et sorties des stades », explique Fahir des Çarşı. Le "Facholig" arrange aussi la direction de notre club, car ils en ont marre que nous critiquions sans cesse leurs délires mercantiles et managériaux. On assiste à une gentrification des stades à Istanbul, où l'on voudrait évincer les plus pauvres et laisser place aux supporters les plus riches, ceux qui consomment et se comportent sagement durant les matchs[22]. » « Sans oublier que la société qui a mis en place ce système électronique de sécurité est dirigée par le propre gendre d'Erdoğan », ajoute Cevat[23]. Dès les premiers jours de son application, les tribunes font néanmoins l'objet d'un boycott massif à l'échelle nationale, entraînant une baisse significative de la fréquentation des stades. Un match en octobre 2014 entre le Beşiktaş et le club d'Eskişehirspor, auquel auraient normalement assisté 20 000 à 30 000 supporters, a ainsi attiré seulement 3 000 spectateurs au stade Atatürk d'Istanbul. Les ventes de billets pour les matchs du Galatasaray et du Fenerbahçe ont quant à elles vertigineusement diminué de deux tiers en l'espace d'une saison[24].

Alors que le gouvernement assure que le Passolig permet d'augmenter ses recettes fiscales et que les enceintes sportives soient sans danger pour les familles, une déclaration commune d'une quarantaine de groupes ultras en avril 2014 dénonce : « Le système de billet électronique ne revient pas seulement à considérer le supporter comme un vulgaire client. Il collecte également tout un ensemble de données privées. Ce système vise à empêcher les supporters de s'organiser et est conçu pour démolir la culture du stade et l'identité même des supporters[25]. » L'unique alternative afin de visionner les rencontres est alors de s'abonner à l'onéreux bouquet sportif télévisé de Digiturk, un groupe média réputé proche des sphères de l'AKP et qui n'hésite pas à éteindre les micros du stade quand les supporters scandent des slogans protestataires.

Cette dépolitisation à marche forcée du football atteindra son acmé avec l'inauguration du Vodafone Arena, la nouvelle enceinte sportive du Beşiktaş qui remplace l'antique Inönü détruit en 2013. Le 10 avril 2016, le stade est officiellement inauguré en présence d'Erdoğan, devenu président de la Turquie à l'été 2014, de son Premier ministre Ahmet Davutoğlu et du président du club Fikret Orman. Alors que l'édifice permet d'accueillir 40 000 spectateurs, la cérémonie se tient devant 6 000 personnes triées sur le volet dont 1 000 militants de la section jeunesse de l'AKP[26]. Cette autocélébration à huis clos sera troublée par une vidéo qui provoque immédiatement la risée des réseaux sociaux. Cette dernière montre Ahmet Davutoğlu ratant maladroitement par deux fois le ballon lors de passes improvisées avec Erdoğan.

Toutefois, dès le lendemain, à l'occasion du match d'inauguration du stade opposant le Beşiktaş au Bursaspor, les ultras Çarşı réapparaissent publiquement à la fois au sein et à l'extérieur du Vodafone Arena. Des milliers d'entre eux n'ayant pas été autorisés à assister à la rencontre, des affrontements violents avec la police éclatent aux abords du stade. Et dès que les odeurs de gaz lacrymogène parviennent au nez des milliers de supporters dans les tribunes, ces derniers défient l'interdiction d'entonner tout message à caractère politique en ressuscitant en chœur les slogans les plus populaires des cortèges du mouvement de Gezi, tel « Gaze-nous, Gaze-nous, enlève ton casque, jette ta matraque et nous verrons qui sont les plus forts ». Alors que la chaîne de Digiturk coupe comme à son habitude le son durant la retransmission télévisée, les réseaux sociaux turcs sont soudain submergés par le hashtag #korkmalabizizçarşı (« N'ayez pas peur, ce n'est que nous, Çarşı ») qui se fait le relais des chants et slogans antigouvernementaux clamés en direct dans les tribunes. Une rébellion 2.0 qui n'est pas du goût d'Erdoğan, qui a requis pour les auteurs de ces tweets des peines de prison ferme pour offense au chef de l'État.

Plus qu'un acteur des luttes sociales ou qu'un contre-pouvoir autonome qui louvoie avec les multiples visages de la répression gouvernementale, les Çarşı jouent depuis l'avènement à la présidence d'Erdoğan un rôle social de première importance dans le maintien de l'unité du pays face à un dirigeant qui tente de cliver la société turque pour asseoir son régime autocratique. Ainsi, lorsque le président de la Grande Assemblée nationale, Ismail Kahraman plaide, fin avril 2016 pour l'abandon du principe de laïcité dans le cadre d'une réforme constitutionnelle, les Çarşı rétorquent dans les tribunes par un slogan qui sera largement repris par l'ensemble des supporters : « La Turquie est laïque et restera laïque ! » De même, alors que les tensions entre les revendications auto-nomistes kurdes[b] et le nationalisme d'Erdoğan se répercutent sur les pelouses – certains footballeurs turcs adresseront aux caméras un salut militaire après chaque but contre une équipe kurde –, les supporters du Beşiktaş entonnent dès le printemps 2016 les vers célèbres du poète turc Nâzım Hikmet, « Les beaux jours sont devant nous, mes amis, les jours ensoleillés ! », comme pour mieux exhorter à la fin de la militarisation du pays et à l'entente amicale entre les peuples[27].

Le refus de la part des Çarşı d'endosser les sinistres thèses national-istes et antikurdes du régime Erdoğan est cependant mis à rude épreuve à la fin de l'année. Le 10 décembre 2016, après un match victorieux contre le Bursaspor, les supporters du Beşiktaş refont le match à deux pas du Vodafone Arena. Soudain, un kamikaze se fait exploser parmi un groupe de policiers postés à proximité alors qu'une voiture piégée se lance simultanément contre un car de transport des forces antiémeute. Revendiqué par les Faucons de la liberté du Kurdistan, organisation radi-cale de la lutte armée kurde, l'attentat fait 44 morts, dont 36 policiers. Alors que la direction du club fustige « des terroristes [ayant] attaqué nos forces de sécurité héroïques » et que le ministre de l'Intérieur Süleyman Soylu incite les citoyens turcs à la « vengeance », les Çarşı appellent dès le lundi suivant à une marche à 19 h 03 où, « sans séparer personne », sont conviés « jeune ou vieux, homme ou femme, moi ou vous ». Le temps d'une manifestation, les Çarşı, indéfectibles amants du Beşiktaş, ont ainsi déjoué les tentatives de divisions délétères du pouvoir turc en unissant les gens indépendamment de leur âge, de leur sexe ou de leur appartenance ethnique derrière une seule et unique banderole portant ces mots : « Ce quartier est à nous, ce pays est à nous, l'amour est à nous. »

---

b   À l'instar de l'équipe de Diyarbakır, plus grande ville à majorité kurde dans le pays, qui s'est renommée Amedspor, la rupture du cessez-le-feu entre le gouvernement turc et le Parti des travailleurs du Kurdistan (PKK) à l'été 2015 amènera nombre de clubs kurdes à rebaptiser leur structure avec une dénomination plus propre à affirmer leur kurdicité.

V

Déborder.

Face à l'industrie du football :
lutter et inventer

18

Le football aux footballeurs !
De Mai 68 à la révolte des amateurs

> « Libérer le football de la tutelle de l'argent des pseudo-
> mécènes incompétents qui sont à l'origine du pourris-
> sement du football. »
>
> Le Comité d'Action des Footballeurs, mai 1968.

Morne et ennuyeux. Tel est le football français durant les années 1960, à l'image de la société gaullienne. Si l'arrivée au pouvoir du Général coïncide avec l'accession de la France à la troisième place de la Coupe du monde de 1958, le football hexagonal est alors en pleine traversée du désert. Malgré un essor exceptionnel du ballon rond après guerre – la Fédération française de football (FFF) compte 440 000 licenciés en 1950 contre 188 000 en 1939 –, le public déserte progressivement les tribunes. La montée en puissance des intérêts financiers bouleverse le football professionnel. Abandonnant un jeu qualitatif qui donnait la priorité à l'offensive et au spectacle, les clubs professionnels et l'équipe nationale privilégient désormais un football efficace qui limite les prises de risque sur le terrain au profit du résultat final. Cette évolution est directement liée à la montée en puissance du « sponsoring » : les équipementiers et autres entreprises industrielles souhaitent être associés aux succès sportifs des formations qu'ils soutiennent financièrement et entendent rentabiliser leurs investissements sur le long terme.

Sur les terrains, les entraîneurs et sélectionneurs français appliquent une tactique à base défensive popularisée par le Franco-Argentin Helenio Herrera. Qualifiée de *catenaccio* (« cadenas ») ou de « verrou » et inspirée par les techniques de Nereo Rocco au sein de l'équipe de Padoue et de l'US Triestina[a], la stratégie défensive développée par Herrera, entraîneur

---

a   Entraîneur de la modeste équipe de Padoue de 1953 à 1961, Nereo Rocco, conscient de l'infériorité sportive et physique de son équipe, met en place un système de jeu ultra-défensif, avec un marquage individuel strict et des joueurs situés très bas sur le terrain. Dénommée *catenaccio*, cette « tactique du faible », consistant à solidifier sa

de l'Inter de Milan de 1960 à 1968, a permis à son club de remporter deux Coupes des clubs champions européens, deux Coupes intercontinentales et trois championnats d'Italie. Cette pratique du foot, qui mise uniquement sur les contre-attaques pour marquer un but, exaspère les amoureux du ballon, rapidement lassés de ce jeu insipide qu'ils surnomment le « béton » et qui, de surcroît, devient synonyme de déroutes sportives en série pour l'équipe de France dès 1963.

Reflets des institutions gaullistes ronronnantes, la FFF et le Groupement des clubs professionnels hébergent les notables français du foot qui, imbus de leurs avantages sociaux et matériels, règnent avec autoritarisme voire népotisme sur le monde du football hexagonal. Pierre Delaunay, le secrétaire général de la Fédération, a hérité du poste par son père et le sélectionneur des Bleus, Louis Dugauguez, cumule en parallèle ses fonctions de directeur commercial des Draperies sedanaises et d'entraîneur de Sedan. Georges Boulogne, l'instructeur national surnommé « le Baron », est pour sa part partisan d'un football rigoriste et disciplinaire. « Toute organisation vise au meilleur rendement, c'est-à-dire, en l'occurrence, à augmenter les chances de victoire, avance le chef instructeur. Cette victoire pouvant être acquise par l'écart minimal (1-0), cet écart est plus facile à obtenir par un renforcement défensif (nombre, qualité et esprit des joueurs). Cette tendance est inéluctable, car elle est liée aux conditions et règles de jeu[1]. » Adepte de la rigueur défensive, Georges Boulogne fait ainsi du « béton » la doctrine tactique pour l'ensemble du football professionnel français.

« Les joueurs sont des esclaves »

L'autoritarisme des magnats de la FFF se reflète jusque dans les conditions de travail des joueurs professionnels. Entraîneur du RC Strasbourg dès 1967, puis manager général du FC Sochaux, René Hauss écrit ainsi dans *L'Entraîneur français*, le bulletin de la Fédération : « Le seul moyen de sauvegarder l'esprit et la mentalité indispensables à l'accomplissement d'exploits sportifs, c'est d'élaborer une structure sur le modèle de la vie militaire [...]. Pas de concertation, pas de contestation. Une hiérarchie bien établie[2]. » Les salaires des meilleurs footballeurs pros sont par ailleurs relativement modestes et de nombreux joueurs exercent un

---

défense et à économiser son peu d'énergie, serait inspirée entre autres des stratégies de résistance des maquisards italiens.

second métier en parallèle. À la fin de leur carrière, dans les années 1960, l'international Roger Courtois avait pour ambition ultime d'acheter un bureau de tabac et le champion de France Bolek Tempowski déclarait vouloir embrasser la profession agricole, dépensant ses primes de match pour acquérir des vaches[3].

De même, les textes de la FFF codifiant le statut de joueur professionnel stipulent que « tout joueur professionnel ou semi-professionnel est lié par contrat jusqu'à l'âge de 35 ans [...] au club sous les couleurs duquel il entend pratiquer le football ». Leur carrière sportive se prolongeant rarement après leurs 35 ans, les joueurs sont ainsi assujettis « à vie » à leur club d'origine et n'ont presque jamais voix au chapitre concernant leurs éventuels transferts, qui dépendent de la volonté exclusive des dirigeants. « Le club qui désirera s'attacher les services d'un joueur porté sur la liste des mutations [...] devra s'adresser obligatoirement non au joueur, mais au club qui a le joueur sous contrat », spécifient les statuts. En signant un contrat professionnel, un footballeur devient ainsi un capital que l'on peut vendre au plus offrant.

Face à l'omnipotence des instances dirigeantes et du patronat sportif, quelques voix dissonantes tentent cependant de faire vaciller le conservatisme patriarcal du football français. En novembre 1961, Just Fontaine, l'un des meilleurs attaquants de l'époque qui joue pour la sélection nationale, ainsi que le Camerounais Eugène N'Jo Léa, qui prépare son doctorat en droit tout en étant titulaire à l'AS Saint-Étienne, créent l'Union nationale des footballeurs professionnels (UNFP). Ce véritable syndicat des joueurs[b] entend combattre le « contrat à vie ». En 1963, le syndicat des footballeurs professionnels anglais réussit à abolir le système du *retain and transfer* qui enchaînait comme en France les joueurs aux dirigeants des clubs [voir chapitre 3]. S'inspirant de cette victoire britannique, et après avoir sans succès tenté une grève lors d'un match de qualification pour la Coupe d'Europe des nations en février 1963, l'UNFP décide d'attaquer devant les prud'hommes le contrat des joueurs professionnels.

Ballon d'or 1958, Raymond Kopa, quatre fois champion de France avec Reims entre 1953 et 1962, et trois fois vainqueur de la Coupe d'Europe des clubs champions avec le Real Madrid (en 1957, 1958 et

---

b   Un syndicat des joueurs avait été fondé dans les années 1930 mais avait disparu avec la Seconde Guerre mondiale. Les statuts de cette organisation syndicale stipulaient qu'elle avait pour but « de faire naître et de développer chez les joueurs de football qu'elle groupe, les sentiments de camaraderie et de solidarité, et de défendre les intérêts de ses membres et de venir en aide aux joueurs accidentés sur le terrain de jeu ».

1959), lance alors un pavé médiatique dans la mare. Fils d'immigré polonais, rescapé de l'enfer des mines du Nord où il perdit l'un de ses doigts lors d'un éboulement – « Cette bon Dieu de fosse m'a foutu une telle trouille que j'ai réellement cru que j'étais condamné à cette vie de galérien », écrira-t-il[4] –, Kopa est à l'époque l'archétype du joueur modeste et exemplaire qui incarne les valeurs de travail et d'abnégation promues par les dirigeants du football. Mais, le 4 juillet 1963, il fait éclater sa colère dans un article publié par l'hebdomadaire *France Dimanche* et intitulé sans ambages « Les joueurs sont des esclaves ». « Aujourd'hui, en plein XXᵉ siècle, explique-t-il, le footballeur professionnel est le seul homme à pouvoir être vendu et acheté sans qu'on lui demande son avis. » Le joueur modèle dénonce ainsi avec fracas le contrat léonin des professionnels et soulève une polémique sans précédent dans le milieu footballistique hexagonal. Kopa est condamné à six mois de suspension avec sursis et est retiré un temps de la sélection nationale compte tenu de sa « mentalité ».

Sans regret, le footballeur insolent assume publiquement sa prise de position, et persiste : « Je trouve choquant que les dirigeants puissent décider seuls de la carrière d'un footballeur, négocier son transfert sans même l'en avertir, prendre des sanctions financières sans qu'il soit en mesure de se défendre[5]. » Quatre ans après le scandale, Jean Sadoul, alors président du Groupement des clubs professionnels, confessera publiquement que le « contrat à vie » des footballeurs est illégal car il contrevient à la législation sociale française. Un constat qui n'incite pas pour autant le Groupement des clubs professionnels à l'abolir…

Le mensuel sportif *Le Miroir du football* incarne l'autre bastion de la contestation footballistique. Situé dans la mouvance de la presse d'extrême gauche, le journal est lancé en janvier 1960. Bien que le mensuel soit édité par les Éditions J, propriété du Parti communiste français, l'équipe journalistique, pilotée par le rédacteur en chef François Thébaud, n'est pas encartée au Parti et conserve sa liberté de ton. Elle est exclusivement composée de journalistes qui militent pour le beau jeu et qui dénoncent au gré des numéros le paternalisme des caciques du football français et son impact mortifère sur le ballon rond. Dès la parution du premier numéro, François Thébaud vilipende ainsi dans un éditorial incisif les « esthètes officiels [qui] s'accrochent au culte désuet des manifestations primaires de l'effort physique » et exhorte tous les footeux « à prendre conscience de leur force ». « Si vous recherchez dans nos pages matière à satisfaire l'orgueil nationaliste, l'esprit de clocher, ou le culte commercial de la vedette, conclut-il, ne poursuivez pas votre lecture. »

Le Miroir du football propose chaque mois aux lecteurs des articles théoriques prônant un football offensif et créatif et des rubriques sur la pratique de jeu – sur la passe courte ou la défense en ligne par exemple –, le tout illustré par des photographies à la fois esthétiques et pédagogiques. « Ils remettaient en cause le *catenaccio* de certaines équipes et revendiquaient plutôt la défense de zone et le beau jeu intelligent », rappelle André Mérelle, joueur professionnel au Red Star de Saint-Ouen[6]. Pour la joyeuse bande activiste du *Miroir*, le football doit incarner l'« expression prémonitoire d'une société digne de ce nom » et, dès août 1961, le mensuel sportif tire à boulets rouges sur le « contrat à vie » des joueurs professionnels à travers un long article intitulé « Statut du joueur professionnel ou l'esclavage en 1961 ».

Véritable exception journalistique au sein d'une presse sportive conformiste et sans relief, *Le Miroir* est alors à la pointe de la critique sociale du football français. Il se veut « critique envers les dirigeants de club et de fédérations », « polémique envers les affairistes, les politiciens et les technocrates, toujours prêts à exploiter ou à manipuler les sportifs » et « unique par la cohésion de son équipe de journalistes liés par leur passion commune pour le football »[7]. Enfin, l'équipe rédactionnelle porte une grande attention au monde amateur, où une certaine pratique de l'« art collectif » persiste, et n'hésite pas à y consacrer de nombreuses pages. « À côté des commentaires objectifs et sans concession des "grands" événements de l'actualité nationale et internationale, nous continuerons à souligner les efforts de ceux qui, à tous les échelons de la pratique sportive (fût-ce le plus modeste), sauvegardent et enrichissent le véritable esprit du plus grand de tous les sports », affirment ainsi les journalistes du *Miroir*[8].

Occupy Iéna

En avril 1968, la France subit une humiliation sportive historique. Entraînée par le despotique Louis Dugauguez, l'équipe nationale est rapidement éliminée du Championnat d'Europe de football après une défaite face à la Yougoslavie 5 buts à 1. À travers cette débâcle sportive, les amateurs de foot entrevoient alors l'essoufflement de la politique rétrograde menée par les autorités du football. Un mois plus tard, c'est au tour du pouvoir gaulliste de subir un sérieux revers : la jeunesse étudiante se soulève dans les universités comme dans la rue, ébranlant en profondeur la société française. La Sorbonne puis l'Odéon sont occupés et, le 13 mai, le mouvement ouvrier rejoint la vague de contestation en déclarant la grève générale. La capitale française est en pleine effervescence quand, un soir, Pierre Lameignère, journaliste au *Miroir du football*, émet devant le reste de l'équipe éditoriale l'idée d'occuper le siège de la FFF au 60 bis de l'avenue d'Iéna, dans le très chic XVIᵉ arrondissement[9]. Pour la petite troupe de journalistes rebelles, ce bouillant mois de mai 1968 est l'occasion rêvée pour ouvrir une brèche au sein de la monolithique FFF.

Après une seconde réunion nocturne, une date est fixée pour l'occupation : elle débutera le mercredi 22 mai. Des planques sont organisées quelques jours avant pour relever les heures de travail du personnel et établir un plan d'évacuation du siège en cas d'attaque par la police. L'immeuble est à quelques rues des Champs-Élysées, dans un quartier d'ambassades bien éloigné du tumulte des barricades du Quartier latin. Le jeudi 21 mai au soir, 10 millions de travailleurs sont en grève et tous les secteurs industriels sont bloqués. Le lendemain matin, une soixantaine d'individus sont postés dans des voitures le long de l'avenue d'Iéna ou sillonnent le quartier à vélo. L'escouade est composée de journalistes du *Miroir du football* tels François Thébaud, Francis Le Goulven, Jean Norval, Maurice Ragonneau ou Daniel Watrin, de joueurs gravitant autour du mensuel sportif en tant que partenaires de football le dimanche et de simples amis tel Jules Céron, ouvrier machiniste à Chaillot et footballeur à Aubervilliers.

Pendant qu'une dizaine d'employés sortent de la Fédération afin d'aller boire leur café matinal, un éclaireur se penche vers sa chaussure gauche. C'est le signal convenu pour débuter l'action[10]. La petite troupe s'engouffre précipitamment dans l'hôtel particulier. Dans le hall marbré et tapissé de la Fédération, le concierge s'esclaffe : « C'est le Baron qui va être content[11] ! » Un quart d'heure plus tard, loin d'être « content », c'est un Georges Boulogne revêche qui débarque au siège du football français. Deux occupants empoignent l'instructeur national et lui soufflent : « Viens chez nous, on t'invite. La Fédération est à nous maintenant[12]. » Sur la façade cossue du 60 bis avenue d'Iéna, les manifestants hissent un drapeau rouge puis déploient deux banderoles : « Le football aux footballeurs » et « La Fédération, propriété des 600 000 footballeurs ». Pierre Delaunay, le secrétaire général de la FFF, et le « Baron » resteront confinés dans un bureau jusqu'en milieu d'après-midi. « Monsieur Boulogne, les footballeurs ont des choses à vous dire », annoncent les joueurs contestataires avant d'entamer une vigoureuse discussion sur l'organisation et le fonctionnement de la forteresse du football.

Banderoles, slogans chocs, occupation de locaux, les agitateurs du football déploient les mêmes techniques de lutte que les étudiants et les ouvriers. « Tout le monde se révoltait, rappelle ainsi Jules Céron qui participait à l'occupation de son usine à Chaillot comme à celle de la Fédération. Les gars du *Miroir* étaient en lutte contre le pouvoir et l'argent dans le foot. Ils ont décidé d'attaquer la citadelle[13]. » Les occupants rédigent le jour même de la réappropriation de la FFF un tract des plus détonants. Intitulé « Le football aux footballeurs » et sous-titré « Le tract-programme du Comité d'action des footballeurs », il débute par ces quelques phrases : « Footballeurs appartenant à divers clubs de la région parisienne, nous avons décidé d'occuper aujourd'hui le siège de la Fédération française de football. Comme les ouvriers occupent leurs usines. Comme les étudiants occupent leurs facultés. Pourquoi ? Pour rendre aux 600 000 footballeurs français et à leurs millions d'amis ce qui leur appartient : le football dont les pontifes de la Fédération les ont expropriés pour servir leurs intérêts égoïstes de profiteurs du sport. »

Les révoltés du ballon rond relèvent dans un premier temps trois mesures de la FFF qu'ils jugent contradictoires avec sa mission première, à savoir développer et promouvoir le football à travers le pays. Ils exigent ainsi la suppression de la licence B, initialement mise en place pour limiter l'amateurisme marron, c'est-à-dire la rémunération illégale par un club d'un joueur qui a le statut amateur. Mais, sur le terrain, cette licence empêche un footballeur amateur qui change de club en cours d'année de jouer sous ses nouvelles couleurs avant la saison suivante.

Deuxième mesure raillée, la limitation de la saison de football d'octobre à mai, alors que les jours estivaux sont plus favorables à la pratique du ballon rond. En 1961, Maurice Herzog, secrétaire d'État aux Sports, avait en effet décrété la suspension de la saison de foot pendant l'été afin de favoriser le développement d'autres sports, tel l'athlétisme. Aux yeux des occupants, cette mesure antipopulaire démontre le mépris du gouvernement gaulliste pour le football mais également les accointances de classe entre les dirigeants de la Fédération et les hauts fonctionnaires d'État[14]. Enfin, le tract dénonce le manque criant d'installations sportives pour les pratiquants du foot (en région parisienne, on dénombrait en 1968 un terrain de football pour quatre équipes[15]). Les notables de la FFF sont ainsi accusés noir sur blanc « d'avoir travaillé contre le football et d'avoir accéléré sa dégradation en le soumettant à la tutelle d'un gouvernement naturellement hostile au sport populaire par essence ». L'abolition du « contrat esclavagiste des joueurs professionnels » qui « bafou[e] la dignité humaine », toujours en vigueur en 1968 malgré la reconnaissance de son illégalité un an plus tôt, fait aussi partie des revendications des enragés du football.

Pour les activistes de l'avenue d'Iéna, les rapports de force sociaux au sein du football reflètent les rapports de classe qui structurent la société française. « Les contestataires suggèrent finalement l'idée que les joueurs issus du peuple ont été dépossédés de leurs droits au profit d'un groupe de grands bourgeois, analyse l'historien français du football Alfred Wahl. Il convient donc de les récupérer et de gérer directement la Fédération[16]. » Dans leur tract-programme, les insurgés accusent ceux qu'ils appellent les « pontifes » du foot français d'avoir « concentré sans vergogne aux mains d'une infime minorité les substantiels profits que nous leur procurons par nos cotisations ». Antoine Chiarisoli et Jean Sadoul, respectivement présidents de la FFF et du Groupement des clubs professionnels, sont accusés de dissimuler des « appointements illégaux ». Georges Boulogne est décrit comme le « chef de la Mafia des entraîneurs », qui « réserve à ses amis les postes les mieux rétribués ». Quant à Pierre Delaunay, qui a hérité du poste de secrétaire général de la Fédération par son père, il n'est aux yeux des contestataires qu'un « vulgaire Louis XVI ».

Le Comité d'action exige enfin l'organisation d'un référendum auprès des 600 000 footballeurs affiliés afin de débarrasser le ballon rond « des profiteurs du football et des insulteurs de footballeurs ». En invitant « footballeurs, entraîneurs, dirigeants de petits clubs, amis innombrables et passionnés du football, étudiants, ouvriers » au siège de la Fédération, les occupants s'inscrivent *de facto* dans une trajectoire révolutionnaire. « Tous unis, concluent-ils, nous ferons à nouveau du football ce qu'il n'aurait jamais dû cesser d'être : le sport de la joie, le sport du monde de demain que tous les travailleurs ont commencé à construire. »

Le tract-programme « Le football aux footballeurs » est massivement imprimé et rapidement distribué dans la rue et sur les terrains de foot. Curieux de cette action incongrue menée essentiellement par des confrères, les journalistes accourent à une conférence de presse organisée par le Comité d'action des footballeurs. L'invitation de la presse au sein du siège occupé n'aboutit qu'à la publication d'une poignée d'articles oscillant entre condescendance et dédain. La presse sportive dénigre en effet le mode d'action des manifestants et aurait apprécié « une révolution plus rationnelle[17] ». Maurice Vidal lui-même, pourtant directeur du groupe de presse auquel appartient *Le Miroir du football*, apprécie peu cette occupation menée sans l'aval des instances communistes. Quant au journal *L'Humanité*, il ne perçoit dans cette action qu'une manifestation aux relents gauchistes et somme toute secondaire par rapport aux luttes des travailleurs[18].

Les autorités du football ne tardent pas non plus à réagir. Certains « pontifes » de la Fédération n'hésitent pas à qualifier la bande du *Miroir* de « salopards en crampons » et, dès le 23 mai, la FFF publie un communiqué officiel qui réaffirme le bien-fondé démocratique de ses statuts et condamne l'occupation de son siège[19]. Le lendemain, c'est au tour de Georges Boulogne, en tant que dirigeant de l'Amicale des éducateurs de football, d'incriminer « énergiquement le caractère politique et antidémocratique » de cette action[20]. Malgré tout, les occupants reçoivent des messages de soutien des footballeurs syndicalistes de l'UNFP et de clubs des quatre coins du pays. Des joueurs amateurs de Malakoff, de Pontoise, de Mantes, et des équipes de l'usine Saunier-Duval ou des PTT Brune franchissent pour la première fois le seuil de « leur » Fédération. « Je ne pensais pas que le monde du football pouvait être capable d'un geste aussi audacieux, aussi irrévérencieux », se remémore ainsi Serge Anger, un footballeur amateur de Pavillons-sous-bois (Seine-Saint-Denis), qui a quitté son imprimerie pour rejoindre l'avenue d'Iéna[21].

Les joueurs professionnels, en revanche, ne se mobilisent pas. Seuls deux footballeurs du Red Star de Saint-Ouen, André Mérelle et Michel Oriot, prennent part à l'occupation, tout en déclarant : « Nous n'étions pas là en tant que pros, mais pour soutenir l'effort de démocratisation du football qui était tenté par des joueurs amateurs[22]. » Les deux joueurs professionnels révoltés n'hésitent pas non plus à se positionner contre l'animosité de la FFF et répliquent à la presse sportive : « On devrait renoncer au président mécène et même aux subventions municipales. Des subventions d'État, au *prorata* des licenciés et en fonction de l'activité du club, devraient être allouées. Dès lors, les dirigeants seraient élus, l'argent ne serait plus le critère, mais la compétence réelle. Dans ces conditions, il n'est pas interdit de penser que certains joueurs pourraient également participer à la direction du club[23]. »

Cinq jours durant, l'occupation se déroule dans une ambiance de fête. Le soir même de la réappropriation des locaux, on installe des lits de camp, on festoie allégrement dans les salons huppés de la Fédération et l'on scrute depuis les combles tout mouvement suspect. Mai 68 est alors à son paroxysme : le 24 mai, la capitale est le théâtre de rudes batailles de rue entre manifestants barricadés et forces de police. La Bourse de Paris est incendiée. Le siège occupé de la FFF bat au rythme tumultueux du mouvement en cours et se transforme en véritable agora démocratique. Les débats enflammés autour d'un *autre* football et les projections de films de matchs internationaux vont bon train, le tout entrecoupé de parties de foot sauvage sur la très pimpante avenue d'Iéna. Le 27 mai, les directions syndicales et les organisations étudiantes entament des pourparlers avec le gouvernement gaulliste pour accoucher des accords de Grenelle. Le jour même, la fin de l'occupation du siège de la FFF est votée en assemblée générale. « On avait réussi à médiatiser le mouvement, explique Faouzi Mahjoub, journaliste du *Miroir*. Il devait prendre une autre tournure[24]. » En quittant les lieux, les occupants n'oublient cependant pas d'emporter la liste des 12 000 clubs de foot français et de leurs responsables.

Prenant le relais du Comité d'action, une Association française des footballeurs (AFF) est créée dans la foulée afin de continuer à porter les revendications du 22 mai. Présidée par Just Fontaine, cofondateur de l'UNFP, l'association propose la refondation du football par les 600 000 joueurs amateurs et professionnels et reçoit le soutien de joueurs médiatiques et populaires comme Raymond Kopa, Rachid Mekhloufi ou Yvon Douis. En parallèle, l'UNFP organise le 13 novembre 1968, dans le cadre de son congrès syndical, une rencontre au stade Bauer de Saint-Ouen entre l'AS Saint-Étienne et le SCO Angers. Le syndicat des joueurs professionnels désire à travers ce match faire la démonstration d'un football libéré de son carcan disciplinaire et synonyme de plaisir[25]. Sentant leur autorité menacée, les instances dirigeantes du football demandent alors quinze jours de suspension pour tout footballeur stéphanois ou angevin qui se présenterait sur les pelouses du stade Bauer. Malgré les intimidations de la FFF, l'AS Saint-Étienne et le SCO Angers entrent sur le terrain le jour annoncé. Les deux équipes ont inversé leurs couleurs pour montrer l'unité des footballeurs et, dans les vestiaires, on peut lire sur un tableau noir : « Les joueurs, pour confondre leurs détracteurs, ont la mission de produire un football digne de leur valeur[26]. » Dans les tribunes, une banderole « Les joueurs vaincront » est agitée et la rencontre se transforme en véritable spectacle footballistique : le public, enthousiaste, assiste à une avalanche de buts, les Stéphanois l'emportant 5 buts à 4.

La popularité des revendications du 22 mai désormais portées par l'Association française des footballeurs, ainsi que le contre-pouvoir affirmé des joueurs professionnels au sein de l'UNFP libèrent la parole des footballeurs qui n'hésitent plus à dénoncer collectivement leurs conditions de travail. Au pied du mur, la Fédération est contrainte de fléchir. Immédiatement après l'occupation de son siège, le bureau fédéral de la FFF renonce ainsi à la licence B. Joueurs, entraîneurs, figures du monde amateur et clubs jouissent également d'une meilleure représentation au sein des instances dirigeantes. Certains « pontifes » et autres « profiteurs du football » tirent par ailleurs leur révérence, à l'instar du président Antoine Chiarisoli, qui cède son fauteuil à la fin de l'année, ou de Pierre Delaunay, qui démissionne de son poste de secrétaire général, dorénavant attribué à une personne élue. Enfin, janvier 1969 voit la plus grande victoire emportée par les footballeurs en lutte : l'abolition du contrat « esclavagiste », remplacé par un contrat à durée librement déterminée.

Néanmoins, le football français est loin d'avoir effectué sa révolution. Georges Boulogne est en effet nommé sélectionneur des Bleus en 1969 (sous sa direction jusqu'en 1973, l'équipe de France ne parviendra à se qualifier ni pour les Coupes du monde 1970 et 1974, ni pour l'Euro 1972). Le tenant du jeu défensif et rigoureux est nommé par le gouvernement au poste nouvellement créé de directeur national du football en 1970, fonction qui lui confère le champ libre pour diriger d'une main de fer la formation des entraîneurs. La Fédération tente également d'éloigner des terrains les footballeurs soixante-huitards. « La Ligue de Paris [échelon régional de la FFF] a suspendu un temps nos licences, se remémore Serge Anger, l'un des joueurs amateurs qui rejoignit l'occupation du 60 bis. Elle voulait nous empêcher de débuter la saison 1968-1969[27]. » « J'ai eu des difficultés à retrouver un club pro. J'étais le gauchiste ! » précise pour sa part André Mérelle[28]. Et de constater que les pontifes de la Fédération n'ont finalement que peu vacillé face à la révolte des footballeurs : « Alors même que, dans les autres sphères sociales, nous assistons à une remise en cause de la notion d'autorité, alors même qu'à école, à l'université, des orientations nouvelles se font jour... le football reste le domaine d'autocrates non éclairés, résume l'historien Alfred Wahl. Pas question pour eux de partager le pouvoir, il le leur faut tout entier, il leur faut s'imposer à défaut de se faire comprendre[29]. »

Les footballeurs professionnels apprennent ainsi en 1972 que le Groupement des clubs professionnels planche sur une réforme du contrat à temps déterminé qui briderait à nouveau la relative liberté des joueurs. Après de vaines négociations, les footballeurs de l'UNFP se déclarent officiellement en grève le 3 décembre 1972 : seuls deux matchs de première division sur dix seront joués dans les conditions habituelles, les huit autres étant perturbés ou annulés[30]. Rapidement acculé, le patronat des clubs adopte début 1973 une Charte du football professionnel pour encadrer définitivement le contrat de travail des joueurs.

Sous les pelouses, la plage ?

Malgré ces tentatives de mise au pas par les autorités sportives, le football empreint de créativité, de plaisir et de démocratie directe promu par *Le Miroir du football* et ses acolytes fait des émules. L'esprit de Mai 68 se prolonge notamment avec la création en 1972 de l'Espoir Football Club à Neuilly-sur-Marne. Mettant en œuvre sur les pelouses les principes de jeu développés par le mensuel, et dans les vestiaires, des pratiques autogestionnaires, le club rassemble entre autres quelques pigistes du *Miroir* et des jeunes banlieusards. En Bretagne, terre d'un football alors offensif et synonyme de victoire – le Stade rennais remporte la Coupe de France en 1971 et le FC Nantes remporte le championnat en 1973 –, le club du Stade lamballais, dans les Côtes-d'Armor, devient l'étendard du jeu collectif construit pour encourager les qualités individuelles et le plaisir de chaque joueur. Pour de nombreux footballeurs militants, ce club apparaît comme un laboratoire où l'objectif est la « recherche permanente d'émotions dans la pratique d'un "autre football" à la fois esthétique et moral, où le beau et le bon cohabitent », selon la formule du joueur et entraîneur breton Christian Gourcuff[31].

Le club est entraîné par Jean-Claude Trotel, un professeur de lycée local, partisan d'un « football fait de passes, fait d'intelligence, un football enivrant car source de joies saines, nées d'un jeu collectif » et qui aime comparer une équipe à « un orchestre de jazz » où « toutes les improvisations sont possibles »[32]. Initialement proche du Parti communiste, il est néanmoins séduit par les réflexions autogestionnaires qui ont traversé Mai 68. En 1973, Jean-Claude Trotel abandonne ainsi son statut d'entraîneur pour redevenir simple footballeur et initie la constitution d'un collectif de « joueurs-entraîneurs » : quatre joueurs élus en assemblée préparent les entraînements, composent les équipes et animent les discussions entre les matchs. Le collectif est ensuite reconduit ou modifié par l'ensemble des joueurs tous les deux mois. Les footballeurs tiennent un journal, *La Passe lamballaise*, pour revendiquer leur auto-organisation tout en proposant un espace de débat avec leurs supporters. « Nous, les jeunes, on était à fond là-dedans, se souvient Bernard Philippe, joueur au Stade lamballais. Il faut se remémorer le contexte politique : on avait vu Mai 1968 [et], en 1972, il y avait eu la grande grève du Joint français à Saint-Brieuc[c]. [Sur le terrain] c'était intellectuellement gratifiant,

---

c   De mars à mai 1972, les ouvriers du Joint français, à Saint-Brieuc, ont mené une dure grève pour l'amélioration de leurs conditions de travail. Ce mouvement est entre

il fallait jouer avec sa tête. D'ailleurs, j'ai commencé défenseur et j'ai fini attaquant : quand on avait compris la manière de jouer, on pouvait s'adapter à divers postes, on sentait le jeu[33]. »

À la surprise générale, le 12 juin 1973 est publié un arrêté ministériel imposant aux clubs amateurs de division d'honneur l'obligation de recruter un entraîneur agréé par l'État et diplômé par la Direction nationale du football, toujours supervisée par Georges Boulogne. Le monde amateur est consterné par cette décision immédiatement interprétée comme une volonté autoritaire d'encadrer jusque dans ses pratiques sportives toute une jeunesse considérée comme potentiellement subversive depuis Mai 68. Les amateurs s'inquiètent également de voir Georges Boulogne former des entraîneurs qui dissémineront dans tous les clubs ses conceptions d'un football disciplinaire et défensif.

Les joueurs du Stade lamballais dénoncent alors, d'abord dans un tract puis dans une pétition, « une atteinte intolérable à la liberté des joueurs ». « Imposer les services d'un entraîneur à un club, poursuivent-ils, c'est vouloir encadrer l'homme jusque dans son loisir, c'est lui prendre sa liberté. » Le 2 février 1974, 200 footballeurs issus de 14 ligues régionales mais également des professeurs de sport, des éducateurs sportifs issus des quartiers populaires et des journalistes du *Miroir du football* se réunissent dans les Yvelines. Animés dans un premier temps par la volonté de se mobiliser massivement contre cet arrêté ministériel, les participants débattent à bâtons rompus de leurs aspirations à un autre football, plus humain et plus émancipateur que celui imposé par la Fédération et l'État.

Après une journée d'échanges, les footeux militants et autres amoureux du beau jeu concrétisent leurs réflexions collectives en constituant une structure associative à part entière, le Mouvement Football Progrès (MFP). Une plateforme politique en trois points est unanimement adoptée. Le premier reprend la critique sociale du football développée par le *Miroir* : « Lutter contre la conception conformiste du football caractérisée par la commercialisation croissante, par l'emprise grandissante du gouvernement sur son organisation, par l'autoritarisme des dirigeants en place, par la recherche du résultat par tous les moyens dans les compétitions. » Le deuxième point précise la vision portée collectivement par le mouvement : « Élaborer et répandre une conception du football qui respecte la dignité du joueur, sa liberté d'expression, son plaisir de jouer, l'épanouissement de sa personnalité. » Le dernier

---

autres caractérisé par l'élan de solidarité populaire de la part de paysans bretons, de lycéens, de travailleurs, d'artistes, du clergé local et de nombreux médias.

axe de la plateforme traduit la volonté du MFP de se constituer en contre-pouvoir : il s'agit de « rechercher les moyens par lesquels les footballeurs peuvent eux-mêmes contribuer à l'avènement de ce football, en prenant leurs propres responsabilités, en luttant pour de meilleures conditions matérielles[34] ».

Dans un premier temps, l'action de terrain du Mouvement Football Progrès prend la forme de stages pratiques dont l'esprit est aux antipodes de ceux organisés par la FFF. Lors de ces temps de formation inspirés des principes d'éducation populaire, l'objectif premier est de partir de l'expérience propre de chaque participant pour lui permettre de déconstruire, de façon autonome et non directive, son rapport conditionné au ballon. Les entraînements visent moins à se préparer physiquement qu'à développer le caractère collectif du jeu et à retrouver la notion de plaisir et d'improvisation individuels. Parfois, en début de stage, un premier match entre stagiaires est filmé, puis, en fonction du visionnage et des critiques, le programme d'entraînement des jours suivants est élaboré collectivement. Les participants sont tout autant des ouvriers que des postiers ou des enseignants et, entre joueurs, entraîneurs ou animateurs de club, la convivialité est de mise. Des débats sur les liens entre football et société – autour de l'éducation, de la psychologie de groupe, etc. – sont en effet proposés lors de ces stages, de même que des séances de visionnage de vidéos de matchs où l'on commente avec humour l'absurdité du jeu ultra-défensif de certaines équipes.

Si, à l'instar du mouvement étudiant de Mai 68, les footballeurs militants du MFP rejettent toute notion de verticalité du pouvoir au sein des institutions du foot comme sur le terrain, ces derniers rejoignent aussi, dans un certain sens, la critique du travail industriel portée par les ouvriers grévistes. Ainsi, dans une organisation idéale et désirante du travail, comme dans celle du jeu, l'émancipation de chaque individu est intimement articulée avec la réalisation d'une action pensée collectivement où les rapports sociaux ne sont plus régis par la hiérarchisation et la compétition, mais par l'horizontalité et la coopération. « Nous savons bien que le football que nous rêvons ne peut pleinement s'épanouir dans la société actuelle, déclarent un an après la fondation du MFP trois de ses administrateurs. Notre mouvement s'inscrit nécessairement dans le cadre d'une action globale. Mais nous croyons qu'une lutte est possible au sein des institutions des activités culturelles (dont le football fait partie) et que cette lutte peut contribuer à "changer la vie"[35]. »

Le Mouvement Football Progrès veut développer auprès de ses adhérents un football appréhendé comme une école de la vie mais aussi de la

solidarité, dans la victoire comme dans la défaite. Les tournois du MFP
sont conçus comme des « spectacles populaires et artistiques », à l'instar de celui organisé en juin 1975 à Moëlan-sur-Mer, dans le Finistère,
auquel participent 48 équipes. Les équipes s'affrontent lors de matchs
dont la durée est fixée à quatorze minutes, pour mettre en valeur le foot
offensif et la joie de jouer, et le gagnant n'obtient pas de récompense
financière mais une Coupe du « Meilleur esprit MFP »[36]. Dans les villes
comme en milieu rural, les militants du MFP organisent des discussions
autour de cet autre football dans les Maisons des jeunes et de la culture,
les Foyers de jeunes travailleurs et autres salles municipales. L'agit-prop
s'invite également au sein du mouvement avec la création en 1976, en
collaboration avec la Troupe rennaise d'action culturelle, d'un spectacle
de marionnettes intitulé « Les aventures de M. Ledur » qui s'attaque
aux pontifes du football – le dirigeant du Stade rennais se nomme alors
M. Lemoux. « Football Circus », une pièce de théâtre estampillée MFP,
est également montée avec onze comédiens et se veut une satire en règle
des excès du football professionnel[37].

Cependant, le MFP doit affronter les vents contraires des autorités.
En décembre 1975, le député-maire de Locminé, dans le Morbihan, refuse
par exemple de mettre à disposition son terrain municipal pour une
rencontre du mouvement, arguant du « caractère gauchiste et subversif »
de la structure et prétextant une invective du ministère des Sports lui
rappelant que le MFP n'est pas membre de la Fédération. De nombreux
joueurs ou entraîneurs affiliés au MFP sont par ailleurs progressivement
ostracisés de leur club. C'est le cas notamment du professionnel Raymond
Kéruzoré du Stade lavallois qui se voit interdire toute participation au
championnat du mouvement.

Le MFP est aussi tiraillé par de vifs débats internes. Pour certains,
le mouvement n'est pas assez politisé et, lors des actions du Comité
pour le boycott de l'organisation par l'Argentine de la Coupe du monde
1978 (le COBA), certains participeront au comité sous l'étiquette MFP,
d'autres à titre individuel[38]. Quelques militants fondent de leur côté des
clubs autogérés, tel le Collectif Football Korrigans de Lesneven (Finistère)
créé en 1975, afin de concrétiser par groupes affinitaires la plateforme
politique du mouvement. Enfin, *Le Miroir du football*, relais médiatique
et soutien politique des actions entreprises par le MFP, bat de l'aile dès
1976, après le départ de François Thébaud et de la plupart de l'équipe,
en désaccord avec l'administration du journal qui voulait donner au
mensuel une tournure plus commerciale. Les administrateurs du MFP
confessent alors que leur principal ennemi demeure la « puissance du

conditionnement opéré par l'intermédiaire du sport » et constatent que « [leurs] idées sont constamment en rupture avec les idées que la grande presse, la radio, la télé "inoculent" quotidiennement aux gens[39] ». Les moyens financiers de la structure étant par ailleurs restés au fil des ans plus que limités, l'aventure du Mouvement Football Progrès prend fin en 1978. *Le Miroir du football* mettra la clé sous la porte un an plus tard.

À une échelle plus modeste, le flambeau du MFP est repris entre autres par quelques joueurs du Stade lamballais comme Bernard Philippe, Alain Séradin et Tayeb Ikkène, qui créent en 1979 l'association « Le football, la vie » et une revue mensuelle, *Le Contre-Pied*. Ces derniers luttent « contre l'autoritarisme à tous les niveaux » et la « commercialisation croissante du football », tandis que *Le Contre-Pied*, qui perdurera jusqu'en 1985, traite dans ses pages de foot féminin, de syndicalisme ou encore d'éducation populaire.

Jouer sans entraves

Aujourd'hui, l'esprit antiautoritaire insufflé par *Le Miroir du football* et le Mouvement Football Progrès subsiste encore à travers le football à sept autoarbitré, une pratique dont les racines remontent à Mai 1968. Au plus haut du mouvement de grève, Jo Dauchy, secrétaire du Club municipal d'Aubervilliers, décide d'organiser avec l'aide de la CGT des rencontres footballistiques entre les différentes usines occupées de la ville. Au stade municipal, les ouvriers grévistes se réapproprient le temps d'un printemps le plaisir de pratiquer un football sans contraintes, et ce que l'on soit joueur confirmé ou simple débutant, jeune fougueux ou vieux footeux. Un an après Mai 68, l'engouement de se retrouver pour jouer de façon conviviale entre ouvriers d'Aubervilliers reste tellement fort que la CGT et le club municipal organisent de nouvelles rencontres entre usines mais aussi avec les Maisons des jeunes et d'autres entreprises de la ville. Afin de pouvoir faire jouer tout le monde sans discrimination de niveau lors des matchs et des entraînements, Jo Dauchy propose de diviser le terrain en deux dans le sens de la largeur et d'expérimenter un football en équipe de sept, sans arbitre, sans tacle ni hors-jeu[40]. Jouer sur un demi-terrain à sept joueurs élimine *de facto* la spécialisation des footballeurs, chacun pouvant devenir au fil de la partie défenseur ou buteur. Quant à l'autogestion de l'arbitrage – c'est à chaque équipe de réclamer un coup franc quand elle le juge nécessaire –, elle transforme l'adversaire en partenaire de jeu, sans déléguer à une quelconque autorité la régulation des conflits sur le terrain. « C'était un luxe, se remémore Jo Dauchy. La conception du sport pour tous, pour s'amuser simplement, et ne pas forcément copier l'élite, n'existait pas[41]. » Chaque lundi soir, imprimeurs, bouchers, lycéens, postiers ou ouvriers d'Aubervilliers se retrouvent pour pratiquer ensemble un football joyeux et autogéré.

Ce jeu à sept remporte rapidement un vif succès dans toute la Seine-Saint-Denis mais aussi en Ardèche où il réunit mineurs et ouvriers du textile sous l'impulsion de syndicalistes et militants communistes locaux. La première Coupe nationale de foot à sept est organisée en 1988 et la Fédération gymnique et sportive du travail (FSGT) [voir chapitre 5] décide de formaliser quelques règles : la mixité des équipes est autorisée, les changements tournants sont illimités, les touches s'effectuent au pied et, bien évidemment, il n'y a toujours ni hors-jeu, ni tacle, ni arbitre. « Les règles sont conçues pour favoriser un jeu attractif et vivant, avec beaucoup de buts, précise un règlement départemental FSGT du foot à sept. On se rapproche du foot joué à l'école. Le foot à sept est porteur de plusieurs promesses : l'esprit, l'aspect ludique, la croissance des effectifs sans publicité, juste du bouche-à-oreille. » Moussa Dramé, éducateur sportif à l'Association sportive forézienne dans la Loire, ajoute : « L'autoarbitrage porte des valeurs d'autonomie, de responsabilisation, d'acceptation de l'erreur, de prise de décision collective – adversaire compris –, de sens de la vie en collectivité[42]. »

Popularisé jusqu'au Japon, au Mexique ou encore en Palestine, le foot à sept autoarbitré est désormais pratiqué par près de 30 000 joueurs et joueuses en France[43]. De nombreux tournois rassemblent plusieurs centaines d'équipes – dont les noms témoignent à la fois de l'esprit convivial de la pratique et de l'autodérision des joueurs : « Foiring Club de Paris », « FC Fromage blanc 0 % United » ou encore « Bayern de Monique » – qui se retrouvent chaque semaine pour vibrer ensemble, et ce « qu'importe le froid qui nous mord les jambes les trois quarts de la saison (étalée d'octobre à mai) ; qu'importe l'impression d'être sur la Lune lorsqu'on joue sur les terrains tout en cratères de Choisy-le-Roi ; qu'importe la moiteur suffocante du vestiaire exigu partagé avec l'adversaire[44] ».

De l'occupation du siège de la FFF en passant par l'aventure politique du Mouvement Football Progrès jusqu'à l'expansion de la pratique du foot à sept autoarbitré, nombre de joueurs se sont échinés à rendre « le football aux footballeurs ». Symptôme d'un monde marchand qui cherche toujours – et parvient souvent – à accaparer ce qui subsiste, ce qui lui résiste ou ce qui naît en dehors de lui, les instances dirigeantes du football ont été jusqu'à se réapproprier certains mots d'ordre des révoltés de Mai 68. En janvier 2007, Michel Platini accède à la présidence de l'UEFA, l'autorité du football européen, en n'hésitant aucunement à adopter pour sa campagne le slogan « Le football aux footballeurs »... Moins de dix ans plus tard, le « pontife » sera contraint de démissionner pour avoir perçu des rémunérations illégales de la part de la FIFA. Les « profiteurs du football » si férocement conspués par les occupants du 60 bis avenue d'Iéna sont encore aujourd'hui plus que jamais légion.

19

Tacler le sexisme.
Le football féminin
contre le patriarcat sportif français

« Pourquoi donc ces demoiselles se donnent-elles, pour taper dans un ballon, ces allures garçonnières qui les font ressembler parfois à de jeunes garnements de la barrière ? »

L'Auto, 18 novembre 1931.

« ELLES AFFIRMENT TRIOMPHANT QUE TOUT GESTE EST RENVERSEMENT. »

Monique WITTIG, Les Guérillères, 1969.

« Pour la première fois, des jeunes filles ont joué au football-association », rapporte avec entrain le 2 octobre 1917 le quotidien sportif français L'Auto. Le dimanche précédent, deux équipes féminines de football affiliées au Fémina Sport, un club omnisports parisien fondé en 1912, se sont en effet affrontées sous le regard intrigué d'une poignée de curieux et de journalistes. Suite à cette compétition inédite sur les pelouses de la capitale et faute de pouvoir se confronter à des homologues féminines, les footballeuses du Fémina Sport rencontrent durant tout l'automne les formations des lycées Buffon et Charlemagne ainsi que les joueurs aguerris de l'Union sportive commerciale ou du Stade français.

Si le football féminin est alors en pleine expansion outre-Manche [voir chapitre 4], il est demeuré pour le moins confidentiel sur le continent et n'est pratiqué que dans de très rares institutions, comme l'école supérieure pour jeunes filles de Pont-à-Mousson en France ou celles d'Uccle et Huy en Belgique[1]. Mais, suite au succès des compétitions mixtes initiées par le Fémina Sport en 1917, d'autres équipes féminines fleurissent à Paris au cours de l'année 1918 au sein de sociétés sportives telles que En Avant !, l'Académia ou l'Association sportive de la Seine. Dès la saison suivante, un tournoi local féminin est mis sur pied.

Un souffle d'émancipation

Bénéficiant de la montée en puissance du mouvement sportif en France – on estime à la veille de la Grande Guerre à plus de 2 000 le nombre officiel de clubs de foot[2] –, le ballon rond féminin s'implante progressivement dans l'ensemble de l'Hexagone suite à la création, en janvier 1918, d'une Fédération des sociétés féminines sportives de France (FSFSF). Des escouades féminines voient le jour en 1919 à Rouen puis Reims et le pays compte une douzaine de clubs pratiquant le football féminin au début de la saison 1920-1921[3].

Le contexte sociopolitique au lendemain de la Première Guerre mondiale participe également à cette intégration des femmes au sein du paysage footballistique. Si, au prix d'une lutte de longue haleine, ces dernières ont déjà arraché en 1907 le droit de disposer librement de leur salaire, la Grande Guerre, en mobilisant plus de 60 % des hommes actifs sur le front[4], bouleverse la traditionnelle division sexuelle de la société française. Après avoir été contraintes de surmonter la pénurie de main-d'œuvre masculine en s'échinant laborieusement au sein de l'industrie de guerre, les femmes aspirent à des rapports plus égalitaires et cherchent à s'affranchir du carcan patriarcal. Cette soif de libération s'exprime également dans et par le sport. L'émancipation corporelle des femmes par les activités sportives est d'ailleurs célébrée par l'ancien militaire et éducateur de renom Georges Hébert, qui affirme par exemple en 1919 : « S'exercer, se développer, c'est, pour la femme, un véritable affranchissement, à la fois physique et moral [...]. En même temps que de sa force, elle prend conscience de sa valeur[5]. » La revue *La Vie féminine*, dirigée par la militante féministe Valentine Thomson, se fait le porte-voix des ouvrières-footballeuses anglaises qui « n'oublient point qu'elles sont d'une race où le sport est en honneur. On peut se rendre compte, dès qu'elles ont quelque loisir, avec quelles ardeurs elles se livrent aux joies, quasi nationales pour l'Angleterre, du football[6] ».

À la tête de la FSFSF, l'institutrice nantaise Alice Milliat ainsi que ses acolytes dirigeantes associatives ne cachent pas leur féminisme et entendent populariser la pratique footballistique avec la ferme volonté de « faire du prosélytisme sportif dans la masse ouvrière[7] ». Partant, les pionnières du football féminin français sont pour la plupart de modestes employées de bureau, étudiantes, couturières, ouvrières ou postières qui, en parallèle de leur amour pour le ballon rond, s'adonnent aux sports athlétiques. Ostracisées par la Fédération française de football-association (FFFA), fondée en avril 1919, puis par l'hégémonique Union des sociétés françaises de sports athlétiques (USFSA), les footballeuses s'organisent en marge des structures fédérales masculines. « Une fédération sportive est une petite République, assure *La Française*, l'hebdomadaire féministe porte-voix du Conseil national des femmes françaises[a]. En développant la Fédération des sociétés féminines sportives de France, en la rendant l'égale des grandes fédérations masculines, les femmes s'habitueront à diriger leurs intérêts elles-mêmes. Et elles prouveront qu'elles sont aptes au gouvernement de la nation en se gouvernant d'abord elles-mêmes[8]. »

Toutefois, l'opinion dominante, qui sait combien la démographie française a été amputée par la Première Guerre mondiale, se préoccupe de plus en plus de « régénérer la race ». Ce devoir patriotique de pro-création assigné aux femmes est partagé jusqu'au sein des sphères mili-tantes pour l'égalité des sexes[9]. « Devront être considérés comme des embusqués et des déserteurs tous les jeunes ménages en bonne santé qui, pendant l'année qui suivra la guerre, refuseront par égoïsme de donner à la France un nouvel enfant », écrit par exemple la suffragette Marguerite de Witt-Schlumberger dans les colonnes de *La Française* en mai 1917[10]. L'engagement sportivo-féministe d'Alice Milliat s'inscrit également dans cette perspective à la fois hygiéniste et nataliste. « Pour donner à notre France la suprématie physique nécessaire à sa tranquillité et à sa prospé-rité, écrit-elle en 1920, il nous faut des femmes robustes capables de lui donner des enfants sains, vigoureux et nombreux[11]. » Au-delà de l'éman-cipation corporelle et *in fine* politique des femmes, le mouvement sportif féminin préconise ainsi les activités physiques pour ses licenciées dans l'optique de constituer « de solides moteurs humains, par de meilleures gestations, de plus saines et plus fécondes maternités[12] ».

La FSFSF émet par ailleurs auprès de ses membres des recomman-dations en termes de pratique footballistique. Les rencontres féminines ne doivent pas excéder les 60 minutes et se jouer sur des terrains de taille réduite, tandis que tout contact brutal entre adversaires durant le jeu est totalement proscrit. Le règlement de la fédération prohibe éga-lement la mixité des sexes durant les compétitions comme pendant les entraînements et la tenue des footballeuses est rigoureusement codifiée. Les manches de leurs tuniques doivent couvrir le quart du bras et les culottes être de couleur sombre tout en descendant à 10 centimètres du genou. Ces restrictions physiques et vestimentaires reflètent sans doute

---

a   Fédération d'associations féminines militant pour le droit des femmes créée en 1901. En 1929, le Conseil national des femmes françaises organise les États généraux du féminisme.

l'intégration par la fédération des normes genrées et même de certains stéréotypes sur le prétendu « sexe faible » mais elles prouvent surtout la volonté des dirigeantes sportives de prévenir toute hostilité des contempteurs masculins.

Au printemps 1920, une sélection de joueuses parisiennes effectue en Angleterre une série de quatre matchs dans les plus prestigieux stades du pays contre les brillantes Dick, Kerr Ladies de Preston avant que les jeunes Britanniques n'effectuent à leur tour, en novembre, quatre matchs, à Paris, à Roubaix, au Havre et à Rouen, attirant un total de 56 000 spectateurs[13] [voir chapitre 4]. « Tandis que les esprits attardés encore trop nombreux, s'apitoient sur la naturelle faiblesse féminine et ne lui trouvent pour remède que la subordination sociale de la femme à l'homme, un grand mouvement se développe pour rendre aux femmes toute la beauté, toute la force primitive, dont la civilisation prive la plupart d'entre elles, rapporte le 5 novembre 1921 *La Française* suite à une nouvelle rencontre de football entre joueuses parisiennes et d'Outre-Manche. Il est édifiant de suivre à ce sujet les rubriques sportives des journaux. Les exploits féminins y tiennent presque autant de place que ceux du sexe fort. »

Progressivement, la FSFSF parvient à gonfler ses effectifs. Selon Laurence Prudhomme-Poncet, auteure d'un ouvrage de référence sur l'histoire du football féminin, la fédération compte 130 clubs affiliés début 1922 et 17 sociétés sportives proposant du foot féminin, au sein d'une quarantaine d'équipes, en 1923[14]. Le ballon rond s'enracine aussi bien dans le Nord qu'à Marseille ainsi que dans les banlieues populaires de la capitale (Pantin, Aubervilliers ou Saint-Ouen). Un championnat de Paris est d'ailleurs créé en 1921 et remporte un vif succès dès la saison suivante : 18 équipes – telles que les Fauvettes d'Argenteuil, les Muguettes de Charenton ou le Parisiana – s'y inscrivent. Enfin, après avoir lancé une Coupe de l'Encouragement, puis une Coupe de l'Espérance à destination des formations débutantes, la FSFSF organise la Coupe *La Française*, à l'initiative de la revue féministe éponyme. À l'issue de la finale de cette première compétition, en avril 1922, Jane Misme, fondatrice de *La Française*, exhorte les lectrices à assister aux diverses épreuves féminines et affirme avoir la « certitude que le sport donnerait au féminisme des femmes robustes et décidées à conquérir leurs droits ». Et de conclure : « Le sport, qu'on le veuille ou non, aura pour la femme des conséquences sociales. Et à ce titre, il intéresse le féminisme[15]. » Le succès croissant du football féminin remplit également d'optimisme Alice Milliat : « Il ne s'agit point pour nous de faire ressortir ce que le progrès a encore à réaliser pour que la société soit organisée sur des bases équitables, mais qu'il nous soit permis de faire remarquer que notre œuvre d'éducation physique et sportive féminine constitue, en somme, une manifestation féministe du meilleur aloi[16]. »

Un football féminin qui tourne mâle

Alors que le football féminin s'affirme comme nouveau territoire d'émancipation pour les femmes françaises au début des années 1920, la presse sportive se montre de plus en plus circonspecte. Certes, *L'Auto* se satisfaisait que le ballon rond féminin permette « de conserver et d'améliorer la santé, pour être mieux à même de remplir les devoirs que la nature impose à la femme[17] ». Mais, fin 1921, le quotidien sportif jubile, non sans mépris, à l'écoute d'une joueuse qui confesse ses difficultés à concilier football et devoir conjugal : « Voyez comme le sport, qui passe pour tout envahir, n'a pris, dans leurs gentilles cervelles, que la place qu'il doit prendre... Ah ! Les adorables petites fiancées ! Ah ! Les adorables, bientôt, épouses et mamans[18]. »

La nature violente du football est également régulièrement invoquée par les détracteurs du sport féminin. Le journaliste Maurice Pefferkorn déplore ainsi que « l'être de grâce, d'élégance et de charme qu'est la femme ne risque de perdre à la pratique des sports violents comme le football tant de qualités raffinées et de subtiles vertus. [...] La rudesse de ce sport et la vigueur qu'il exige sont des qualités viriles qu'il n'est pas souhaitable de voir la femme acquérir[19] ». La pratique du ballon participerait en outre à « masculiniser » les femmes au point qu'il mettrait en danger leur capacité à procréer. « Le geste de lancer le pied dans un ballon exerce une pression abdominale très intense qui pourrait avoir les plus graves effets sur les organes de la femme, avance le professeur Georges Racine. Sa pratique aurait sur l'enfant en gestation une influence néfaste à son épanouissement[20]. » Nombre de spéculations médicales sont mobilisées pour démontrer que le football engendre chez la femme le « développement du bassin étroit », l'« immaturité des vagins », voire la perte pure et simple de ses fonctions reproductives[21].

Cette virulence sexiste s'explique par l'idéologie nataliste qui, sous la pression de ligues conservatrices et catholiques, a été inscrite en juillet 1920 puis en mars 1923 dans un corpus de lois qui répriment toute propagande anticonceptionnelle et correctionnalisent l'avortement. Dans le débat public, la sortie en 1922 du roman intitulé *La Garçonne* de

Victor Margueritte provoque un scandale national en narrant les mœurs sexuelles et débridées d'une jeune femme en quête d'indépendance. Tandis qu'un nombre croissant de « garçonnes », caractérisées par leur silhouette androgyne et leurs cheveux courts, affirment leur droit à disposer librement de leur corps, le football féminin exacerbe aux yeux de ses calomniateurs la confusion des genres[22]. « Les femmes se sont virilisées, leurs seins et leurs hanches ont cessé de se développer, devenues des sortes de "neutres" », s'exaspère *L'Éducation physique et sportive féminine* le 1er juillet 1924. La turbulente footballeuse Violette Morris[b], adhérente au Fémina Sport puis à l'Olympique de Paris, s'attire ainsi les foudres masculines pour « [son] pantalon d'homme, [sa] casquette de côté et [sa] cigarette au coin de la lèvre[23] » et pour avoir asséné un crochet au menton d'un supporter qui l'avait traitée de « grosse vache » et de « gros cul » à l'occasion d'un match en décembre 1924[24].

En détournant les femmes de leur foyer et de leur devoir maternel, le football féminin représente une menace pour la division sexuée de la société française, entraînant par là même une réaffirmation de l'identité foncièrement virile du ballon rond. Pour mieux vilipender les footballeuses, certains n'hésitent pas convoquer un ordre moral des plus réactionnaires. « Que les jeunes filles fassent du sport entre elles, dans un terrain rigoureusement clos, inaccessible au public : oui d'accord, écrit Henri Desgrange, rédacteur en chef de *L'Auto*, fin 1925. Mais qu'elles se donnent en spectacle, à certains jours de fêtes, où sera convié le public, qu'elles osent même courir après un ballon dans une prairie qui n'est pas entourée de murs épais, voilà qui est intolérable[25] ! »

Dès l'année 1925, la pratique footballistique féminine commence à disparaître du paysage sportif. Les efforts de la FSFSF, qui expose au stade Élisabeth les photographies des nouveau-nés des adhérentes du Fémina Sport ou qui refuse de renouveler la licence de la tumultueuse Violette Morris en 1928, n'y changent rien[26]. Par ailleurs, la qualité du spectacle sportif offert par le football féminin décline progressivement, comme le souligne *Le Miroir des sports* début 1925 : « Le jeu ne vaut rien, [...] la technique la plus fruste, la connaissance la plus primaire du football n'existent pas dans les équipes féminines[27]. » Las d'assister à de piètres rencontres, le public se désintéresse peu à peu de ces matchs féminins,

---

b   Grande sportive de l'entre-deux-guerres, Violette Morris pratique également la boxe, le cyclisme, la course automobile ou encore l'aviation avec pour slogan : « Ce qu'un homme fait, Violette peut le faire ! » Elle sera abattue en 1944 par des maquisards suite à son engagement dans la Gestapo.

à l'image de celui opposant en 1926 le Fémina Sport aux Cadettes de Gascogne : « Seuls, quelques voisins du terrain prennent la peine de se déranger et de renforcer la petite mince troupe des enfants du quartier qui se sont glissés dans le champ par les interstices, bien connus, de la palissade ou de la haie, note le même journal. Le public a-t-il tort de s'abstenir ? On ne saurait l'en blâmer. Chez les sportives, le football n'est pas un jeu très mouvementé, riche en passes changeantes, passionnant par ses actions multiples[28]. »

Le désenchantement qui gagne le football féminin résulte du vieillissement des équipes et des déficiences de l'entraînement. Les pionnières ont en effet appris à taper le ballon « sur le tas » et sans réel éducateur sportif, comme témoigne Lucienne Laudré-Viel, une footballeuse parisienne : « Moi, j'ai appris en jouant. Il n'y avait pas tellement de conseils. J'sais pas si à Fémina elles avaient un entraîneur, nous on n'en avait pas. Il y avait des conseils de papa mais... de voir jouer les hommes c'est comme ça qu'on apprend. » Et sa sœur, Jacqueline, d'ajouter : « Il n'y avait pas d'entraînement. Rien n'était prévu pour ça à l'époque. On était convoqué, on se retrouvait au vestiaire et puis c'était tout. On s'apprêtait, on allait jouer[29]. » De même, le manque d'installations sportives, en particulier celles équipées de vestiaires, freine d'autant plus le développement du football féminin que le nombre d'équipes masculines – peu disposées à partager les rares pelouses disponibles – explose à cette période. Enfin, les sportives néophytes sont dorénavant prioritairement orientées vers le basket-ball qui, considéré comme plus gracieux et moins brutal, ne subit pas l'ire patriarcale des institutions médicales et sportives. « J'ai cru un moment en l'avenir du football féminin ; je n'y crois plus, déplore Alice Milliat à l'été 1926. En Angleterre, il est à peu près tombé ; dans d'autres pays, tels que la Tchécoslovaquie ou la Yougoslavie, il a été très mal accueilli ; le "hazéna", jeu national là-bas, l'a facilement détrôné ; en Allemagne, c'est le handball ; en Amérique et au Canada, le nombre d'équipe de basket-ball est de beaucoup supérieur aux quelques unités qui pratiquent le football[30]. »

Au fil des saisons, de moins en moins d'équipes s'inscrivent au championnat de France (créé en 1919) et nombre d'entre elles disparaissent faute de joueuses. À partir de 1928, les rencontres organisées dans le cadre de la FSFSF font même s'affronter des formations souvent incomplètes. La même année, les instances sportives prennent définitivement leurs distances avec le football féminin. « Nous sommes totalement hostiles au football pour la femme et nous nous contentons de l'ignorer », tranche le secrétaire administratif de la Fédération française de football[31]. Quelques mois après les Jeux olympiques d'été de 1928, le baron Pierre de Coubertin affirme quant à lui : « S'il y a des femmes qui veulent jouer au football ou boxer, libre à elles, pourvu que cela se passe sans spectateurs, car les spectateurs qui se regroupent autour de telles compétitions n'y viennent point pour voir du sport[32]. » Alors qu'elle regardait jusque-là d'un œil bienveillant le football féminin, signe d'une démocratisation des activités physiques, la frange socialiste du mouvement sportif ouvrier lui tourne elle aussi le dos. Suite au Congrès de Prague de 1929, le programme d'éducation de l'Internationale sportive ouvrière socialiste recommande aux femmes les « jeux de ballon à l'exception du football » car « il faut pratiquer les diverses branches du sport féminin en respectant les conditions spéciales de la femme »[33].

À la fin de la saison 1932-1933 et après un championnat de France qui sacre une ultime fois le Fémina Sport, le football féminin est officiellement radié de la FSFSF qui invoque des difficultés financières croissantes ainsi que l'image désastreuse d'une pratique qui, selon ses détracteurs, entache l'ensemble du sport féminin. Dans la foulée, une éphémère et autonome Ligue féminine de football voit le jour à l'initiative de quelques sociétés sportives parisiennes avant de s'éteindre fin 1937.

Entre-temps, la deuxième édition de la Coupe du monde de football, organisée en 1934 en Italie sous l'égide du régime mussolinien, aura exalté la masculinité guerrière des joueurs et consacré le football comme le spectacle de masse permettant d'attiser les nationalismes européens [voir chapitre 6]. Quelques années plus tard, le discrédit du football féminin sera confirmé par le régime de Vichy qui « interdit vigoureusement » sa pratique le 27 mars 1941 sous prétexte qu'elle est « nocive pour les femmes ».

Nos désirs font désordre

Joué sur le continent européen de façon improvisée et presque clandestine depuis la fin des années 1930, le football féminin réinvestit les pelouses au tournant de l'année 1955. C'est le cas notamment à La Haye, à Manchester ou encore dans la région de Vienne où s'illustrent des équipes de lycéennes entraînées par un père de famille ou un frère. Au lendemain de la victoire de la Mannschaft contre la Hongrie en finale de la Coupe du monde 1954, l'engouement populaire pour le football donne également naissance à une dizaine d'équipes féminines en Allemagne de l'Ouest (République fédérale allemande, RFA)[34]. Une première rencontre internationale féminine RFA-Pays-Bas est même organisée à Essen fin 1956 ; puis deux autres à Stuttgart et Munich (où le match réunit 14 000 spectateurs)[35]. Créée en 1957, une Associazione italiana Calcio femminile (AICF) regroupe pour sa part six formations féminines de Rome, de Naples et de Sicile tandis qu'une douzaine de jeunes footballeuses suisses fondent en 1964 le FC Goitschel à Murgenthal.

En France, Pierre Delaunay, secrétaire général de la Fédération française de football (FFF), avise dès 1965 à propos des footballeuses : « Il est hors de notre pensée d'admettre qu'elles puissent vraiment pratiquer [le foot]. [...] Toute tentative organisée ne peut être, semble-t-il, que vouée à l'échec, même si elle devait être encouragée ; une fois encore, le football ne s'adresse, à notre sens, qu'à la gent masculine[36]. » Malgré cette déconsidération de la part des instances officielles, le football féminin hexagonal se développe au sein d'un cadre festif des plus inattendus : celui de kermesses de soutien aux associations sportives. En septembre 1965, à l'occasion de la fête annuelle du Club sportif d'Humbécourt, en Haute-Marne, une équipe féminine est par exemple créée, au pied levé, afin d'affronter une formation de pompiers des villages avoisinants. Appréhendée comme une attraction burlesque, la partie a pour visée d'attirer le chaland afin de renflouer les caisses du club. Mais le succès rencontré est tel que de plus en plus de matchs de football féminin sont proposés en tant que divertissement comique lors des réjouissances organisées par les clubs de l'est de la France. Pour célébrer ses 45 ans d'existence, l'Association sportive Gerstheim, dans le Bas-Rhin, parvient ainsi à attirer un millier de curieux le 20 août 1967 grâce à une exhibition de football féminin[37].

À Reims, le journaliste du quotidien *L'Union* Pierre Geoffroy lance dans ses colonnes un appel en juillet 1968 pour organiser un match de football féminin dans le cadre de la kermesse annuelle du club l'Union Sports. L'année précédente, l'association sportive avait programmé un combat de catch entre « lilliputiens » pour inaugurer les festivités. Une trentaine de jeunes femmes ayant répondu à l'annonce parue dans *L'Union*, deux équipes sont mises sur pied après sélection et entraînées deux fois par semaine sous la houlette de Pierre Geoffroy et de son confrère Richard Gaud pour préparer au mieux le numéro d'amusement public. « Ce qui n'était, d'abord, qu'une idée publicitaire prit bientôt un tour plus sérieux, car les joueuses retenues n'entendaient pas "exhibitionner" pour la galerie, elles tenaient absolument à jouer un vrai match, témoigne le journaliste sportif. La plupart jouaient déjà depuis plusieurs années avec leurs frères et se débrouillaient très bien. [...] Il y avait un nombre inimaginable de filles qui pratiquaient le football d'une manière sauvage à la périphérie de Reims[38]. » « Faut reconnaître que c'était une agréable surprise car elles ne faisaient pas n'importe quoi, ajoute Richard Gaud. Ce n'était pas une parodie de football. Au contraire, c'était quelque chose qui se tenait à tel point qu'un représentant du Stade de Reims professionnel qui était là nous a proposé [...] de faire un lever de rideau[39]. »

À la veille de la kermesse, le 24 août 1968, le Football Club féminin de Reims affronte ainsi les Alsaciennes du FC Schwindratzheim en match d'ouverture d'une rencontre masculine Stade de Reims-Valenciennes sur le gazon du stade Auguste-Delaune. « En entrant sur le terrain on appréhendait la réaction des spectateurs, raconte la joueuse rémoise Nicole Mangas. Au début, il y a bien sûr eu quelques ricanements [mais] les constructions de jeu (une-deux, contre-attaques, dribbles...), les centres et les tirs bien frappés, soulèvent les ovations de la foule qui n'en revient pas[40]. » Le lendemain, 2 000 personnes se pressent aux festivités de l'Union Sports pour découvrir le spectacle de ces footballeuses qui, sous des applaudissements nourris, remportent la partie contre les filles de Schwindratzheim.

Tandis que ces « matchs d'exhibition » se multiplient, entraînant dans la foulée la création d'équipes féminines, la Ligue d'Alsace, avec sa vingtaine de sections féminines, se mue en foyer précoce du football féminin et lance un premier championnat pour la saison 1969-1970. L'activisme sportif du fervent Pierre Geoffroy qui, dans les pages de *L'Union*, exhorte les jeunes filles de la région à monter leur propre équipe, ainsi que la qualité footballistique des Rémoises aboutissent à la création d'un challenge régional en mars 1969 avec plus d'une douzaine de formations.

Acculée par l'explosion du nombre de joueuses en quête de reconnaissance sportive (on dénombre près de 2 000 pratiquantes dès 1970), la FFF reconnaît officiellement le football féminin le 29 mars 1970. Cette décision n'est pas sans lien avec la poussée de la pratique à l'échelle continentale. Partout en Europe, les clubs féminins se structurent et s'étoffent. Tandis que les footballeuses néerlandaises se sont autonomisées au sein d'une Algemene Nederlandse Damesvoetbalbond dès 1955, une Women's Football Association est formée en Grande-Bretagne en 1969. La Federazione italiana di Calcio femminile, créée en 1968 à l'initiative d'hommes d'affaires turinois, compte dès sa création une cinquantaine d'équipes qui se confrontent au sein d'un championnat national comportant deux divisions.

À l'initiative de cette organisation italienne et dans l'optique d'engranger plus de profits, un premier championnat d'Europe des nations de football féminin voit le jour en novembre 1969 en marge de toute autorité footballistique masculine officielle. Sur la même lancée, les businessmen fondent, avec l'aide de la société Martini-Rossi, la Fédération internationale et européenne de football féminin (FIEFF) et inaugurent en juillet 1970, près de Naples, une première Coupe du monde féminine de football en rassemblant six formations européennes et une sélection mexicaine. Si l'événement n'est pas reconnu par les instances internationales du football, la finale opposant le Danemark à l'Italie le 15 juillet à Salerne attire 10 000 spectateurs[41]. L'ultime pied de nez des affairistes italiens à la FIFA est toutefois assené dès l'année suivante, en septembre 1971, lorsque la finale Mexique-Danemark de la deuxième édition de ce Mondial officieux rassemble 90 000 personnes au stade Azteca de Mexico[42].

Apeurée par la structuration sauvage et mercantile du foot féminin, chaque fédération européenne de football décide de reconnaître officiellement la pratique. C'est néanmoins plus par peur de voir la dynamique féminine leur échapper que par réelle ambition d'animation et de soutien que les hiérarques mâles des instances fédérales intègrent les footballeuses. Une reconnaissance par défaut et des velléités de contrôle des joueuses qu'illustrent en juillet 1970 les propos du directeur général de la FFF à l'encontre du conseil fédéral, l'organe exécutif de la fédération : « Ainsi le veut notre temps. En foot comme dans d'autres domaines, la femme a fait reconnaître ses droits. Ne nous plaignons pas. Les membres de votre conseil ne sont pas des misogynes [et reconnaissent] le football féminin que l'article 1 des statuts charge d'ailleurs la FFF d'organiser, de développer et de contrôler[43]. »

L'essor du football féminin hexagonal s'explique par la généralisation de la scolarisation pour les filles après guerre, la mixité à l'école initiée par l'ordonnance Berthoin de 1959 et le développement à partir de 1967 de la pratique sportive auprès des élèves, des avancées sociales qui font de l'institution scolaire un lieu de découverte et d'apprentissage des sports collectifs pour les jeunes Françaises. Alors que la plupart des premières footballeuses pratiquaient initialement le basket-ball, le handball ou le volley-ball, nombre d'entre elles ont été rapidement tentées par le football en voyant leur entourage masculin s'adonner aux joies du ballon rond. « Mon père supportait le Véloce vannetais et nous traînait tous les dimanches au stade de La Rabine. Il fallait manger à 11 heures pour être à l'heure pour le match d'ouverture ! se remémore Michèle Carado, pionnière du football féminin en Bretagne. J'ai naturellement sympathisé avec les femmes et les filles de joueurs et, à un moment, on a eu envie d'entrer nous aussi sur le terrain et de taper dans le ballon[44]. » Annie Fortems, célèbre capitaine de l'Étoile sportive de Juvisy qui jouait dès l'âge de 6 ans avec ses cinq frères, indique pour sa part qu'après Mai 68 : « Une vie de possibles au féminin s'ouvrait alors pour les jeunes adolescentes que nous étions. La parole se libérait et certaines d'entre nous exprimèrent leur ambition à leur frère aîné, leur père : "Nous voulons jouer au football dans une vraie équipe, comme les garçons !" [...] À Juvisy, en septembre 1971, le grand frère d'une jeune de 14 ans se fit notre porte-parole et demanda au président du club local de créer une équipe féminine de football[45]. »

Les premières footballeuses françaises sont souvent des lycéennes ou de modestes ouvrières et employées de bureau qui doivent prendre des congés sans solde pour pouvoir conjuguer travail salarié et participation aux compétitions. « Après de longs déplacements en minibus, jusqu'à Marseille par exemple, une nuit à 4 ou 5 dans une chambre d'hôtel, on rentrait après le match, se rappelle l'illustre Rémoise Ghislaine Royer-Souef, dite "Gigi". Le lundi matin, ce n'était pas toujours évident d'arriver à l'heure[46]... » La condition populaire de ces jeunes femmes passionnées de foot séduit tout particulièrement la presse sportive contestataire tel *Miroir-Sprint*, hebdomadaire proche du Parti communiste français qui voit dans ces joueuses les « dignes descendantes de ces femmes coiffées de bérets, qui, en 1918, profitèrent de l'émancipation due à la Grande Guerre pour se mettre à taper dans un ballon » et soutient activement la pratique en tant qu'« expression du mouvement féministe et facteur d'émancipation[47] ». Quant au mensuel *Miroir du football*, il porte aux nues la dimension collective et offensive du ballon rond féminin en opposition au football masculin physique et ultra-défensif alors promu par les pontifes de la FFF [voir chapitre 18]. « Il est bien évident que si les hommes considèrent, quand les intérêts financiers sont en jeu, que le football consiste à empêcher l'adversaire de marquer un but en plaçant huit joueurs devant la cage pour défendre l'accès et en utilisant des procédés antisportifs, les femmes ne sont pas du tout obligées de croire que c'est la vérité », s'amuse le mensuel le 21 février 1973.

Suite à l'effervescence politique de Mai 68, les combats pour l'émancipation féminine et l'égalité des sexes se sont prolongés avec la création en 1970 du Mouvement de libération des femmes (MLF). Mais, si le corps féminin est au cœur des revendications les plus mobilisatrices de la mouvance féministe à travers les luttes pour la liberté d'avortement et de contraception, la dénonciation des violences masculines ou le sexisme des publicités – un des premiers slogans phares du MLF sera par ailleurs « Notre corps nous appartient » –, la question sportive ne jouit pas des faveurs des militantes. Inversement, la plupart des footballeuses, si elles étaient sensibles au mouvement social d'alors autour de la remise en cause de l'ordre patriarcal, n'explicitent pas la dimension féministe de leur pratique d'un sport considéré comme un lieu privilégié de construction de la masculinité virile. « Je ne militais pas pour le féminisme, je militais plutôt pour une pratique féminine, souligne Marilou Duringer, pionnière du FC Schwindratzheim. Il n'y avait pas de raison que les filles ne jouent pas au foot comme elles jouent au basket ou au handball. Ce n'était pas vraiment du féminisme mais plus revendiquer notre place sur un terrain de football. Je n'aime pas trop qu'on nous compare au football masculin car c'est un engagement physique féminin et un jeu féminin, plus doux, plus gracieux et pas viril, c'est tout[48]. »

Pour les pionnières du football féminin, contester la domination masculine et la disqualification des femmes dans un sport particulièrement genré s'effectue balle au pied et chaque dimanche sur les pelouses ordinairement considérées comme des territoires masculins. Cependant, et malgré la légitimation officielle de la pratique féminine, ce féminisme footballistique en acte est dès son envol durement attaqué dans les couloirs feutrés des institutions dirigeantes comme dans les pages sportives de la presse française.

Maltraitance institutionnelle

Sur le terrain, faute de réel soutien économique fédéral et d'installations sportives disponibles, les équipes féminines sont contraintes de s'affilier à des clubs de football masculin. Sur les 315 formations recensées en 1973, seules une vingtaine sont organisées en associations autonomes et féminines[49]. La cohabitation entre joueuses et équipes masculines est d'autant plus difficile que ce sont régulièrement ces dernières qui bénéficient de la meilleure pelouse, des équipements de qualité et des horaires d'entraînement les plus commodes. Dominique Rinaudo se souvient de ses premiers pas au FC Lyon : « On en a bavé, on n'avait pas de terrain, on n'avait pas de vestiaire. On avait un petit parking où les voitures se garaient [qui] était vraiment tout bosselé. On nous avait donné les vieux ballons, qui étaient tout ovales tellement ils n'en pouvaient plus des garçons [*sic*], des maillots déchirés, des vieux maillots des minimes, il y en a qui rentraient à peine dedans. C'était l'horreur. On n'avait pas droit aux vestiaires, on ne pouvait pas se doucher après les entraînements. Il fallait vraiment être passionnée, vouloir le faire et continuer pour accepter ça[50]. »

La FFF continue pour sa part à reproduire les stéréotypes sur le prétendu « sexe faible » en limitant d'autorité, à l'été 1970, les matchs

323

féminins à une durée de deux fois 35 minutes[c]. En outre, toute forme de mixité est formellement prohibée durant les entraînements comme en compétition tandis que les jeunes footballeuses ne peuvent obtenir de licence avant l'âge de 11 ans (contrairement à leurs homologues masculins qui ont accès au club à partir de 5 ans).

Alors que le maillage des clubs ayant une section féminine est encore ténu, l'initiation tardive au football des jeunes filles et l'impossibilité d'intégrer une équipe masculine, même quand les joueuses sont en nombre insuffisant pour former une escouade, freinent considérablement le développement du foot féminin. Et, si la fédération met sur pied en 1971 une équipe de France officielle et lance le premier championnat national lors de la saison 1974-1975, les footballeuses de haut niveau ne sont pas dupes. « Je compris avec stupeur que la FFF se fichait comme d'une guigne du football féminin et traitait cette équipe de France comme des joueuses de seconde zone, raconte Annie Fortems en se remémorant un stage de préparation des Bleues en 1977. Ce mépris affiché était avéré par le manque de moyens et de compétences dédiés à son développement. En tant que femme et féministe, j'ai été consternée de l'archaïsme machiste aussi prégnant[51]. » Quelques jours après ce stage, elle désertera définitivement la sélection nationale pour se consacrer à son club, l'Étoile sportive de Juvisy.

Le manque d'intérêt de la presse pour le football féminin reflète également le sexisme qui frappe les joueuses. L'hebdomadaire *France Football* n'y consacre que sept articles entre 1971 et 1976 tandis que *L'Équipe Magazine* ne publie en moyenne qu'un seul article par an sur le sujet entre 1980 et 2011[52]. Au gré des rares reportages et des entretiens avec les footballeuses, le corps féminin se retrouve systématiquement au centre de toutes les attentions journalistiques. La presse ne manque pas en effet de souligner lourdement la féminité et la beauté physique des joueuses comme pour mieux rassurer leur lectorat masculin qu'elles ne sont pas des « garçons manqués »[53]. Le quotidien *Paris-Jour* décrit ainsi le 21 septembre 1970 une jeune sélectionnée de l'équipe de France comme « harmonieusement proportionnée. Et mignonne, oui ! Des cheveux noirs frisés. Des yeux rieurs. Une voix caressante. Adorable. Et comme, de plus, elle joue très bien au football, on ne peut qu'être séduit ». *Libération* évoque quant à lui, avec un machisme décomplexé, « des grandes bringues, des petites rondouillardes, des minettes, aux mille bandeaux multicolores dans les cheveux et aux pommettes rougies par l'effort.

---

c   La durée réglementaire de deux fois 45 minutes sera imposée par l'UEFA en 1992.

Elles rassemblent tous les gabarits et tous les tempéraments. Avec des cuisses un peu musculeuses au sein de l'élite qui s'entraîne deux fois par semaine. Pas de quoi faire débander un amant pour autant[54] ».

La coquetterie des footballeuses assenée au fil des pages et l'antienne sécurisante de femmes passant aisément « des crampons aux talons » enferment pour leur part les joueuses dans une normativité genrée. « Les problèmes de chiffons restent toujours d'actualité chez ces jeunes filles et jeunes femmes, se délecte le magazine *Lectures pour tous* en janvier 1970. Ces farouches footballeuses ne délaissent pas les poudriers. Loin de là. » En 1988, *L'Équipe Magazine* qualifie Martine Puentes, joueuse de l'équipe de France, d'« élégante, mignonne, elle n'a rien d'une virago » avant de trouver subtil de rappeler que le journal « n'a pas pris la plus belle » et que parmi les licenciées « il n'y a pas [que] des boudins »[55].

Ce dénigrement médiatique, avec la complicité passive des instances sportives, n'encourage aucunement le public à se déplacer au stade. Au début des années 1980, les stars de l'équipe féminine de Reims, pourtant déjà cinq fois championne de France, attirent péniblement 200 à 300 spectateurs par rencontre[56]. Quant à l'évolution du nombre de licenciées, il s'accroît si insensiblement que les joueuses ne représentent que 1,4 % des effectifs de la FFF en 2000, soit environ 28 000 footballeuses[57]. Une dynamique bien différente de celle que l'on observe en Suède ou en Allemagne où, dès la fin des années 1970, les footballeuses constituent respectivement 15 % et 9 % des licenciés[58]. Pour l'historien Xavier Breuil, qui s'est penché sur l'histoire du foot féminin en Europe, cette disparité serait liée à la diversité de stratégies des mobilisations féministes : les mouvements français, italiens ou anglais ont été plus enclins à lutter pour le droit des femmes à disposer librement de leurs corps, tandis que les militantes pour l'égalité des sexes d'Europe du Nord ont prioritairement focalisé leurs revendications sur la conquête des lieux de pouvoir monopolisés par les hommes[59]. En ce sens, les footballeuses scandinaves et allemandes ont su farouchement imposer au sein de leurs fédérations respectives les conditions inhérentes au développement de la pratique, à savoir la mixité dans les clubs, la promotion du football scolaire et la possibilité pour les filles de pratiquer ce sport dès le plus jeune âge.

Un bastion qui se fissure

En novembre 1991 et après sept Coupes du monde officieuses, le football féminin entre dans l'arène du foot-business avec l'organisation en Chine de la première Coupe du monde féminine de football sous l'égide de la FIFA. L'équipe étatsunienne remporte haut la main la finale face aux joueuses norvégiennes devant 63 000 spectateurs puis s'impose comme la meilleure sélection internationale en empochant les titres mondiaux de 1999 et 2015 ainsi que quatre titres olympiques. Pratiqué au sein des communautés italiennes et latinos, le « soccer[d] » s'est également développé aux États-Unis en tant qu'activité sportive scolaire féminine ou mixte. Si le football américain, le hockey sur glace ou le base-ball sont considérés comme des sports authentiquement nationaux et foncièrement virils, le soccer est devenu à la fin des années 1990 une pratique particulièrement populaire chez les femmes : la moitié des 8 millions de joueurs américains de soccer sont des joueuses[60]. Un succès foudroyant auprès des femmes qui conduit à ce qu'en 2014 l'Amérique du Nord dénombrait en moyenne 450 footballeuses pour 10 000 habitants contre à peine 71 en Europe[61].

En France, il faudra attendre une quatrième place en Coupe du monde féminine 2011 pour que le football féminin parvienne timidement à gagner le cœur des supporters comme des sportives. Suite au consternant spectacle sportif et médiatique offert par la sélection masculine en 2010 lors de la Coupe du monde en Afrique du Sud[e], le public s'entiche pour l'équipe féminine, aussi chaleureuse que talentueuse. Quelque 2,3 millions de téléspectateurs français assistent ainsi à la demi-finale des footballeuses françaises contre les États-Unis, un record d'audience historique sans précédent pour le foot féminin. « On a eu une vraie cote de sympathie, les gens se sont identifiés à cette équipe, avance Bruno Bini, le sélectionneur des Bleues lors de ce Mondial. C'est une sorte de phénomène sociologique. Dans une société où les riches sont de plus en plus riches et les pauvres de plus en plus pauvres, où il n'y a pas beaucoup de boulot, les Français ont vu 21 filles simples se mettre minables jusqu'au bout. Ils ont vu 21 filles ordinaires avec un coach ordinaire, ça leur a bien plu[62]. »

Pourtant, à partir de 2005, la FFF, obstinée dans ses velléités de gouverner le corps des joueuses, s'est engagée dans une véritable politique de « féminisation » des footballeuses. Les Bleues ont dû poser nues dans

d   Le mot est une contraction de *assoccer* qui désignait au XIXe siècle le joueur de football-association au même titre qu'on nommait *rugger* le joueur de rugby.

e   Si les Bleus sont rapidement éliminés du Mondial en 2010, ils subiront également l'opprobre du public et des médias pour leurs frasques, notamment suite à une grève de l'entraînement en soutien au joueur Nicolas Anelka, exclu après avoir insulté le sélectionneur Raymond Domenech.

le cadre d'une campagne de promotion du football féminin en 2009, la mannequin et femme de footballeur Adriana Karembeu a été recrutée comme ambassadrice de la pratique féminine, des « journées jupes » ont été organisées dans les grands clubs pour apprendre aux joueuses à porter un tailleur ou se maquiller et le programme scolaire de la FFF à destination des filles a été baptisé en 2011 « Le football des princesses » à grand renfort de couleur rose[63].

Obsédée par la « féminité » des footballeuses, la fédération vire même à la lesbophobie. « Toutes les filles qui n'étaient pas assez féminines étaient soupçonnées d'être homos et certaines ont été moins sélectionnées en équipe de France », témoigne Annie Fortems[64]. Une discrimination des joueuses lesbiennes qui exprime toute l'anxiété de la fédération de voir la figure de la footballeuse – tout comme celle du joueur gay – venir chambouler les traditionnels rapports sociaux de sexe et de genre. « Cette injonction permanente à la féminité, déclinée au singulier comme s'il n'existait qu'une seule façon d'être femme, est permanente, et dans tous les secteurs de la vie [des footballeuses] : avoir les cheveux attachés et longs si possible, se maquiller en dehors du terrain, se montrer sur les plateaux ou lors des événements en robe et talons, etc., s'indigne la sociologue du sport Béatrice Barbusse. Les sportives sont d'abord appréciées pour leur corps perçu, plus que pour le corps "pour soi". Pour résumer, jouent-elles au foot pour elles ou pour le regard des hommes ? Nous sommes face à une instrumentalisation institutionnelle et politique du corps des femmes et donc des footballeuses[65]. »

Ce sexisme et cette homophobie systémiques entraînent les mouvements féministes à investir le champ du football pour mieux dénoncer la domination masculine à l'œuvre dans l'industrie du sport. Un premier pas est franchi à l'échelle européenne à l'occasion de la Coupe du monde de football masculin de 2006 en Allemagne. L'ouverture à Berlin d'Artemis, un complexe géant de 3 000 m² pour travailleuses du sexe, à quelques mois de l'inauguration de la compétition provoque en effet l'ire de certains collectifs féministes. Dès janvier 2006, la Coalition Against Trafficking in Women dénonce avec fracas ce supermarché du sexe attenant à l'événement sportif dans une campagne médiatique baptisée « Acheter du sexe n'est pas un sport ! ». L'association allemande de défense des droits des travailleuses du sexe alerte pour sa part l'opinion publique à propos de l'exploitation humaine de 40 000 jeunes femmes issues d'Europe de l'Est[66]. « Quand nous voyons que la prochaine Coupe du monde de football masculin est associée à la prostitution, nous nous sentons doublement atteintes, en tant que femmes et en tant qu'ex-footballeuses et pionnières, s'insurge alors Annie Fortems en tant que présidente de l'association Les Pionnières du football féminin. Il y a trente-cinq ans, ce sont les mêmes, avec leur sexisme absolu, que nous avons dû subir et combattre avant de pouvoir nous imposer. Aujourd'hui encore, la dignité des femmes est sacrifiée, sans vergogne, sur l'autel du Dieu football et de l'Argent roi. C'est la triste preuve, s'il en fallait, que le sexisme et le mépris des femmes ont la peau dure dans l'univers du ballon rond[67]. »

En France, certaines militantes féministes s'approprient progressivement les pelouses, lassées des saillies sexistes ou homophobes des joueurs, des commentateurs sportifs et des dirigeants hexagonaux. L'ancien champion du monde 1998 Didier Deschamps, alors entraîneur de la Juventus de Turin, déclarait ainsi en 2007 à propos de la couleur rose du maillot de l'équipe : « Cette couleur ne me plaît pas parce qu'en France c'est la couleur des gays. » Quant à Bernard Lacombe, dirigeant de l'Olympique lyonnais (dont la section féminine est l'une des meilleures d'Europe), il éructait en mars 2013 : « Je ne discute pas avec les femmes de football. [...] Qu'elles s'occupent de leurs casseroles et puis ça ira beaucoup mieux »[f].

Créées en 2012 à Paris, les Dégommeuses sont une équipe de football engagée politiquement sur les terrains verts dans le combat contre le sexisme, les LGBT-phobies ainsi que toutes formes de discriminations. « On essaie de lutter par et dans le sport, ça veut dire concrètement fournir un espace serein pour que des lesbiennes et des garçons trans principalement soient tranquillement sur un terrain de foot », explique Marine Romezin, une Dégommeuse[68]. Et d'ajouter : « Le constat c'est que si tu ne prends pas ta place, personne ne te la donnera. Le foot en est la métaphore, on investit l'espace sur le terrain[69]. » L'équipe porte même une attention toute particulière à l'accès à la pratique sportive des réfugiées et des plus précaires, tout en interpellant régulièrement les instances dirigeantes autour de l'homophobie et du sexisme au sein du football[70]. En parallèle de leurs activités sportives et politiques, les footballeuses-activistes ont invité en juin 2012, dans le cadre d'une semaine d'action contre les violences sexistes et lesbophobes, une délégation du Thokozani Football Club[g], une équipe féminine sud-africaine réunissant des joueuses lesbiennes ou trans issues des townships de Durban. Quatre ans plus tard,

---

f   Trois ans après ces propos sexistes, en novembre 2016, Nathalie Boy de la Tour deviendra la première femme présidente de la Ligue de football professionnel.

g   Le nom rend hommage à Thokozani Qwabe, une jeune footballeuse sud-africaine assassinée en 2007 à cause de son homosexualité.

en marge de l'Euro 2016 masculin, les Dégommeuses ont de surcroît mis sur pied des rencontres baptisées « *Foot for Freedom* » comportant un tournoi de football mixte avec des réfugiés persécutés dans leur pays en raison de leur orientation sexuelle ou identité de genre.

Nombre d'équipes féminines n'hésitent désormais plus à « prendre leur place » en se réunissant notamment au sein de compétitions amateurs à l'image de la Coupe Bernard Tapine, tournoi parisien de football de futsal[h] qui, depuis 2015, rassemble des escouades comme les Cacahuètes Sluts, l'Olympique de Marcelle ou les Joga Bonitas. « [Jouer au football], c'est une question politique parce que le corps des femmes, et des lesbiennes en particulier, a fait l'objet de tout temps d'un tel contrôle social et quelque part d'une telle réprobation que voir ces filles se réapproprier leur corps, c'est jouissif, ajoute la Dégommeuse Veronica Noseda. [...] C'est quand même un pouvoir énorme qu'on a sur soi[71]. »

Des premiers sillons émancipateurs tracés par les vaillantes pionnières des années 1970 au militantisme des Dégommeuses, le football féminin est parvenu à fissurer la forteresse de virilisme et d'hétéronormativité incarnée par la FFF, et à esquisser un imaginaire autour du foot à mille lieues du modèle de féminité véhiculé par les institutions sportives. Une route de longue haleine qui reste semée d'embûches. « Trente ans après, la ville de Reims a enfin fait poser une plaque sur le stade Auguste-Delaune avec nos cinq titres de championnes de France, soupire l'ancienne milieu de terrain rémoise Ghislaine Royer-Souef. Avant, il n'y avait que ceux des hommes[72]... »

---

h   Le futsal est un football qui se joue en équipe de cinq, sur un terrain de handball et en deux mi-temps de 20 minutes. Né dans les années 1930 en Amérique du Sud, le futsal (contraction du terme espagnol *fútbol de salón*) était dans un premier temps un sport collectif destiné aux étudiants des Young Men's Christian Associations (YMCA) latino-américaines. La pratique est régie par deux instances, l'Association mondiale de futsal (depuis 1971) et la FIFA (depuis 1989), qui organisent chacune ses propres compétitions.

20

« *Ici, c'est du foot punk* ».
Clubs en coopératives
et actionnariat populaire en Angleterre

> « J'emporte avec moi la conscience de ma défaite,
> comme l'étendard d'une victoire. »
>
> Fernando PESSOA, *Le Livre de l'intranquilité*, 1913-1935.

A
u début des années 1990, la paisible ville de Northampton, située à mi-chemin entre Londres et Birmingham,
est plus connue pour sa flamboyante équipe de rugby, The Saints, que
pour son club de football. Naviguant immuablement entre la troisième
et la quatrième division, le Northampton Town FC ne détone nullement
par ses performances sportives, son plus grand fait d'armes étant d'avoir
été vice-champion de la deuxième division d'Angleterre en 1965. Pis,
le club est au bord de la faillite, incapable de payer ses joueurs dès le
début de la saison 1991-1992. En raison de la gestion calamiteuse du
Northampton Town FC par le président d'alors, Michael McRitchie, les
Cobblers (les « Cordonniers ») ont accumulé 1,6 million de livres de dettes,
soit l'équivalent de deux années d'activité pour la structure[1]. Pour sauver le club de la ruine, dix joueurs sont sèchement licenciés avant que
de jeunes footballeurs bien moins onéreux ne soient recrutés à la hâte.
Mais le modeste club sombre dans les tréfonds de la quatrième division.

Tentant de se remonter le moral au pub après un énième match
de piètre qualité, Rob Marshall, animateur du fanzine *What A Load of
Cobblers*, et une poignée de supporters échangent autour de la situation
catastrophique du club. L'un d'entre eux, Brian Lomax, avoue entre
deux pintes avoir été marqué par une grève des loyers des étudiants de
l'université de Lancaster à laquelle avait pris part sa fille quelque temps
plus tôt, le convainquant qu'en ces temps difficiles les fans des Cobblers
devaient endosser un autre rôle que celui de simples payeurs passifs.
« Avec la crise financière qui s'aggravait et le temps qui passait, il devenait
de plus en plus évident qu'aucun investisseur n'allait venir nous sauver,
qu'aucun chevalier blanc ne viendrait à notre rescousse, se rappelle Brian

330

Lomax. Quelques-uns d'entre nous avons donc appelé à une assemblée de supporters pour essayer de voir ce que nous pouvions faire[2]. »

In fans we trust

Entassés dans une salle prévue pour moins de 250 personnes, 600 supporters des Cobblers se réunissent un soir de janvier 1992 dans une ambiance fiévreuse. D'entrée de jeu, un homme harangue l'assemblée en montrant un badge du club qui avait été donné à son père dans les années 1950. À l'appel des instances dirigeantes du Northampton Town, les supporters avaient en effet à l'époque financé de leur poche de bien coûteux projecteurs pour leur stade. En guise de remerciements, les généreux donateurs s'étaient vu offrir des badges et le droit, pour certains supporters, de partager un verre une fois par an avec l'ensemble de la direction.

Le mépris des dirigeants, rendus responsables de la crise que traversent les Cobblers, conforte les supporters en colère dans leur volonté de reprendre leur club en main. Directeur du Mayday Trust, une coopérative qui accompagne d'anciens prisonniers, toxicomanes ou victimes de violences domestiques dans leur recherche de logement, Brian Lomax émet à la surprise de tous l'idée de créer une structure coopérative afin de racheter collectivement une partie du Northampton Town FC. Ce type d'organisation permet en effet à ses membres, sous une forme associative reconnue d'utilité publique, de mutualiser du capital à des fins non lucratives. Toute coopérative, du fait de ses statuts, se doit par ailleurs d'être gérée démocratiquement et de façon égalitaire, chacun de ses membres possédant une voix et ce quel que soit le capital apporté. « Il était évident pour moi que le genre de structure dans lequel j'étais impliqué était l'outil parfait pour les supporters car il offrait l'opportunité de se rassembler pour acheter une partie du club et, de ce fait, d'influencer démocratiquement la politique du club, se souvient Brian Lomax. Il n'y avait pas de raison que ce qui marche ailleurs dans la société ne soit pas transférable au football[3]. » Quelques semaines plus tard, le Northampton Town Supporters Trust est officiellement fondé, une première dans le milieu du football.

Écumant aussi bien les pubs que les rues de la ville ou les lieux de travail, ses membres s'activent pour récolter des dons allant de 1 à 1 000 livres. L'initiative gagne en popularité lorsque, durant un match, le président des Cobblers, sous l'œil des caméras de télévision, tente de

331

faire violemment évacuer les supporters rebelles qui étaient parvenus à recueillir 3 500 livres au sein même du stade[4]. En quelques mois, le *supporters' trust* réunit près de 30 000 livres, de quoi acheter une participation au club alors sous contrôle judiciaire. Associé à l'ensemble des compétences et des réseaux de connaissances locales des différents membres du Northampton Town Supporters Trust, ce premier apport financier permet de renégocier le paiement progressif des dettes auprès des créanciers puis d'offrir aux yeux de l'administration judiciaire un gage de solvabilité. Deux représentants du *trust* sont alors élus au conseil d'administration du club, assurant un contre-pouvoir des supporters au sein de la direction des Cobblers. En moins d'un an, le Northampton Town FC est sauvé de la faillite financière. La coopérative de supporters possédant une décennie plus tard plus de 8 % du capital des Cobblers, Brian Lomax jubile : « Les managers et les joueurs passent. Nous, nous serons toujours là. Nous faisons vivre le football. Pourquoi n'aurions-nous pas voix au chapitre[5] ? »

C'est ainsi que, depuis les rives endormies de la River Nene, va se propager une onde de choc sans précédent qui créera une vague de démocratie assembléiste au sein de la monolithique industrie du football. L'aventure des supporters du Northampton Town FC fait rapidement des émules, à l'instar du Kettering Town « Poppies » Supporters Trust, créé dès 1992, ou des coopératives de supporters de Lincoln City et de Crystal Palace, mises sur pied en 2000. Cette même année est par ailleurs fondé, sous l'impulsion de l'infatigable Brian Lomax, le Supporters Direct, une plateforme de soutien à la création de *supporters' trusts* et de promotion de ce modèle de gestion démocratique des clubs. « Les supporters devenaient de plus en plus militants, une réaction à un profond changement du football, explique Dave Boyle de Supporters Direct. L'avènement de la chaîne télévisée par satellite Sky et de la Premier League était en train de remodeler ce sport, tout en brisant la relation traditionnelle entre les supporters et leur club. Le prix des places augmentait, les clubs étaient dans une spirale de dettes, le concept même d'"aller au match" était chamboulé. Mais les supporters de football n'étaient vraiment pas disposés à cela[6]. »

Depuis le tournant des années 1990, le football anglais a en effet subi de profonds bouleversements économiques. Les droits de retransmission des matchs à la télévision initiés depuis 1964 avec le *Match of the Day* de la BBC étaient équitablement partagés au sein des quatre divisions du football professionnel qui constituent la Football League. Mais, en 1988, les plus grands clubs anglais ont décidé de mettre fin à cette répartition égalitaire : sur les 44 millions de livres de droits de diffusion négociés pour les quatre années à venir, la moitié devaient dorénavant revenir à la première division, 25 % à la deuxième et les 25 % restants aux deux dernières. C'est cependant en 1992 que survient le tremblement de terre, avec la création de la Premier League qui regroupe la vingtaine de clubs les plus talentueux de la première division et se sépare d'une Football League désormais réduite à trois divisions [voir chapitre 14]. BskyB, le bouquet de chaînes par satellite du magnat Rupert Murdoch, débourse alors 305 millions de livres sur cinq ans pour pouvoir retransmettre les rencontres de cette prestigieuse Premier League pensée comme un show télévisuel. Lors du renouvellement du contrat, en 1997, les droits s'élèvent vertigineusement à 670 millions de livres, pour atteindre en 2013 la somme astronomique de 3 milliards de livres pour une durée de trois ans[7].

Cet afflux massif d'argent participe à reconfigurer radicalement le modèle financier du football professionnel anglais. Anticipant la juteuse manne des droits de diffusion et les recettes de merchandising, les clubs s'endettent lourdement afin d'attirer les meilleurs joueurs et rester parmi l'élite footballistique du pays. Entre 1992 et 2010, le salaire des joueurs en Premier League augmente ainsi de 1 508 % contre 186 % en moyenne pour un travailleur anglais sur la même période[8]. Enferrés dans une spirale inflationniste engendrée par la chasse aux footballeurs de talent, entraînés dans une course économique fondée sur de volumineux emprunts, 18 des 20 clubs officiant en Premier League étaient déficitaires en 2014.

Dans les divisions inférieures, l'avalanche d'espèces sonnantes et trébuchantes et les logiques d'endettement des clubs tournent au cauchemar. En 2002, la chaîne payante ITV Digital, qui s'était engagée deux ans plus tôt à verser 315 millions de livres de droits de diffusion sur trois ans à la Football League, dépose le bilan[9]. Si les téléspectateurs ne rechignaient pas à dépenser 20 livres par mois pour suivre un match entre Chelsea et Manchester United, peu étaient disposés à s'abonner à ITV pour visionner des rencontres entre d'obscures équipes de quatrième division. Mais, en prévision des miraculeuses recettes hertziennes, nombre de clubs s'étaient déjà procurés des joueurs à prix d'or ou entamaient de dispendieux travaux pour rénover leur stade... Entre 2002 et 2011, pas moins de 36 clubs de la Football League sont ainsi placés en procédure d'insolvabilité et on estime que les 72 clubs des trois divisions cumulaient en 2013 une dette totale d'un milliard de livres sterling[10].

Face à cette hémorragie financière et las de l'irresponsabilité des instances dirigeantes des clubs, les supporters des équipes de Football

League, confortés dans leur capacité à sauver leur club suite à l'émergence des premiers *supporters' trusts*, vont s'essayer à l'expérience coopérative. Mais, les dérives financières inhérentes à l'avènement du foot-business sont telles que les *supporters' trusts* ne se contentent plus de prendre des parts dans des clubs acculés à la liquidation judiciaire : ils s'attellent désormais à en prendre le contrôle.

Un autre football en actions

L'un des cas les plus emblématiques de la révolte des supporters face à l'autocratie de dirigeants incompétents et peu scrupuleux est celui d'Exeter City, le premier club entièrement professionnel de Football League à être en majorité réapproprié grâce à l'actionnariat populaire. À la fin de l'année 1994, ce club mythique du Devon qui évolue alors en quatrième division est endetté jusqu'au cou. Après avoir vendu pour une bouchée de pain son stade historique, le St James Park, deux hommes d'affaires sont appelés à la rescousse des *Grecians* (les « Anciens Grecs ») en 2002 pour reprendre les rênes du club sous le regard circonspect des supporters. Le premier, John Russel, vient en effet de quitter la direction du Scarborough FC en laissant une dette monstrueuse tandis que le second, Mike Lewis, a vendu le Swansea City pour une livre symbolique à un consortium. Quant à la présidence du club, elle est confiée à Uri Geller, un ancien prestidigitateur télévisé à la réputation sulfureuse et connu pour son appât du gain. Afin de renflouer les caisses, la fine équipe dirigeante a même l'idée saugrenue d'inviter le 14 juin 2002 Michael Jackson au stade où près de 10 000 personnes accourent admirer le chanteur, qui enfile pour l'occasion un maillot d'Exeter et est fait membre d'honneur du club.

Avec un *King of Pop* comme dernier recours pour renflouer les caisses et un président de club connu pour son pouvoir de tordre les cuillères par sa pensée, les supporters, déconcertés, craignent d'être la risée du football anglais. Ils sont d'autant plus dépités qu'en mai 2003 John Russel et Mike Lewis sont arrêtés par la police pour commerce frauduleux. Les deux businessmen procédaient à des mouvements d'argent douteux au sein du club tandis que leur montage financier proposé pour sauver Exeter City de la faillite s'est révélé purement mensonger. Le club est dans un état économique désastreux et la liste des créditeurs s'est allongée. Aucun repreneur ne se profile à l'horizon alors que les Grecians dégringolent dès la saison 2003-2004 en cinquième division, relégués hors de la Football League.

Fondé quelques années plus tôt afin de soutenir financièrement le club, l'Exeter City Supporters' Trust, fort de ses 700 membres, opte en assemblée dès février 2003 pour une nouvelle stratégie : devenir propriétaire exclusif du club pour contrer les manigances des deux hommes d'affaires véreux. À force de campagnes de don et après avoir acheté à moindre coût les participations d'un ancien directeur du club vieillissant, l'Exeter City devient en quelques mois la propriété collective du *supporters' trust*. Issu directement de la coopérative de supporters, le nouveau conseil d'administration du club décide de mettre au cœur de la politique de gestion des Grecians la transparence démocratique et la sobriété économique. Dès octobre 2003, un plan d'assainissement des dettes est validé. Quant au prix des places et des abonnements à la saison, il est défini par les supporters d'Exeter City eux-mêmes. « Nous sommes une démocratie, précise Laurence Overend de l'Exeter City Supporters' Trust. Les supporters ont le droit de vote et chaque membre peut devenir président du club. Les membres du *trust* payent juste 2 livres par mois[11]. »

En 2008, les Grecians parviennent à se hisser en quatrième division, puis la saison suivante à accéder à la League One (D3). Le club redescend à nouveau en division inférieure en 2012 mais, comme l'avance Paul Tisdale, l'illustre entraîneur de l'équipe : « Vous savez, lors de la précédente saison, il n'y avait rien de plus facile au monde que d'emprunter de l'argent pour attirer financièrement de bons joueurs afin de rester en League One. Mais cela aurait été fait au prix de la trahison que tout ce qu'Exeter et le *supporters' trust* ont si durement construit depuis maintenant dix ans[12]. » Et Laurence Overend d'ajouter : « Ce qui est essentiel à nos yeux c'est de pouvoir investir son temps libre et son amour dans un club local pour le plaisir simple de regarder du football et de se sentir faire partie d'une composante essentielle de notre communauté. Exeter City a très, très peu de chances d'accéder un jour en deuxième division mais on s'en fiche. Ce n'est pas pour cela qu'on supporte l'équipe[13]. »

Si, sur les ruines de ces équipes de Football League en faillite, des supporters parviennent à ressusciter leurs clubs en les rachetant et en les gérant démocratiquement – ils sont baptisés « *phoenix clubs* » –, l'outil coopératif permet aussi d'aiguiser une nouvelle stratégie pour contrer les appétits financiers de certains dirigeants prédateurs de Premier League : celle de fonder une entité sportive dissidente du club de football originel.

Au début des années 1990, le Wimbledon FC, club émérite du Sud-Ouest londonien de Premier League et vainqueur de la Coupe d'Angleterre en 1988, veut abandonner son vétuste stade Plough Lane pour s'implanter dans une nouvelle enceinte sportive. Faisant face à des difficultés économiques croissantes, les instances dirigeantes du club répondent favorablement en 2001 aux sollicitations répétées du Milton Keynes Stadium Consortium d'héberger le Wimbledon FC. Ce cartel d'entreprises composé de multinationales comme Ikea a alors pour objectif de démarrer à Milton Keynes, une insipide ville nouvelle du Buckinghamshire, un vaste programme de développement économique incluant la construction d'une arène sportive. Mais la petite formation amateure locale n'était aucunement en mesure de remplir les 30 000 places de l'enceinte flambant neuve, poussant le consortium à la chasse aux clubs professionnels endettés et à approcher le mal en point Wimbledon FC.

Néanmoins, Milton Keynes se situant à près de 90 kilomètres de leur domiciliation historique, les supporters des surnommés « *Dons* » (les « Professeurs d'université ») tentent de rappeler à Charles Koppel, le président du club devenu leur bête noire, l'absurdité d'une telle délocalisation – le club est enraciné à Wimbledon depuis 1889. Réunis au sein de la Wimbledon Independant Supporters' Association, les supporters se mobilisent. Ils organisent des grèves des encouragements, des tractages massifs ou des *die in* pour bloquer les routes d'accès au stade les jours de match. En vain. Début 2002, le directoire accepte le déménagement du club programmé pour septembre 2003.

Refusant de se plier à cette décision, la Wimbledon Independant Supporters' Association décide alors de constituer un club alternatif ancré dans son territoire historique et qui lui appartiendrait entièrement. Dans les jours qui suivent, le Dons Trust, une coopérative rassemblant près d'un millier de supporters, est mise sur pied à la hâte malgré le sentiment partagé de concéder la victoire à Charles Koppel et d'abandonner le club adulé, le Wimbledon FC. Après avoir récolté assez de fonds pour louer un stade à Kingsmeadow, à quelques encablures de Wimbledon, l'AFC Wimbledon est créé en juin 2002 tandis que les supporters organisent durant l'été un recrutement ouvert à tous les joueurs motivés par ce projet insensé. En six semaines, les bases d'un nouveau club ont été jetées.

« Les gens ont tendance à penser : "Les supporters de football ? Mais qu'est-ce qu'ils y connaissent ?", souligne Kris Stewart du Dons Trust. Mais nous sommes une micro-société avec des comptables, des avocats, des journalistes, des livreurs, des enseignants. Ils ont tous leurs propres compétences et ils nous sont tous très utiles[14]. » Le jeune club coopératif parvient même à s'inscrire sur le fil à la Combined Counties League (D9) afin de débuter la nouvelle saison 2002-2003. « La première saison a été merveilleuse, raconte Ivor Heller, élu au sein du conseil du club. Après l'enfer des précédentes années, je pense que tous ceux qui suivaient le club ont ressenti comme un sentiment de libération. On se retrouvait à nouveau tous ensemble pour passer du bon temps, voyager à travers Londres, souvent dans des endroits dont nous n'avions jamais entendu parler auparavant[15]. »

L'équipe sécessionniste réalise une incroyable remontée. Depuis les profondeurs de la neuvième division, elle accède en 2016 en League One, la troisième division anglaise, où elle retrouve, ironie de l'histoire, le Wimbledon FC qui, sacrilège ultime, s'est rebaptisé en 2004 le Milton Keynes Dons FC... Malgré cette ascension fulgurante dans la Football League qui lui permet de respirer financièrement, Erik Samuelson, l'un des supporters-dirigeants de l'AFC Wimbledon, insiste : « Nous n'empruntons pas d'argent pour financer des transferts ou verser des salaires exorbitants. Si le club ne peut pas s'offrir tel joueur, c'est dommage. Et si un joueur exige un salaire supérieur à ce que nous pouvons lui offrir, nous ne pouvons pas nous permettre de le garder ; c'est aussi simple que ça. D'autres clubs sont heureux de pouvoir emprunter ou de se tourner vers un bienfaiteur. Nous non[16]. » Quant au pouvoir accordé aux supporters, le club coopératif y demeure viscéralement attaché. « L'AFC Wimbledon est un club créé collectivement, détenu et géré par ses supporters, stipule sa charte. Dans tout ce que nous faisons, nous nous efforçons de produire le meilleur club de football que nous puissions, en reconnaissant que s'il n'y avait pas de supporters, nous n'en serions pas là – et, sans eux, il n'y aurait purement aucun intérêt à être là. »

« *Notre club, nos règles* »

« *LUHG* ». Au tournant de l'année 2005, ces quatre lettres énigmatiques envahissent les murs de briques rouges de certains quartiers populaires de Manchester. Seuls quelques autocollants permettent d'éclaircir le mystère : « *Love United, Hate Glazer* ». C'est que Malcolm Glazer, un milliardaire étatsunien connu pour avoir racheté le club de football américain des Tampa Bay Buccaneers, est détesté par une grande partie de l'ancienne cité cotonnière. Entré au capital de Manchester United en mars 2003, Glazer a racheté l'ensemble des parts du club le 12 mai 2005 pour près de 800 millions de livres[17]. Pour financer l'opération, le cynique milliardaire a emprunté 660 millions de livres à des *hedge funds* new-yorkais en hypothéquant l'avenir du club[18]. Ainsi, pour la première fois depuis 1931, Manchester United est endetté et se retrouve dans une situation ubuesque : le club doit rembourser l'emprunt nécessaire à son rachat par Malcolm Glazer avec des paiements d'intérêts monstrueux s'élevant à l'époque à 60 millions de livres par an.

Les supporters des Red Devils sont ivres de rage. Et cela d'autant plus qu'ils ont déjà vécu une tentative de rachat du club par l'ineffable Rupert Murdoch en 1998, *via* son groupe télévisé BSkyB. Créée en 1995 pour protester contre la réhabilitation des tribunes populaires du stade d'Old Trafford, l'Independant Manchester United Supporters' Association avait à l'époque organisé la contestation anti-Murdoch tout en réunissant cinq avocats qui, gratuitement, avaient tenté de démanteler juridiquement l'enchère de l'homme d'affaires australo-américain. En parallèle, un groupement de petits actionnaires insoumis, le Shareholders United Against Murdoch, s'était constitué pour contrer le businessman sur le terrain financier. La pression des deux organisations combinée à la campagne publique des supporters avaient convaincu le gouvernement britannique de faire analyser la proposition de Murdoch par la Commission des monopoles et des fusions. Cette dernière, en avril 1999, avait invalidé l'offre, jugée à la fois anticompétitive et néfaste pour l'économie du football. « Dire qu'on débordait de joie, c'était un euphémisme, se souvient Andy Walsh, l'un des fondateurs de l'Independant Manchester United Supporters' Association. Ce n'était pas qu'un exemple de la puissance des supporters en action ; c'était un exemple de la puissance des supporters gagnant contre une personne puissante au sein de la société anglaise. C'était Murdoch après tout, l'homme qui est prêt à tout pour obtenir ce qu'il veut. Mais on s'est organisés, on a persévéré et finalement on a triomphé[19]. »

Suite à cette victoire, la Supporters' Association, le Shareholders United Against Murdoch – devenu entre-temps le Manchester United Supporters' Trust – et quelques fanzines mancuniens se sont regroupés au sein d'un collectif, la « Not For Sale Coalition », afin de prévenir toute tentative de prédation sur le club. Mais, six ans plus tard, face à la capacité financière de Malcolm Glazer, les initiatives d'actionnariat populaire lancées par le Manchester United Supporters' Trust ainsi que la campagne de contestation « *Love United, Hate Glazer* » sont un coup d'épée dans l'eau.

Le 12 mai 2005, le jour de la prise de contrôle du club par Glazer, Luc Zentar, un supporter des Red Devils, raconte : « Le soir du 12, j'ai pris une cuite. Pareil le 13, pareil le 14. Et le 15 on a décidé d'agir[20]. » Le rachat de Manchester United par Malcolm Glazer accroît chez les supporters le sentiment de dépossession, un malaise qui n'a cessé de s'approfondir depuis la création de la Premier League en 1992. En effet, entre 1990 et 2011, le coût des places les moins onéreuses au stade Old Trafford a augmenté de 454 %[21], chassant les supporters les moins fortunés. L'inflation des prix s'est en outre accompagnée d'une sécurisation croissante des gradins, strictement surveillés par les stadiers. La seule façon de supporter son équipe sans débourser une fortune en billetterie est alors d'aller au pub pour regarder la chaîne payante Sky. Quant à la politique du club et au comportement des joueurs surpayés, ils en déconcertent plus d'un. « J'ai supporté Manchester United jusqu'au début des années 2000, affirme Mike, un fan historique. À cette époque, [le défenseur] Rio Ferdinand a été suspendu pour ne pas s'être présenté à un contrôle antidopage. À son retour, il a demandé une augmentation. Et vingt sacs supplémentaires pour son agent. Là, je me suis dit que ça n'allait pas[22]. » « Le problème, de notre point de vue, c'est que les clubs, et spécifiquement les plus gros, traitent leurs supporters de façon dédaigneuse, ajoute Andy Walsh. À Old Trafford, ça se traduit par les stadiers qui ont la main de plus en plus lourde dans les tribunes ou par le changement des horaires de match pour satisfaire la chaîne télé Sky[23]. »

La victoire de Malcolm Glazer et l'insatisfaction généralisée incitent rapidement certains supporters mancuniens à envisager un « *protest club* », directement inspiré de l'expérience de l'AFC Wimbledon débutée trois ans plus tôt. Un mois à peine après l'opération financière du milliardaire, les associations indépendantes de supporters de Manchester United et les trois fanzines *Red Issues*, *Red News* et *United We Stand* fondent officiellement le 14 juin 2005 le FC United of Manchester. Le 5 juillet, 700 Red Rebels votent pour que leur club soit structuré en coopérative et écrivent à la volée le manifeste du FC United. « Notre objectif, déclarent-ils, est de créer à long terme un club solide, détenu et géré démocratiquement par ses membres, accessible à toutes les communautés de Manchester et dans lequel chacun peut participer pleinement[24]. »

Dès le lendemain, près 4 000 Mancuniens font des promesses de dons et d'adhésion à la coopérative – dont des célébrités comme Peter Hook de Joy Division et New Order, ou Mani, le bassiste des Stones Roses –, le club mutin disposant en quelques jours de 150 000 livres[25]. Près de 900 joueurs sont rapidement auditionnés par les supporters et 17 footballeurs sont recrutés dès l'été 2005. Parmi ces joueurs, Jonathan Mitten, plombier, est le petit-neveu de Charles Mitten, vainqueur de la Coupe d'Angleterre en 1948 avec Manchester United. Tout un symbole.

Démarrant au sein de la modeste North West Counties Football League (D10), les Red Rebels jouent leur première rencontre officielle à Leigh le 16 juillet 2005. Plus de 2 500 supporters déchaînés se déplacent pour ce match qui s'achève par une joyeuse invasion de terrain – une pratique interdite et durement réprimée à Old Trafford – et des joueurs portés sur les épaules tels de fringants héros. Une semaine plus tard, le FC United affronte l'AFC Wimbledon pour un match amical qui scelle la solidarité entre deux clubs issus de la révolte contre les dérives du foot-business. Alors que leur ligue régionale n'amène habituellement qu'une poignée de curieux, le FC United parvient en fin de saison à mobiliser en moyenne plus de 3 000 supporters[26] qui s'amusent à entonner dans les gradins des chants protestataires : « Son nom est Malcolm Glazer, il pense être une lumière/Il a essayé d'acheter un club de foot, mais n'avait pas le blé/Il a emprunté beaucoup d'argent, il a désespéré les supporters/Mais on est le FC United, et on ne sera jamais rachetés putain[27] ! »

Pour faire tourner au quotidien le FC United, les petites mains sont nombreuses. Plus d'une centaine de bénévoles s'activent chaque semaine pour gérer la billetterie, entretenir la pelouse ou tenir la buvette[28]. Livreur de fruits et légumes pour les cantines scolaires, l'entraîneur continue à se lever à 3 heures du matin pour effectuer sa tournée avant de se rendre au stade. Mais tous sont heureux de retrouver l'ambiance chaleureuse et conviviale propre à un certain football populaire. « Allez voir le FC United me rappelle quand j'allais supporter Manchester United plus jeune, confirme Simon Howles, rédacteur en chef de *Under the Boardwalk*, le fanzine du club. Bouger avec ses amis le samedi, aller payer son ticket à l'entrée et être ensemble dans les travées. C'est tellement différent que ce que peut offrir maintenant Old Trafford, où il faut déjà avoir de la chance ne serait-ce que pour obtenir un billet. Sans compter que, si tu arrives à entrer au stade, c'est pour être assis seul et étroitement surveillé par des stadiers omniprésents[29]. »

Le prix des billets est par ailleurs fixé directement chaque année par les supporters. Une place pour assister à une rencontre des Red Rebels coûte ainsi entre 5 et 9 livres (2 livres pour les enfants) contre environ 60 livres pour un billet au marché noir à Old Trafford. L'abonnement à la saison est pour sa part fixé à 100 livres mais chacun paie selon ses moyens (en 2009, les abonnements ont même été proposés à prix libre). « On veut juste passer du bon temps, avance Vinny, un supporter membre du FC United. Le football ça ne devrait pas être : "Comment je vais pouvoir acheter tel ou tel billet ?", mais plutôt : "Je veux revivre un week-end comme le dernier".[30] » Quant au club, il est désormais la propriété de 4 000 supporters qui déboursent chaque année 12 livres leur permettant d'être copropriétaires du FC United et d'avoir une voix au sein de la coopérative. L'assemblée générale annuelle est ainsi l'occasion pour l'ensemble des supporters de renouveler les onze membres bénévoles du conseil d'administration et de fixer la politique du club. Les supporters ont par exemple décidé de refuser toute publicité sur les maillots. Le FC United s'est également échiné à développer un programme d'action sociale à destination des prisonniers, des écoliers ou des jeunes précaires de la banlieue de Manchester. « *Our club, our rules* » (« Notre club, nos règles »), comme aiment à l'afficher dans leurs tribunes les Red Rebels.

Les supporters membres n'hésitent cependant pas à ruer dans les brancards. Un vent de révolte a soufflé par exemple quand des dirigeants du club se sont affichés aux côtés de politiciens en 2015. Trois des onze membres du conseil d'administration ont dû démissionner en 2016 après de nombreuses protestations et des invasions de terrain pour exiger plus de transparence et de démocratie au sein du club. « Ici c'est du foot punk, lance un supporter du FC United. On a gardé ce côté rebelle[31]. » Ce qui n'empêche pas certains supporters de se retrouver au pub pour visionner le match de leur ancien amour, Manchester United, après avoir soutenu au stade le FC United quelques heures auparavant[a]. Les débats en interne ont aussi été rudes et extrêmement houleux lorsque les membres ont dû débourser de leur poche 800 000 livres pour atteindre la somme nécessaire à la construction de leur propre stade (6,3 millions de livres)[32]. Inauguré en mai 2015, le Broadhurst Park, qui peut accueillir 4 400 spectateurs, est à la fois un pas de plus vers l'autonomie du petit club insurgé et un moyen d'assurer une certaine pérennité économique. « Bien sûr qu'il faut de l'argent, on ne vit pas dans un conte de fées, reconnaît Veronica, une supportrice d'une soixantaine d'années. Mais c'est de l'argent honnête, le nôtre, pas celui de capitalistes milliardaires qui ne savent pas quoi faire de leur fric et qui décident de le mettre dans un club[33]. »

Malgré les aléas de la gestion d'un club entièrement « *do it yourself* », l'équipe aux couleurs rouge, noire et blanche a gravi les échelons pour atteindre la National League North, l'équivalent d'une sixième division, et les supporters se sont fait connaître à travers toute l'Angleterre pour leurs encouragements déchaînés ainsi que pour leur art du détournement de chanson, à l'instar de la reprise de celle des Sex Pistols « Anarchy In the UK » : « *I am a FC fan/I am a Mancunian/I know what I want*

---

a   Dans *Looking for Eric* de Ken Loach (2009), une scène humoristique d'anthologie souligne ce tiraillement des supporters du FC United entre leur *protest club* et leur club originel, le Manchester United.

and I know how to get it/I wanna destroy Glazer and Sky/Cos I wanna be at FC ![b]. »

Le succès des « *protest clubs* » comme l'AFC Wimbledon et le FC United montre à tous les amoureux du ballon rond qu'ils peuvent sortir du rôle de consommateurs passifs auxquels l'industrie du football tente de les réduire. Swansea City, prestigieux club de Premier League, est ainsi depuis 2013 détenu à plus de 20 % par ses supporters *via* le Swan Trust – permettant à ces derniers de siéger au sein du conseil d'administration – tout en étant l'un des rares clubs de Premier League à ne pas être endetté[34]. Le Portsmouth FC, qui a aussi évolué un temps en Premier League, a quant à lui été sauvé en 2013 de la liquidation judiciaire par plus de 2 000 supporters réunis au sein du Pompey Supporters, Trust. La cupidité de businessmen saoudiens puis russes avait alors amené le Portsmouth FC à un redressement judiciaire et à une dégringolade en quatrième division. Depuis, la coopérative est devenue le propriétaire majoritaire du club.

Au sein des modestes formations de Football League ou de divisions inférieures, l'actionnariat populaire permet pour sa part à la fois de véhiculer une forte identité de club et d'offrir un espace d'engagement associatif local. « On a redonné du pouvoir aux gens en essayant d'avoir un système égalitaire. On a un badge, une carte d'actionnaire et on décide de la politique du club », explique Trevor, supporter du Lewes FC[35]. Racheté par ses supporters en 2010, ce petit club du Sussex qui évolue en huitième division est désormais reconnu dans toute l'Angleterre pour ses affiches de match qui s'inspirent des posters de festivals rock, de films ou de concerts punk.

Tout n'est cependant pas parfait au pays du football coopératif qui doit parfois faire des concessions, accepter des compromis ou essuyer des échecs cuisants. Suite à son ascension en troisième division, il était de plus en plus évident pour les supporters de l'AFC Wimbledon qu'ils devaient devenir propriétaires de leur stade. L'acquisition coûteuse d'une enceinte sportive a néanmoins nécessité l'aide d'investisseurs extérieurs et ce en dépit d'une légère perte du pouvoir des supporters au sein de l'AFC Wimbledon – même si le Dons Trust possède encore aujourd'hui plus de deux tiers du club. « *Protest club* » fondé en 2008 par un millier de fans exaspérés par les tarifs prohibitifs de la billetterie du Liverpool FC, l'AFC Liverpool n'arrive pour sa part à attirer en moyenne qu'une centaine de

---

b   « Je suis un supporter du FC/Je suis un Mancunien/Je sais ce que je veux et je sais comment l'obtenir/Je veux détruire Glazer et Sky/Parce que je veux être au FC ! »

supporters par rencontre et vivote en neuvième division. Dans l'espoir d'accéder à l'élite du football anglais, certaines coopératives, telles celles possédant le Notts County (D4) ou le York City (D5), ont quant à elles préféré renoncer au contrôle majoritaire de leur club pour faire entrer des investisseurs dans le capital. Une décision qu'elles ont parfois amèrement regrettée, ces clubs n'ayant pas réussi à se hisser dans les divisions supérieures du championnat.

Malgré ces quelques déconvenues, Supporters Direct estime avoir appuyé depuis 2000 la création d'une centaine de *supporters' trusts* à travers le pays. Plus d'une trentaine d'équipes de football évoluant en Angleterre sont désormais majoritairement détenues par leurs fans, dont quatre – Portsmouth FC, Wycombe Wanderers, AFC Wimbledon et Exeter City – sont entièrement professionnelles. Cet élan fait des émules en Écosse (avec des clubs comme Striling Albion et Brechin City), en Irlande (Shamrock Rovers à Dublin), en Espagne (UC Ceares à Gijón ou Atlético Club de Socios à Madrid[c]) ou en Italie (CS Lebowski à Florence). Si la France en est encore aux balbutiements de l'actionnariat populaire avec des initiatives comme l'association À La Nantaise, fondée en 2010 afin d'acheter des parts du FC Nantes, l'Allemagne a inscrit dans sa loi en 1998 l'obligation, pour les clubs professionnels, de ne pas être détenus à plus de 49 % par un même investisseur[d].

Cette dynamique européenne constitue une alternative de plus en plus sérieuse au modèle de gestion néolibéral prôné par les chantres du foot marchand. Et elle démontre que les clubs peuvent remettre au cœur de leur politique la voix de celles et ceux qui, comme aimait à le rappeler le pionnier du mouvement des *supporters' trusts* Brian Lomax, décédé en 2015, viennent au stade pour trouver « de l'émotion, du partage et de la camaraderie ». Autant de « besoins humains profondément enracinés et qui sont à la base de l'amour des gens pour le football et de leur fidélité envers leur club[36] ».

---

c   Il faut relever qu'en Espagne l'Athletic Bilbao, le FC Barcelone, le Real Madrid et le CA Osasuna ont une forme juridique qui permet à chacun de leurs supporters de détenir une participation au club. Dans ces grands clubs, chaque *socio* possède une voix ainsi que le droit de vote pour les élections du président du club et autres scrutins d'importance.

d   À l'exception du VFL Wolfsburg et du Bayer Leverkusen qui appartiennent historiquement aux sociétés Volkswagen et Bayer.

21

Jouer sur l'aile gauche.
Le FC Sankt Pauli de Hambourg
ou les pirates du foot-business

> « Qui sont les rats qui nous trahissent ? Les sociaux-
> démocrates ! Qui ne nous trahira jamais ? Pour sûr, c'est
> Sankt Pauli ! »
>
> Slogan des supporters du FC Sankt Pauli, saison 1986-1987.

« *N*o place for homophobia, fascism, sexism, racism[a]. » Dès l'entrée des tribunes du stade Millerntor, le FC Sankt Pauli de Hambourg affiche, en anglais et lettres noires et rouges, son engagement politique. Les tribunes latérales sont drapées de deux gigantesques mots d'ordre : « Pas de football pour les fascistes » et « Aucun être humain n'est illégal ». Selon un rituel immuable, les joueurs sous les couleurs brunes et blanches foulent la pelouse alors qu'un tonitruant *Hells Bells* emprunté au groupe de hard rock AC/DC résonne dans l'arène. Les gradins, étonnamment remplis pour une rencontre de deuxième division de championnat allemand (la Bundesliga), vibrent avec ferveur dès que retentit *Song 2* de Blur, tube Britpop qui vient traditionnellement couronner chaque but paulianer. C'est un jour de match ordinaire au sein du chaudron de Millerntor mais ces références musicales et ces slogans politiques détonants pour une équipe professionnelle résument à eux seuls l'esprit militant et anticonformiste d'un club à contre-courant du football institutionnel.

Habitué aux tréfonds de la 2.Bundesliga (D2), le FC Sankt Pauli est plus populaire que son rival hambourgeois, le géant Hamburger Sport-Verein, ou HSV, qui a pourtant glané de nombreux titres prestigieux nationaux et européens. Malgré ses modestes et irrégulières performances sportives – cinq titres de champion de deuxième division entre 1964 et 1977 et quatre de champion de troisième division entre 1981 et 2007 – l'escouade rebelle revendique 11 millions de fans[1], dont le plus grand public féminin européen[2] et plus de 480 clubs de suppor-

---

a   « Aucune place à l'homophobie, au fascisme, au sexisme, au racisme. »

ters[b] qui s'engagent à « s'opposer à toutes les formes de discrimination à l'égard des personnes, à toutes les formes de racisme, de sexisme et de hooliganisme, ainsi qu'à toutes les formes de dénigrement et de discrimination envers toutes les tendances et préférences sexuelles[3] ».

Cet engouement hors normes pour une équipe allemande de second rang s'explique par le fait que le club incarne depuis la fin des années 1980, sinon un imaginaire antiestablishment dans le paysage très policé du football professionnel, du moins une résistance en acte à l'ordre marchand imposé par le foot-business. En 1963, le FC Sankt Pauli a en effet été la première équipe allemande à aligner un joueur d'Afrique subsaharienne, l'attaquant togolais Guy Acolatse. Dans les années 1990, le club est le seul d'Allemagne à menacer officiellement d'expulsion du stade toute personne arborant un symbole ou un slogan raciste. Les *Braun und Weiß* (« Bruns et Blancs ») se sont aussi illustrés pour avoir banni en 2002 du Millerntor une publicité d'un magazine masculin jugée sexiste ou encore pour avoir élu, entre 2003 et 2010, un président ouvertement homosexuel (Corny Littmann, une figure de la communauté LGBT hambourgeoise et propriétaire du cabaret le Schmidt-Theater). Enfin, en novembre 2009, le club est devenu le premier du pays à adopter des principes directeurs (*Leitlinien*). Dès ses premières lignes, cette charte, qui fait office de manifeste politique, stipule que « le FC Sankt Pauli est composé de l'ensemble de ses membres, employés, supporters et bénévoles. Le club fait pleinement partie de la société et du tissu social qui l'entoure et est donc directement ou indirectement influencé par les changements politiques, sociaux et culturels. [...] Le FC Sankt Pauli est un club enraciné dans un quartier. Il lui doit son identité et s'engage à s'y investir socialement et politiquement[4] ».

Quartier rouge et militants Autonomen

Les racines de cet activisme politique proviennent de la relation intime qui s'est nouée entre le FC Sankt Pauli et le quartier éponyme. Situé sur la rive droite de l'Elbe et coupé du centre-ville de Hambourg, imposante agglomération portuaire, Sankt Pauli a toujours été marginalisé. Hébergeant au XVIIe siècle l'hôpital de mise en quarantaine de la ville puis ravagé par un terrible incendie en 1842, le quartier n'a été

---

b   Majoritairement situés en Allemagne, il existe toutefois des clubs de supporters aux États-Unis, au Brésil ou au Cambodge.

officiellement intégré à la cité hanséatique qu'en 1894[5]. Abritant de nombreuses maisons closes, cabarets et autres brasseries pour les marins de passage, habité par les tumultueux dockers du port marchand, Sankt Pauli a vite acquis une réputation sulfureuse. À la fin du XIXe siècle, le quartier est par ailleurs devenu un foyer du syndicalisme ouvrier allemand, l'année 1896 étant marquée par l'un des plus grands conflits sociaux de l'Empire allemand : une grève sauvage de onze semaines organisée par 16 000 dockers et manutentionnaires hambourgeois[6]. Enfin, Sankt Pauli est l'un des secteurs de la ville depuis lequel Ernst Thälmann, dirigeant du Parti communiste allemand, a lancé le 23 octobre 1923 une insurrection ouvrière contre les commissariats de Hambourg pour tenter de prendre la cité par la force et renverser la République de Weimar.

Dix ans plus tard, alors que Sankt Pauli subit le joug nazi, le club de football local, fondé en 1910[c], est contraint de se soumettre aux lois aryennes de 1933 comme l'ensemble des structures sportives de l'époque. Les dirigeants du FC Sankt Pauli, *a contrario* du vénérable HSV, tardent à exclure les Juifs, comme l'ordonne le régime hitlérien, et à adhérer au parti nazi (ils le feront dans un second temps, comme l'ensemble des cadres sportifs du pays, dans l'espoir de préserver les intérêts du club [voir chapitre 7]). À peine deux mois après l'arrivée de Hitler au pouvoir, le FC Sankt Pauli accueille même quelque temps deux frères juifs, Otto et Paul Lang, qui fondent une section rugby au sein du club suite à leur exclusion du SV St. Georg, un autre club hambourgeois[7].

En raison de l'importance du port, le quartier est bombardé par l'aviation britannique dès 1943. Le terrain de football du FC Sankt Pauli, situé sur le Heiligengeistfeld, est entièrement détruit mais les membres du club le ressuscitent en novembre 1946 avant de faire construire en 1961 une enceinte moderne, le Millerntor-Stadion. Avec ses night-clubs, ses sex-shops, ses établissements de travailleuses du sexe et ses dealers concentrés autour de la Reeperbahn, Sankt Pauli devient pour sa part un « quartier rouge ». La Reeperbahn héberge en outre de nombreux clubs et salles de concert qui, entre 1960 et 1962, verront les débuts internationaux des Beatles. S'amourachant vite de ce quartier malfamé, le groupe de Liverpool participera à façonner l'aura internationale et cosmopolite de Sankt Pauli.

---

c   Quelques membres du club de gymnastique Hamburg-Sankt Pauli Turnverein 1862 décidèrent en 1910 de créer une section football avant de s'autonomiser définitivement en 1924 sous le nom de Fußball-Club Sankt Pauli.

Les crises pétrolières de 1973 et 1979, qui provoquent une vague massive de licenciements dans l'industrie portuaire, et l'épidémie de sida, qui frappe durement la Reeperbahn dans les années 1980, reconfigurent profondément le quartier. Entre 1970 et 1985, le nombre d'habitants chute, passant de 31 000 à 22 000[8], tandis que les entrepôts industriels et autres maisons vacantes sont, à partir d'octobre 1981, progressivement occupés par divers collectifs issus des mouvements anarcho-punks et *Autonomen* (« autonomes »). L'Hafenstraße et sa douzaine d'immeubles transformés en logements et espaces culturels alternatifs deviennent alors le centre névralgique de la gauche radicale hambourgeoise. Animateurs d'un véritable bastion libertaire au sein de la deuxième plus grande métropole d'Allemagne, les squatteurs d'Hafenstraße s'investissent autant dans les luttes antinucléaires et les mobilisations antimilitaristes qu'au sein de leur quartier, en tissant des liens étroits avec les ouvriers des docks mis au chômage suite à la récession économique.

Le Millerntor (rebaptisé Wilhelm-Koch-Stadion à partir de 1970, en hommage à un ancien président du club) étant situé à deux pas des habitations occupées, nombre de militants radicaux issus des squats font progressivement leur apparition dans les gradins. Le FC Sankt Pauli, qui compte alors à peine 2 000 supporters, est un club encore relativement confidentiel, ayant succinctement accédé en 1977 à la 1.Bundesliga (D1) avant d'être relégué dans les divisions inférieures. « Il n'y a jamais eu aucun plan prédéterminé pour investir le stade, rappelle Sven Brux, aujourd'hui employé du club et ancienne figure punk du quartier. Les gens d'Hafenstraße et des alentours ont commencé à aller au stade pour les mêmes raisons que n'importe quel autre supporter : passer un chouette après-midi avec ses amis autour d'une bière et aller voir un bon match de foot[9]. »

Dès le milieu des années 1980, une centaine d'*Autonomen* se réunissent ainsi régulièrement dans une section des tribunes située juste derrière les bancs de touche, le Gegengerade. Brandissant une banderole « *Black Block* », ces nouveaux supporters à crête tranchent dans le petit stade familial en scandant des slogans comme « Jamais plus de fascisme ! Jamais plus de guerre ! Jamais plus de troisième division ! » ou « Hambourg sans l'Hafenstraße, c'est comme la Bundesliga sans le FC Sankt Pauli »[10]. Gardien de but des Braun und Weiß de 1981 à 1991, Volker Ippig participe par ailleurs grandement à l'identification et à l'appropriation du club par les militants politiques radicaux du quartier. Issu des squats de l'Hafenstraße, le portier charismatique à la longue crinière blonde a milité un temps au sein d'une brigade ouvrière sandiniste au

Nicaragua. Prenant parfois congé de l'équipe pour aller manifester ou travailler dans une garderie pour enfants handicapés, Volker Ippig se distingue sur le terrain par son salut poing levé spécialement adressé aux supporters du « Black Block ».

Le petit groupe de fans activistes adopte également pour emblème le drapeau pirate – le *Jolly Roger*, un crâne surmontant deux tibias croisés sur fond noir –, un pavillon que les squatteurs de Sankt Pauli hissent alors sur les maisons occupées. « Je crois que je suis allé voir le FC Sankt Pauli pour la première fois en 1976, se remémore Doc Mabuse, célèbre punk de l'artère occupée du quartier. Je vivais sur l'Hafenstraße et je ramenais toujours de nouvelles personnes avec moi. Après un match, j'étais complètement bourré et je suis passé devant une église. Il y avait un stand qui vendait des drapeaux et j'en ai vu un avec un crâne et des os en croix qui coûtait 10 marks. Je ne sais plus si je l'avais cloué ou agrafé à un manche à balai mais je l'ai amené au stade. Et c'est comme ça que c'est venu[11]. » Symbole contestataire, le drapeau fait aussi référence à la tradition de piraterie de Hambourg incarnée par Klaus Störtebeker, dit le « Corsaire rouge », décapité en 1401 par les autorités de la ville[d]. Cette figure populaire du quartier, qui représente la rébellion des pauvres volant les riches marchands de la cité portuaire, est à l'époque sublimée par Slime, groupe punk fan du FC Sankt Pauli, qui dédie au flibustier une chanson en 1983. Les occupants de l'Hafenstraße ouvrent quant à eux en 1985 un espace militant antifasciste baptisé Centre Störtebeker[12].

Alors que de jeunes activistes *Autonomen* investissent le stade du FC Sankt Pauli à partir des années 1980, le football allemand est gangrené par le hooliganisme d'extrême droite et les groupuscules néonazis qui pullulent dans les gradins. À Hambourg, l'arène du HSV, le Volksparkstadion, devient un lieu de rassemblement notoire des skinheads nationalistes. « La violence footballistique et l'extrême droite sont tout particulièrement interconnectées dans les tribunes Ouest du Volksparkstadion », s'alarme l'hebdomadaire *Der Spiegel* en 1983[13]. Quant à Michael Kühnen, leader du parti néonazi Aktionsfront Nationaler Sozialisten, il ordonne à ses partisans de recruter de nouveaux membres dans les stades de football. Les slogans ouvertement racistes ainsi que les agressions physiques contre les supporters d'origine immigrée ou étiquetés d'extrême gauche se multiplient dangereusement dans les travées comme dans la rue. À la sortie d'un match en décembre 1984, les supporters d'extrême

---

d   La légende dit que toute nouvelle recrue de Klaus Störtebeker devait être capable d'ingurgiter une chope de 4 litres de bière d'un seul trait.

droite du HSV et du Borussia Dortmund attaquent au cocktail Molotov les squats de l'Hafenstraße. Moins de quatre ans plus tard, le 21 juin 1988, les occupants du quartier sont à nouveau assaillis par une horde de supporters néonazis du HSV à l'issue d'un match au Volksparkstadion opposant l'Allemagne de l'Ouest aux Pays-Bas.

« Avec l'augmentation du nombre de nazis parmi les fans de l'autre club de Hambourg, un tas de gens ne voulaient plus aller au stade et se sont retrouvés à la rue, se souvient Sven Brux. Cela les a conduits à se retourner vers le FC Sankt Pauli pour voir du football tranquillement car il n'y avait pas de hooligans[14]. » Le club paulianer étoffe progressivement ses rangs de ces supporters du HSV accablés par les violences dans les stades d'autant plus que le FC Sankt Pauli connaît un regain de popularité avec une accession en 1.Bundesliga en 1988.

Toutefois, au tournant de l'année 1990, les tribunes du Wilhelm-Koch-Stadion sont le théâtre régulier d'agressions à l'encontre de supporters issus de la communauté turque. Sous pression des militants de la Gegengerade qui déroulent à chaque match des bannières offensives (par exemple : « Contre la haine raciste, autodéfense ici et maintenant ») et qui interpellent les dirigeants du club dans leur fanzine *Millerntor Roar !*, le FC Sankt Pauli invite, fin 1991, le Galatasaray d'Istanbul pour un match amical et déclare qu'à l'avenir il expulsera des gradins tout supporter tenant des propos à caractère raciste[15]. Une prise de position ferme et à l'époque inédite qui distingue le petit club du quartier populaire de Sankt Pauli, désormais associé aux valeurs fortes qu'il porte. « Rien n'était programmé, c'était spontané de devenir un club antifasciste, précise Sven Brux. Pour nous, combattre le racisme n'était même pas un acte politique mais une attitude humaine normale[16]. »

Fondé en juillet 1989, premier du genre en Allemagne et s'inscrivant dans la droite ligne du mouvement britannique du fanzinat de hooligans [voir chapitre 14], *Millerntor Roar !*, en plus d'affirmer les opinions anti-racistes des supporters, exprime également sa solidarité avec les luttes de quartier de Sankt Pauli en réservant plusieurs pages aux squatteurs de l'Hafenstraße. À partir de 1983, les occupants sont effectivement engagés dans un rude conflit avec la municipalité et les promoteurs immobiliers de Hambourg qui veulent réhabiliter cette zone urbaine. Une intense répression policière s'abat alors sur les *Autonomen* qui barricadent épi-sodiquement l'Hafenstraße pour se défendre. Le 20 décembre 1986, des expulsions *manu militari* de squats donnent lieu à une manifestation de soutien de 12 000 personnes à travers les rues de Sankt Pauli[17]. En 1990, c'est un imposant raid des forces spéciales qui déboulent dans le quartier suite à des rumeurs selon lesquelles les occupants hébergeraient des membres de la RAF (Fraction Armée Rouge), organisation armée d'extrême gauche. Le combat des occupants contre la spéculation immobilière étant relayé par *Millerntor Roar!*, des banderoles « *Hafenstraße – You'll Never Walk Alone!* » font leur apparition dans les tribunes à partir de 1991 et des joueurs du club expriment publiquement leur soutien aux squatters.

À l'échelle du quartier, les habitants et les supporters du FC Sankt Pauli s'étaient quant à eux mobilisés, dès janvier 1989, contre un projet d'aménagement urbain... porté par les instances dirigeantes du club. Ces dernières envisageaient de construire un gigantesque Sport-Dome de 50 000 places en lieu et place du Wilhelm-Koch-Stadion. Bénéficiant de l'appui financier d'un consortium canadien, le Sport-Dome devait accueillir une piscine, des terrains de tennis, des concerts internationaux mais aussi un complexe commercial et un vaste parking. Un chantier titanesque qui, aux yeux des protestataires, aurait totalement reconfiguré leur quartier et participé à une hausse conséquente des loyers. Dès le mois de mars 1989, les supporters, aidés par les habitants, déployèrent les savoir-faire militants développés dans les années précédentes par les occupants de l'Hafenstraße. À l'occasion d'un match contre le Karlsruher SC, ils distribuèrent des milliers de tracts de protestation à l'entrée du stade. Quelques minutes avant la fin de la première mi-temps, les 19 000 spectateurs présents firent cinq minutes de silence total dans les tribunes, laissant pantois les dirigeants du FC Sankt Pauli[18]. Deux mois plus tard, le projet de Sport-Dome était définitivement abandonné.

Combinant un savant mélange de supportérisme et d'activisme politique, utilisant les tribunes comme caisse de résonance de revendications concernant tantôt le club tantôt le quartier, les alliances entre habitants, militants et supporters finissent par intimement lier l'identité rebelle du quartier à celle du FC Sankt Pauli[19]. Les « *Kiezkicker* » (les « footeux du quartier ») devient alors le nouveau surnom local de l'équipe et le nombre de supporters du club grimpe à près de 20 000 au début des années 1990[20]. « Si le stade avait été situé en dehors du quartier, je ne pense pas que tout cela serait arrivé, confesse Mike Glindmeier, supporter actif du FC Sankt Pauli et journaliste sportif hambourgeois. Ce quartier mélangeait des ouvriers dockers, des junkies, des travailleuses du sexe, des petits escrocs et des militants politiques radicaux. Cela offrait des conditions sociales uniques[21]. »

Les flibustiers de la Ligue

S'inspirant de la stratégie d'autonomie des activistes politiques du quartier, les partisans du FC Sankt Pauli fondent en 1990 le *Fanladen* (la boutique des fans), une structure indépendante du club, gérée par et pour les supporters. Siégeant dans un conteneur situé derrière la Nordkurve (le virage Nord) du Wilhelm-Koch-Stadion, le Fanladen propose dans un premier temps des billets et des abonnements aux supporters ainsi que des voyages organisés pour suivre l'équipe lors des matchs à l'extérieur. Les bénévoles y distribuent le fanzine *Millerntor Roar !* et s'autofinancent en vendant des t-shirts sérigraphiés avec le drapeau corsaire déniché par Doc Mabuse.

Mais rapidement le Fanladen devient bien plus qu'un simple fanshop. L'antifascisme chevillé au corps, les supporters militent activement *via* le Fanladen en distribuant des autocollants « *St. Pauli Fans Gegen Rechts* » (« Supporters de Sankt Pauli contre la droite ») et en profitant de la convivialité des déplacements collectifs pour discuter de politique avec les jeunes fans du quartier attirés par les thèses nationalistes et racistes[22]. Par la suite, ayant appris en 1997 que Wilhelm Koch, président historique du club[e] qui avait donné son nom au stade, avait été membre du parti nazi, le Fanladen décide de lancer une large campagne pour que l'arène soit officiellement rebaptisée Millerntor. De même, depuis 2004, la structure propose chaque année un tournoi de football antiraciste pour les supporters d'une dizaine de pays différents où se conjuguent parties de ballon et débats sur l'actualité des luttes antifascistes.

L'activisme sportivo-politique du Fanladen sert en outre de tremplin pour nombre de projets sociaux indépendants. Chaque semaine depuis 2002, le programme « KiezKick » propose par exemple des sessions de formation gratuites au football pour les filles et les garçons les plus défavorisés du quartier. Les U18 Ragazzi, un collectif qui rassemble les supporters paulianer âgés de moins de 18 ans, coorganisent avec des travailleurs sociaux aussi bien des matchs de foot que leurs déplacements pour les rencontres à l'extérieur. Enfin, le Fanladen est à l'initiative de nombreuses manifestations contre le sexisme, l'homophobie et le racisme lancées au gré des amitiés forgées avec les F_in – *Frauen im Fußball* (« Femmes dans le football »), les *Queer Football Fanclubs* (« Clubs de supporters de football queer ») ou le *Bündnis Aktiver Fußball Fans* (« Alliance des supporters de football actifs »). Hébergé aujourd'hui au sein du stade, le Fanladen a

---

e   De 1931 à 1945 puis de 1947 à 1969.

réussi en l'espace de dix ans à être le porte-voix de la communauté des supporters du club et à agir pour que le football soit vecteur d'actions sociales et politiques.

Au-delà de leur militantisme, les supporters contribuent également à donner une image à la fois punk et subversive au FC Sankt Pauli. Ce qui lui vaut de la part des journalistes sportifs le surnom de « *Freibeuter der Liga* » (« Flibustiers de la Ligue »), à partir des années 1990. Un des premiers gros coups d'éclat médiatiques des supporters a en effet lieu en 1991, lorsque, pour vendre plus de billets et renflouer ainsi les caisses, la direction du club décide de faire jouer les Kiezkicker dans le stade du HSV, bien plus vaste que celui du FC Sankt Pauli. C'était sans compter sur l'activisme créatif des partisans les plus insoumis du club. Le 5 mars 1991, ces derniers décident de boycotter une rencontre au Volksparkstadion contre le Hertha Berlin avant d'aller franchir illégalement les grilles du Millerntor. Quelque 1 500 supporters suivent alors le match à la radio, retransmis sur les haut-parleurs du stade. Durant les 90 minutes de la partie, ils encouragent leur équipe devant une pelouse vide mais illumi-née par les projecteurs, fêtant chaque but par un vrombissant *No Sleep Till Brooklyn* des Beastie Boys.

Les supporters du FC Sankt Pauli cultivent également l'autodérision comme pour mieux brocarder les rares exploits sportifs du club et affirmer son statut d'éternel loser magnifique. Attaquant de l'équipe de 1989 à 1996, le footballeur brésilien Leonardo Manzi, à cause de son incapacité affligeante à assurer un contrôle ou à marquer le moindre but, devient ainsi la coqueluche du public paulianer, affublé du titre de « seul Brésilien qui n'ait jamais su jouer au football[23] ». « Ici, tout le monde a des pro-blèmes dans sa vie quotidienne, avec son chef, son boulot ou son salaire. Leo avait des problèmes avec le ballon, c'est peut-être pour ça qu'il est devenu populaire », plaisante Christian Hienzpeter, ancien vice-président du club[24]. Le milieu de terrain et capitaine de l'équipe, Fabian Boll, est quant à lui adulé pour son attachement charnel au FC Sankt Pauli depuis son arrivée dans l'équipe en 2002. Ce dernier travaille parallèlement à mi-temps comme inspecteur de police, ce qui aurait dû lui attirer les foudres des supporters qui s'échinent depuis trente ans à lutter contre la répression policière. Pourtant, ses qualités sportives et humaines ont incité les fans à transformer, sur leurs banderoles et pancartes, l'acronyme antiflic traditionnel en « *ACABAB* », pour « *All Cops Are Bastards Außer Boll* » (« Tous les flics sont des salauds excepté Boll »). « Une fois que tu es pris par ce club, tu réalises la signification de ce que tu peux faire pour ces gens, ceux des tribunes et ceux du quartier. On disait toujours haut et fort que si le club va bien, alors le quartier va bien, raconte avec émotion Fabian Boll. Cette flamme, cette nature inconditionnelle qui est envoyée des gradins jusqu'au terrain, ce public toujours présent, faisaient qu'à l'époque on se disait que rien ne pouvait nous arriver[25]. »

Alors que le club est (brièvement) revenu en 1.Bundesliga lors de la saison 2001-2002, le FC Sankt Pauli bat 2 buts à 1 le mastodonte Bayern de Munich le 6 février 2002. Les Bavarois étant les récents vainqueurs de la Coupe intercontinentale, le FC Sankt Pauli s'attribue non sans malice le titre de *Weltpokalsiegerbesieger* (« vainqueur du vainqueur de la Coupe intercontinentale »). Ce trait d'esprit cache cependant mal le fait que le vaisseau pirate, économiquement fragile, commence à prendre l'eau sur le plan sportif. La saison suivante tourne au cauchemar pour le club, qui est relégué en 2003 en Regionalliga Nord (D3). Criblé de dettes et au plus près de la liquidation judiciaire, le FC Sankt Pauli revend à la hâte son centre de formation et lance une grande campagne de levée de fonds. Les supporters écoulent près de 130 000 t-shirts aux couleurs du club avec l'inscription *Retter* (« Sauveur ») et s'engagent dans l'opération « Saufen für St. Pauli » (« Boire pour Sankt Pauli »), quelques centimes de chaque bière de la marque Astra consommée étant reversés par le brasseur au club. Près de 11 500 abonnements au stade sont souscrits et divers événements de soutien, comme un match de gala contre le Bayern de Munich et un concert-lecture du Prix Nobel de littérature Günter Grass, sont organisés.

Malgré les plus de 2 millions d'euros récoltés, les Freibeuter der Liga restent en sursis tout en s'engouffrant progressivement dans une marchandisation croissante de l'identité du club. Dans l'objectif d'asseoir la stabilité économique du FC Sankt Pauli, la direction a en effet amorcé un virage commercial dès la saison 2000-2001 en faisant du fameux *Jolly Roger* une marque déposée et l'un des logos officiels du club. Incarnant la tête de pont d'un merchandising lucratif, le pavillon corsaire est reproduit sur toute une ligne de vêtements, des mugs, des grille-pains et autres brosses à dents. Rien que que sur l'année 2013, le club estime avoir perçu près de 8 millions d'euros grâce à la vente de produits dérivés à l'effigie de la tête de mort pirate[26]. Une dépossession du symbole politique et social du quartier qui marque alors un tournant : « Si j'avais su ce que ça allait devenir, je l'aurais déposé, se désole en 2015 Doc Mabuse. Je me suis senti lésé en voyant le *Jolly Roger* exploité commercialement. Tout l'environnement du FC Sankt Pauli a alors changé. Venir au stade est devenu un truc plus "branché". C'était la fin de la véritable identification avec le club[27]. »

Contre le mercantilisme et son monde

Au début des années 2000, Sankt Pauli est en proie à une gentrification massive qui bouleverse radicalement le quartier. L'installation d'artistes et de jeunes employés de l'industrie du numérique provoque une hausse conséquente des loyers ainsi qu'une floraison de galeries d'art, d'immeubles commerciaux et d'auberges pour fêtards, au détriment des bars, des squats et des épiceries de quartier. La modification de la composition sociale de Sankt Pauli provoque l'arrivée d'un nouveau public au Millerntor, plus attiré par l'identité alternative d'un club issu d'un quartier en vogue que par l'équipe de football.

La communauté gravitant autour du FC Sankt Pauli est tiraillée. Certains veulent voir remonter leur équipe fétiche en Bundesliga et s'y maintenir, ce qui oblige le club à attirer toujours plus de spectateurs et à dégager des bénéfices conséquents pour pouvoir investir dans des footballeurs de haut niveau. Pour d'autres, à l'opposé, c'est l'identité du club qui prime, et non les performances sportives. « Il est plus important d'avoir un club avec une identité unique et sans ambiance commerciale durant les matchs, résume un fan. Les supporters seront vraiment heureux si le club réussit, mais ils ne veulent pas que ce succès se fasse au détriment de notre identité et de nos valeurs[28]. » Un exercice de funambulisme politique parfois difficilement tenable puisque l'esprit flibustier du FC Sankt Pauli est lui-même devenu source de profit... « L'identité du club – au bout du compte la marque, car on parle ici de la nature particulière du club –, c'est le principal atout du FC Sankt Pauli, indique froidement Michaël Meeske, chargé de la gestion commerciale du club de 2004 à 2015. Cela permet d'accéder à de nouvelles opportunités économiques[29] ». « Le Millerntor était autrefois un laboratoire à ciel ouvert pour le football allemand, et la relation étroite entre les supporters, les joueurs et la direction fonctionnait vraiment, s'attriste en 2005 le légendaire gardien Volker Ippig, devenu entre-temps docker et entraîneur amateur. Aujourd'hui, tout cela est orchestré, artificiel, seul le mythe reste, il y a beaucoup d'enfumage et de blabla[30]. »

Dès lors, afin d'éviter que le club pirate ne devienne un vulgaire produit de consommation culturel et ne perde son âme avec l'arrivée de nouveaux fans moins politisés, plusieurs groupes de supporters radicaux fusionnent pour donner naissance, en 2002, aux Ultrà Sankt Pauli. Rassemblés dans la Südkurve (le virage Sud) du Millerntor, ils assurent avec passion l'animation des tribunes à coups de chants continus et de *tifos* spectaculaires. Ces supporters s'affirment comme les gardiens de l'identité antifasciste du club et n'hésitent pas à entretenir les rivalités historiques et politiques en faisant le coup de poing contre les supporters néonazis des clubs de Rostock, Dresde ou Cottbus. En novembre 2007, ils initient de surcroît Alerta ! Network, un réseau international d'ultras engagés dans la lutte contre le fascisme et le racisme dans les tribunes. Avec d'autres activistes du Millerntor, les Ultrà Sankt Pauli constituent une force de plus de 1 000 supporters particulièrement vigilants face à toute dérive mercantile[31].

Sur une totalité d'environ 30 000 fidèles supporters Braun und Weiß, 14 800 sont quant à eux membres du club *via* l'Abteilung Fördernde Mitglieder (AFM, Département des membres actifs)[f]. Chaque membre possédant le droit de vote lors de l'assemblée générale annuelle du FC Sankt Pauli, l'AFM peut donc exercer un certain contre-pouvoir. Quand, en 2007, la direction annonce des travaux de rénovation du Millerntor, une intense pression de la part des supporters entraîne ainsi l'assemblée générale annuelle du club à voter l'interdiction de la vente du nom du stade à un quelconque sponsor. Cette pratique marketing (le *naming*) accompagne en effet généralement la réhabilitation des enceintes sportives en Allemagne (depuis 2001, le Volksparstadion du HSV a été ainsi consécutivement baptisé AOL Arena, HSH NordBank Arena puis Imtech Arena). De même, les supporters sont parvenus à imposer que, à l'issue de la restauration du stade, le Millernor compte davantage de places debout (et donc à bas prix) que de places assises.

Dans les tribunes comme en assemblée générale, ce rapport de force entre les supporters paulianer et la direction permet au FC Sankt Pauli de perpétuer la tradition politique du club. Lors d'une rencontre contre Paderborn en mars 2013, les supporters ont par exemple déployé un imposant *tifo* qui clamait « Aimez qui vous voulez – Combattez l'homophobie ». Quelques jours plus tôt, l'ancien footballeur international étatsunien Robbie Rogers avait avoué à la presse qu'il lui avait été impossible d'afficher son homosexualité durant sa carrière professionnelle. Quatre mois plus tard, le club décidait de hisser de façon permanente le drapeau arc-en-ciel au sommet du Millerntor. L'année suivante, suite à l'arrivée de plus de 300 réfugiés à Hambourg depuis l'île italienne de Lampedusa, les fans du FC Sankt Pauli lancent une campagne « *Refugees Welcome* »

---

f   En 2017, l'AFM représentait 58 % des 25 500 membres du club. L'AFM est également à l'origine de projets sociaux tels que « Young Rebels », qui promeut les talents footballistiques locaux, ou « You'll Never Work Alone », qui accompagne vers l'emploi les jeunes joueurs qui n'ont pas réussi à devenir professionnels après leur passage en centre de formation.

(« Réfugiés bienvenus ») : ils déploient des banderoles « Détruisons la forteresse Europe – Abolissons Dublin II[g] » et collectent 120 000 euros pour offrir aux migrants des titres de transport et des cartes SIM prépayées[32]. Après avoir été invités au stade et aux entraînements des joueurs, de jeunes réfugiés mettent sur pied une équipe baptisée « FC Lampedusa ». Entraînée par cinq footballeuses du FC Sankt Pauli, la formation, qui a adopté comme devise *« Here to stay, here to play »* (« On reste ici, on joue ici »), a été officiellement intégrée au sein du club en juillet 2016. Depuis, le FC Lampedusa est inscrit au championnat amateur local et réalise régulièrement des tournées en Europe. Dernière illustration de l'intransigeance politique des fans, la direction du club a dû présenter des excuses en janvier 2017 pour avoir laissé afficher au Millerntor une publicité automobile avec ce slogan : « Pas pour les femmelettes. » Aussitôt la pub affichée dans le stade, les supporters avaient invectivé, *via* les réseaux sociaux, le département marketing du club : « Est-ce que quelqu'un trouve ça drôle ? Créatif ? C'est juste une merde sexiste. Vous n'avez rien compris à notre fonctionnement et à celui de notre club[33]. »

La lutte contre la marchandisation du club a pour sa part pris une tournure massive en 2011 avec la vague de protestation anticommerciale des « *Sozialromantiker* ». Pied de nez à Corny Littman, le président du club d'alors qui avait qualifié de « romantiques sociaux » les supporters les plus radicaux du club, le mouvement des *Sozialromantiker* a débuté fin 2010 par une simple pétition intitulée « Trop c'est trop ». Leurs revendications ? La diminution du nombre de publicités dans le stade ainsi que la suppression dans les tribunes des sièges « business », l'interdiction à l'entreprise de spectacles érotiques Susis Show Bar d'avoir une loge privative ou encore la possibilité pour les enfants du Piraten-Nest ·(la crèche du Millerntor) de pouvoir peindre eux-mêmes les murs extérieurs de la garderie.

Appréhendée par la direction comme une modeste mobilisation circonscrite à une poignée de supporters (début 2011, la pétition regroupe à peine 3 000 signataires), les *Sozialromantiker* appellent néanmoins à venir au stade avec en signe de protestation un drapeau corsaire *Jolly Roger* sur fond rouge, comme pour rappeler l'ancrage social du FC Sankt Pauli. Le 4 janvier 2011, au moment du traditionnel lancement du *Hells Bells* d'AC/DC à l'entrée des joueurs, l'ensemble des tribunes du Millerntor se

---

g   Adopté en 2003, le règlement Dublin II (Dublin III depuis 2013) est une convention européenne qui oblige tout réfugié à faire sa demande d'asile dans le premier pays européen par lequel il est entré.

drape soudain de 10 000 petits carrés rouges et de nombreux pavillons pirates écarlates «Jolly Rouge» avant que ne surgisse une ample banderole «Rendez-nous Sankt Pauli». Une vraie mutinerie des supporters contre les dirigeants du club qui a été jusqu'à surprendre les *Sozialromantiker* eux-mêmes, et qui obligea la direction à prendre en considération les revendications de ces «romantiques sociaux».

«C'est vrai que depuis 25 ans, certains managers ont toujours voulu détacher le club de sa base de supporters politisés. Certains ont même essayé d'interdire aux gens de porter les couleurs du club lors de manifestations politiques, précise le supporter-journaliste Mike Glindmeier. Mais ça ne marche pas comme ça à Sankt Pauli. Il y a une lutte constante entre des forces commerciales et des forces politiques. Et les uns comme les autres ont dû faire des compromis. Je pense qu'un certain équilibre a été préservé, ce qui fait que Sankt Pauli est encore aujourd'hui si spécifique[34].»

Véritable trésor des pirates du football allemand, ce particularisme politique du FC Sankt Pauli s'est encore illustré en juillet 2017 à l'occasion des mobilisations anti-G20 qui se tenait alors à Hambourg. Après avoir été expulsés illégalement de plusieurs campements militants, 200 manifestants ont été accueillis dans l'antre du Millerntor où une cuisine mobile et des couchages ont été mis à diposition. Quant aux supporters radicaux paulianer, ils ont pris pleinement part aux manifestations et aux batailles de rue contre les forces de police dans les quartiers de Schanzenviertel et Sankt Pauli. Quelques jours plus tôt, ces derniers invitaient tous les fans des Kiezkicker à se retrouver dans la rue pour protester en soulignant que «le FC Sankt Pauli, en tant que club qui s'appuie sur la notion de solidarité, représente un contre-modèle au monde des dirigeants du G20 et à la misère produite par le capitalisme mondial[35]».

22

Ballons sauvages, ballons en marge.
Le football de rue à contre-pied du football institutionnel

> « J'ai appris le foot dans la rue et si vous me faites l'honneur de m'avoir trouvé élégant sur un terrain, alors, c'est que j'avais l'élégance de la rue. »
>
> Johan CRUYFF, *L'Équipe magazine*, 13 décembre 2014.

« Ça dure cinq mois, les gens deviennent fous et ça les intéresse beaucoup plus que le championnat national », s'enflamme Amadou, entraîneur de l'équipe de foot de la Gueule tapée, un quartier pauvre de Dakar[1]. En ce mois de septembre 2011, le Sénégal est en pleine ébullition. De juin à octobre, si le pays tourne au ralenti en raison de la saison des pluies, les Sénégalais vivent au rythme fiévreux des navétanes, l'événement sportif le plus populaire du pays. Dérivé du mot wolof *nawetaan* – littéralement « passer la saison des pluies » –, ce championnat inter-quartiers organisé à l'échelle nationale passionne les foules bien plus que la Ligue professionnelle sous l'égide de la Fédération sénégalaise de football (FSF). Et, avec plus de 3 500 clubs de quartier, le mouvement navétane peut se targuer d'être le tissu associatif le plus dense du pays : ce football des rues réunit pas moins de 500 000 joueurs affiliés, dix fois plus que la FSF[2].

Au Sénégal, un football au cœur du quartier

Le football navétane est né dans les années 1950 à Dakar, quand quelques férus du ballon rond ont entrepris de mettre sur pied au début de la saison des pluies des tournois de foot informels dans la rue afin d'occuper la jeunesse de leur quartier. Cette période d'hivernage coïncide en effet avec les vacances scolaires et la trêve du championnat national de football. Réunissant à l'origine une douzaine d'équipes des différents quartiers dakarois, les navétanes prennent de plus en plus d'ampleur au lendemain de l'indépendance du Sénégal en 1960. Un modeste trophée ainsi qu'un lot de café, de lait concentré et d'oranges sont alors offerts au vainqueur de la compétition improvisée tandis qu'une multitude de nouvelles équipes de rue et d'autres championnats inter-quartiers fleurissent progressivement à travers les villes du pays[3].

L'urbanisation effrénée de Dakar est étroitement corrélée à la naissance fulgurante de ces escouades de football de rue. Après la Seconde Guerre mondiale, la capitale accueille en effet un afflux massif de Sénégalais en provenance des régions rurales du pays. Ces derniers sont contraints de s'installer dans des bidonvilles surpeuplés proches du centre-ville avant d'être déplacés de force, à partir de 1952, dans de nouveaux quartiers périphériques, à l'instar de Pikine ou Guédiawaye[4]. Déracinés de leur village, venus à Dakar pour tenter de vendre leur force de travail, expulsés *manu militari* des bidonvilles (un phénomène dénommé « déguerpissement »), puis installés dans des banlieues sans âme ni infrastructures, les « déguerpis » s'investissent pleinement dans la création et l'animation d'équipes navétanes locales qui représentent dès lors l'un des rares espaces de loisir et de sociabilité dans leurs tristes cités-dortoirs[5].

Après l'indépendance, le football institutionnel souffre pour sa part de la désaffection des Sénégalais. Constituée en 1961, la sélection nationale enchaîne les prestations décevantes à l'occasion de chaque Coupe d'Afrique des nations ou du Mondial (et ce jusqu'au début des années 2000). Aucun club sénégalais n'a par ailleurs réussi à remporter une Coupe d'Afrique des clubs champions depuis la création du trophée en 1964. Les compétitions officielles, gérées par la FSF, sont quant à elles de piètre qualité. Décisions d'arbitrage contestées, annulations de match, boycott de certains clubs, émeutes violentes des spectateurs... depuis sa fondation en 1960, le championnat sénégalais ne parvient pas à attirer les foules.

Le football navétane n'est cependant pas mieux structuré. Les équipes n'ont que très rarement accès aux stades municipaux et les tournois sont improvisés cahin-caha sur des terrains vagues où l'aire de jeu est mal délimitée et où il est, selon les chroniqueurs sportifs des années 1960, « courageux de jouer et de tomber[6] ». L'arbitrage est parfois incohérent et les interruptions de partie fréquentes. En août 1964, *Dakar-Matin* n'hésite pas, par exemple, à dénoncer l'« atmosphère surchauffée », voire l'« insécurité totale », des navétanes[7]. Toutefois, ces rencontres alimentent les passions footballistiques de toute une jeunesse précaire qui, en jouant dans les rues et sur les terrains de fortune, s'approprie le territoire urbain et se forge une forte identité collective de quartier. Les noms des premières équipes navétanes reflètent ainsi la volonté de s'enraciner localement tout en se rattachant à la culture footballistique mondiale : le Monaco de Pikine, la Juventus de Thiaroye, le Brésil de Wakhinane ou le Blackpool de Rebeuss. D'autres équipes préfèrent quant à elles convoquer l'imaginaire politique en exprimant leur attachement aux mouvements afro-américain (le Harlem de Médina), panafricain (le Renaissance Africaine, l'Africa Sports de Pikine) ou communiste (le Progrès, le Pékin Football Club).

Suite aux révoltes étudiantes de Dakar, à la grève générale des travailleurs sénégalais et aux manifestations spontanées du « sous-prolétariat urbain déscolarisé » au printemps 1968[8], tout un pan de la jeunesse lycéenne et universitaire s'engage au sein des quartiers populaires et plus spécifiquement auprès des équipes informelles de football navétane. Dans une logique d'opposition « par en bas » à l'étreinte autoritaire de l'État, ces formations dépassent le strict cadre du football pour se structurer en Associations sportives et culturelles (ASC) et servir de supports à des projets socio-culturels locaux tels que la création de troupes de théâtre et de micro-bibliothèques ou l'organisation de sorties pédagogiques avec les écoliers. Des tournois féminins de football ainsi que des rencontres de basket-ball et de handball sont également développés. En marge de la politique gouvernementale en faveur de la jeunesse et des sports, les activités des ASC deviennent prétexte à ce que tous les membres de la communauté s'investissent dans leur quartier et *in fine* améliorent eux-mêmes leurs conditions de vie. « Nous étions très critiques, avoue un ancien militant des navétanes et cofondateur de l'ASC Disso de Guédiawaye. En un certain sens, nous étions communistes[9]. »

Les ASC prennent alors une dimension plus inclusive et familiale. Les habitants s'y engagent parce qu'« un parent, un frère ou un oncle sont responsables de ces rencontres sportives ou culturelles inter-quartiers » et « les maisons et les logements deviennent des lieux de réunion ou de rassemblement »[10]. Les femmes, qui s'impliquent activement dans les groupes de supporters navétanes, occupent une place de premier plan dans le développement des activités culturelles et deviennent les instigatrices de vastes opérations de collecte de fonds à l'échelle du quartier dans l'optique de financer leur ASC. Les dénominations des équipes navétanes nouvellement fondées soulignent dès lors leurs ambitions de solidarité et de cohésion sociale, à l'instar des *ASC Diouboo* (« Être unis »), *Walli Daan* (« Venir ensemble et gagner ») ou *Bokk Diom* (« Respect mutuel »). D'autres préfèrent afficher leurs velléités de farouche indépendance, tels les ASC Lat Dior (en référence au souverain wolof qui s'est âprement battu contre les troupes françaises au XIXe siècle) ou Cayor (allusion au royaume précolonial du Sénégal)[11]. Au tournant des années 1970, les quartiers périphériques de Dakar débordent ainsi d'activités sportivo-culturelles, témoignant à la fois de l'appropriation par les habitants de leur cadre de vie et de l'échec de l'État en matière de services publics dans ces banlieues. Ce bouillonnement associatif et militant pousse, en novembre 1972, le quotidien *Le Soleil* à titrer : « Depuis longtemps, Pikine, la cité-dortoir, s'est réveillée[12] ».

L'État sénégalais voit cependant d'un mauvais œil cette autonomisation des quartiers et l'engouement populaire pour le football de rue. Face à ce mouvement navétane qui échappe à son contrôle, le ministère de la Jeunesse et des Sports dénonce l'« anarchie » des rencontres inter-quartiers ainsi que l'« incompétence » et l'« improvisation » des organisateurs et des participants[13]. Partant, les instances ministérielles créent au début des années 1970 l'Organisme national de coordination des activités de vacances (ONCAV) et incitent l'ensemble des équipes navé-tanes, *via* leur ASC, à s'affilier à cette structure officielle. Derrière l'ambition affichée d'impulser un « championnat national populaire » annuel, il s'agit pour la bureaucratie ministérielle d'insérer le football amateur navétane dans sa politique officielle pour la jeunesse. Bien que cette tentative d'absorption institutionnelle se solde par un échec, l'ONCAV ne parvenant pas à prendre le contrôle des équipes, cette intervention étatique renforce le caractère compétitif des rencontres inter-quartiers. D'une part, la structuration pyramidale du championnat sous l'égide d'un organisme officiel exacerbe les rivalités entre les équipes tout en intensifiant l'identification des supporters à leur quartier. D'autre part, l'ONCAV, en reconnaissant implicitement l'existence formelle des clubs navétanes et de leurs quartiers respectifs en tant qu'entités administratives, se voit dans l'obligation de faciliter l'accès des équipes à certains stades municipaux, voire nationaux.

La formalisation progressive d'un championnat national populaire – vite surnommé le « National Pop' » – attise la curiosité des différents quotidiens du pays. Ces derniers consacrent régulièrement deux à quatre pages aux navétanes tout en confessant que le meilleur football dakarois ne se trouve pas dans les grands stades mais dans la rue[14]. Il faut dire que la fébrilité des rencontres et l'atmosphère survoltée dans les tribunes impressionnent les commentateurs sportifs. « Il fallait assister aux explosions de joie intervenant après chaque but, rapporte par exemple *Le Soleil* à l'occasion de la finale navétane de 1970. Il fallait vivre la tension de ce match, l'enthousiasme de la foule. Il fallait voir les couleurs chatoyantes des toilettes des femmes. Bref, il fallait être de la partie pour pouvoir dire que la finale [...] a restitué au football sa vocation originelle de fête populaire[15]. »

Chaque quartier encourage avec liesse son équipe au rythme des sabars et des tamas et, comme lors de grandes festivités, certains supporters surgissent dans les travées avec leur propre orchestre. Comme le souligne Chimère Gueye, administrateur de l'ASC Walidane, « au-delà de l'enjeu sportif, c'est l'honneur d'un quartier, celui d'une famille qu'il faut relever pour que tes proches soient fiers de toi[16] ». L'effervescence populaire avant chaque rencontre se répercute également dans la rue. Bannières, ballons et guirlandes aux couleurs de l'équipe sont installés entre les arbres alors que les murs sont embellis avec des fresques représentant des trophées ou des portraits de footballeurs locaux. Avant chaque match d'importance, les habitants défilent quant à eux dans le quartier en chantant avec exaltation leur appartenance à leur ASC tandis qu'une myriade de tailleurs se dépêchent de finaliser les robes colorées des supportrices et les banderoles en l'honneur de l'équipe.

Reposant sur la disponibilité et l'engagement bénévole de nombreuses petites mains durant la saison des pluies, le « National Pop' » ne s'étire que sur trois à quatre mois et la préparation physique des footballeurs est menée sommairement dans la rue par des entraîneurs non diplômés. Le football navétane se doit ainsi de mettre l'accent sur le jeu collectif au détriment de la performance physique individuelle, tout en misant sur le mental des joueurs. Tout au long du championnat, ces derniers sont en effet appelés à jouer *dem ba diekh*, une expression wolof qui signifie « aller jusqu'au bout » (ou, ici, « mouiller le maillot »). Cette injonction au dépassement de soi est d'autant plus cruciale qu'elle est appuyée par le *khon*, un ensemble de pratiques mystiques très répandues au sein du milieu sportif sénégalais et tout particulièrement durant les navétanes. Ainsi, en plus de la traditionnelle réunion d'avant-match consacrée aux discussions tactiques, les footballeurs participent à divers rituels organisés par le marabout officiel de l'équipe dans le but de protéger les joueurs contre les blessures ou de conjurer le sort jeté par la formation adverse. Avant de fouler le terrain, chaque joueur est en outre doté d'un talisman tandis que des amulettes sont enterrées près des buts. Comme l'atteste Chimère Gueye de l'ASC Walidane, « les préparations mystiques d'avant-match rentrent dans le cadre de la préparation psychologique des équipes[17] ».

Fort du succès populaire du championnat national navétane, le Sénégal compte dès le milieu des années 1980 plus de 600 ASC – dont 200 à Dakar – enregistrées auprès de l'ONCAV[18]. Cet essor fulgurant des associations de quartier abritant une équipe de foot amateur transforme progressivement les ASC en des acteurs incontournables du développement local. Une nouvelle pratique communautaire wolof émerge même à travers le maillage de ce tissu associatif sportivo-culturel : le *set setal*. Se traduisant littéralement par « être propre et rendre propre », le *set setal* consiste en un large mouvement populaire qui encourage les habitants à collectivement nettoyer, assainir et embellir leur quartier. Le 29 novembre 1990, à propos du *set setal* et de la puissance de mobilisation des ASC, *Sud Hebdo* constate : « Le quartier se substitue à la commune. Tout s'y décide. [...] Les jeunes ont l'initiative et dictent leurs lois... La rue est contrôlée par ceux qui y vivent. »

Toutefois, la masse exponentielle de jeunes licenciés au sein des ASC – en 1999, Dakar comptait à elle seule plus de 50 000 membres inscrits et 400 clubs[19] – attise progressivement la convoitise des hommes politiques sénégalais qui y décèlent un indéniable potentiel électoral. À partir des campagnes présidentielle puis législative de 1993, les politiciens en mal de popularité assistent systématiquement aux cérémonies de remise des trophées navétanes pour offrir une enveloppe financière et autres équipements sportifs à l'équipe victorieuse. Nombre de dirigeants d'ASC ne résistent guère aux sirènes du clientélisme, certains commençant même à flirter avec l'establishment politique dakarois ou à utiliser le club comme tremplin électoral. Du reste, la reprise en main progressive des différents comités locaux de l'ONCAV par les présidents d'ASC achève le rapprochement entre certains clubs navétanes et les édiles en quête de nouveaux électeurs. « C'est un instrument efficace, les élus locaux aussi l'ont compris, se désole Foutihou Ba, le président de l'ASC Liberté 3, un quartier dakarois. Ils arrosent les clubs de subventions, car là où il y a du foot amateur, il y a des votes à gagner[20]. »

En parallèle, les enjeux sportifs et économiques des navétanes sont devenus de plus en plus conséquents. Le folklore populaire des cérémonies d'ouverture et de clôture, animées par les troupes de théâtre et de danse des ASC, a été fermement réglementé et, grâce au soutien financier de la diaspora sénégalaise vivant en Europe ou en Amérique du Nord, les joueurs sont désormais équipés de chaussures à crampons et de véritables maillots aux couleurs du club (et non plus de t-shirts de fortune avec un numéro peint dans le dos). Les équipes n'hésitent plus, quant à elles, à recruter des « mercenaires », c'est-à-dire des joueurs extérieurs au quartier rémunérés pour leurs talents footballistiques. Quelques clubs navétanes caressent même l'ambition d'accéder à l'élite du football professionnel sénégalais et de suivre ainsi l'exemple de l'ASC Niarry

Tally, l'une des équipes les plus populaires de la capitale qui a réussi à intégrer la Ligue 1 en 2009 avant d'être officiellement vice-championne du Sénégal en 2010 et 2015.

Malgré ces dérives politiciennes et une relative normalisation du « National Pop' », l'engouement populaire pour les rencontres navétanes et, surtout, la vitalité sportive de ce football de rue demeurent intacts. Pour preuve, les équipes de quartier sont désormais considérées comme des espaces de formation à part entière, et ce uniquement grâce au dévouement bénévole d'éducateurs passionnés. Des joueurs internationaux sénégalais de renom, comme El-Hadji Diouf, Diafra Sakho ou Papiss Demba Cissé, sont tous issus à l'origine d'équipes navétanes. Cette singularité a été d'autant plus remarquée qu'en 2002 le Sénégal a enfin réussi à sortir de sa léthargie footballistique en décrochant une qualification historique pour les quarts de finale de la Coupe du monde puis, dans la foulée, en accédant pour la première fois à la finale d'une Coupe d'Afrique des nations. Un succès qu'on ne peut dissocier du football navétane puisque, sur les 22 internationaux sélectionnés, presque tous avaient participé au « National Pop' » et seuls trois d'entre eux avaient déjà porté un maillot de la Ligue professionnelle officielle... Un débordement amateur du football institutionnel qui, n'en déplaise à la FSF, provient directement de la rue.

Un futebol *sans terrain ni limites*

De l'autre côté de l'Atlantique, c'est un autre pays qui vit sa passion pour le ballon rond à l'écart des institutions footballistiques. À peine 1 % des Brésiliens sont en effet officiellement licenciés dans un club de football[a]. Et si, au Brésil, 77 % des habitants (hommes et femmes confondus) déclarent que le *futebol* est la plus grande passion de leur vie[21], ils et elles le pratiquent en dehors du cadre institué par la Confederação brasileira de futebol (CBF). Depuis son introduction au XIXe siècle à São Paulo, le football brésilien se joue en effet dans la rue, ses pratiquants l'affublant du doux nom de *pelada*[b]. Le mot, qui se traduit littéralement par « nue », fait tout autant référence aux joueurs

---

a   Soit seuls 2,14 millions de joueurs licenciés pour un pays de plus de 200 millions d'habitants selon le dernier recensement *Big Count 2006* de la FIFA. Par comparaison, l'Allemagne et la France recensent respectivement 6,5 et 2 millions de licenciés.
b   Les termes de *baba, racha* ou *rachão* sont également utilisés.

qui sont le plus souvent pieds nus qu'au dépouillement des surfaces qui servent de terrain improvisé. L'expression pourrait également provenir de « *péla* », nom donné aux balles de jeu pour enfants, mais qu'importe : la dénomination même met en exergue une pratique à la fois pauvre et ludique, bien éloignée de l'exaltation de la compétition insufflée par les instances officielles du football.

La *pelada* se veut avant tout une partie de football informelle synonyme de convivialité qui se pratique sur n'importe quel espace disponible et appropriable le temps d'une partie. « Celle-ci se joue dans la rue, ou sur les pentes d'une colline, entre des rails de train, à l'intérieur d'un bus ou dans un marécage, sur le sable mouillé ou sur n'importe quelle surface, avance l'artiste musicien Chico Buarque. C'est un sport sans terrain, toutes les limites en sont imaginaires[22]... » La clef de voûte de la *pelada* reste le plaisir de partager un moment de football sans contrainte. S'il n'existe pas d'horaires ou de jour spécifiquement alloués à la *pelada*, c'est généralement en fin d'après-midi, au crépuscule, que les rencontres endiablées débutent. De même, le samedi et le dimanche ainsi que les jours fériés sont traditionnellement consacrés à taper le ballon dans la rue. Quant à la partie, elle se termine le plus communément soit après qu'une équipe a inscrit deux buts, soit après 10 minutes de jeu[23].

Les éléments matériels nécessaires pour jouer sont minimalistes et mobilisés dans l'immédiateté. Les buts sont délimités par des briques, des chaussures ou des morceaux de bois. Le ballon peut être une vieille balle de cuir élimé comme une *bola de leite* (ballon en plastique pour enfant) ou même être fabriqué sur l'instant avec des chaussettes ou des sacs plastiques. Les joueurs des deux équipes se distinguent aisément : ceux qui gardent leur t-shirt et ceux qui jouent torse nu. Le nombre de footballeurs sur le terrain peut varier, de 2 à 22, en fonction de l'espace et des *peladeiros* disponibles sur le moment. Jeune dribbleur des favelas, adolescente férue de *futebol*, vieux commerçant du coin ou enfant qui vient de finir ses devoirs scolaires, la *pelada* agrège au-delà des limites d'âge ou de sexe. Il existe par ailleurs une multiplicité de façons de taper le ballon : on joue *golzinho* – avec des mini-buts d'environ 1,5 mètre de large et sans gardien –, *golzão* – avec de vrais buts et deux gardiens –, autour d'un *bobinho* – jeu de passes avec un joueur central qui doit tenter de reprendre la balle – ou d'une *roda de embaixadinhas* – les joueurs, disposés en cercle, se font tourner le ballon en jonglant, sans qu'il touche le sol. Aucun arbitre n'est désigné durant les matchs, les footballeurs régulant collectivement les litiges et accordant leur confiance à celui qui réclame une faute ou crie quand la balle sort des démarcations préétablies[24]. Les deux éléments structurants de la *pelada* sont ainsi l'improvisation et la flexibilité, toute contrainte étant dépassée par l'impérieuse nécessité de taper le ballon. « Je peux jouer en baskets ou pieds nus, sur le terrain ou sur le bitume, qu'importe, ce qui compte c'est de s'amuser, de toujours jouer et de donner son meilleur football », affirme Fabiano, un jeune footballeur du quartier de Sinhá, une favela de São Paolo[25].

À Rio de Janeiro, le football se pratique sur des terrains de fortune souvent situés au sommet d'une colline. Certains de ces espaces sont devenus au fil des ans le support d'une mémoire collective qui s'est forgée au gré des parties, marquant par là même l'attachement des habitants à leur terrain. Depuis la fin des années 1970, le petit terrain poussiéreux accroché sur les hauteurs de Babilônia voit ainsi affluer chaque dimanche des *peladeiros* de la favela éponyme. « À l'époque, plus en bas, il y avait un terrain où seuls les adultes étaient autorisés à jouer, se souvient le *peladeiro* Paulo Cesar de Souza. J'avais à peine 12 ans et en haut habitait un vieil homme depuis de longues années. Avec huit ou neuf amis, on a grimpé jusqu'à près de chez lui pour taper le ballon. Un jour, il a attrapé notre balle, il est venu nous voir en disant "Vous voulez jouer au foot ? Voilà ce qu'on va faire : je vais vous aider à nettoyer cet espace et, comme ça, vous aurez votre propre terrain pour vous amuser". Chaque fin de semaine, on venait ici pour creuser, défricher, aplanir et il nous a aidés comme promis. On a monté ensuite des mini-buts et, aujourd'hui encore, je ressens le même plaisir d'y jouer avec mes enfants et mes amis[26]. »

À São Paulo, où l'urbanisation galopante a rongé tout espace vacant, les terrains de *pelada* peuvent donner lieu à des luttes de quartier. Ce fut le cas lorsque, au début des années 2000, les habitants du Morro da Lua ont dû se mobiliser contre la construction de logements à l'emplacement de leur terrain de football dénommé « América »[27]. « Au Brésil, la pratique du football a toujours été très dépendante des espaces publics et la plupart d'entre eux sont de simples terrains vagues, précise Thiago Hérick de Sá, chercheur à l'université de São Paulo. Mais ces espaces ont été considérablement accaparés par le marché immobilier, pour la construction d'immeubles ou de bureaux, et cela aussi bien dans les centres-villes que dans les banlieues[28]. »

Cette affection des habitants pour les lieux de pratique du ballon s'explique par la dimension sociale propre au football de rue. À Vila Andrade, quartier pauvre de São Paolo, un professeur d'éducation physique a ainsi démontré comment une simple impasse bordée de garages du quartier de Jardim Elisa constituait depuis quatre générations l'aire de jeu privilégiée pour la *pelada*[29]. Investi en fin de journée par les enfants d'une dizaine d'années puis par les adolescents à la tombée de la nuit, ce bout de bitume accaparé le jour par les ateliers de mécanique automobile se transforme en espace de jeu pour la jeunesse locale. Pour nombre d'habitants, l'occupation de l'impasse par le football est aussi une façon d'animer la rue durant la nuit et d'éviter ainsi que cet espace, déserté, ne devienne une zone d'insécurité. C'est enfin, à leurs yeux, un lieu de convivialité où les jeunes peuvent pratiquer gratuitement leur passion et où les plus petits sont surveillés par les aînés, qui prennent ainsi le relais des parents[30].

Dans la métropole pauliste étouffée par la bétonisation, le football de rue se pratique également beaucoup dans les *quadras*, des petits terrains entourés de grillages métalliques et enclavés dans le dense maillage urbain. Ces *quadras* accueillent souvent une *pelada* moins informelle, dénommée *futebol de várzea*, du nom des plaines alluviales enserrant le fleuve qui traverse São Paulo et qui hébergeaient aux origines les premières parties de foot. Dans les banlieues défavorisées de São Paulo gangrenées par la violence liée au trafic de drogue, les petits clubs locaux de *futebol de várzea* possèdent un rôle social de premier ordre. « Notre objectif principal, c'est de rassembler, de créer un esprit de famille, une cohésion de groupe, avance Wellington, animateur d'un de ces clubs, le Nove de Julho Futebol Lazer. On essaye d'intégrer tout le monde, de montrer qu'on peut se faire ici de nouveaux amis. On est dans une démarche alternative par rapport à ceux qui propagent la violence dans le quartier[31]. » Véritable échappatoire à la délinquance quotidienne, de nombreux bénévoles s'engagent en effet dans l'organisation de rencontres de *pelada* afin d'occuper les plus jeunes et tenter de redonner un sens à leur quotidien dans des quartiers totalement abandonnés par l'État.

Anciennement dénommé Desafia ao Galo et reconnu par les autorités footballistiques régionales dans les années 1990, un tournoi amateur, la Copa Kaiser, rassemble même chaque année près de 200 équipes de *futebol de várzea* issues des différentes favelas de l'agglomération pauliste. Cette Copa et, plus généralement, chaque match de fin de semaine, sont devenus l'occasion de mobiliser les groupes de percussions locaux, d'installer un *sound system* et d'organiser des barbecues (les *churrascos*) afin de réunir dans la convivialité et autour de la ferveur pour leurs équipes respectives toutes les familles du quartier.

À l'échelle nationale, c'est un étonnant championnat amateur et non affilié à la Confederação brasiliera de futebol qui se déroule chaque année à Manaus, en pleine Amazonie. Conçu en 1973 comme un projet social par des journalistes du quotidien *A Crítica* et baptisé Peladão, ce gigantesque événement populaire mêle football amateur et une particularité toute brésilienne : un concours de « reines de beauté » (chaque reine représentant une équipe). Rassemblant près de 1 100 équipes et 23 000 *peladeiros*, cette manifestation nécessite une soixantaine de terrains improvisés à travers la ville – sur certains d'entre eux, les phares de voitures éclairent les matchs afin que les parties s'enchaînent après la tombée de la nuit – et parvient à rassembler au stade Vivaldo Lima quelque 40 000 spectateurs[32].

Le Peladão comporte par ailleurs quelques règles de jeu qui paraîtraient insensées aux yeux d'un cadre de la FIFA. Si une « reine de beauté » est qualifiée à une étape de la compétition mais que son équipe ne l'est pas, les *peladeiros* peuvent rejouer dans un tournoi parallèle afin de tenter de rentrer à nouveau dans la compétition. De même, les cartons jaunes peuvent être effacés si les joueurs s'engagent à acheter des ballons pour les enfants défavorisés. Plusieurs divisions structurent ce tumultueux championnat[c] pour permettre à des équipes d'hommes, de femmes, d'adolescents, de vétérans mais aussi issues des communautés amérindiennes de concourir. « Il n'y a pas de séparation de classes sociales, insiste Arnaldo Santos, en charge du championnat. Certaines personnes ne savent même pas ce qu'elles vont manger le lundi, mais dimanche elles jouent et les spectateurs les applaudissent[33]. »

Au-delà de ces compétitions amateur de grande envergure qui échappent à toute autorité institutionnelle, la liberté de pratique propre à la *pelada*, les multiples obstacles qui façonnent l'aire de jeu – bordures de trottoir, muret, voiture, irrégularité du sol, etc. – ainsi que l'étroitesse des terrains obligent les footballeurs à acquérir une grande maîtrise du ballon. Une virtuosité que les Brésiliens nomment la *ginga*, terme qui désigne à la fois le jeu de jambes de base de la capoeira et le balancement de la démarche du voyou de la rue (le *malandro*) [voir chapitre 12]. « C'est à la *pelada* qu'on apprend à jouer au football, à développer son style, à prendre des coups, à sortir le ballon d'obstacles inextricables, à feinter, des choses que même les footballeurs professionnels ne connaissent pas, confie Neto, ancien joueur du SC Corinthians et de la sélection nationale brésilienne. Les footballeurs issus des *peladas* ont cette *ginga* en eux, contrairement aux autres joueurs qui sont aujourd'hui totalement

---

c   Lors de l'édition 2013, le gardien de l'équipe Amigos do Tonho, Paulo Christian Bezerra Silva, a été assassiné par un supporter de l'équipe adverse après avoir arrêté un penalty décisif pour la qualification de son équipe.

robotisés[34]. » Les tournois de *futebol de várzea*, les *quadras* et autres terrains vagues sont en effet un vivier de talents prometteurs pour les grands clubs professionnels. Garrincha dans les années 1950-1960, Romário, Ronaldo et Rivaldo dans les années 1990-2000 ou plus récemment Neymar sont tous d'anciens *peladeiros* acharnés. « Le football brésilien, ce football joyeux tout en légèreté, en improvisation et en habileté, vient de la *pelada* », assure Luís Fabiano, joueur international et attaquant de l'équipe brésilienne dans les années 2000. Et le footballeur professionnel de se remémorer non sans nostalgie ses parties de rue : « Avec ou sans t-shirt, pieds nus, avec un ballon de fortune, on s'éclatait. Cela nous permettait de laisser de côté tous nos problèmes, notre quotidien, nos responsabilités. C'était vraiment génial, de la *pelada* pure, celle qui vient des quartiers[35]... »

Le foot des cités : jouer pour exister

Le football institutionnel est également en crise en France. Alors que la Fédération française de football (FFF) compte depuis une vingtaine d'années environ 2 millions de licenciés, beaucoup de Français – et un nombre croissant de Françaises – pratiquent ce sport en marge des cadres institutionnels. « Il y a un football parallèle, en dehors des clubs, qui est en train de se développer, analyse en 2012 l'ancien Bleu et entraîneur français Laurent Blanc. Un football sauvage – ce n'est pas péjoratif –, pas réglementé, sans arbitre. Plus d'un million de gens jouent comme ça. Parce qu'ils se régalent[36]. »

C'est le cas en particulier dans les « banlieues », qui ont vu naître un authentique et alternatif football de rue. S'appropriant les espaces ouverts – parking, cour d'immeuble HLM, terre-plein – ou les petites infrastructures sportives de proximité mises en place à partir des années 1980 par les autorités publiques[37], un football de cité totalement improvisé et auto-organisé s'est affranchi des pratiques footballistiques dominantes. Comme les *peladas* brésiliennes, et pour renouer avec l'aspect purement ludique du football, ce foot de rue prend certaines libertés avec les règles officielles. « On joue sans règle, enfin sans règle précise, explique Stéphane, un joueur de la banlieue grenobloise, dans le cadre d'une enquête sociologique réalisée à la fin des années 1990. S'il y a un problème on discute et on décide. [...] On ne met pas de limites au terrain, ou si un joueur court comme un fou pour rattraper un ballon et que le ballon sort un peu derrière les buts on laisse faire pour qu'il centre et fasse une belle action. Ce sont les belles actions qui nous intéressent. [...] Pour le plaisir de pouvoir à nouveau dribbler, il est possible que l'attaquant attende son défenseur avant de tirer au but[38]. »

Les parties de rue spontanées se déroulent ainsi sans arbitre et certaines contraintes de jeu, comme le hors-jeu, sont fréquemment abandonnées. Les équipes s'affrontent généralement à cinq contre cinq mais les joueurs peuvent changer en cours de partie afin de rééquilibrer les forces en présence – si une équipe est trop dominante, le jeu perd toute sa signification[39] – ou intégrer d'autres footballeurs désireux de taper le ballon. « On s'amuse bien, c'est pas le football de compétition, on est libre, on dribble, on dribble pas, il n'y a pas d'entraîneur, de surveillant du club qui nous casserait les pieds, qui nous dirait de faire ça, insiste Salah de la cité des Œillets à Toulon. On n'est pas emprisonné dans un cadre. Il n'y a pas de rigidité[40]. » L'autoarbitrage se pratique de façon horizontale et peut parfois donner lieu à des phénomènes de violence verbale, voire physique. Mais les altercations restent rares, insiste Salah : « Ça se gère bien ; ça se passe comme ça malgré que ça rouspète, ça gueule[41]... » L'essentiel reste la souplesse du jeu et non l'application rigide des règles fédérales. Le choix de l'aire de jeu en lui-même incarne cette rupture radicale avec le cadre sportif institutionnel et son terrain de football standardisé. « La largeur du terrain s'arrête au parking d'un côté et à la pente du terrain de l'autre. C'est là qu'on fait les touches ! Dans la longueur, ça dépend du nombre de joueurs », témoigne ainsi un joueur à propos de sa pratique quotidienne du football de rue[42].

L'expression du détachement vis-à-vis de la pratique conventionnelle s'opère également par le renversement de la logique inhérente au football où l'individu est au service du collectif dans une visée productive de marquer des buts. Dans le foot de cité, le collectif est prétexte à mettre en scène la technicité de chaque joueur *via* un ensemble d'actions de jeu purement esthétiques[43]. Petit pont, roulette, passement de jambes, talonnade, virgule, aile de pigeon sont autant de gestes inlassablement travaillés jusqu'à la perfection qui permettent d'être *individuellement* reconnu et valorisé sur le terrain. « On souhait[e] se faire plaisir, à nous-mêmes, sans faire plaisir à l'équipe », confesse Choukri, de la cité toulonnaise des Œillets[44]. Quant à celui qui ne parvient pas à maîtriser le ballon au cours d'une partie, il est irrémédiablement « chambré » au sein de la cité, comme l'indique Dounia Homms, une footballeuse de Choisy-le-Roi : « Le petit pont en général c'est mal vu, quand tu te prends un petit pont, c'est que tu ne sais pas jouer, que tu ne sais pas fermer tes jambes[45]. » Pour Maxime Travert, maître de conférences à la Faculté des Sciences du sport à Marseille, cette primauté de la technicité individuelle ne doit pas être interprétée « comme une atteinte à l'esprit collectif du jeu voire comme l'expression d'une infidélité à la discipline du jeu mais comme, dans un contexte communautaire, une tentative éphémère d'exister[46] ».

La virtuosité balle au pied se transforme en langage corporel qui permet aux joueurs trop souvent décrits comme une masse indistincte de « jeunes de banlieue », voire niés ou invisibilisés, de s'affirmer librement en tant qu'individus à part entière. « [Le football de rue] permet de te défouler parce qu'à un moment tu as la haine, tu ne comprends rien à l'école, il n'y a personne pour t'aider, tu as des difficultés financières et quand tu te retrouves [sur le terrain] t'es libre, t'es libre de tous tes problèmes, de toutes ces barrières que tu as en dehors, dans la société et là, c'est un bol d'oxygène », souligne Ferhat Cicek, entraîneur-éducateur de football sur le « Plateau », un terrain d'un quartier populaire au sud de Paris[47].

Les footballeurs de rue cultivent ainsi une certaine méfiance à l'égard des clubs traditionnels où se pratique un football à onze qui efface leur individualité. « C'est impersonnel [...] tu n'as plus ton identité [...] tu es noyé dans un groupe », estime Choukri. Et Sami, de la même cité de Toulon, d'abonder : « On est inexistant, on ne nous voit pas[48] ! » Les nombreuses contraintes qu'impose la pratique en club, tels la régularité hebdomadaire des entraînements, le calendrier des matchs, la formation des équipes ou l'esprit de rigueur et de discipline, s'opposent par ailleurs brutalement à la spontanéité propre au football de rue. « Dans un club de foot à onze, tu ne vas pas choisir tes partenaires, c'est le coach qui va le faire, qui va former ton groupe. Le street foot [football de rue], en général il est composé des petits, des grands du quartier, c'est ta seconde famille. La meilleure définition [du football de cité] c'est la liberté », explique Ferhat Cicek[49]. L'« entre-nous » caractéristique du football de rue est disqualifié au sein des clubs, où l'on valorise plutôt l'habituelle confrontation entre « eux » et « nous »[50]. « Je préfère mieux le foot de la cité parce que le foot du club, il est plus physique, il est plus violent, avoue Franck de la cité des Œillets. À la cité, comme on se connaît tous, on ne se fait pas de choses méchantes ; alors que dans le club on ne les connaît pas les joueurs adverses, on veut les détruire, on joue un tacle méchant[51]. »

Plus prosaïquement, c'est souvent le manque de moyens financiers qui empêche les jeunes footballeurs des milieux populaires de prendre une licence auprès du club voisin. « Rien que chez nous on était cinq garçons, raconte par exemple Yannick Mendy, éducateur à Argenteuil. Alors payer une licence, une paire de baskets, de crampons, de survêt', etc. Comme nos parents n'avaient pas les moyens, tout cela revenait vite à cher[52]. » *A contrario*, pour taper le ballon dans la rue, « tu n'as pas à payer, même si t'as pas d'affaires et des chaussures trouées, tu joues avec tes potes, tu n'as besoin de rien », affirme Bernard Messi, également originaire d'Argenteuil et initiateur d'un tournoi francilien de foot à cinq pour les 14-16 ans[53].

Au même titre que les forces de police, le club sportif apparaît parfois aux yeux des footballeurs des cités comme une institution sociale représentative de l'autorité d'État[54]. L'émergence dans les années 1980 de la figure médiatique du « jeune de cité » turbulent, suite notamment aux révoltes des banlieues lyonnaises – à la cité des Minguettes à Vénissieux, puis à Villeurbanne et à Vaulx-en-Velin –, a amené les autorités publiques à faire du sport un instrument de pacification sociale[55]. Regardé avec méfiance par les élus locaux, le foot de rue est intégré dans les politiques de la ville initiées dans les années 1990, les pouvoirs publics cherchant à faire accéder les jeunes joueurs de banlieue « au "stade supérieur" de la socialisation, c'est-à-dire les insérer dans des associations ou clubs sportifs dépositaires d'une forme de sociabilité et de citoyenneté supérieure[56] ».

Financé par la municipalité et affilié à la FFF, le club amateur local est alors avant tout perçu par les footballeurs des cités comme un lieu où se perpétue un certain ordre social. « C'est vite vu, il n'y a pas de place pour tout le monde, dénoncent dès la fin des années 1990 des joueurs de rue de Fontaine, dans la banlieue grenobloise. Alors on te raconte du baratin. On dit que machin est en forme, ou qu'il tient bien sa place. D'accord, il n'était pas à la hauteur la semaine dernière mais il sera mieux la prochaine fois. Et toi pendant ce temps-là, tu attends sur le banc de touche. Après, tu comprends et tu ne viens même plus. Hamed, il reste chez lui !... À ce moment-là, l'entraîneur en profite pour dire que t'as un sale caractère et que tu ne sais pas jouer collectif. La vérité, c'est qu'il peut pas sacquer les Arabes. Mais ça, il ne le dira jamais. Reste plus qu'à faire une équipe d'Arabes, et pourquoi pas une équipe d'Algériens, de Tunisiens... Les vétérans font des équipes comme ça, mais eux, c'est pour se rappeler le bon temps du bled. Pour nous, ça n'a pas de sens. Ou si, ça veut seulement dire qu'on ne veut pas de nous[57]. »

Si les footballeurs de rue préfèrent se distancier des clubs officiels, c'est aussi qu'ils sont attachés à leur terrain de foot où se construit au gré des matchs enfiévrés une mémoire collective partagée entre joueurs et habitants du quartier. À la cité des Musiciens à Argenteuil, un terrain baptisé « San Siro », du nom du mythique stade milanais, accueille depuis plus de 25 ans les parties de football dominicales. « Le championnat italien c'était à l'époque un des meilleurs du monde, rappelle Toufik, une figure de la cité. Les clubs de référence c'étaient l'Inter et le Milan AC[58]. » Le San Siro ne paie pourtant pas de mine. Le terrain n'est pas rectangulaire, l'aire de jeu n'est pas tracée et le bitume, rugueux, a égratigné nombre de mains et de genoux de footballeurs.

Pourtant, lorsqu'en 2013 la municipalité a annoncé son projet de détruire le San Siro pour étendre un parking, les habitants de la cité se sont mobilisés pour défendre avec opiniâtreté leur terrain. « Au-delà du foot, San Siro, c'est hyper important pour nous, insiste Tarek Mouadane, un responsable associatif local. C'est là où on se retrouve pour célébrer nos disparus [les jeunes du quartier décédés prématurément]. C'est là où beaucoup de conflits se sont résolus. C'est là où l'on évoque les problèmes du quartier, et puis, c'est devenu le symbole de notre capacité à faire bouger les choses, à nous battre ensemble. On avait inscrit le nom de nos disparus sur les murs, on connaissait chaque centimètre carré du terrain. Le détruire, ça revenait à faire disparaître notre histoire[59]. » Le terrain a servi de support pour des tournois caritatifs en solidarité avec les proches de personnes décédées dans le but de récolter des fonds pour les funérailles ou encore afin d'aider des familles victimes d'un incendie dans une barre d'immeubles voisine. « C'est aussi là que tout le monde se rejoint, les footeux comme les non-footeux, c'est là qu'on fait les barbecues, c'est là que les petits ils peuvent un moment approcher les grands, c'est là où on peut échanger, ajoute Fabrice Ngoma, éducateur sportif. En fait c'est un tout, ce n'est pas qu'un terrain de foot, c'est vraiment le cœur du quartier[60]. » Après trois ans de négociations difficiles et de sabotages nocturnes du chantier, la mairie a cédé à condition que le San Siro soit réhabilité et mis aux normes en vigueur.

Dans la banlieue Nord de Paris, ce sont également des terrains de football de rue qui servent à entretenir la mémoire des victimes de violences policières. En Seine-Saint-Denis, le 27 octobre 2005, une dizaine d'adolescents de Clichy-sous-Bois rentrant d'une journée de vacances passée à jouer au foot croisent des policiers appelés pour une tentative de vol dans le quartier. Effrayés, deux d'entre eux, Zyed Benna, de la cité du Chêne-Pointu, et Bouna Traoré, de la Pama, meurent en se réfugiant dans un transformateur électrique afin d'échapper à un contrôle d'identité qui les aurait fait rentrer trop tard chez eux en plein ramadan. S'ensuivent trois semaines de révolte qui enflammeront l'ensemble des banlieues du pays. Depuis, l'un des frères de Bouna Traoré – qui était connu pour être un joueur de qualité et très technique – organise chaque 27 octobre un tournoi de football en mémoire des deux jeunes victimes. « [Bouna], c'était la légende, raconte Fariz, un camarade de classe. Quand ils perdaient, les mecs de la Pama disaient que c'est parce que Bouna n'était pas là. C'était la star[61]. » Originaire du quartier du Chêne-Pointu comme Zyed Benna, Mustapha Otmani, devenu aujourd'hui joueur professionnel de futsal, se remémore les matchs de fortune qui animaient Clichy-sous-Bois : « On organisait souvent des tournois entre les quartiers : Chêne-Pointu, Stamu... Chaque joueur venait avec une bouteille de Coca ou de jus de fruits. L'équipe gagnante repartait avec toutes les bouteilles. C'était un peu notre Ligue des champions[62]. » À l'été 2017, en banlieue parisienne, un tournoi a été également mis sur pied à Champagne-sur-Oise, puis au terrain de Boyenval, à Beaumont-sur-Oise, en hommage à Adama Traoré. Grand amateur de football, ce jeune de 24 ans était décédé un an plus tôt lors de son interpellation par la gendarmerie locale.

Les feintes du foot-business

À l'instar du championnat navétane au Sénégal ou des terrains des favelas au Brésil, les banlieues françaises constituent aux yeux de l'industrie footballistique un réservoir de joueurs d'élite. Si l'une des premières figures du « footballeur issu des cités » demeure Zinedine Zidane, Paul Pogba de la cité de La Renardière à Roissy-en-Brie, Hatem Ben Arfa de la cité de la Butte-Rouge à Châtenay-Malabry ou Ousmane Dembélé d'Évreux sont entre-temps devenus des footballeurs évoluant dans les plus prestigieuses formations européennes.

Reconnues pour leurs qualités techniques forgées sur le bitume, ces stars du ballon incarnent pour nombre de jeunes joueurs de cité un modèle d'exemplarité. Mais, dans un même mouvement, le recrutement de ces footballeurs de rue permet au football professionnel de transformer les logiques ludiques et esthétiques propres au foot sauvage en valeur compétitive. La virtuosité technique ou la capacité à dribbler, synonymes de reconnaissance individuelle et de spectacle populaire dans les matchs de foot de quartier, deviennent de simples variables permettant d'évaluer froidement chaque joueur sur le marché du football mondial. « On va arriver à un sport où l'enjeu sera avant tout de savoir qui met le plus de crochets, le plus de passements de jambes, commentait en 2017 Karim

Benzema, attaquant vedette du Real Madrid et originaire de Bron, dans la banlieue de Lyon. Peut-être qu'on ajoutera des points en fonction de ça d'ailleurs. On parle aujourd'hui beaucoup plus des joueurs créatifs, des dribbleurs. [...] Quand tu regardes un match à la télé ou une émission, on ne te parle plus que de statistiques. On ne parle plus de football[63]. »

Cette récupération institutionnelle et marchande du football de rue se traduit également dans les nouvelles compétitions organisées sous l'égide de grands sponsors de l'industrie du football. Depuis le milieu des années 1990, l'équipementier Puma organise des rencontres de street foot dans les métropoles européennes à grand renfort de merchandising à destination des jeunes de banlieue[64]. Récemment, Adidas et Nike ont respectivement lancé la Tango League et le Winner Stays, des tournois internationaux de foot de rue à quatre ou à cinq, qui servent avant tout d'outil promotionnel pour leurs dernières chaussures de sport. Certaines épreuves, tels le Red Bull Street Style (créé en 2012) et l'European Street Cup (2013), vont jusqu'à reprendre des pratiques de jeu inventées dans la rue comme le panna (jeu à un contre un où des points bonus sont attribués à chaque petit pont sur l'adversaire) ou le Freestyle (un joueur doit réaliser le plus de figures dans une limite de temps fixée).

La FIFA a pour sa part standardisé et codifié les parties de *pelada* sur les plages brésiliennes dans l'optique d'ouvrir un nouveau marché sportif et de mettre la main sur une pratique populaire informelle. Dès mai 2005, elle a mis sur pied, avec la Beach Soccer Worldwide (une fédération de foot de plage née en 1992), une Coupe du monde professionnelle de beach soccer. La même année était lancée sous la franchise de l'instance internationale du football la série de jeux vidéo *FIFA Street*, considérée par son producteur comme la « première véritable expérience de football de rue de qualité[65] »…

Comme pour se régénérer, et se relégitimer, le foot-business puise quant à lui allégrement dans l'imaginaire du football de rue. Lors de la Coupe du monde 2006, Adidas, partenaire officiel de la compétition, tourne sa campagne publicitaire sur un terrain de fortune niché au sein d'un quartier populaire espagnol. Elle met en scène deux enfants jouant dans la rue une partie endiablée de foot avec des stars comme David Beckham, Djibril Cissé et même Franz Beckenbauer avant qu'une mère au balcon ne siffle la fin de la partie. Intitulé *José+10*, ce spot qui marquera les esprits mobilise tout autant des attributs universels propres au football de rue (terrain de cour d'immeuble, jeu de mains pour choisir en premier les membres de son équipe, ballon cognant une voiture, débat entre joueurs autour d'un but litigieux) que la dimension ludique et enfantine du ballon rond. En 2014, c'est au tour de Nike de lancer un clip publicitaire international se référant au street foot. Comme une métaphore de l'institutionnalisation marchande du football populaire, une modeste partie de foot de quartier entre adolescents évolue progressivement en rencontre internationale télédiffusée, les jeunes footballeurs se muant en Cristiano Ronaldo ou en Neymar pendant que le terrain au gazon épars prend la forme d'un stade international bondé de supporters.

En invoquant le football sauvage, ces compétitions commerciales biberonnées à l'argent des sponsors et ces énormes campagnes marketing tentent de nous convaincre qu'il existe une continuité naturelle entre le foot pratiqué dans la rue et l'industrie mondiale du football. Les tenants du foot-business oublient cependant qu'ils ne pourront jamais s'accaparer l'une des valeurs essentielles du football : la *joie pure* de jouer collectivement au ballon. « Le premier plaisir pour un joueur qui fait du foot de rue, c'est sa relation entre lui, le ballon et ses potes de quartier, rappelle l'entraîneur-éducateur de rue Ferhat Cicek. Que ce soit dans les favelas à Rio ou dans les quartiers en France, le plaisir il est exactement le même parce que le street foot ça rime avec un ballon, un terrain et tes potes. Et là le monde, il est à toi[66] ! »

Notes

Notes de l'introduction
(pages 5 à 10)

1   Cité *in* Florent TORCHUT, « Le Barça, une marque mondiale qui agace les socios », *L'Équipe*, 18 août 2017.
2   « Price of Football : Full results 2015 », *BBC News*, 14 octobre 2015 ; David CONN, « The Premier League has priced out fans, young and old », *The Guardian*, 16 août 2011.
3   Cité *in* Florent TORCHUT, *loc. cit.*
4   FIFA, *Enquête sur le football féminin.* Rapport de synthèse, 2014, p. 50.
5   Christian BROMBERGER, Alain HAYOT et Jean-Marc MARIOTTINI, « Allez l'O.M., Forza Juve. La passion pour le football à Marseille et à Turin », *Terrain*, n° 8, 1987, p. 8-41.
6   Cité *in So Foot*, n° 150, octobre 2017, p. 22.
7   Eric HOBSBAWM, « La culture ouvrière en Angleterre », *L'Histoire*, n° 17, novembre 1979, p. 22-35.
8   Paul DIETSCHY, *Histoire du football*, Perrin, Paris, 2010, p. 10.

Notes du chapitre 1
(pages 13 à 24)

1   Cité *in* Norbert ELIAS et Eric DUNNING, *Sport et civilisation. La Violence maîtrisée*, Fayard, Paris, 1994, p. 240.
2   Émile SOUVESTRE, *Les Derniers Bretons*, 2ᵉ édition, vol.2, Charpentier, Paris, 1836, p. 56.

3   Cité *in* Ronald KNOX et Shane LESLIE, *The Miracles of King Henry VI*, Cambridge University Press, Cambridge, 1923.
4   Norbert ELIAS et Eric DUNNING, *op. cit.*
5   Nicolas BANCEL et Jean-Marc GAYMAN, *Du Guerrier à l'athlète : éléments d'histoire des pratiques corporelles*, PUF, Paris, 2002.
6   Charles GONDOUIN et JORDAN, *Le Football : rugby, américain, association*, Pierre Lafitte & Cie, Paris, 1914, p. 273.
7   Nicolas BANCEL et Jean-Marc GAYMAN, *op. cit.*
8   Louis GOUGAUD, « La soule en Bretagne et les jeux similaires du Cornwall et du pays de Galles », *Annales de Bretagne*, vol. 27, n° 4, 1911.
9   Nicolas BANCEL et Jean-Marc GAYMAN, *op. cit.*
10 Michel PITRE-CHEVALIER, *La Bretagne ancienne*, Didier, Paris, 1859, p. 552.
11 Patrick VASSORT, *Football et politique. Sociologie historique d'une domination*, Les Éditions de la Passion, Paris, 1999.
12 Siméon LUCE, *La France pendant la guerre de Cent Ans*, Hachette, Paris, 1890.
13 Hippolyte VIOLEAU, *Pèlerinages de Bretagne (Morbihan)*, Paris, 1855, p. 163.
14 Nicolas BANCEL et Jean-Marc GAYMAN, *op. cit.* ; Patrick VASSORT, *op. cit.*
15 Jean-Michel MEHL, *Les Jeux au Royaume de France, du XIIIᵉ au début du XVIᵉ siècle*, Fayard, Paris, 1990.
16 Émile SOUVESTRE, « La soule en Basse-Bretagne », *Musée des familles*, vol. 3, 1836.

17 James Walvin, *The People's Game. The History of Football Revisited*, Mainstream Publishing, Édimbourg, 2000, p. 26.
18 *Ibid.*, p. 27.
19 Siméon Luce, *op. cit.*
20 Patrick Vassort, *op. cit.*
21 *Ibid.*
22 James Walvin, *op. cit.*
23 *Ibid.*
24 Norbert Elias et Eric Dunning, *op. cit.*
25 *Ibid.*
26 Jean-Jules Jusserand, *Les Sports et les jeux d'exercice dans l'ancienne France*, 1901, rééd. Slatkine, Paris, 1986.
27 Patrick Vassort, *op. cit.*
28 Louis Gougaud, *loc. cit.*
29 Nicolas Bancel et Jean-Marc Gayman, *op. cit.*
30 Patrick Vassort, *op. cit.*
31 Norbert Elias, *La Civilisation des mœurs*, Pocket, coll. « Agora », Paris, 2011 [1939].
32 Patrick Vassort, *op. cit.*
33 *Sports en Morbihan, des origines à 1940*, Archives départementales de Vannes.
34 Anatole de Barthélemy, « Recherches historiques sur quelques droits et redevances bizarres au Moyen Âge », *Revue de Bretagne et de Vendée*, tome 3, 1859.
35 Guillotin de Corson, « Usages et droits féodaux en Bretagne », *Revue de Bretagne, de Vendée et d'Anjou*, tome 25, janvier 1901.
36 Emmanuel Laot, *Le Sport dans les Côtes d'Armor. Des origines à 1940*, Service éducatif des Archives des Côtes-d'Armor, Saint-Brieuc, 1997.
37 Nicolas Bancel et Jean-Marc Gayman, *op. cit.*
38 *Ibid.*
39 Edward P. Thompson, « Modes de domination et révolutions en Angleterre », *Actes de la recherche en sciences sociales*, n° 2-3, juin 1976, p. 140-141.
40 Eric Hobsbawm, *Histoire économique et sociale de la Grande-Bretagne, tome 2 : De la révolution industrielle aux années 70*, Seuil, Paris, 1977, p. 92.
41 *Ibid.*
42 Edward P. Thompson, *La Guerre des forêts. Luttes sociales dans l'Angleterre du XVIIIᵉ siècle*, La Découverte, Paris, 2014.
43 Eric Hobsbawm, *op. cit.*
44 Edward P. Thompson, *op. cit.*
45 James Walvin, *op. cit.*, p. 27.
46 Norbert Elias et Eric Dunning, *op. cit.*
47 James Walvin, *op. cit.*, p. 29.
48 Eric Hobsbawm, *op. cit.*, p. 93.

Notes du chapitre 2
(pages 25 à 32)

1 *Tom Brown's Schooldays* est disponible en anglais sur <wikisource.org>. Traduction libre.
2 John Lawson et Harold Silver, *A Social History of Education in England*, Methuen, Londres, 1973.
3 *Ibid.*
4 James Walvin, *op. cit.*, p. 32.
5 Paul Dietschy, *op. cit.*
6 James Walvin, *op. cit.*
7 Cité *in* Richard Holt, *Sport and the British, a Modern History*, Oxford University Press, Oxford, 1989.
8 Nicolas Bancel et Jean-Marc Gayman, *op. cit.*
9 James Walvin, *op. cit.*, p. 36.
10 Nicolas Bancel et Jean-Marc Gayman, *op. cit.*
11 Bernard Andrieu, « La fin du fair-play ? Du "self-government" à la justice sportive », *Revue du MAUSS permanente*, 3 août 2011 (disponible sur <www.journaldumauss.net>).
12 James Walvin, *op. cit.*, p. 38.
13 Colin Shrosbree, *Public Schools and Private Education : The Clarendon Commission, 1861-64, and the Public Schools Acts*, Manchester University Press, Manchester, 1988.
14 Nicolas Bancel et Jean-Marc Gayman, *op. cit.*
15 Cité *in* « Football : A Survival Guide », *Colors*, n° 90, 2ᵉ trimestre, 2014, p. 5.
16 Daniel Denis, « "Aux chiottes l'arbitre". À l'heure du Mundial, ces footballeurs qui nous gouvernent », *Politique Aujourd'hui*, n° 5, Paris, 1978, p. 12.
17 James Anthony Mangan, *Athleticism in the Victorian and Edwardian Public School. The emergence and consolidation of an educational ideology*, Cambridge University Press, Cambridge, 1981, p. 57.
18 James Walvin, *op. cit.*, p. 41.
19 Patrick Mignon, *La Passion du football*, Odile Jacob, Paris, 1998.
20 Richard Holt, *op. cit.*
21 Sébastien Nadot, *Le Spectacle des joutes. Sport et courtoisie à la fin du Moyen Âge*, Presses universitaires de Rennes, Rennes, 2012.
22 Johan Huizinga, *Homo ludens. Essai sur la fonction sociale du jeu*, Gallimard, Paris, 1972, p. 162.
23 Peter McIntosh, *Fair-Play : Ethics in Sport and Education*, Heineman, Londres, 1979, p. 27.
24 Paul Dietschy, *op. cit.*

Notes du chapitre 3
(pages 33 à 46)

1 Nicolas BANCEL et Jean-Marc GAYMAN, *op. cit.*
2 Paul DIETSCHY, *op. cit.*
3 James WALVIN, *op. cit.*, p. 45.
4 *Ibid.*
5 Cité *in* Charles KORR, « West Ham United, une rhétorique de la famille », *Actes de la recherche en sciences sociales*, vol. 103, n° 1, 1994, p. 57.
6 Nicolas BANCEL et Jean-Marc GAYMAN, *op. cit.*
7 Tony MASON, *Association Football and English Society, 1863-1915*, Harvester Press, Brighton, 1980.
8 Cité *in* James WALVIN, *op. cit.*, p. 69.
9 *Ibid.*, p. 79.
10 Eric HOBSBAWM, « La culture ouvrière en Angleterre », *loc. cit.*
11 Charles BURGESS FRY, « Football », *in Badminton Library of Sports and Pastimes*, Londres, tome 1, 1895.
12 *La Vie au grand air*, 24 décembre 1899.
13 *Bell's Life in London and Sporting Chronicle*, 18 décembre 1869.
14 Richard SANDERS, *Beastly Fury, The Strange Birth of British Football*, Bantam, Londres, 2009, p. 66.
15 Charles ALCOCK, *Football : Our Winter Game*, Nabu Press, Londres, 1874, p. 83.
16 James WALVIN, *op. cit.*, p. 83.
17 Jean-Claude MICHÉA, *Le Plus beau but était une passe*, Climats, Paris, 2014, p. 62.
18 Paul DIETSCHY, *op. cit.*
19 Cité *in* Keith WARSOP, *The Early FA Cup Finals and the Southern Amateurs*, SoccerData, Nottingham, 2004.
20 *The Morning Post*, 2 avril 1883.
21 Hunter DAVIES, *Boots, Balls and Haircuts. An Illustrated History of Football from Then to Now*, Cassell Illustrated, Londres, 2004, p. 36.
22 James WALVIN, *op. cit.*, p. 85.
23 Charles KORR, « Angleterre : le "foot", l'ouvrier et le bourgeois », *L'Histoire*, n° 38, octobre 1981.
24 James WALVIN, *op. cit.*, p. 84.
25 *Ibid.*, p. 87.
26 *Ibid.*, p. 85.
27 *Ibid.*, p. 90.
28 John HARDING, *Football Wizard. The Billy Meredith Story*, Robson Books, Londres, 1998, p. 130.
29 Claude BOLI, « Le premier syndicat de joueurs. La création du syndicat des footballeurs professionnels anglais », *WeAreFootball* (<www.wearefootball.org>), 2007.
30 John HARDING, *op. cit.*, p. 126.
31 *Ibid.*, p. 135.
32 *Ibid.*, p. 143.
33 Cité *in* Stefano PIVATO, *Les Enjeux du sport*, Casterman, coll. « XXe siècle », Paris, 1994.
34 Pierre LANFRANCHI, « La réinvention du foot en Italie », *Football et sociétés*, n° 7, décembre 1998.
35 Fabien ARCHAMBAULT, « L'autre continent du football », *Cahiers des Amériques latines*, n° 74, 2014.
36 Peter ALEGI, *African Soccerscapes. How a Continent Changed the World's Game*, Ohio University Press, Athens, 2010.
37 Allen GUTTMANN, *Sports. The First Five Millennia*, University of Massachusetts Press, Amherst, 2007, p. 241.
38 James WALVIN, *op. cit.*, p. 105.
39 *Ibid.*, p. 98.
40 *Ibid.*
41 Alfred WAHL, *Les Archives du football. Sport et société en France (1880-1980)*, Gallimard Julliard, coll. « Archives », Paris, 1989.
42 Cité *in* Joseph MERCIER, *Le Football*, PUF, coll. « Que sais-je ? », Paris, 1966, p. 13.

Notes du chapitre 4
(pages 47 à 59)

1 Cité *in* Hesketh PEARSON, *Oscar Wilde. His life and wit*, Harper & Bros., Londres, 1946, p. 147.
2 Claude BOLI, *Football. Le triomphe du ballon rond*, Les Quatre Chemins, Paris, 2008, p. 123.
3 Jennifer HARGREAVES, *Sporting Females. Critical issues in the history and sociology of women's sports*, Routledge, Londres, 1994, p. 88-111.
4 Tim TATES, *Girls With Balls. The Secret History of Women's Football*, John Blake Publishing, Londres, 2013, p. 9.
5 *The Manchester Guardian*, 22 juin 1881.
6 James WALVIN, *op. cit.*, p. 69.
7 Kathleen. E. MCCRONE, *Sport and the Physical Emancipation of English Women 1870-1914*, Routledge, Londres, 1988, p. 201.
8 Cité *in Quel Corps ?*, n° 12-13, 1979.

9 James F. LEE, « The Lady Footballers and the British Press, 1895 », *Critical Survey*, vol. 24, n° 1, 2012.

10 *Paisley and Renfrewshire Gazette*, 4 mai 1895.

11 Jean WILLIAMS, *A Game for Rough ? A History of Women's Football in Britain*, Routledge, Londres, 2003.

12 Tim TATES, *op. cit.*, p. 103.

13 Archives de l'Imperial War Museum, Women's Work Collection, cité *in* Xavier BREUIL, *Femmes, culture et politique. Histoire du football féminin en Europe de la Grande Guerre jusqu'à nos jours*, thèse de doctorat d'histoire, Université Paul Verlaine, Metz, 2007, p. 37.

14 Fabienne BROUCARET, *Le Sport féminin. Le sport, dernier bastion du sexisme ?*, Michalon, Paris, 2012, p. 20.

15 Claude BOLI, *op. cit.*, p. 124.

16 Patrick BRENNAN, « Munition Girls' Football in Cumbria 1917-1919 », <www.donmouth.co.uk>, 2016.

17 Cité *in* Xavier BREUIL, *op. cit.*, p. 34.

18 Tim TATES, *op. cit.*, p. 127.

19 *Ibid.*, p. 129.

20 Marie-Noëlle BONNES, « Les Anglaises et l'effort de guerre de 1914-1918 », *Guerres mondiales et conflits contemporains*, juin 2000, n° 198, p. 79-98.

21 Tim TATES, *op. cit.*, p. 159.

22 *Ibid.*, p. 185.

23 *L'Auto*, 14 mai 1920.

24 *Le Miroir des Sports*, 21 octobre 1920.

25 Alfred WAHL, *op. cit.*, p. 195.

26 Tim TATES, *op. cit.*, p. 197.

27 Cité *in* John SIMKIN, « Lily Parr », *Spartacus Educational*, septembre 1997 (disponible sur <spartacus-educational.com>).

28 Gail J. NEWSHAM, *In the League of Their Own ! The Dick, Kerr Ladies football team*, Scarlett Press, Londres, 1997, p. 47-49.

29 Tim TATES, *op. cit.*, p. 212.

30 Claude BOLI, *op. cit.*, p. 125 ; Xavier BREUIL, *op. cit.*, p. 92.

31 Tim TATES, *op. cit.*, p. 240-241.

32 *Ibid.*, p. 228.

33 *Ibid.*, p. 229.

34 John WILLIAMS et Jackie WOODHOUSE, « Can play, will play ? Women and Football in Britain », *in* John WILLIAMS et Stephen WAGG, *British Football and Social Change : getting into Europe*, Leicester University Press, Leicester, 1991, p. 85-109.

35 Xavier BREUIL, *op. cit.*, p. 94.

Notes du chapitre 5
(pages 60 à 77)

1 *L'Auto*, 3 avril 1904, cité *in* Julien SOREZ, *Le Football dans Paris et ses banlieues. Un sport devenu spectacle*, Presses universitaires de Rennes, Rennes, 2013, p. 131.

2 *Le Sport Universel Illustré*, 24 décembre 1898.

3 Alfred WAHL, *op. cit.*

4 *Ibid.*, p. 79.

5 Julien SOREZ, *op. cit.*, p. 139.

6 *Ibid.*, p. 141.

7 *Le Football Association*, 21 mai 1921, cité *in* Julien SOREZ, *op. cit.*, p. 142.

8 Alfred WAHL, *op. cit.*

9 *La Revue Athlétique*, 25 mars 1890.

10 Alfred WAHL, *op. cit.*

11 Neville TUNMER et Eugène FRAYSSE, *Football association*, Armand Colin, Paris, 1897, p. 76.

12 *Les Jeunes*, 5 février 1903.

13 *Les Sports athlétiques*, 24 février 1894.

14 Cité *in* Jean LEGOY, *Cultures havraises. 1895-1961*, EDIP, Saint-Étienne-du-Rouvray, 1986.

15 Alfred WAHL, *op. cit.*

16 Patrick FRIDENSON, « Les ouvriers de l'automobile et le sport », *Actes de la recherche en sciences sociales*, vol. 79, n° 1, 1989.

17 Jean FERETTE, *La Société métallurgique de Normandie. Grandeur et déclin d'une communauté ouvrière*, L'Harmattan, Paris, 2012.

18 Jean LEGOY, *op. cit.*

19 Cité *in* Patrick FRIDENSON, *loc. cit.*

20 Jean-Marie BROHM, *Sociologie politique du sport*, Presses universitaires de Nancy, Nancy, 1992 [1976].

21 Cité *in* Patrick FRIDENSON, *loc. cit.*

22 André MOUROUX, « Du ballon rond à la tôle. Club Olympique de Billancourt », *De Renault frères constructeurs automobiles à Renault Régie Nationale*, tome 4, n° 23, décembre 1981.

23 *Ibid.*

24 *Ibid.*

25 *Le Pays de Montbéliard*, 21 août 1929.

26 Patrick FRIDENSON, *loc. cit.*

27 Nicolas KSSIS-MARTOV et al., *La FSGT. Du sport rouge au sport populaire*, La Ville Brûle – Sport et plein air, Montreuil, 2014, p. 11.

28 Léon JOUHAUX, « Huit heures de loisirs, qu'en ferons-nous ? », *Floréal*, numéro programme, août 1919.

29 *La Petite République*, 6 décembre 1903.

30 *L'Humanité*, 29 mars 1910, cité *in* « Exista-t-il un foot "rouge" en France ? », *Never trust a marxist in football !* (So Foot Blog), 11 septembre 2010.

31 *L'Humanité*, 2 juin 1914.

32 *L'Humanité*, 26 janvier 1914.

33 *Le Socialiste*, 9-16 mai 1909, cité *in* Nicolas Kssis-Martov *et al., op. cit.*, p. 12.

34 *L'Humanité*, 17 avril 1911, cité *in ibid.*, p. 22.

35 Nicolas Kssis-Martov, « Le mouvement ouvrier balle au pied, culture populaire et propagande politique : l'exemple du football travailliste en région parisienne (1908-1940) », *Cahiers d'histoire. Revue d'histoire critique*, n° 88, 2002, p. 93-104.

36 Patrick Dubechot et Henri Ségal, *CPS X, Un club populaire et sportif au cœur de l'histoire du Xe arrondissement de Paris*, Éditions du CPS X, Paris, 2002.

37 *Ibid.*

38 *Ibid.*

39 *Le Sport Alsacien*, 3 mars 1922, cité *in* Alfred Wahl, *op. cit.*, p. 194.

40 André Gounot, « Le sport travailliste européen et la *fizkul'tura* soviétique : critiques et appropriations du modèle "bourgeois" de la compétition (1893-1939) », *Cahiers d'histoire. Revue d'histoire critique*, n° 120, 2013, p. 33-48.

41 *Le Sport ouvrier*, 5 octobre 1923, cité *in* Patrick Fridenson, « Les ouvriers de l'automobile et le sport », *loc. cit.*

42 Fabien Sabatier, « Essai sur les mémoires militantes du sport communiste français. Première approche du cas colonial (1923-2011) », *Migrations Société*, vol. 137, n° 5, 2011, p. 129-144.

43 *Le Sport ouvrier*, 20 novembre 1924, cité *in* « Quand patrons et ouvriers se disputaient le foot entre les deux guerres », *Never trust a marxist in football !* (So Foot Blog), 12 décembre 2012.

44 Marc Giovaninetti, « 1928-1929, "classe contre classe" : les sportifs ouvriers peuvent-ils se mesurer aux sportifs bourgeois ? », *Cahiers d'histoire. Revue d'histoire critique*, n° 120, 2013, p. 49-60.

45 Madeleine Leveau-Fernandez, *Histoire du Val de Bièvre des origines aux années 1970*, Éditions de l'écomusée du Val-de-Bièvre, Fresnes, 2015.

46 Franz Vandersmissen, *Le Sport ouvrier*, Publications de la Centrale d'éducation ouvrière, n° 3, L'Églantine, Bruxelles, 1929.

47 Cité *in* Alfred Wahl, *op. cit.*

48 Nicolas Kssis-Martov, « Le mouvement ouvrier balle au pied », *loc. cit.*

49 Voir « Les sociétés coopératives de consommation », *Revue des Deux Mondes*, tome 47, 1908 ; et Lucien Mercier, *Les Universités populaires : 1899-1914. Éducation populaire et mouvement ouvrier au début du siècle*, Les Éditions ouvrières, Paris, 1986.

50 Nicolas Kssis-Martov, « La Bellevilloise et le sport ouvrier », *in* Jean-Jacques Meusy (dir.), *La Bellevilloise. Une page de l'histoire de la coopération et du mouvement ouvrier français (1877-1939)*, Creaphis, Grane, 2001.

51 Cité *in* Patrick Dubechot et Henri Ségal, *op. cit.*

52 Nicolas Kssis-Martov, « La Bellevilloise et le sport ouvrier », *loc. cit.*

53 *Ibid.*

54 Nicolas Kssis-Martov *et al., La FSGT, op. cit.*

55 « Union sportive d'Ivry : histoire d'un club travailliste en banlieue rouge », *Never trust a marxist in football !* (So Foot Blog), 11 octobre 2013.

56 Julien Sorez, *op. cit.*, p. 110.

57 Nicolas Kssis-Martov *et al., La FSGT, op. cit.*

58 *Journal des débats politiques et littéraires*, 31 décembre 1929 ; et *Journal de Roubaix*, 30 décembre 1929.

59 Julien Sorez, *op. cit.*, p. 197.

60 *L'Humanité*, 9 avril 1928.

61 Julien Sorez, *op. cit.*, p. 195.

62 Nicolas Kssis-Martov *et al., La FSGT, op. cit.*

63 *Ibid.*

64 André Gounot, « Les Spartakiades internationales, manifestations sportives et politiques du communisme », *Cahiers d'histoire. Revue d'histoire critique*, n° 88, 2002, p. 59-75

65 *Ibid.*

66 Franz Vandersmissen, « Le Sport ouvrier », *op. cit.*

67 André Gounot, *loc. cit.*

68 *Ibid.*

69 André Gounot, « Le sport travailliste européen et la *fizkul'tura* soviétique... », *loc. cit.*

70 Nicolas Kssis-Martov *et al., La FSGT, op. cit.*

71 *Ibid.*

72 Julien Sorez, *op. cit.*, p. 114.

73 Alain Ehrenberg, « Note sur le sport rouge (1910-1936) », *Recherches*, n° 42, avril 1980.

74 Cité *in* Nicolas Kssis-Martov, « Le réseau Sport libre et la persécution des sportifs juifs sous l'Occupation. La Résistance face

à l'antisémitisme d'État dans le sport », *in* Georges Bensoussan et *al.* (dir.), *Sport, corps et sociétés de masse. Le projet d'un homme nouveau*, Armand Colin, Paris, 2012.

75 *Ibid.*

76 André Gounot, Denis Jallat et Benoît Caritey, *Les Politiques au stade. Étude comparée des manifestations sportives du xixᵉ au xxiᵉ siècle*, Presses universitaires de Rennes, Rennes, 2007.

77 Cité *in* Pascal Boniface, *JO politiques. Sport et relations internationales*, Eyrolles, Paris, 2016. p. 59.

Notes du chapitre 6
(pages 81 à 102)

1 Angela Teja, « Italian sport and international relations under Fascism », *in* Pierre Arnaud et James Riordan, *Sport and International Politics. The Impact of Fascism and Communism on Sport*, E & FN Spoon, Londres, 1998, p. 162.

2 Fabien Archambault, « Les passions sportives des dirigeants italiens », *Histoire@Politique*, n° 23, 2014.

3 Paul Dietschy, *op. cit.*, p. 202.

4 Pierre Milza, « Le football italien. Une histoire à l'échelle du siècle », *Vingtième Siècle*, n° 26, avril-juin 1990.

5 *Ibid.*

6 UNESCO/ST/R/1, Service de statistique, *Statistique du nombre de postes récepteurs de radio pour 128 pays et territoires*, Paris, décembre 1950.

7 Lando Ferretti, *Il libro dello sport*, Libreria del Littorio, Milan-Rome, 1928, p. 227.

8 Daphné Bolz, « La mise en scène sportive de l'Italie fasciste et de l'Allemagne nazie : la Coupe du monde de football (1934) et les Jeux olympiques de Berlin (1936) », *in* André Gounot, Denis Jallat et Benoît Caritey, *op. cit.*, 2007.

9 Christian Hubert, *50 ans de Coupe du Monde*, Arts et voyages, Bruxelles, 1978, p. 33.

10 Daphné Bolz, *loc. cit.*

11 Paul Dietschy, *op. cit.*, p. 172.

12 Cité *in* Daphné Bolz, *loc. cit.*

13 Cité *in* Pascal Boniface, *La Terre est ronde comme un ballon. Géopolitique du football*, Seuil, Paris, 2002, p. 33.

14 Christian Hubert, *op. cit.*, p. 34.

15 *Il Piccolo di Trieste*, 3 juin 1934.

16 *Berliner Tageblatt*, 11 juin 1934, cité *in* Fabio Chisari, « "Une organisation parfaite" : la Coupe du monde de football de 1934 selon la presse européenne », *in* Yvan Gastaut et Stéphane Mourlane (dir.), *Le Football dans nos sociétés. Une culture populaire 1914-1998.* Autrement, Paris, 2006, p. 174-189.

17 Cité *in Miroir du football*, n° 130, mai 1970.

18 Jules Rimet, *L'Histoire merveilleuse de la Coupe du monde*, René Kister, Genève, 1954, p. 98.

19 Paul Dietschy, « Le sport italien entre modernité et fascisme », *in* Georges Bensoussan et *al.* (dir.), *op. cit.*, p. 73-89.

20 David Goldblatt, *The Ball is Round. A Global History of Football*, Penguin Books, Londres, 2007, p. 323.

21 *Ibid.*

22 Cité *in* Stéphane Mourlane, « Le jeu des rivalités franco-italiennes des années 1920 aux années 1960 », *in* Yvan Gastaut et Stéphane Mourlane (dir.), *op. cit.*

23 James Riordan, *Sport in Soviet Society. Development of Sport and Physical Education in Russia and the USSR*, Cambridge University Press, New York, 1977, p. 106.

24 André Gounot, « Le sport travailliste européen et la *fizkul'tura* soviétique… », *loc. cit..*

25 *Ibid.*

26 Cité *in* Robert Edelman, *Serious Fun. A History of Spectator Sports in the USSR*, New York Oxford University Press, New York, 1993, p. 55.

27 Paul Dietschy, *op. cit.*, p. 213.

28 Cité *in* Robert Edelman, *op. cit.*, p. 46.

29 *Ibid.*, p. 48.

30 *Ibid.*, p. 47.

31 *Krasnyi Sport*, 23 novembre 1938.

32 Robert Edelman, *op. cit.*, p. 54.

33 *Ibid.* p. 48.

34 Robert Edelman, « Le Football sous Staline. Le Spartak au Goulag, 1937-1945 », *in* Georges Bensoussan et al. (dir.), *op. cit.*, p. 134-145.

35 *Ibid.*

36 Robert Edelman, « A small way of saying "no". Moscow working men, Spartak soccer, and the Communist Party, 1900-1945 », *The American Historical Review*, vol. 107, n° 5, décembre 2002, p. 1441-1474.

37 Robert Edelman, « Le Football sous Staline… », *loc. cit.*

38 Cité *in* Paul Dietschy, *op. cit.*, p. 210.

39 Robert Edelman, « A small way of saying "no" », *loc. cit.*

40 Robert EDELMAN, *Serious Fun. A History of Spectator Sports in the USSR, op. cit.,* p. 70.

41 Cité *in* Robert EDELMAN, « A small way of saying "no" », *loc. cit.*

42 *Ibid.*

43 Simon KUPER, *Football against the Enemy,* Orion, Londres, 1994, p. 46.

44 Nikolaï STAROSTINE, *Futbol skvoz gody,* Sovetskaya Rossiya, Moscou, 1989, p. 83.

45 Victor PEPPARD et James RIORDAN, *Playing Politics : Soviet sport diplomacy to 1992,* Jai Press, Greenwich (Connecticut), 1993, p. 120-121.

46 Robert EDELMAN, « A small way of saying "no" », *loc. cit.*

47 *Ibid.*

48 Robert EDELMAN, *Serious Fun…, op. cit.,* p. 72.

49 Robert EDELMAN, *Le Football sous Staline…, op. cit.*

50 *Ibid.*

51 Nikolaï STAROSTINE, *op. cit.* p. 80-81.

52 Cité *in* James RIORDAN, « The Strange Story of Nikolai Starostin, Football and Lavrentii Beria », *Europe-Asia Studies,* vol. 46, n°. 4, 1994.

53 Teresa GONZÁLEZ-AJA, « Le sport dans l'Espagne franquiste », *International Review on Sport & Violence,* n° 6, *Sport et totalitarisme,* p. 5-21.

54 Cité *in* David GOLDBLATT, *op. cit.,* p. 304.

55 Duncan SHAW. *Fútbol y franquismo,* Alianza Editorial, Madrid, 1987, p. 58.

56 Jean-Stéphane DURAN FROIX, « Le football : le loisir par excellence des Espagnols sous le franquisme (1939 – début des années soixante) », *Les Travaux du CREC en ligne,* n° 2, 2006, p. 40-65.

57 Raymond CARR et Juan Pablo FUSI, *Spain : Dictatorship to democracy,* Oxford University Press, Oxford, 1980, p. 118.

58 Jean-Stéphane DURAN FROIX, *loc. cit.*

59 Michael EAUDE, *Catalonia. A Cultural History. Landscapes of the imagination,* Oxford University Press, Oxford, 2008, p. 258.

60 Teresa GONZÁLEZ-AJA, *loc. cit.*

61 David GOLDBLATT, *op. cit.,* p. 305.

62 Henry DE LAGUERIE, *Les Catalans. Lignes de vie d'un peuple,* Ateliers Henry Dougier, Paris, 2014.

63 « 1930-39. Luchando contra la historia », <www.fcbarcelona.es>.

64 David GOLDBLATT, *op. cit.,* p. 305.

65 Jean-Stéphane DURAN FROIX, *loc. cit.*

66 Michael EAUDE, *op. cit.*

67 Emma Kate RANACHAN, *Cheering for Barça. FC Barcelona and the shaping of Catalan identity,* thesis of Art History and Communication Studies, McGill University, Montréal, Canada, 2008.

68 Simon KUPER, *op. cit.,* p. 87.

69 Emma Kate RANACHAN, *op. cit.*

70 Jimmy BURNS, *Barça. A people's passion,* Bloomsbury, Londres, 1999, p. 40-41.

71 Emma Kate RANACHAN, *op. cit.*

72 Duncan SHAW. *Fútbol y franquismo,* Alianza Editorial, Madrid, 1987, p. 63.

73 Henry DE LAGUERIE, *op. cit.*

74 Jimmy BURNS, *op. cit.,* p. 140.

75 Jean-Stéphane DURAN FROIX, *loc. cit.*

76 Alfred WAHL, *La Balle au pied, histoire du football,* Gallimard, « Découvertes », Paris, 1995.

Notes du chapitre 7
(pages 103 à 120)

1 Paul DIETSCHY, *op. cit,* p. 202.

2 Guillaume ROBIN, *Les Sportifs ouvriers allemands dans la lutte antifasciste (1919-1945),* thèse de doctorat d'Études germaniques, Université Paris 3 Sorbonne Nouvelle, 2006.

3 *Ibid.*

4 Paul DIETSCHY, *op. cit,* p. 198.

5 Ulrich PFEIL, « Le football allemand sous le national-socialisme », *in* Georges BENSOUSSAN *et al.* (dir.), *op. cit.,* p. 117-133.

6 Merkel UDO, « The hidden social and political history of the German football association (DFB), 1900-50 », *Soccer and Society,* vol. 1, n° 2, 2007.

7 Kevin E. SIMPSON, *Soccer under the Swastika. Stories of Survival and Resistance during the Holocaust,* Rowman & Littlefield Publishers, Lanham, Maryland, 2016.

8 « Much more than a game », *The Guardian,* 20 juillet 1999.

9 Paul DIETSCHY, *op. cit.,* p. 203.

10 *Ibid.,* p. 205.

11 Kevin E. SIMPSON, *op. cit.*

12 Daphné BOLZ, *loc. cit.*

13 *Ibid.*

14 Michel CAILLAT, *Le Sport,* Le Cavalier bleu, coll. « Idées reçues », Paris, 2008.

15 Cité *in* Johann CHAPOUTOT, « La Grèce et la guerre : corps et sport sous le IIIᵉ Reich », *in* Georges BENSOUSSAN *et al.* (dir.), *op. cit.,* p. 114.

16 Guillaume ROBIN, *op. cit.*

17 *Die Fußball-Woche*, 17 octobre 1934, cité *in* Guillaume ROBIN, *op. cit.*

18 Cité *in ibid.*

19 Guillaume ROBIN, *op. cit.*

20 William L. SHIRER, *Le IIIᵉ Reich. Des origines à la chute*, Stock, Paris, 1990, p. 380.

21 David GOLDBLATT, *op. cit.*, p. 258.

22 Olivier VILLEPREUX, Samy MOUHOUBI et Frédéric BERNARD, *Débordements. Sombres histoires de football 1938-2016*, Anamosa, Paris, 2016, p. 43.

23 Matthias MARSCHIK, « Between manipulation and resistance. Viennese football in the Nazi era », *Journal of Comptemporary History*, 1999, vol. 34, n° 2, p. 215-229.

24 David GOLDBLATT, *op. cit.*, p. 312.

25 Matthias MARSCHIK, *loc. cit.*

26 Olivier VILLEPREUX, Samy MOUHOUBI et Frédéric BERNARD, *op. cit.*

27 David GOLDBLATT, *op. cit.*, p. 311.

28 Karl-Heinz SCHWIND, *Geschichten aus einem Fußball-Jahrhundert*, Carl Ueberreuter, Vienne, 1994, p. 121.

29 Matthieu SARTRE et Stéphane SIOHAN, « Gol ! #Ukraine2012 », *Le Monde*, 15 juin 2012.

30 *Ibid.*

31 « Football », *Citrus* n° 1, mai 2014, p. 159.

32 Matthieu SARTRE et Stéphane SIOHAN, *loc. cit.*

33 David GOLDBLATT, *op. cit.*, p. 328.

34 Kevin E. SIMPSON, *op. cit.*

35 David GOLDBLATT, *op. cit.*, p. 328.

36 « Much more than a game », *loc. cit.*

37 *Season'40 – '45, Football during World War II*, Catalogue d'exposition, Het Verzetsmuseum Amsterdam, 2009 (disponible sur <www.verzetsmuseum.org>).

38 Kevin E. SIMPSON, *op. cit.*

39 David GOLDBLATT, *op. cit.*, p. 326.

40 Simon KUPER, *Ajax, the Dutch, the War : Football in Europe during the Second World War*, Orion, Londres, 2003, p. 107.

41 *Ibid.*

42 *Ibid.*

43 Kevin E. SIMPSON, *op. cit.*

44 *Season'40-'45, Football during World War II*, *op. cit.*

45 *Ibid.*

46 Paul DIETSCHY, *op. cit.*, p. 230.

47 Christophe PÉCOUT ET Luc ROBÈNE, « Sport et régime autoritaire : le cas du gouvernement de Vichy (1940-1944) », *International Review on Sport & Violence*, n° 6, 2012.

48 *Éducation Générale et Sportive*, revue officielle du CGEGS, n° 1, janvier-avril 1942.

49 Patrick DUBECHOT et Henri SÉGAL, *op. cit.*, p. 35.

50 *Ibid.*

51 Edmond RONZEVALLE, *Paris 10ᵉ : Histoire, monuments et culture*, Martelle Éditions, Lyon, 1993.

52 Nicolas KSSIS-MARTOV et al., *La FSGT...*, *op. cit.*

53 Bernard PRÊTET, *Le Monde sportif parisien : 1940-1944*, in Pierre ARNAUD, Thierry TERRET, Jean-Philippe SAINT-MARTIN et Pierre GROS, *Le Sport et les Français pendant l'Occupation : 1940-1944*, tome 1, L'Harmattan, Paris, 2002, p. 105-118.

54 Nicolas KSSIS-MARTOV et al., *La FSGT...*, *op.cit*, p. 106.

55 Bernard BUSSON, *Héros du sport, héros de France*, Éditions d'Art Athos, Paris, 1947, p. 187.

56 Adrien PÉCOUT, « Football : le Red Star se souvient de ses résistants », <lemonde.fr>, 24 février 2014.

Notes du chapitre 8
(pages 121 à 131)

1 James N. GREEN, « Paradoxes de la dictature brésilienne », *Brésil(s)*, n° 5, 2014.

2 *Ibid.*

3 Maud CHIRIO et Mariana JOFFILY, « La répression en chair et en os : les listes d'agents de l'État accusés d'actes de torture sous la dictature militaire brésilienne », *Brésil(s)*, n° 5, 2014.

4 *Ibid.*

5 Carlos FICO, « La classe média brésilienne face au régime militaire. Du soutien à la désaffection (1964-1985) », *Vingtième Siècle*, vol. 10, n° 105, 2010.

6 Roberto DA MATTA « Futebol : opio do povo vs. drama social », *Novos Estudos Cebrap*, vol. 1, n° 4, 1982.

7 Matthew SHIRTS, « Sócrates, Corinthians and questions of democray and citizenship », *in* Joseph L. ARBENA (dir.), Sport *and Society in Latin America. Diffusion, Dependency and the Rise of Mass Culture*, Greenwood Press, Westport, 1988.

8 Francis HUERTAS, « La démocratie corinthiane », Revue *La Courte échelle*, n° 10, 1999.

9 *Ibid.*

10 *Ibid.*

11 Cité *in* Eric DELHAYE, « Au Brésil, la crise politique réveille la Démocratie corinthiane », *So Foot*, 17 avril 2016.

12 *Democracia em preto e branco. Futebol, política e rock 'n' roll*, documentaire de Pedro Asbeg, 80 min., TV Zero, Miração filmes & ESPN Brasil, 2014.

13 Francis Huertas, *loc. cit.*

14 *Ibid.*

15 Cité *in Ser Campeão é Detalhe – Democracia Corinthiana*, documentaire de Gustavo Forti Leitão et Caetano Biasi, 25 min. DNA Filmes, Instituto de Artes da Unicamp, 2011.

16 Alex Bellos, *Futebol. The Brazilian Way of Life*, Bloomsbury Publishing PLC, 2002.

17 Gilles Dhers, « Socrates, un Brésilien trépasse », *Libération*, 5 décembre 2011.

18 Francis Huertas, *loc. cit.*

19 Laurent Vergne, « La démocratie corinthiane, cette parenthèse enchantée », *Eurosport*, 11 juillet 2014.

20 Jérôme Latta, « Socrates et la "Démocratie corinthiane" », *Cahiers du football*, 4 décembre 2011.

21 David Ranc et Albrecht Sonntag, « La "démocratie corinthiane", un exemple d'organisation créative dans le football au temps de la dictature brésilienne », *Humanisme & Entreprise*, n° 313, mai-juin 2013.

22 Gilles Dhers, *loc. cit.*

23 Cité *in Democracia em preto e branco, op. cit.*

24 Claudette Savonnet-Guyot, « Brésil 1984 : la re-démocratisation tranquille. Chronique d'une campagne présidentielle », *Revue française de science politique*, 35ᵉ année, n° 2, 1985, p. 262-278.

25 *Gazeta Esportiva*, 25 mai 1984.

26 Cité *in Democracia em preto e branco, op. cit.*

Notes du chapitre 9
(pages 132 à 147)

1 Lina Khatib et Ellen Lust, *Taking to the Streets. The Transformation of Arab Activism*, Johns Hopkins University Press, Baltimore, 2014.

2 *Soccer News and Scores*, <www.espnfc.com>, 23 avril 2007.

3 Michel Raspaud et Monia Lachheb, *A Centennial Rivalry, Ahly vs Zamalek : Identity and society in modern Egypt*, *in* Chuka Onwumechili et Gerard Akindes (dir.), *Identity and Nation in African Football. Fans, Communities and Clubs*, Palgrave Macmillan, Basingstoke, 2014, p. 99-115.

4 Michel Raspaud, *Cairo Football Derby. Al Ahly-Zamalek*, *in* John Nauright et Charles Parrish, (dir.), *Sport Around the World. History, Culture and Practice*, ABC-Clio, California, 2012, p. 283-284.

5 Razan Baker, *Egypt, Sport and Nasserism*, *in* John Nauright et Charles Parrish (dir.), *op. cit.*, p. 287.

6 Anna Zacharias, « Only a game ? Not in Egypt », *The National*, 24 juin 2014.

7 *Ibid.*

8 Steve Bloomfield, *Africa United. Soccer, passion, politics, and the first World Cup in Africa*, Harper Collins, New York, 2010.

9 Alaa Al-Aswany, « Egypt's enduring passion for soccer », *The New York Times*, 16 avril 2014.

10 Michel Raspaud, *Cairo Football Derby...*, *op. cit.*

11 Alaa Al-Aswany, *loc. cit.*

12 Michael Slackman, « This Time, Egyptian Riot Over Soccer, Not Bread », *The New York Times*, 20 novembre 2009.

13 James M. Dorsey, « Pitched battles. The role of ultra soccer fans in the Arab Spring », *Mobilization. An International Journal*, vol. 17, n° 4, 2012, p. 411-418.

14 James Montague, « The world's most violent derby. Al Ahly v Zamalek », *The Guardian*, 18 juillet 2008.

15 James M. Dorsey, *loc. cit.*

16 Ghada Abdel Aal, *La Ronde des prétendants*, L'Aube, La Tour d'Aigues, 2012. Voir aussi Michel Raspaud et Monia Lachheb, *op. cit.*

17 Michel Raspaud, *op. cit.*

18 Amin Allal, « Supporters ou révolutionnaires ? Les ultras du Caire » (entretien avec Céline Lebrun), *Mouvements*, n° 78, 2014.

19 « Interview with Ultras Ahlawy », <www.ultras-tifo.net>, 7 janvier 2008.

20 *Ibid.*

21 Amin Allal, *loc. cit.*

22 « Interview with Ultras Ahlawy », *loc. cit.*

23 Amin Allal, *loc.cit*

24 « Interview with Ultras Ahlawy », *loc. cit.*

25 Claire Talon, « Égypte : génération ultras », *Le Monde*, 17 octobre 2011.

26 *Ibid.*

27 Anna Zacharias, *loc. cit.*

28 Claire Talon, *loc. cit.*

29 James Montague, « Egypt's politicised football hooligans », *Aljazeera English*, 2 février 2012.

30 James M. Dorsey, « Soccer fans play key role in Egyptian Protests », *Bleacher Report*, 26 janvier 2011.

31 Saïd Aït-Hatrit, « "En privé, les ultras égyptiens se préparaient aux manifestations." Entretien avec James Dorsey », *So Foot*, 3 décembre 2012.

32 Cité in Kelly Gene Poupore, « New Actors in Egyptian Post-Revolutionary Politics. Soccer Hooligans », *Law School Student Scholarship*, n° 548, 2014.

33 Cité in James M. Dorsey, *loc. cit.*

34 Claire Talon, *loc. cit.*

35 Cité in « Honneur du prolétariat », émission du 16 janvier 2016, *Radio Canut*, Lyon.

36 Claire Talon, *loc. cit.*

37 Cité in Marie-Lys Lubrano, « Égypte : les Ultras d'Al-Ahly, gardiens de l'après-révolution à Tahrir », *Les Inrocks*, 10 décembre 2012.

38 *Ibid.*

39 Amin Allal, *loc. cit.*

40 Anna Zacharias, *loc. cit.*

41 James M. Dorsey, *loc. cit.*

42 Kelly Gene Poupore, *loc. cit.*

43 Patrick Kingsley, « The long revolution of the Ultras Ahlawy », *Roads & Kingdoms*, novembre 2013.

44 Marwan Chahine, « Nuit d'effroi à Port-Saïd », *So Foot*, 2 février 2012.

45 Marion Guénard, « Tuerie de Port-Saïd : l'armée en accusation », *Le Figaro*, 2 février 2012.

46 Cité in « Honneur du prolétariat », *loc. cit.*

47 James M. Dorsey, *loc. cit.*

48 « #OpEgypt : Ultras Ahlawy chanting "Oh Council of Bastards" », disponible sur : <www.youtube.com/watch?v=3XvnIOzX64I>.

49 Christophe Larcher, « Ultras contestataires », *L'Équipe Magazine*, 27 avril 2013.

50 « En privé, les ultras égyptiens se préparaient aux manifestations », *loc. cit.*

51 AFP, « Égypte : la justice interdit les mouvements ultras de foot », *HuffPost Maghreb*, 17 mai 2015.

52 *Ibid.*

53 Eslam Omar, « Egypt's Ahly apologises to police and army for "fans offence" », *Ahram online*, 27 décembre 2015.

54 Claire Talon, *loc. cit.*.

55 Amin Allal, *loc. cit.*

56 Patrick Kingsley, *loc. cit.*

57 James M. Dorsey, *loc. cit.*

58 Patrick Kingsley, *loc. cit.*

59 Claire Talon, *loc. cit.*

Notes du chapitre 10
(pages 151 à 161)

1 Cité in Anver Versi, « Striking Power. Arab Football Kicks Off », *The Middle East*, mars 1988, p. 10.

2 Albert Camus, « Pourquoi je fais du théâtre ? », in *Œuvres complètes (1957-1959)*, Gallimard, Paris, 2008, p. 607.

3 Abderrahmane Zani, *Les Associations sportives d'Algérie 1867-1952*, Éditions ANEP, Alger, 2003, p. 5. Cité in Philip Dine et Didier Rey, « Le football en Guerre d'Algérie », *Matériaux pour l'histoire de notre temps*, n° 106, 2012, BDIC, Nanterre, p. 27-32.

4 Cité in Philip Dine et Didier Rey, *loc. cit.*

5 *L'Écho d'Oran*, 30 mars 1936.

6 Philip Dine et Didier Rey, *loc. cit.*

7 Youssef Fatès, « Le club sportif, structure d'encadrement et de formation nationaliste de la jeunesse musulmane pendant la période coloniale », in Nicolas Bancel, Daniel Denis et Youssef Fatès, *De l'Indochine à l'Algérie. La jeunesse en mouvements des deux côtés du miroir colonial 1940-1962*, La Découverte, Paris, 2003, p. 157.

8 Didier Rey, « Le temps des circulaires ou les contradictions du football colonial en Algérie (1928-1945) », *Insaniyat. Revue algérienne d'anthropologie et de sciences sociales*, Centre de recherches en anthropologie sociale et culture de l'Université d'Oran, 2007, p. 29-45.

9 Philip Dine et Didier Rey, *loc. cit.*

10 Cité in Didier Rey, « Le temps des circulaires... », *loc. cit.*

11 Philip Dine et Didier Rey, *loc. cit.*

12 Paul Dietschy, *op. cit.*, p. 316.

13 Michel Nait-Challal, *Dribbleurs de l'indépendance*, Prolongations, Paris, 2008, p. 36.

14 Michaël Attali, « *Paris Match* et la fabrique sportive de la figure de l'immigré au cours des années 1950 : entre naturalisation et assignation », *Migrations Société*, vol. 137, n° 5, 2011, p. 161-176.

15 Michel Nait-Challal, *op. cit.*, p. 118.

16 Paul Dietschy et David-Claude Kemo-Keimbou, *Le Football et l'Afrique*, EPA, Paris, 2008, p. 94.

17 « Interview de Rachid Mekhloufi », <poteaux-carres.com>, 28 mars 2007.

18 Cité in Olivier Villepreux, Samy Mouhoub et Frédéric Bernard, *op. cit.* p. 87.

19 *Ibid.*, p. 88.
20 « Interview de Rachid Mekhloufi », *loc. cit.*
21 Michel NAIT-CHALLAL, *op. cit.*, p. 183.
22 « Interview de Rachid Mekhloufi », *loc. cit.*
23 Faouzi MAHJOUB, *Le Football africain*, ABC, Paris, 1978.
24 Cité dans le documentaire de Awa LY et Olivier MONOT, *L'Aventure du football africain : naissance d'une passion*, 52 min., Caméra Lucida Productions, TV Rennes 35, Histoire, Institut national de l'audiovisuel, 2010.
25 Faouzi MAHJOUB, *op. cit.*
26 Michel NAIT-CHALLAL, *op. cit.*, p. 204.
27 « Interview de Rachid Mekhloufi », *loc. cit.*

Notes du chapitre 11
(pages 162 à 178)

1 Cité *in* Mahmoud DARWICH, *La Trace du papillon – Pages d'un journal (été 2006-été 2007)*, Actes Sud, Arles, 2009.
2 James MONTAGUE, « No place like home as Palestine redefine the meaning of winning », *The Guardian*, 28 octobre 2008.
3 James M. DORSEY, « Constructing national identity. The Muscular Jew *vs.* the Palestinian Underdog », *RSIS Working Paper Series*, n° 290, 2015.
4 David GOLDBLATT, *op. cit.*, p. 872.
5 Christophe BOLTANSKI, « À Gaza, le foot par la bande », *Libération*, 21-22 octobre 1995.
6 Daniella PELED, « Asian Cup 2015 : Palestinians hope footballers can put them on the map », *The Guardian*, 3 janvier 2015.
7 Benjamin BARTHE, « "Match historique" en Palestine », *Le Monde*, 25 octobre 2008.
8 Daniella PELED, *loc. cit.*
9 Jean-Christophe COLLIN, « Le sport au pied du mur », *L'Équipe Magazine*, 1er septembre 2012.
10 Patrick STRICKLAND, « Palestinian soccer players tell FIFA Israel violates their "basic rights" », *Aljazeera America*, 20 mai 2015.
11 Olivier PIRONET, « Mahmoud Sarsak, une jeunesse brisée », *La Valise diplomatique* (Les blogs du « Diplo »), 15 mai 2013.
12 Interview vidéo de Mahmoud Sarsak dans le cadre de campagne internationale « Carton rouge à l'apartheid israélien », 10 avril 2013, (visionnable sur <www.youtube.com/watch?v=cNjHF9dix00>).
13 Dave ZIRIN, « After latest incident, Israel's future in FIFA is uncertain », *The Nation*, 3 mars 2014.

14 Benjamin BARTHE, *loc. cit.*
15 Tamir SOREK, « Palestinian nationalism has left the field. A shortened history of Arab soccer in Israel », *International Journal of Middle East Studies*, vol. 35, n° 3, 2003.
16 Issam KHALIDI, « Sports and Aspirations. Football in Palestine 1900-1948 », *Jerusalem Quarterly*, n° 58, 2014, p. 74-89.
17 James M. DORSEY, « Constructing National Identity », *loc. cit.*
18 *Ibid.*
19 *Filastin*, 16 avril 1929, cité *in* Issam KHALIDI, « The coverage of sports news in *"Filastin"* 1911-1948 », *Jerusalem Quarterly*, n° 44, 2010, p. 45-69.
20 Tamir SOREK, *loc. cit.*
21 Issam KHALIDI, *loc. cit.*
22 James M. DORSEY, *loc. cit.*
23 Benny MORRIS, *Victimes. Histoire revisitée du conflit arabo-sioniste*, Complexe, Bruxelles, 2003, p. 147-153.
24 James M. DORSEY, *loc. cit.*
25 *Ibid.*
26 *Ibid.*
27 Elia ZUREIK, *The Palestinians in Israel. A Study in Internal Colonialism*, Routledge and Kegan Paul, Londres, 1979, p. 130-133.
28 Tamir SOREK, *loc. cit.*
29 Sabri JIRYIS, *The Arabs in Israel*, Institute for Palestine Studies, Beyrouth, 1969, p. 138.
30 « T. Sorek : "Le foot est, pour les Arabes d'Israël, un terrain contesté entre deux tendances" », *So Foot*, 3 mars 2017.
31 Tamir SOREK, *loc. cit.*
32 Nicolas KSSIS-MARTOV, « L'histoire du premier et seul France-Palestine », *So Foot*, 20 janvier 2015.
33 J.-E. D., « Les Palestiniens ont joué contre le Variété », *L'Humanité*, 9 octobre 1993.
34 Eric HOBSBAWM, *Nations et nationalisme depuis 1780*, Gallimard, Paris, 1992, p. 183.
35 James M. DORSEY, *loc. cit.*
36 Oz ROSENBERG, « Hundreds of Beitar Jerusalem fans beat up Arab workers in mall. No Arrests », *Haaretz*, 23 mars 2012.
37 Patrick STRICKLAND, *loc. cit.*
38 À ce sujet, voir Omar BARGHOUTI, *Boycott, Désinvestissement, Sanctions. BDS contre l'apartheid et l'occupation de la Palestine*, La Fabrique, Paris, 2010.
39 Patrick STRICKLAND, *loc. cit.*
40 « We call on Fifa to suspend the Israel Football Association », *The Guardian*, 15 mai 2015.

41 Iyad Abou Gharqoud, « FIFA Should Give Israel the Red Card », *The New York Times*, 28 mai 2015.

42 Gershon Baskin, « Encountering Peace. FIFA, soccer and the Palestinians », *The Jerusalem Post*, 13 mai 2015.

43 Barak Ravid, « Israel steps up diplomatic action as fears grow over FIFA Suspension », *Haaretz*, 13 mai 2015.

44 Peter Beaumont, « Palestinians withdraw call to suspend Israel from FIFA », *The Guardian*, 29 mai 2015.

45 *Israel/Palestine. FIFA Sponsoring Games on Seized Land. Israeli Settlement Football Clubs Contribute to Human Rights Violations*, Human Rights Watch, 24 septembre 2016.

46 *Ibid.*

47 « La FIFA sous pression après le vote de l'ONU sur les colonies israéliennes », *L'Équipe*, 29 décembre 2016.

48 Steven Morris, « Protesters greet Israel in Cardiff before Euro 2016 match with Wales », *The Guardian*, 6 septembre 2015.

49 Rodolphe Ryo, « Des ultras du Celtic rendent hommage à la Palestine face à un club israélien », *L'Express*, 18 août 2016.

50 « Coupée du monde, Gaza organise son propre Mondial de football », <rfi.fr>, 15 mai 2010.

51 Abaher El Sakka, « Supporters à distance. Les fans du Barça et du Real en Palestine », *Jeunesses arabes. Du Maroc au Yémen : loisirs, cultures et politiques*, La Découverte, Paris, 2013, p. 105-113.

52 Jon Donnison, « Why Spain's greatest football match, El Clasico, matters to Palestinians », *BBC News*, 7 octobre 2012.

53 *Ibid.*

54 Cité in « Protestations attendues suite à l'invitation VIP du soldat israélien Shalit par le FC Barcelona », <www.bdsfrance.org>, 28 septembre 2012.

55 Cité in Abaher El-Sakka, *loc. cit.*

56 « Gazans stage soccer protest at Israeli Shalit's Barcelona visit », *Reuters*, 7 octobre 2012.

Notes du chapitre 12
(pages 179 à 200)

1 Eduardo Galeano, *Le Football, ombre et lumière*, Climats, Paris, 1998, p. 34.

2 José Sergio Leite Lopes et Jean-Pierre Faguer, « L'invention du style brésilien. Sport, journalisme et politique au Brésil », *Actes de la recherche en sciences sociales*, vol. 103, n° 1, juin 1994.

3 *Ibid.*

4 Clément Astruc, « Le métier de footballeur : origines, ascension sociale et condition des joueurs brésiliens des années 1950 à 1980 », *Cahiers des Amériques latines*, n° 74, 2013.

5 Olivier Guez, *Éloge de l'esquive*, Grasset, Paris, 2014.

6 Cité in Marcelin Chamoin, « Football et racisme, le Brésil fête aujourd'hui le jour de la conscience noire », *Lucarne opposée* (<lucarne-opposee.fr>), 20 novembre 2016.

7 *Ibid.*

8 José Sergio Leite Lopes et Jean-Pierre Faguer, *loc. cit.*

9 Eduardo Galeano, *op. cit.*

10 José Sergio Leite Lopes et Jean-Pierre Faguer, *loc. cit.*

11 Cité in Paul Dietschy, *op. cit.*, p. 257.

12 *Ibid.*, p. 258.

13 Eduardo Galeano, *op. cit.*, p. 98.

14 Mauricio Murad, « Um ícone chamado Pelé », *Caravelle*, n° 98, 2012, p. 171-182.

15 Paul Dietschy, *op. cit.*, p. 259.

16 Cité in Astolfo Cagnacci, *Pays du foot. Une passion et des styles*, Autrement, Paris, 1998, p. 73.

17 Mário Filho, *O negro no futebol brasileiro*, Mauad X, Rio de Janeiro, 2003.

18 *Correio da Manhã*, 15 juin 1938.

19 Cité in Paul Dietschy, *op. cit.*, p. 263.

20 Eduardo Galeano, *op. cit.* p. 34.

21 Alex Belos, « Au Brésil, le sombre destin des gardiens noirs », *Libération*, 1er juillet 2006.

22 Hubert Artus, *Donqui Foot, Dictionnaire rock, historique et politique du football*, Don Quichotte, Paris, 2011, p. 46.

23 David Goldblatt, *op. cit.*, p. 368-369.

24 Mauricio Murad, *loc. cit.*

25 David Goldblatt, *op. cit.*, p. 370.

26 *Ibid.*, p. 371.

27 Ruy Castro, *Garrincha. The Triumph and Tragedy of Brazil's Forgotten Footballing Hero*, Yellow Jersey, Londres, 2004, p. 101.

28 *The Times*, 30 juin 1958.

29 Marcelin Chamoin, « Pelé, une histoire auriverde », *Lucarne opposée* (<lucarne-opposee.fr>), 3 août 2016.

30 *The Times, loc. cit.*

31 Andreas CAMPOMAR, *Golazo ! A History of Latin American Football*, Quercus, Londres, 2014, p. 252.

32 Florent DUPEU, « Des Indiens sous le Maracanã », *Les Cahiers du football*, 7 mai 2012.

33 Olivier GUEZ, *op. cit.*

34 Cité in *L'Orient littéraire*, juillet 2014.

35 « Matériaux pour une histoire politique du dribble », *Les Cahiers d'Oncle Fredo* (<onclefredo.wordpress.com>).

36 *Caros Amigos*, juillet 2012.

37 João SETTE WHITAKER, « Salve a Seleção ! Les villes brésiliennes et la Coupe du monde de football 2014 », *Cahiers des Amériques latines*, n° 74, 2013.

38 *Ibid.*

39 Ravi TALA, « La Coupe du monde n'aura pas lieu », *CQFD*, juin 2014.

40 *Ibid.*

41 Cités dans le documentaire d'Alexandre BOUCHET, *Les Aigles de la forêt*, 52 min., Kwanza et Yemaya Productions, France Télévisions, 2014.

42 *Ibid.*

43 *Ibid.*

44 Cité *in* Nicolas COUGOT, « Mushuc Runa, quand les indigènes utilisent le football pour gagner en reconnaissance », *Lucarne oposée* (<lucarne-opposee.fr>), 26 octobre 2014.

45 Cité *in* Francesco MARTINO, « Il Mundialito nell'Amazzonia peruviana. Dove il calcio è una gran fiesta », *Zona Cesarini* (<zonacesarini.net>), 18 mars 2016.

46 Sous-commandant MARCOS, « Tribulations poétiques d'un footballeur sur la défensive », *Le Monde*, 20 juin 1998.

47 Guillermo ARAMBURO, « Où sont les Indiens ? », *Le Monde Diplomatique*, mai 1994, p. 24.

48 « Otro futbol es posible. Zapatistas FC (Parte I) », *Futbol rebelde* (<www.futbolrebelde.org>), 12 avril 2016.

49 Sophie ARIE et Jo TUCKMAN, « Soccer stars support guerrillas », *The Guardian*, 19 octobre 2004.

50 *BBC News*, 20 décembre 2004.

51 Paco Ignacio TAIBO II et Sous-commandant MARCOS, *Des Morts qui dérangent*, Payot et Rivages, Paris, 2006, p. 36.

52 *Ibid.*, p. 37.

53 Kristine VANDEN BERGHE, « Goooaal. La politique du football dans *Des morts qui dérangent* (2006) par le sous-commandant Marcos et Paco Ignacio Taibo II », *Amerika. Territories*, n° 1, 2010.

54 Extrait de la « Première Déclaration de La Realidad pour l'humanité et contre le néolibéralisme », 1996.

Notes du chapitre 13
(pages 201 à 216)

1 Nicolas BANCEL et Jean-Marc GAYMAN, *op. cit.*, p. 332.

2 *L'Éducation physique aux colonies*, École supérieure d'éducation physique, Imprimerie de l'école, Joinville-le-Pont, 1931, cité *in* Jacques DUMONT, « Joinville et l'éducation physique aux colonies dans les années 1930 », *Staps*, vol. 71, n° 1, 2006, p. 85-97.

3 SERGENT (Cdt), *L'Éducation physique au service de la colonisation*, École supérieure d'éducation physique, Joinville-le-Pont, 1937, cité *in* Jacques DUMONT, *loc. cit.*

4 Peter ALEGI, *African Soccerscapes. How a Continent Changed the World's Game*, Ohio University Press, Athens, 2010, p. 3.

5 Nicolas BANCEL et Jean-Marc GAYMAN, *op. cit.*

6 Pierre DE COUBERTIN, *Essais de psychologie sportive*, Payot & Cie, Lausanne, 1913, p. 237.

7 Pierre DE COUBERTIN, « Les sports et la colonisation », *Revue olympique*, janvier 1912.

8 David GOLDBLATT, *op. cit.*, p. 491.

9 Paul DARBY, *Africa, Football, and FIFA. Politics, Colonialism, and Resistance*, Routledge, Oxford, 2002, p. 12.

10 Peter ALEGI, *op. cit.*

11 Cité *in* Paul DIETSCHY, « Du sportsman à l'histrion : les cultures sportives de trois leaders africains (Nnamdi Azikiwe, Nelson Mandela et Joseph-Désiré Mobutu) », *Histoire@ Politique*, vol. 23, n° 2, 2014.

12 *Ibid.*

13 François DURPAIRE, « Sport et colonisation. Le cas du Congo belge (1950-1960) », *Bulletin de l'Institut Pierre Renouvin*, n° 16, automne 2003.

14 Catherine COQUERY-VIDROVITCH, « De la nation en Afrique noire », *Le Débat*, n° 84, mars-avril 1995, p. 128.

15 Bernadette DEVILLE-DANTHU, « Le développement des activités sportives en Afrique occidentale française : un bras de fer entre sportifs et administration coloniale (1920-1956) », *Revue française d'histoire d'outre-mer*, vol. 85, n° 318, 1er trimestre 1998.

16 Nicolas BANCEL et Jean-Marc GAYMAN, *op. cit.* p. 337.

17 Bernadette DEVILLE-DANTHU, *Le Sport en noir et blanc. Du sport colonial au sport africain dans les anciens territoires français d'Afrique occidentale (1920-1965)*, op. cit., p. 250-252.

18 Bernadette DEVILLE-DANTHU, « Le développement des activités sportives en Afrique occidentale française », *loc. cit.*

19 Paul DIETSCHY, *Histoire du football*, op. cit., p. 312.

20 Frederick COOPER, *Décolonisation et travail en Afrique. L'Afrique britannique et française 1935-1960*, Karthala, Paris, 2004, p. 213.

21 Nicolas BANCEL et Jean-Marc GAYMAN, op. cit., p. 329.

22 *La Dernière Heure*, 20 juin 1953, cité *in* François DURPAIRE, *loc. cit.*

23 *Le Moustique*, 21 juin 1953, cité *in ibid.*

24 François DURPAIRE, *loc. cit.*

25 *Le Courrier d'Afrique*, 17 juin 1957. Cité *in ibid.*

26 François DURPAIRE, *loc. cit.*

27 David GOLDBLATT, *op. cit.*, p. 488.

28 *Ibid.*, p. 489.

29 Paul DARBY, *op. cit.*, p. 26.

30 Ossie STUART, « The Lions Stir. Football in African society », *in* Stephen WAGG (dir.), *Giving the Game Away. Football, Politics and Culture on Five Continents*, Leicester University Press, Leicester, 1995, p. 24-51.

31 Paul DIETSCHY, « Du sportsman à l'histrion », *loc. cit.*, p. 123-141.

32 *Ibid.*

33 Peter ALEGI, *op. cit.*, p. 39.

34 *Ibid.*, p. 40.

35 Wiebe BOER, « Football, mobilization and protestation. Nnamdi Azikiwe the Goodwill Tours of World War II », *Lagos Historical Review*, vol. 6, 2006.

36 Paul DIETSCHY, « Du sportsman à l'histrion », *loc. cit.*

37 Cité dans le documentaire d'Awa LY et Olivier MONOT, *L'Aventure du football africain*, op. cit.

38 Paul DARBY, « Football, colonial doctrine and indigenous resistance. Mapping the political persona of FIFA's African constituency », *Culture, Sport, Society*, vol.3, n° 1, 2000.

39 David GOLDBLATT, *op. cit.*, p. 488.

40 Peter ALEGI, « "Amathe Nolimi" (it is saliva and the tongue) : contracts of joy in South African football c. 1940-76 », *International Journal of the History of Sport*, vol. 17, n° 4, décembre 2000.

41 Bernard MAGUBANE, *Sport and politics in an urban African community. A case study of African voluntary organisations*, M.Sc. thesis, University of Natal, 1963, p. 53.

42 Paul DIETSCHY et David-Claude KEMO-KEIMBOU, *Le Football et l'Afrique*, EPA, Paris, 2008, p. 218.

43 Cité *in ibid.*, p. 220.

44 Peter ALEGI et Chris BOLSMANN, « From Apartheid to Unity. White capital and Black power in the racial integration of South African football, 1976-1992 », *African Historical Review*, vol. 42, n° 1, 2010.

45 Jean-Baptiste ONANA, « Le sport sud-africain entre déclin et renaissance, raisons d'un relatif recul », *Outre-Terre*, vol. 3, n° 8, 2004.

46 David GOLDBLATT, *op. cit*, p. 497.

47 Peter ALEGI et Chris BOLSMANN, *loc. cit.*

48 David GOLDBLATT, *op. cit*, p. 498.

49 Chuck KORR et Marvin CLOSE, *More Than Just a Game. Football v Apartheid*, Collins, New York, 2008.

50 Denis MÜLLER, « Pulsion de victoire et passion de justice. Un petit coup de projecteur trois ans avant les Championnats du monde de football en Afrique du Sud (2010) », *Revue d'éthique et de théologie morale*, vol. 4, n° 247, 2007.

51 « L'Afrique du Sud reconnaît avoir versé 10 millions de dollars à la FIFA », <lemonde.fr>, 31 mai 2015.

Notes du chapitre 14
(pages 219 à 242)

1 James WALVIN, *op. cit*, p. 80.

2 *Ibid.*, p. 79.

3 Rogan TAYLOR, *Football and its Fans. Supporters and their relations with the game 1885-1985*, Leicester University Press, Leicester, 1992, p. 8.

4 Patrick MIGNON, « Supporters et hooligans en Grande-Bretagne depuis 1871 », *Vingtième Siècle*, vol. 26, n° 1, avril-juin 1990.

5 Sean INGLE et Mark HODGKINSON, « When did football hooliganism start ? », *The Guardian*, 13 décembre 2001.

6 Eric DUNNING et Patrick MURPHY, « Working class social bonding and the socio-genesis of football hooliganism », *SSRC Report*, 1982, p. 43.

7 Steve FROSDICK et Peter MARSH, *Football Hooliganism*, Willan Publishing, Londres, 2005.

8   Patrick MIGNON, *La Passion du football*, Odile Jacob, Paris, 1998, p. 102.

9   Sean INGLE, Mark HODGKINSON, *loc. cit.*

10 John HUTCHINSON, « Some aspects of football crowds before 1914 », *The Working Class*, University of Sussex Conference Report, 1975.

11 Patrick MIGNON, *op. cit.*, p. 106.

12 James WALVIN, *op. cit.*, p. 123 et 139.

13 Eric DUNNING, Joseph MAGUIRE, Patrick MURPHY et John WILLIAMS, « The social roots of football hooliganism », *Leisure Studies*, vol. 1, n° 2, 1982.

14 Richard HOLT, *Sport and the British. A Modern History*, Oxford University Press, Oxford, 1989.

15 Patrick MIGNON, *op. cit.* p. 108.

16 *Ibid.*, p. 98.

17 Ian TAYLOR, « "Football Mad". A speculative sociology of soccer hooliganism », *in* Eric DUNNING (dir.), *The Sociology of Sport*, Franck Cass, Londres, 1971, p. 353-377.

18 James WALVIN, *op. cit.*, p. 165.

19 Alain EHRENBERG, *Le Culte de la performance*, Hachette, « Pluriel », Paris, 1991, p. 57.

20 Patrick MIGNON, *op. cit.*, p. 146.

21 Paul DIETSCHY, *Histoire du football, op. cit.*, p. 477.

22 Sean INGLE et Mark HODGKINSON, *loc. cit.*

23 Steve FROSDICK et Peter MARSH, *op. cit.*

24 Richard HOLT, *op. cit.*

25 Patrick MIGNON, *op. cit.*, p. 116.

26 Richard HOLT, *op. cit.*

27 Eric DUNNING, Patrick MURPHY et John WILLIAMS, *The Roots of Football Hooliganism*, Routledge, Oxford, 1988.

28 Bill BUFORD, *Parmi les hooligans*, Christian Bourgois, Paris, 1994, p. 30.

29 Philippe BROUSSARD, *Génération Supporter. Enquête sur les ultras du football*, So Press, Paris, 2011, p. 42.

30 Bill BUFORD, *op. cit.*, p. 71-72.

31 Patrick MIGNON, *op. cit.*, p. 118.

32 Stuart HALL, « The treatment of football hooliganism in the press », in Roger INGHAM (dir.) *Football Hooliganism. The Wider Context*, Interaction in Print, Londres, 1978.

33 Alain EHRENBERG, *op. cit.*, p. 59.

34 *Ibid.*, p. 60.

35 Peter MARSH, *Aggro. The Illusion of Violence*. Dent, Londres, 1978.

36 Cité *in* Patrick MIGNON, *op. cit.*, p. 117.

37 *Ibid.*, p. 125.

38 Steve FROSDICK et Peter MARSH, *op. cit.*

39 Patrick MURPHY, Eric DUNNING et John WILLIAMS, « Soccer crowd disorder and the press. Processes of amplification and de-amplification in historical perspective », *Theory, Culture and Society*, vol. 5, n° 4, 1988, p. 645-673.

40 Eric DUNNING, Patrick MURPHY et John WILLIAMS, *op. cit.*

41 Merrill J. MELNICK, « The mythology of football hooliganism. A closer look at the British experience », *International Review for the Sociology of Sport*, vol. 21, n° 1, 1986.

42 *Daily Mirror*, 4 avril 1977.

43 *Public Disorder and Sporting Events : a report*, Sports Council and the Social Science Research Council, Londres, 1978.

44 Eugene TRIVIZAS, « Offences and offenders in football crowd disorders », *British Journal of Criminology*, vol. 20, n° 3, 1980.

45 Steve FROSDICK et Peter MARSH, *op. cit.*

46 *Le Monde*, 23 novembre 2016.

47 Philippe BROUSSARD, *op. cit.*, p. 45.

48 Cité *in* « Le Kop d'Anfield Road : vie et mort d'une tribune populaire », *Les Cahiers d'Oncle Fredo* (<onclefredo.wordpress.com>), 30 juillet 2016.

49 *Os Cangaceiros*, n° 2, novembre 1985, p. 78-79.

50 Patrick MIGNON, « La violence dans les stades supporters, ultras et hooligans », *Actes des entretiens de l'INSEP, Les Cahiers de l'INSEP*, n° 10, 1995.

51 Jon GARLAND et Mike ROWE, « Racism at Work. A study of professional football », *The International Journal of Risk, Security and Crime Prevention*, vol. 1, n° 3, 1996.

52 Alain EHRENBERG, *op. cit.*, p. 59.

53 Cécile COLLINET, Denis BERNARDEAU MOREAU et Julien BONOMI, « Le Casual, un nouveau genre de hooligan. Loin du stade et de la police », *Les Annales de la recherche urbaine*, n° 105, 2008.

54 *Ibid.*

55 Jamie CLELAND et Ellis CASHMORE, « Football fans' views of violence in British football : evidence of a sanitized and gentrified culture », *Journal of Sport and Social Issues*, vol. 40, n° 2, 2016, p. 124-142.

56 Max CLOS, « Éditorial », *Le Figaro*, 30 mai 1985.

57 Cité *in* David GOLDBLATT, *op. cit.*, p. 598.

58 Jamie CLELAND et Ellis CASHMORE, *loc. cit.*

59 Steve FROSDICK et Peter MARSH, *op. cit.*

60 Richard HAYES, *The Football Imagination. The Rise of Football Fanzine Culture*, Arena, Londres, 1995.

61 Nicolas HOURCADE, Ludovic LESTRELIN et Patrick MIGNON, *Livre vert du supportérisme. État des lieux et propositions d'actions pour le développement du volet préventif de la politique de gestion du supportérisme*, Secrétariat d'État aux Sports, Paris, 2010, p. 65.

62 Steve FROSDICK et Peter MARSH, *op. cit.*

63 Manuel COMERON, « Hooliganisme : la délinquance des stades de football », *Déviance et société*, vol. 21, n° 1, 1997.

64 « Hard luck stories », *When Saturday Comes*, n° 114, août 1996.

65 David CONN, « The Premier League has priced out fans, young and old », *The Guardian*, 16 août 2011.

66 Kevin QUIGAGNE, « 20.2.1992 : naissance de la Premier League », Blog *Tennage Kicks*, *Les Cahiers du football*, 20 février 2012.

67 « Price of Football : Full results 2015 », *BBC News*, 14 octobre 2015.

68 Nicolas HOURCADE, Ludovic LESTRELIN et Patrick MIGNON, *op. cit.*

69 Adrian TEMPANY, « How football lost touch with its young fans », *The Guardian*, 8 mars 2014.

70 Kevin QUIGAGNE, *loc. cit.*

71 Nicolas HOURCADE, Ludovic LESTRELIN et Patrick MIGNON, *op. cit.*

72 *Football and Football Hooliganism*, Sir Norman Chester Centre for Football Research, University of Leicester, Fact Sheet n° 1, janvier 2001.

73 Jacques BESNARD, « Cass Pennant, ex-hooligan : "On ne naît pas violent" », *Rue89*, 7 juillet 2013.

74 *Football and Football Hooliganism*, *op. cit.*

75 « Londres : la réaction anglaise aux violences entre supporters à Marseille », *France info*, 12 juin 2016.

76 Ruth MOSALSKI, « Facial recognition software will be used on anyone in Cardiff for the Champions League final », <walesonline.co.uk>, 27 avril 2017.

77 John KING, *Football Factory*, Points, Paris, 2006, p. 87.

Notes du chapitre 15
(pages 243 à 266)

1 Paul DIETSCHY, « The Superga disaster and the death of the "Great Torino" », *Soccer and Society*, vol. 2, n° 2, 2004, p. 298-310.

2 *Ibid.*

3 Hubert ARTUS, *op. cit*, p. 409.

4 *Tuttosport*, 10 novembre 1951, cité *in* Paul DIETSCHY, *Histoire du football*, *op. cit.*, p. 472.

5 Paul DIETSCHY, « The Superga disaster… », *loc. cit.*

6 Paul DIETSCHY, *Histoire du football*, *op. cit.*, p. 473.

7 *Ibid.*

8 Fabien ARCHAMBAULT, « La violence des *ultrà* au tournant des années 1970 : une violence politique ? », *Storicamente*, n° 10, 2014.

9 Alessandro DAL LAGO et Rocco DE BIASI, *Italian Football Fans : culture and organization*, *in* Richard GIULIANOTTI, Norman BONNEY et Mike HEPWORTH (dir.), *Football, Violence and Social Identity*, Routledge, Londres, 1994.

10 *Ibid.*

11 Nanni BALESTRINI et Primo MORONI, *La Horde d'or. Italie 1968-1977. La grande vague révolutionnaire et créative, politique et existentielle*, L'Éclat, Paris, 2017.

12 *Ibid.*

13 Fabien ARCHAMBAULT, *loc. cit.*

14 Alessandro DAL LAGO et Rocco DE BIASI, *op. cit.*

15 Paul DIETSCHY, *Histoire du football*, *op. cit.*, p. 474.

16 Cité *in* Christian BROMBERGER, Alain HAYOT et Jean-Marc MARIOTTINI, *Le Match de football. Ethnologie d'une passion partisane à Marseille, Naples et Turin*, Éditions de la Maison des sciences de l'homme, Paris, 1995, p. 51.

17 Cité *in* Alessandro DAL LAGO et Rocco DE BIASI, *op. cit.*

18 Citation extraite du documentaire d'Andrea ZAMBELLI, *Farrebero tutti silenzio*, Malamela Productions, 28 min., 2011.

19 Marc LAZAR et Marie-Anne MATARD-BONUCCI (dir.), *L'Italie des années de plomb. Le terrorisme entre histoire et mémoire*, Autrement, Paris, 2010, p. 6.

20 Fabien ARCHAMBAULT, *loc. cit.*

21 Philippe BROUSSARD, *op. cit.*, p. 132.

22 Cité *in* Daniele SEGRE, *Ragazzi di stadio*, Gabriele Mazzotta, Milan, 1979, p. 21.

23 *Ibid.*, p. 30.

24 Paolo SOLLIER, *Calci e sputi e colpi di testa. Riflessioni autobiografiche di un calciatore per caso*, Gammalibri, Milan, 1976.

25 Valerio MARCHI, « Italia 1900-1990 : dal supporter all'ultrà », *in Ultrà : Le sottoculture giovanili negli stadi d'Europa*, Koinè, Rome, 1994, p. 202.

26 Alessandro Dal Lago et Roberto Moscati, *Regalateci un sogno. Miti e realtà del tifo calcistico in Italia*, Bompiani, Milan, 1992, p. 118.

27 Fabien Archambault, *loc. cit.*

28 Alessandro Dal Lago et Rocco De Biasi, *op. cit.*

29 Sébastien Louis, *Ultras, les autres protagonistes du football*, Mare et Martin, Paris, 2017, p. 61.

30 *So Foot* hors-série n° 5, hiver 2012, Spécial Supporters, p. 112.

31 Daniele Segre, *op. cit.*, p. 30.

32 *Ibid.*, p. 36.

33 Fabien Archambault, *loc. cit.*

34 *Ibid.*

35 *Ibid.*

36 Nanni Balestrini et Toni Negri, « En Italie, une amnistie politique qui ne passe pas », *Libération*, 18 mai 2004.

37 Daniele Segre, *op. cit.*, p. 125.

38 Sébastien Louis, *Le Phénomène ultras en Italie*, Mare & Martin, Paris, 2008.

39 Philippe Broussard, *op. cit.*, p. 131.

40 Christian Bromberger, Alain Hayot et Jean-Marc Mariottini, *op. cit.*, p. 46-47.

41 Philippe Broussard, *op. cit.*, p. 167.

42 Sébastien Louis, *op. cit.*

43 Christian Bromberger, Alain Hayot et Jean-Marc Mariottini, *op. cit.*, p. 300.

44 *Ibid.*

45 *Ibid.*, p. 66.

46 *Ibid.*, p. 24-26.

47 Nicolas Hourcade, « La place des supporters dans le monde du football », *Pouvoirs*, n° 101, 2002.

48 Christian Bromberger, Alain Hayot et Jean-Marc Mariottini, *op. cit.*, p. 43.

49 Jean-Michel Faure, « Le sport et la culture populaire : pratiques et spectacles sportifs dans la culture populaire », *Les Cahiers du LERSCO*, n° 12, 1990.

50 Paul Bartolucci, *Sociologie des supporters de football. La persistance du militantisme sportif en France, Allemagne et Italie*, thèse de doctorat en sociologie sous la direction de Pascal Hintermeyer, Université de Strasbourg, 2012.

51 Christian Bromberger, Alain Hayot et Jean-Marc Mariottini, *op. cit.*, p. 32.

52 Antonio Roversi, « The birth of the "ultras". The rise of football hooliganism in Italy », *in* Richard Giulanotti et John Williams (dir.),

Game *without Frontiers. Football, Identity and Modernity*, Arena, Aldershot, 1994 ; Alessandro Dal Lago et Roberto Moscati, *op. cit.*, p. 118.

53 Alessandro Dal Lago et Rocco De Biasi, *op. cit.*

54 *Ibid.*

55 Citation extraite du documentaire d'Andrea Zambelli, *op. cit.*

56 Antonio Roversi, *loc. cit.*

57 Nicolas Hourcade, *loc. cit.*; Alessandro Dal Lago et Rocco De Biasi, *op. cit.*

58 *Ibid.*

59 Nicolas Hourcade, Ludovic Lestrelin et Patrick Mignon, *op. cit.*, p. 88.

60 Citation extraite du documentaire d'Andrea Zambelli, *op. cit.*

61 Piero Calabrò, « La violenza negli stadi : approccio storico e risposte normative », *Altalex*, 26 novembre 2013.

62 Tobia Jones, « Inside Italy's ultras : the dangerous fans who control the game », *The Guardian*, 1er décembre 2016.

63 Nicolas Hourcade, Ludovic Lestrelin et Patrick Mignon, *op. cit.*, p. 89.

64 Matthew C. Guschwan, « La Tessera della Rivolta : Italy's failed fan identification card », *Soccer & Society*, vol. 14, n° 2, 2013.

65 Nicolas Hourcade, Ludovic Lestrelin et Patrick Mignon, *op. cit.*, p. 89.

66 Paul Bartolucci, *op. cit.*

67 Matthew C. Guschwan, *loc. cit.*

68 « Gli ultras dicono "no" alla tessera del tifoso », *Giornale di Sicilia*, 24 juillet 2010.

69 « Boys. Cancellieri, elimini la tessera del tifoso », *La Repubblica*, 16 novembre 2011.

70 Cité *in* Roberto Stracca, « Tessera del tifoso : i tifosi doriani scrivono al presidente della Samp », Blog *Dentro lo stadio*, *Corriere della Sera*, 2 août 2010.

Notes du chapitre 16
(pages 267 à 278)

1 Eduardo P. Archetti, « The spectacle of a heroic life. The case of Diego Maradona », *in* David L. Andrews et Steven J. Jackson (dir.), *Sport Stars. The Cultural Politics of Sporting Celebrity*, New York, Routledge, 2001, p. 151-163.

2 *Ibid.*

3 Bartlomiej Brach, « Who is Lionel Messi ? A comparative study of Diego Maradona and

393

Lionel Messi », *International Journal of Cultural Studies*, vol. 15, n° 4, 2012.

4   *Ibid.*

5   Julio D. Frydenberg, « Football à grand spectacle et identification de quartier à Buenos Aires », *Cahiers des Amériques latines*, n° 74, 2014.

6   Bartlomiej Brach, *loc. cit.*

7   *Ibid.*

8   Vittorio Dini, « Maradona, héros napolitain », *Actes de la recherche en sciences sociales*, vol. 3, n° 103, juin 1994.

9   *Le Monde*, 24 août 1989, cité *in* Christian Bromberger, Alain Hayot et Jean-Marc Mariottini, *op. cit.*, p. 137.

10 Matías Baldo, « México 86 : el día que los futbolistas usaron la guerra de Malvinas como una motivación », *La Nación*, 23 juin 2016.

11 Hubert Artus, *op. cit.*, p. 266.

12 Thomas Goubin, « Main de Dieu et but du siècle : ce que vous ignoriez sur le jour où Maradona est entré au Panthéon », *Eurosport*, 22 juin 2016.

13 *Ibid.*

14 Olivier Bras, « Maradona. Le mythe du divin démon a vingt ans », *Courrier international*, 14 avril 2009.

15 Bartlomiej Brach, *loc. cit.*

16 Eduardo P. Archetti, *loc. cit.*

17 Alexandre Juillard, « Le but diabolique du dieu argentin », *L'Équipe Magazine*, 20 mai 2006.

18 Eduardo P. Archetti, *loc. cit.*

19 Cité *in* Nathaniel Nash, « Argentina is booming but there is no rest for its tortured soul », *The New York Times*, 17 juillet 1994.

20 Ksenija Bilbija, « Maradona's left. Postmodernity and national identity in Argentina », *Studies in Latin American Popular Culture*, vol. 14, 1995.

21 Jorge Luis Borges, « Notre pauvre individualisme », *in Œuvres complètes*, tome 1, Gallimard, La Pléiade, Paris, 1993, p. 698.

22 Christian Bromberger, Alain Hayot et Jean-Marc Mariottini, *op. cit.* p. 142.

23 Marino Niola, « San Gennarmando le disavventure del símbolo », *in* Vittorio Dini et Oscar Nicolaus, *Te Diegum*, Milan, Leonardo, 1991.

24 Vittorio Dini, *loc. cit.*

25 *Ibid.*

26 *Clarín*, 3 septembre 1994, cité *in* Eduardo P. Archetti, *loc. cit.*

27 Vittorio Dini, *loc. cit.*

28 *Ibid.*

29 *El Cronista comercial*, 1ᵉʳ juillet 1994, cité *in* Eduardo P. Archetti, *loc. cit.*

30 Mempo Giardinelli, « El video del adios », *Noticias de la semana*, 3 juillet 1994, cité *in* Ksenija Bilbija, *loc. cit.*

31 Bartlomiej Brach, *loc. cit.*

32 Eduardo P. Archetti, *Masculinities. Football, Polo and Tango in Argentina*, Berg, Oxford, 1999, p. 184.

33 « Diego Armando Maradona : El "Pibe de Oro" cumple 55 años », *El Universo*, 30 octobre 2015.

34 Ksenija Bilbija, *loc. cit.*

35 Jonathan Franklin, « He was sent from above », *The Guardian*, 12 novembre 2008.

36 Diego Borinsky, « 7 000 Adeptos en México, Llegó la Iglesia Maradoniana », supplément de *Milenio*, n° 20, août 2007.

37 *Ibid.*

38 Jonathan Franklin, *loc. cit.*

39 Rupert Howland-Jackson, « La Iglesia Maradoniana. Argentina's real religion ? », *The Argentina Independent*, 1ᵉʳ décembre 2008.

Notes du chapitre 17
(pages 279 à 289)

1   « En Turquie, des manifestants de la place Taksim condamnés à des peines de prison », *Le Monde*, 23 octobre 2015.

2   Entretien personnel réalisé pour le mensuel *CQFD* : « Football populaire *vs* foot business », juin 2014.

3   Entretien personnel, *ibid.*

4   James M. Dorsey, « Government and fans battle in court and on the pitch in Egypt and Turkey », *Centre for Policy and Research on Turkey*, vol. 4, n° 1, Londres, janvier 2015.

5   Elif Batuman, « The View from the Stands », *The New Yorker*, 7 mars 2011.

6   Dağhan Irak, « Istanbul United ? Le supportérisme comme lutte culturelle et résistance au pouvoir politique en Turquie », *in* Thomas Busset et William Gasparini (dir.), *Aux frontières du football et du politique*, Peter Lang Academic Publishers, Berne, 2016.

7   Entretien personnel, *loc. cit.*

8   *Ibid.*

9   Elif BATUMAN, *loc. cit.*

10   Entretien personnel, *loc. cit.*

11   Elif BATUMAN, *loc. cit.*

12   Entretien personnel, *loc. cit.*

13   Elif BATUMAN, *loc. cit.*.

14   James M. DORSEY, *loc. cit.*

15   « Turkey : football fans on trial for "coup" », *Human Rights Watch*, 15 décembre 2014.

16   « Çarşı' dan açıklama : la biz size n'ettik ? », *Cumhuriyet*, 16 décembre 2014.

17   « Çarşı' darbeye karşı », *Cumhuriyet*, 17 décembre 2014.

18   Hay Eytan COHEN YANAROCAK, « The last stronghold. The Fenerbahçe Sports Club and Turkish politics », *Tel Aviv Notes, An Update to Middle Eastern Developments*, vol. 6, n° 10, 28 mai 2012.

19   Gokan GUNES, « Qui veut la peau du Besiktas ? », *So Foot*, 4 octobre 2013.

20   Rico RIZZITELLI, « Le football turc en coupe réglée », *Libération*, 13 février 2017.

21   *Ibid.*

22   Entretien personnel, *loc. cit.*

23   *Ibid.*

24   James M. DORSEY, *loc. cit.*

25   *Ibid.*

26   « Turquie : Erdogan contre les supporters du Besiktas Istanbul, un match inamical », *L'Obs*, 18 avril 2016.

27   James M. DORSEY, « Turkish soccer pitches tell the story of hardening fault lines », *The Huffington Post*, 21 mars 2016.

Notes du chapitre 18
(pages 293 à 310)

1   Revue *EP&S*, n° 117, septembre-octobre 1972, cité *in* Loïc BERVAS, « Le MFP ou la révolte des amateurs, Épisode 4 », *Miroir du football* (<www.miroirdufootball.com>), 30 novembre 2015.

2   François-René SIMON, Alain LEIBLANG et Faouzi MAHJOUB, *Les Enragés du football. L'autre Mai 68*, Calmann-Lévy, Paris, 2008.

3   Alfred WAHL, *op. cit.*

4   Raymond KOPA et Paul KATZ, *Mon football*, Calmann-Lévy, Paris, 1972.

5   Cité *in* Nicolas JUCHA, « Raymond Kopa, un destin qui dépasse le football », *So Foot*, 23 mai 2016.

6   Floréal HERNANDEZ, « Quand la FFF était occupée… », *Le Journal du Dimanche*, 1er mai 2008.

7   François THÉBAUD, *Le Temps du « Miroir ». Une autre idée du football et du journalisme*, Albatros, Paris, 1982.

8   *Le Miroir du football*, août 1973, cité in « Le Foot-business par François Thébaud réactualisé », *Miroir du football* (<www.miroirdufootball.com>), 25 février 2015.

9   François-René SIMON, Alain LEIBLANG et Faouzi MAHJOUB, *op. cit.*

10   Jean NORVAL, *Des années de braise aux années… de pèze*, Auto-édition, 2001.

11   *Ibid.*

12   François-René SIMON, Alain LEIBLANG et Faouzi MAHJOUB, *op. cit.*

13   Floréal HERNANDEZ, *loc. cit.*

14   Alfred WAHL, « Le mai 68 des footballeurs français », *Vingtième Siècle*, n° 26, avril-juin 1990..

15   François-René SIMON, Alain LEIBLANG et Faouzi MAHJOUB, *op. cit.*

16   *Ibid.*

17   *France-Football*, 11 juin 1968.

18   Jean NORVAL, *op. cit.*

19   François-René SIMON, Alain LEIBLANG et Faouzi MAHJOUB, *op. cit.*

20   *Ibid.*

21   Floréal HERNANDEZ, *loc. cit.*

22   *France-Football*, 18 juin 1968.

23   *France-Football*, 11 juin 1968.

24   Floréal HERNANDEZ, *loc. cit.*

25   François-René SIMON, Alain LEIBLANG et Faouzi MAHJOUB, *cit.*

26   *Ibid.*

27   Floréal HERNANDEZ, *loc. cit.*

28   *Ibid.*

29   Alfred WAHL, *loc. cit.*

30   François-René SIMON, Alain LEIBLANG et Faouzi MAHJOUB, *op. cit.*

31   Loïc BERVAS, *Christian Gourcuff, un autre regard sur le football*, Liv' éditions, coll. « Documents et témoignages », Le Faouët, 2013.

32   Loïc BERVAS et Bernard GOURMELEN, *Le Mouvement Football Progrès et la revue Le Contre-Pied. Un combat des footballeurs amateurs, 1970-1980*, L'Harmattan, Paris, 2016.

33   *Ibid.*

34   *Ibid.*

35   *Le Miroir du Football*, janvier 1975, cité *in* Loïc BERVAS, « Le MFP ou la révolte des amateurs, troisième partie, Épisode 10 », *Miroir du football* (<www.miroirdufootball.com>), 26 décembre 2015.

36   François-René SIMON, Alain LEIBLANG et Faouzi MAHJOUB, *op. cit.*

37 Loïc Bervas et Bernard Gourmelen, *op. cit.*
38 *Ibid.*
39 *Le Miroir du Football,* janvier 1975, *loc. cit.*
40 Nicolas Kssis-Martov, « Mai 68 : gazon maudit ! », *So Foot,* mai 2008.
41 Nicolas Kssis-Martov et al., *La FSGT : Du sport rouge au sport populaire, op. cit.*
42 *Sport et plein air,* n° 561, juin 2012.
43 *Ibid.*
44 Henri Seckel, « Le football est un sport qui se joue à sept », *Le Monde,* 28 avril 2012.

Notes du chapitre 19
(pages 311 à 329)

1 Laurence Prudhomme-Poncet, *Histoire du football féminin au xxᵉ siècle,* L'Harmattan, Paris, 2003, p. 25.
2 Alfred Wahl, *op. cit.,* p. 126.
3 André Drevon, *Alice Milliat. La Pasionaria du sport féminin,* Vuibert, Paris, 2005, p. 31.
4 Françoise Thébaud, « La Grande Guerre. Le triomphe de la division sexuelle », *in* Georges Duby et Michèle Perrot (dir.), *Histoire des femmes, le xxᵉ siècle,* tome 5, Plon, Paris, 1992.
5 Georges Hébert, *L'Éducation physique féminine. Muscle et Beauté plastique,* Vuibert, Paris, 1919.
6 *La Vie féminine,* 3 mars 1918, cité *in* Xavier Breuil, *op. cit.,* p. 49.
7 *L'Auto,* 1ᵉʳ décembre 1921, cité *in* Laurence Prudhomme-Poncet, *op. cit.,* p. 57.
8 *La Française,* 11 juin 1921, cité *in ibid.,* p. 105.
9 Wendy Michallat, « Terrain de lutte. Women's Football and Feminism in "Les années folles" », *French Cultural Studies,* vol. 18, n° 3, 2007.
10 Cité *in* Xavière Gauthier, *Naissance d'une liberté. Contraception, avortement : le grand combat des femmes au xxᵉ siècle,* Robert Laffont, Paris, 2002, p. 44.
11 Alice Milliat, « Considérations générales », *Bulletin des sociétés féminines françaises de sports et gymnastique,* octobre-novembre 1920.
12 Philippe Tissié, *L'Éducation physique et la race : santé, travail, longévité,* Flammarion, Paris, 1919, p. 3.
13 Tim Tates, *op. cit.,* p. 193.
14 Laurence Prudhomme-Poncet, *op. cit.,* p. 70 et 140.

15 Cité *in ibid.,* p. 104 et 106.
16 *Ibid.,* p. 102.
17 Cité *in* Wendy Michallat, *loc. cit.*
18 *Ibid.*
19 Maurice Pefferkon, *Le Football association. Théorie et pratique du jeu de football,* Flammarion, Paris, 1921, p. 288-289.
20 *L'Éducation physique et sportive féminine,* 1ᵉʳ décembre 1923, cité *in* Laurence Prudhomme-Poncet, *op. cit.,* p. 127.
21 Xavier Breuil, *op. cit.,* p. 99.
22 Wendy Michallat, *loc. cit.*
23 Cité *in* Laurence Prudhomme-Poncet, *op. cit.,* p. 136.
24 *Ibid..,* p. 119.
25 *Ibid..,* p. 134.
26 Wendy Michallat, *loc. cit.*
27 Cité *in* Xavier Breuil, *op. cit.,* p. 141.
28 *Ibid.,* p. 142.
29 Cité *in* Laurence Prudhomme-Poncet, *op. cit.,* p. 144.
30 Cité *in* Xavier Breuil, *op. cit.,* p. 121
31 *L'Auto,* 12 septembre 1928, cité *in* Laurence Prudhomme-Poncet, *op. cit.,* p. 65.
32 *Le Sport suisse,* 21 novembre 1928, cité *in ibid.*
33 Franz Vandersmissen, *Le Sport ouvrier, op. cit.*
34 Ulrich Pfeil, *Football et identité : en France et en Allemagne,* Presses universitaires du Septentrion, Villeneuve-d'Ascq, p. 188.
35 *Kicker,* 25 mars 1957, cité *in* Xavier Breuil, *op. cit.,* p. 174.
36 *France Football,* 23 février 1965, cité *in ibid.,* p. 169.
37 Laurence Prudhomme-Poncet, *op. cit.,* p. 190.
38 *France Foot 2,* 5 janvier 1979.
39 Propos extrait de « Les filles de Reims, premières footballerines en équipe de France », *L'Heure du documentaire,* France Culture, 30 juillet 2012.
40 Laurence Prudhomme-Poncet, *op. cit.,* p. 192.
41 Vera Botelho, Bente Ovedie Skogvang, « The pioneers. Early years of the Scandinavian emigration of women footballers », *Soccer & Society,* vol. 14, n° 6, 2013.
42 Paul Dietschy, *op. cit.,* p. 504.
43 Christine Mennesson, « La gestion de la pratique des femmes dans deux sports "masculins" : des formes contrastées de la domination masculine », *Staps,* vol. 63, n° 1, 2004.
44 Mathieu Pélicart, « Football féminin. Michèle Carado, la pionnière », *Le Télégramme,* 3 juin 2016.

45 « Annie Fortems, pionnière de l'Étoile sportive de Juvisy », *50/50 Magazine*, 3 août 2012.

46 Anthony HERNANDEZ, « Foot féminin : sur les traces des pionnières rémoises », *Le Monde*, 8 février 2015.

47 *Miroir-Sprint*, 22 septembre 1970.

48 Propos extrait de « Les filles de Reims... », *loc. cit.*

49 Xavier BREUIL, *op. cit.*, p. 258.

50 Laurence PRUDHOMME-PONCET, *op. cit.*, p. 274.

51 « Annie Fortems, pionnière de l'Étoile sportive de Juvisy », *loc. cit.*

52 Xavier BREUIL, *op. cit.*, p. 187 ; Laurence PRUDHOMME-PONCET, *op. cit.*, p. 257

53 Maxime TRAVERT et Hélène SOTO, « Une passion féminine pour une pratique masculine : le football », *Sociétés*, vol. 103, n° 1, 2009.

54 Cité *in* Laurence PRUDHOMME-PONCET, *op. cit.*, p. 261.

55 *Ibid.*

56 Laurence PRUDHOMME-PONCET, *op. cit.*, p. 252.

57 Christine MENNESSON, *loc. cit.*

58 Xavier BREUIL, *op. cit.*, p. 274.

59 Quentin GIRARD, « Football féminin : "en France, on ne veut pas s'identifier aux femmes" », *Libération*, 12 juillet 2011.

60 Emmanuelle RICHARD, « Aux États-Unis, certaines l'aiment rond », *Libération*, 12 juillet 1999.

61 FIFA, *Enquête sur le football féminin. Rapport de synthèse*, 2014, p. 17.

62 « Bini : "La popularité des Bleues est une sorte de phénomène sociologique" », *Le Monde*, 17 juillet 2011.

63 Christine MENNESSON, « Le gouvernement des corps des footballeuses et boxeuses de haut niveau », *Clio. Femmes, genre, histoire*, n° 23, 2006 ; et Annie FORTEMS, « Le football féminin face aux institutions : maltraitance et conquêtes sociales », *Mouvements*, vol. 78, n° 2, 2014, p. 90-94.

64 Marie KIRSCHEN, « Foot féminin : sport ou concours de miss ? », <i-d.vice.com>, 28 octobre 2015.

65 Nicolas KSSIS-MARTOV, « "Il vaut mieux être un gars qui perd qu'une fille qui gagne." Entretien avec Béatrice Barbusse », *So Foot*, 23 novembre 2016.

66 Mark LANDLER, « World Cup Brings Little Pleasure to German Brothels », *The New York Times*, 3 juillet 2006.

67 Audrey KEYSERS et Maguy NESTORET ONTANON, *Football féminin. La femme est l'avenir du foot*, Le Bord de l'eau, Lormont, 2012, p. 25.

68 « Foot For Freedom », *Radio Campus Paris*, 1ᵉʳ juin 2016.

69 « Foot For Freedom, du foot pour lutter contre les préjugés », <*Paris.fr*>, 7 juin 2016.

70 À ce sujet, lire notamment leurs tribunes : LES DÉGOMMEUSES, « Est-ce de ce football que nous voulons ? », *Mediapart*, 16 mars 2017 et LES DÉGOMMEUSES, « Le sexisme toujours pas hors jeu », *L'Équipe*, 7 juin 2015.

71 Citation extraite de *Les Dégommeuses, footballeuses militantes*, documentaire d'Emily Vallat et Assia Khalid, *France Culture*, « Sur les docks, » 2 décembre 2014.

72 Anthony HERNANDEZ, *loc. cit.*

Notes du chapitre 20
(pages 330 à 343)

1 Richard FOSTER, « What does the Northampton Town case teach us about fans' role in football clubs ? », *The Guardian*, 16 octobre 2015.

2 Jim KEOGHAN, *Punk Football. The Rise of Fan Ownership in English Football*, Pitch Publishing, Durrington, 2014, p. 71.

3 *Ibid.*, p. 72.

4 Richard FOSTER, *loc. cit.*

5 Christophe BOLTANSKI, « Liverpool : le blues du supporter prolétaire », *Libération*, 28 juin 2002.

6 Jim KEOGHAN, *op. cit.*, p. 78.

7 *Ibid.*, p. 36.

8 *Ibid.*, p. 37-38.

9 Christophe BOLTANSKI, « Des clubs anglais privés de leur télé vache à lait », *Libération*, 29 mars 2002.

10 Jim KEOGHAN, *op. cit.*, p. 37.

11 Nick MOORE, « We shout about it being shit, but we are the owners », *FourFourTwo*, décembre 2014, p. 66-69.

12 Jim KEOGHAN, *op. cit.*, p. 116.

13 *Ibid.*, p. 103.

14 *AFC Wimbledon – Case Studies*. Supporters Direct, <www.supporters-direct.org>.

15 Jim KEOGHAN, *op. cit.*, p. 97.

16 *Ibid.*, p. 99.

17 Adam BROWN, « "Not For Sale" ? The destruction and reformation of football communi-

ties in the Glazer takeover of Manchester United », *Soccer & Society*, vol. 8, n° 4, octobre 2007.

18 Steve WILSON, « Glazer family ownership of Manchester United : timeline », *The Telegraph*, 14 août 2010.

19 Jim KEOGHAN, *op. cit.*, p. 66.

20 Alban TRAQUET, « Les dissidents du FC United », *Le Journal du dimanche*, 16 octobre 2005.

21 David CONN, « The Premier League has priced out fans, young and old », *The Guardian*, 16 août 2011.

22 Yann BOUCHEZ, « This is United », *So Foot*, Hors-série n° 5, hiver 2012.

23 Jim KEOGHAN, *op. cit.*, p. 144-145.

24 « The Manifesto. Who we are and what we mean », <www.fc-utd.co.uk>.

25 Adam BROWN, *loc. cit.*

26 Adam BROWN, « "Our club, our rules" : fan communities at FC United of Manchester », *Soccer & Society*, vol. 9, n° 3, juillet 2008.

27 Yann BOUCHEZ, *loc. cit.*

28 Adam BROWN, « "Our club, our rules" : fan communities at FC United of Manchester », *loc. cit.*

29 Jim KEOGHAN, *op. cit.*, p. 149.

30 Yann BOUCHEZ, *loc. cit.*

31 *Ibid.*

32 Jim WHITE, « How FC United rose to the brink of the big time », *The Telegraph*, 15 avril 2015.

33 Yann BOUCHEZ, *loc. cit.*

34 David CONN, « FC United of Manchester : the success story that proves what fans can achieve », *The Guardian*, 26 mai 2015.

35 Romain MOLINA, « Les supporters propriétaires de leur club : un modèle britannique », *Barré* (<http://barremag.info>), n° 1, printemps 2015.

36 David CONN, « Football mourns Brian Lomax, the founding father of supporter activism », *The Guardian*, 2 novembre 2015.

Notes du chapitre 21
(pages 344 à 357)

1 Mick TOTTEN, « Sport activism and political praxis within the FC Sankt Pauli fan subculture », *Soccer & Society*, vol. 16, n° 4, 2015.

2 Carles VIÑAS et Natxo PARRA, *St. Pauli. Otro fútbol es posible*, Capitán Swing, Madrid, 2017.

3 « Supporters clubs », <www.fcstpauli.com>

4 « Guiding principles », <www.fcstpauli.com>

5 Petra DANIEL et Christos KASSIMERIS, « The politics and culture of FC St. Pauli : from leftism, through anti-establishment, to commercialization », *Soccer & Society*, vol. 14, n° 2, 2013.

6 Nick DAVIDSON, *Pirates, Punks & Politics*, SportsBooks, York, 2014, p. 27.

7 Ulrich PFEIL, « Le football allemand sous le national-socialisme », *in* Georges BENSOUSSAN *et al.* (dir.), *op. cit.*, p. 125.

8 René MARTINS, « Here to stay with St Pauli », *in* Mark PERRYMAN, *Hooligan Wars : Causes and Effects of Football Violence*, Mainstream Sports, Édimbourg, 2001, p. 179-190.

9 Nick DAVIDSON, *op. cit.*, p. 80.

10 René MARTINS, *loc. cit.*

11 Cité *in* « FC St. Pauli. Zwischen Mythos und Realität », *Vice Sports*, 20 min., 2015.

12 Nick DAVIDSON, *op. cit.*, p. 73.

13 René MARTINS, *loc. cit.*

14 Cité *in* « FC St. Pauli. Zwischen Mythos und Realität », *op. cit.*

15 Petra DANIEL et Christos KASSIMERIS, *loc. cit.*

16 Renaud DÉLY, « Sankt Pauli, très à gauche du terrain », *Libération*, 7 septembre 1998.

17 Nick DAVIDSON, *op. cit.*, p. 76.

18 *Ibid.*, p. 98.

19 Udo MERKEL, « Football fans and clubs in Germany. Conflicts, crises and compromises », *Soccer & Society*, vol. 13, n° 3, 2012.

20 Nick DAVIDSON, *op. cit.*, p. 96.

21 Gabriel KUHN, *Soccer Vs The State. Tackling Football and Radical Politics*. PM Press, Oakland, California, 2011, p. 136-140.

22 Nick DAVIDSON, *op. cit.*, p. 124-125.

23 Renaud DÉLY, *loc. cit.*

24 *Ibid.*

25 Cité *in* « FC St. Pauli. Zwischen Mythos und Realität », *op. cit.*

26 Petra DANIEL et Christos KASSIMERIS, *loc. cit.*

27 Cité *in* « FC St. Pauli. Zwischen Mythos und Realität », *op. cit.*

28 Mick TOTTEN, *loc. cit.*

29 Cité *in* « FC St. Pauli. Zwischen Mythos und Realität », *op. cit.*

30 Cité *in* Gabriel KUHN, *op. cit.*, p. 115.

31 Mick TOTTEN, *loc. cit.*

32 Hubert ARTUS, « Sankt Pauli l'autre modèle allemand », *Marianne*, 8 août 2015.

33 « Banderole sexiste à Sankt Pauli », *So Foot*, 30 janvier 2017.

34 Gabriel KUHN, *op. cit.*

35 « G20 Summer Schedule (Hamburg) », <alerta-network.org>, 25 juin 2017.

Notes du chapitre 22
(pages 358 à 376)

1   Renée GREUSARD et Julien DURIEZ, « Au Sénégal, le foot qui passionne, c'est celui des quartiers », *Le Nouvel Observateur*, 16 octobre 2011.
2   Papa Alioune SOW, « Coups et contrecoups du "navétane" dans le développement du football au Sénégal », *Langues et Littératures*, n° 18, Université Gaston Berger, Saint-Louis, Sénégal, janvier 2014.
3   Susann BALLER, « Urban football performances. Playing for the neighbourhood in Senegal, 1950s-2000s », *Africa : The Journal of the International African Institute*, vol. 84, n° 1, février 2014.
4   Gérard SALEM, *La Santé dans la ville. Géographie d'un petit espace dense : Pikine (Sénégal)*, Karthala, Paris, 1998.
5   Susann BALLER, « Transforming urban landscapes. Soccer fields as sites of urban sociability in the agglomeration of Dakar », *African Identities*, vol. 5, n° 2, 2007.
6   Cité *in* Susann BALLER, *loc. cit.*
7   *Ibid.*
8   Françoise BLUM, « Sénégal 1968 : révolte étudiante et grève générale », *Revue d'histoire moderne et contemporaine*, n° 59-2, 2012.
9   Susann BALLER, « Urban football performances », *loc. cit.*
10 Tado OUMAROU et Pierre CHAZAUD, *Football, religion et politique en Afrique. Sociologie du football africain*, L'Harmattan, Paris, 2010.
11 Papa Alioune SOW, *loc. cit.*
12 Cité *in* Marc VERNIÈRE, *Dakar et son double Dagoudane Pikine*, Comité des travaux historiques et scientifiques, Bibliothèque nationale, Paris, 1977, p. 211.
13 Susann BALLER, « Urban football performances », *loc. cit.*
14 *Ibid.*
15 *Le Soleil*, 18 septembre 1970, cité *in* Susann BALLER, « Transforming urban landscapes », *loc. cit.*
16 Cité *in* Olivier MONLOUIS, *Navétanes. La Mousson des Champions*, documentaire de 26 min., Idé Prod Production, 2002.
17 *Ibid.*
18 Susann BALLER, « Urban football performances », *loc. cit.*.
19 *Ibid.*
20 Christophe GLEIZES et Barthélemy GAILLARD, « Le meilleur tournoi de foot au monde se tient au Sénégal », *Vice Sports*, 7 février 2017.
21 « Futebol é "maior paixão" para 77 % dos brasileiros, aponta pesquisa Ibope », *O Globo*, 17 décembre 2012.
22 Cité *in* Laurent RIGOULET, « L'art du dribble ou comment les Brésiliens ont transcendé le foot », *Télérama*, 16 juin 2014.
23 Alexsander BATISTA E SILVA et Eguimar CHAVEIRO, « O jogo de bola : uma análise socioespacial dos territórios dos peladeiros », *Silva*, n° 10, vol. 1, 2007.
24 Jorge Hideo TOKUYOCHI, *Futebol de rua : uma rede de sociabilidade*. Dissertação de Mestrado, Escola de Educação Física e Esporte, Universidade de São Paulo, 2006, p. 48.
25 Cité *in* Alex MIRANDA, *Pelada. Futebol na Favela*. Documentaire, Trator Filmes, 98 min., São Paulo, 2013.
26 Cité *in* Sam BORDEN, « Pickup Soccer in Brazil Has an Allure All Its Own », *The New York Times*, 18 octobre 2013.
27 Jorge Hideo TOKUYOCHI, *op. cit.*, p. 23.
28 Hérika DIAS, « Cai o número de brasileiros que joga futebol no lazer », *Agência USP de Notícias*, 21 août 2014.
29 Jorge Hideo TOKUYOCHI, *op. cit.*, p. 37.
30 *Ibid.*, p. 62.
31 Alex MIRANDA, *op. cit.*
32 Jeré LONGMAN, « Brazil's Other Beautiful Games », *The New York Times*, 6 juillet 2014.
33 *Ibid.*
34 Cité *in* Alex MIRANDA, *op. cit.*
35 *Ibid.*
36 Henri SECKEL, *loc. cit.*
37 Gilles VIEILLE MARCHISET, « La construction sociale des espaces sportifs ouverts dans la ville. Enjeux politiques et liens sociaux en question », *L'Homme et la société*, vol. 165-166, n° 3, 2007.
38 Jean-Charles BASSON et Andy SMITH, « La socialisation par le sport, revers et contrepied : les représentations sociales du sport de rue », *Les Annales de la recherche urbaine*, n° 79, 1998.
39 Pascal CHANTELAT, Michel FODIMBI et Jean CAMY, « Les groupes de jeunes sportifs dans la ville », *Les Annales de la recherche urbaine*, n° 79, 1998.

40 Maxime TRAVERT, « Le "football de pied d'im-meuble" : Une pratique singulière au cœur d'une cité populaire », *Ethnologie française*, n° 27, avril-juin 1997.

41 *Ibid.*

42 Christophe MAUNY et Christophe GIBOUT, « Le football "sauvage" : d'une autre pratique à une pratique autrement... », *Mouvement & Sport Sciences*, n° 63, 2008.

43 *Ibid.*

44 Maxime TRAVERT, *loc. cit.*

45 Cité *in* Jesse ADANG et Syrine BOULANOUAR, *Ballon sur bitume*, documentaire de 52 min., Yard, 2016.

46 Maxime TRAVERT, *loc. cit.*

47 Cité *in* Jesse ADANG et Syrine BOULANOUAR, *op. cit.*

48 Maxime TRAVERT, *loc. cit.*

49 Cité *in* Jesse ADANG et Syrine BOULANOUAR, *op. cit.*

50 Jean GRIFFET et Maxime TRAVERT, « La distinction footballistique », *Libération*, 18 juin 1998.

51 Maxime TRAVERT, *loc. cit.*

52 Cité *in* Jesse ADANG et Syrine BOULANOUAR, *op. cit.*

53 *Ibid.*

54 Jean-Charles BASSON, « Sports de rue et politiques sportives territoriales », *in* Catherine LOUVEAU et Anne-Marie WAZER (dir.), *Sport et cité. Pratiques urbaines, spectacles sportifs,* Presses universitaires de Rouen, Rouen, 1999.

55 Gilles VIEILLE MARCHISET, *loc. cit.*

56 Pascal CHANTELAT, Michel FODIMBI et Jean CAMY, *Sports de la cité, anthropologie de la jeunesse sportive*, L'Harmattan, Paris, 1996.

57 Jean-Charles BASSON et Andy SMITH, *loc. cit.*

58 Cité *in* Jesse ADANG et Syrine BOULANOUAR, *op. cit.*

59 Barthélemy GAILLARD, « Dans le San Siro du 9-5 », *Vice Sports*, 21 mars 2017.

60 Cité *in* Jesse ADANG et Syrine BOULANOUAR, *op. cit.*

61 « Clichy-sous-Bois : le destin tragique de Zyed et Bouna », *Le Parisien*, 16 mars 2015.

62 Mathieu HABASQUE, « Non, Clichy-sous-Bois n'est pas une "no-goal zone" », *Vice Sports*, 26 octobre 2015.

63 Maxime BRIGAND, « Benzema : "Je ne suis pas dans une compétition" », *So Foot*, 7 septembre 2017.

64 Jean-Louis IVANI, « Splendeurs et misère du "fast-foot" », *Le Monde diplomatique*, septembre 1996.

65 Tom PAKINKIS, « Interview. FIFA Street : "The first true quality street football experience" », <computerandvideogames.com>, 24 octobre 2011.

66 Cité *in* Jesse Dorsey ADANG, Syrine BOU-LANOUAR, *op. cit.*

Remerciements

J e tiens à remercier tout particulièrement Lico pour son aide précieuse dans mes recherches et pour ses conseils avisés au cours de l'écriture du livre. Ma gratitude va également à mes compagnons de route de *CQFD* et de *Jef Klak* pour leur soutien bienveillant ainsi qu'à Julia Zortea et Mathieu Léonard. Un énorme merci enfin à mes ami·e·s, à ma famille et surtout à Lo pour m'avoir épaulé au quotidien.

Pour les échanges ou l'accès à leurs travaux, merci à Paul Dietschy, Xavier Breuil, Nicolas Kssis-Martov, Guillaume Robin, Nicola Hudson de Supporters Direct, Claude Boli, Jean-Bruno Tagne, Bernard Gourmelen, Loïc Bervas, Giulia Delfini, Pascal Bordes, Nicolas Barré du FIFA Museum, Olivier Monlouis, les ultras Çarşı, les membres du FC United of Manchester et du FC Sankt Pauli, les Dégommeuses.

Ce livre est dédié à mon regretté père en souvenir de nos après-midi sur le terrain de l'Étoile sportive mouvalloise.

Table

Introduction. Terrains de foot, terrains de lutte   5

L'autre face du football   7
Social Football Club   9

I. *Défendre.*
Résistances ouvrières
contre l'ordre bourgeois

1.   **Et le football fut. Ballons émeutiers et contrôle social**   13

Violence politique et justice populaire   16
Entre répression et domestication   18
Un football sous enclosures   21

2.   **Normaliser les corps, modeler les esprits.**
    Naissance d'un sport industriel   25

Former les gentlemen   27
Des « machines bien huilées »   29

3.   **Le jeu du peuple.**
    Le football comme trait culturel de la *working class*   33

La « première place dans le cœur du peuple »   34
Passe décisive   37

« *The Outcast FC* »   41
Football Railway Company   44

**4.   Les Munitionnettes.
L'épopée des premières footballeuses britanniques**   47

Sous le joug de la domination masculine   48
Des chaînes de montage aux terrains verts   51
« *De bien meilleures frappeuses* »   54
Rappel à l'ordre masculin   56

**5.   Classe contre classe. Le football ouvrier en France,
extension du domaine de la lutte**   60

Phobie sociale, valeurs martiales   61
Jouer plus pour travailler plus   63
Un nouveau terrain de lutte ?   66
Balle au pied, poing levé   70
Vers un football antifasciste   73

**II. *Attaquer.*
À l'assaut des dictatures**

**6.   « Une petite façon de dire "non" ».
Italie, URSS, Espagne :
les stades dans les régimes totalitaires**   81

Chemises noires et maillots bleus   82
Entre sport-spectacle et spectacle fasciste   84
Un indomptable football soviétique   87
« *À bas les flics !* »   92
Real politique   95
Le Camp Nou, un refuge de la résistance antifranquiste   99

**7.   Balle au pied contre main de fer.
Résistances footballistiques à la domination nazie**   103

Un nouveau football pour une Nouvelle Allemagne   104
Un grain de sable dans la machine à propagande   107
Un homme de papier face au régime de fer   109
Le « Match de la Mort »   112

Résistances en eaux troubles   114
Football clandestin, armes au poing   118

8.   **La « démocratie corinthiane ». Ballon rond
et autogestion contre la dictature brésilienne**   121

Rompre avec l'ordre établi   122
Maillot antiautoritaire   127
Déborder la junte militaire   129

9.   **En première ligne, place Tahrir.
Les supporters Ultras Ahlawy
au cœur de la révolution égyptienne de 2011**   132

De l'anticolonialisme à la mise sous tutelle   133
Une jeunesse autonome   136
Tous à Tahrir !   140
« Oh, Conseil des Salauds »   143
Irrécupérables   145

**III. *Dribbler.*
Déjouer le colonialisme**

10.   **Le Onze de l'indépendance algérienne.
Une lutte de libération en crampons**   151

Football et libération nationale   152
L'échappée belle   155
Fellaghas du ballon   158

11.   **Quand la Palestine occupe le terrain.
Le football, une arme politique
aux mains du peuple palestinien**   162

Restrictions de mouvement   163
Le parcours du combattant   166
Un terrain contesté   169
Carton rouge antiapartheid   171
Un football gazaoui par la bande   175

12. **Dribbler, un art décolonial.**
     Identités afro-brésiliennes et résistances indigènes
     dans le football   179

     « Quelque chose qui rappelle la danse »   180
     Dribbleur Social Club   186
     La brèche amérindienne   191
     Ballons zapatistes et rébellion indigène   194

13. **Mettre le colonialisme hors jeu.**
     Football et luttes d'émancipation
     en Afrique subsaharienne   201

     Le club, un foyer de contestation   202
     Pressing anticolonial   206
     Football des townships contre soccer afrikaner   210

                    IV. *Supporter*.
                 Passions collectives
                et cultures populaires

14. ***You'll never walk alone.***
     Hooliganisme et sous-cultures de tribunes
     en Grande-Bretagne   219

     Un public respectable   221
     Faire foule pour renverser le monde   224
     La maladie anglaise   229
     Le tournant du Heysel   234
     Gentrifier pour mieux pacifier   237

15. **Le douzième homme.**
     Le mouvement ultra italien : du militantisme politique
     à l'autonomie des supporters   243

     Du spectateur au supporter   244
     Virage à gauche   246
     Calcio dell'arte   254
     Police partout, liberté nulle part   260

16. « Dieu et le diable ». Maradona, entre passion populaire
et culte de supporters   267

L'agitateur criollo   268
Divinité footballistique   271
Santa Maradona   275

17. « Nous sommes des amants, pas des combattants ».
Les ultras d'Istanbul face au pouvoir turc   279

Des stades de foot à la place Taksim   280
Un football sous la coupe d'Erdoğan   284
Cohésion sociale contre clivage martial   287

V. *Déborder.*
Face à l'industrie du football : lutter et inventer

18. Le football aux footballeurs !
De Mai 68 à la révolte des amateurs   293

« Les joueurs sont des esclaves »   294
Occupy Iéna   297
Sous les pelouses, la plage ?   304
Jouer sans entraves   308

19. Tacler le sexisme. Le football féminin
contre le patriarcat sportif français   311

Un souffle d'émancipation   312
Un football féminin qui tourne mâle   315
Nos désirs font désordre   318
Maltraitance institutionnelle   323
Un bastion qui se fissure   325

20. « Ici, c'est du foot punk ». Clubs en coopératives
et actionnariat populaire en Angleterre   330

In fans we trust   331
Un autre football en actions   334
« Notre club, nos règles »   337

21. **Jouer sur l'aile gauche.**
     Le FC Sankt Pauli de Hambourg
     ou les pirates du foot-business   344

     Quartier rouge et militants Autonomen   345
     Les flibustiers de la Ligue   351
     Contre le mercantilisme et son monde   354

22. **Ballons sauvages, ballons en marge.**
     Le football de rue à contre-pied
     du football institutionnel   358

     Au Sénégal, un football au cœur du quartier   358
     Un futebol *sans terrain ni limites*   364
     Le foot des cités : jouer pour exister   369
     Les feintes du foot-business   374

     Notes   377

     Remerciements   401

Composition Facompo, Lisieux.
Achevé d'imprimer sur les presses de
Normandie Roto Impression s.a.s. à Lonrai.
Dépôt légal du 1er tirage : mars 2018
Suite du 1er tirage (8) : octobre 2019
N° d'imprimeur : 1904640
Imprimé en France